Er fragte sich, ob seine Frau wohl schon etwas gemerkt hatte... Manchmal sah sie ihn so seltsam an. Misstrauisch. Forschend. Sie sagte nichts, aber das bedeutete nicht, dass sie ihn nicht sehr genau beobachtete. Und sich ihre Gedanken machte.

Sie hatten im April geheiratet, jetzt war September, und sie befanden sich noch in der Phase, in der man vorsichtig miteinander umging und versuchte, die eigenen Macken nicht allzu deutlich zu offenbaren. Dennoch war ihm jetzt schon klar, dass sich seine Frau irgendwann als Nörglerin entpuppen würde. Sie war nicht der Typ, der lautstark stritt, mit Tellern um sich warf oder gar damit drohte, ihn aus dem Haus zu schmeißen. Sie war der Typ, der leise und unaufhörlich und nervenzersetzend lamentierte.

Aber noch beherrschte sie sich. Versuchte, ihm alles recht zu machen. Sie kochte das Essen, das er mochte, stellte das Bier rechtzeitig in den Kühlschrank, bügelte seine Hosen und Hemden und sah sich mit ihm zusammen die Sportsendungen im Fernsehen an, obwohl sie eigentlich auf Liebesfilme stand.

Und dabei belauerte sie ihn. Das glaubte er jedenfalls zu spüren.

Sie hatte ihn geheiratet, weil sie nicht ohne Mann sein konnte, weil sie sich umsorgt, beschützt und aufgehoben fühlen musste. Er hatte sie geheiratet, weil er kurz davor gestanden hatte, ins Abseits zu kippen. Kein fester Job, wenig Geld. Irgendwann würde er den Halt verlieren, das hatte er gespürt. Er hatte bereits begonnen, zu viel zu trinken. Noch schaffte er es, die eine oder andere Gelegenheitsarbeit zu ergattern und von dem Lohn die Miete der trostlosen Wohnung zu bezahlen, in der er lebte. Aber sein Lebensmut sank. Er sah keine Perspektive mehr.

Und dann war Lucy gekommen und mit ihr die kleine Fahrradwerkstatt, die sie von ihrem verstorbenen Mann geerbt hatte, und er hatte zugegriffen. Er hatte immer einen Blick für Chancen gehabt, und er war stolz, kein Mensch zu sein, der lange zögerte.

Jetzt war er verheiratet. Er hatte ein Dach über dem Kopf. Er hatte Arbeit.

Sein Leben funktionierte wieder.

Und nun das. Diese Gefühle, diese Besessenheit, die Unfähigkeit, an etwas anderes zu denken. An etwas anderes als an *sie*.

Obwohl er das im Grunde vorher gewusst hatte.

Und *sie* war nicht Lucy.

Sie war blond. Nicht schlecht gefärbt wie Lucy, die schon hier und da graue Haare bekam, sondern echt blond. Die Haare reichten ihr bis zur Taille hinunter und schimmerten in der Sonne wie ein Tuch aus goldfarbener Seide. Sie hatte blaugrüne Augen: Je nachdem, wie hell es draußen war, aber auch abhängig von den Farben ihrer Kleidung oder des Hintergrundes, vor dem sie sich bewegte, schienen sie manchmal blau zu sein wie Vergissmeinnicht oder grün wie ein tiefer See. Dieses intensive Farbenspiel ihrer Augen faszinierte ihn. Er hatte so etwas vorher noch bei niemandem wahrgenommen.

Er mochte auch ihre Hände. Sie waren sehr feingliedrig, sehr schmal. Lange, schlanke Finger.

Er mochte ihre Beine. Zart. Fast zerbrechlich. Alles an ihr war so. Wie aus einem ganz feinen, hellen Holz geschnitzt, von jemandem, der sich viel Zeit genommen, der sich große Mühe gegeben hatte. Nichts an ihr war plump, dick oder grob. Sie war die vollendete Anmut.

Wenn er an sie dachte, brach ihm der Schweiß aus. Wenn er sie sah, konnte er den Blick nicht mehr abwenden, und das war es wahrscheinlich auch, was Lucy aufgefallen war. Er versuchte, am Hoftor zu stehen, wenn sie die Straße hinunterkam. Meistens probierte er irgendein gerade repariertes Fahrrad auf dem Gehweg aus, um einen Vorwand zu haben, sich dort herumzutreiben. Er liebte ihre Bewegungen. Diese federnden Schritte. Sie trippelte nicht, sie schritt weit aus. Es war so viel Kraft in allem, was sie tat. Ob sie lief oder redete oder lachte: ja, unbändige Kraft. Energie.

Schönheit. Ein solches Übermaß an Schönheit und Vollkommenheit, dass er es manchmal fast nicht zu glauben wagte.

War es Liebe, was er empfand? Es musste Liebe sein, nicht bloß Gier, Erregung, all das, was dazugehörte, was aber nur deshalb entstehen konnte, weil er sie liebte. Die Liebe war der Anfang, der Boden, auf dem die Sehnsucht gedieh. Diese Sehnsucht, die er für Lucy nicht aufbrachte. Lucy war eine Notlösung gewesen, und zwar eine, die er nicht aufgeben konnte, weil jenseits von Lucy nach wie vor der soziale Absturz drohte. Lucy stellte eine bittere Notwendigkeit dar. In bittere Notwendigkeiten musste man sich fügen, manchmal verlangte das Leben es so. Er hatte längst gelernt, dass es nichts brachte, sich dagegen zu wehren.

Und dennoch war alles in ihm Auflehnung. Auflehnung

und dazwischen immer wieder niederschmetternde Hoffnungslosigkeit. Denn welche Chance hatte er? Er war kein attraktiver Mann, das sah er ohne jede Illusion. Früher ja, aber heute … Den dicken Bauch verdankte er seiner Vorliebe für Bier und fettes Essen. Er hatte schlaffe, aufgeschwemmte Gesichtszüge. Er war achtundvierzig Jahre alt und sah zehn Jahre älter aus, besonders dann, wenn er abends zu viel getrunken hatte, und leider schaffte er es nicht, damit aufzuhören. Er müsste Sport treiben und mehr Gemüse essen, dazu Wasser oder Tee trinken, aber Herrgott noch mal, wenn man dreißig Jahre lang anders gelebt hatte, dann ging das nicht so einfach mit der Umgewöhnung. Er fragte sich, ob ihn diese Elfe, diese Fee, dieses wunderbare Wesen trotzdem würde lieben können. Trotz Bauch und Tränensäcken und obwohl er bei der kleinsten Anstrengung keuchte und schwitzte. Er hatte innere Werte, und vielleicht würde es ihm gelingen, ihr diese zu vermitteln. Denn er hatte längst begriffen, dass er nicht auf sie würde verzichten können. Trotz Lucy und ihrer Eifersucht und trotz des Risikos, das er einging.

Er war ein achtundvierzigjähriger Fettsack mit einem Körper und einer Seele, die in Flammen standen.

Das Problem war: Sie, die Fee, das Wesen, nach dem er sich Tag und Nacht verzehrte, war so viel jünger. So sehr viel jünger.

Sie war neun.

TEIL I

Es gelang Liza, den Ort der Veranstaltung ungesehen zu verlassen, als der Sohn des Jubilars zu einer Rede ansetzte. Er hatte mehrfach mit einer Gabel gegen sein Glas geschlagen, und endlich hatten die rund einhundert geladenen Gäste begriffen. Das Reden und Lachen, das den Raum mit einem Dröhnen zu erfüllen schien, war verstummt, und alle Blicke wandten sich dem nervösen Mann zu, der in diesem Moment nichts so sehr zu bereuen schien wie seinen Entschluss, dem Vater zu dessen fünfundsiebzigstem Geburtstag eine Laudatio zu halten.

Ein paar Männer witzelten, weil der Redner abwechselnd rot und blass wurde und sich dann so verhaspelte, dass er dreimal neu ansetzen musste, ehe er wirklich beginnen konnte. Auf jeden Fall zog er mit seinem ungekonnten Auftritt die gesamte Aufmerksamkeit auf sich.

Der Moment konnte günstiger nicht sein.

Liza hatte sich während der letzten Viertelstunde bereits in die Nähe des Ausgangs vorgearbeitet, und so hatte sie nun nur noch zwei Schritte zu gehen, ehe sie draußen war. Sie schloss die schwere Tür hinter sich, lehnte sich für einen Moment tief atmend gegen die Wand. Wie ruhig es hier draußen war. Wie kühl! Der Raum hatte sich durch die vielen Menschen unnatürlich aufgeheizt. Obwohl sie den Eindruck gehabt hatte, dass niemand so sehr unter der Hitze litt wie sie.

Aber überhaupt schien jeder den Abend aus tiefstem Herzen zu genießen. Schöne Kleider, Schmuck, Parfüm, ausgelassenes Lachen. Und sie inmitten des Geschehens und doch getrennt von allen anderen wie durch eine unsichtbare Wand. Sie hatte mechanisch gelächelt, hatte geantwortet, wenn sie etwas gefragt wurde, hatte genickt oder den Kopf geschüttelt und von ihrem Champagner getrunken, aber die ganze Zeit war sie wie betäubt gewesen, hatte das Gefühl gehabt, zu funktionieren wie eine Marionette, die an Fäden hing und von irgendjemandem geführt wurde, ohne zu einer einzigen eigenständigen Bewegung fähig zu sein. Und genau so war es eigentlich seit Jahren: Sie lebte nicht mehr nach ihrem eigenen Willen. Wenn man das, was sie tat, überhaupt noch *leben* nennen konnte.

Eine junge Angestellte des eleganten Kensington-Hotels, in dem der Geburtstag standesgemäß gefeiert wurde, kam vorbei und verharrte einen Moment, unschlüssig, ob die an der Wand lehnende Frau vielleicht Hilfe brauchte. Liza vermutete, dass sie ziemlich mitgenommen wirkte, jedenfalls dann, wenn sie auch nur ungefähr so aussah, wie sie sich fühlte. Sie richtete sich auf und versuchte zu lächeln.

»Alles in Ordnung?«, fragte die Angestellte.

Sie nickte. »Ja. Es ist nur … es ist ziemlich heiß da drinnen!« Sie machte eine Kopfbewegung in Richtung der Tür. Die junge Frau sah sie mitleidig an, ging dann weiter. Liza begriff, dass sie unbedingt die Toilette aufsuchen und sich herrichten musste. So, wie die gerade geschaut hatte, schien sie ziemlich derangiert auszusehen.

Der marmorgeflieste Raum empfing sie mit sanftem Licht und einer leisen, beruhigenden Musik, die aus verborgenen Lautsprechern erklang. Sie hatte Angst gehabt, jemandem zu begegnen, aber offensichtlich war sie allein. Auch in den

Toilettenkabinen schien sich niemand aufzuhalten. Aber bei allein hundert Geladenen auf der Geburtstagsfeier und jeder Menge zusätzlicher Gäste, die sich im Hotel aufhielten, konnte dieser Zustand nicht von langer Dauer sein, das war Liza klar. Jede Sekunde konnte jemand hereinkommen. Ihr blieb nicht viel Zeit.

Sie stützte sich auf eines der luxuriösen Waschbecken und schaute in den hohen Spiegel darüber.

Wie so häufig, wenn sie in einen Spiegel blickte, hatte sie den Eindruck, die Frau nicht zu kennen, die sie sah. Auch dann, wenn sie nicht so gestresst wirkte wie jetzt. Ihre schönen hellblonden Haare, die sie zu Beginn des Abends aufgesteckt hatte, hingen inzwischen wirr an den Seiten hinunter. Ihr Lippenstift klebte wahrscheinlich am Rand ihres Champagnerglases, jedenfalls war nichts mehr davon auf ihrem Mund zu sehen, was ihre Lippen sehr bleich machte. Sie hatte stark geschwitzt. Ihre Nase glänzte, und ihr Make-up war verschmiert.

Sie hatte es gespürt. Geahnt. Deshalb hatte sie seit zwanzig Minuten nichts so sehr ersehnt, wie diesen furchtbaren Raum mit den erstickend vielen Menschen darin verlassen zu können. Sie musste sich jetzt schnell wieder in Form bringen, und dann musste sie versuchen, irgendwie diesen Abend zu überstehen. Er konnte nicht ewig dauern. Der Champagnerempfang war praktisch vorüber. Als Nächstes würde das Buffet eröffnet werden. Gott sei Dank, das war besser als ein gesetztes Essen mit fünf Gängen, das sich über Stunden hinziehen konnte und bei dem jeder, der sich zwischendurch abseilte, sofort auffiel – zumindest seinen beiden Tischnachbarn. Ein Buffet erlaubte viel mehr Möglichkeiten des raschen, diskreten Aufbruchs.

Sie stellte ihre Handtasche vor sich auf die Marmorplatte, nestelte nervös und ungeschickt am Verschluss herum, schaffte es schließlich, Make-up-Tube und Puderdose herauszuangeln. Wenn nur ihre Hände nicht so zitterten! Sie musste aufpassen, dass sie nicht ihr Kleid bekleckerte. Das wäre dann der Höhepunkt dieses furchtbaren Abends und genau das, was ihr noch gefehlt hatte.

Während sie versuchte, die Puderdose zu öffnen, was ihr nicht gelingen wollte, fing sie plötzlich an zu weinen. Es geschah ziemlich unspektakulär: Die Tränen kullerten einfach aus ihren Augen, und sie konnte nichts dagegen machen. Entsetzt hob sie den Kopf, sah dieses fremde Gesicht an, das sich nun auch noch in ein verheultes Gesicht verwandelte. Was das Drama perfekt machte. Wie sollte sie in den Saal zurückkehren mit dicken, roten, verschwollenen Augen?

Fast panisch riss sie ein ganzes Bündel seidenweicher Kosmetiktücher aus dem silbernen Behälter an der Wand und versuchte, die Flut zu stoppen. Aber es hatte beinahe den Anschein, als werde es dadurch, dass sie es zu verhindern suchte, nur heftiger. Ihre Augen liefen einfach über.

Ich muss nach Hause, dachte sie, es hat keinen Sinn, ich muss hier weg!

Und als ob nicht alles schon schlimm genug wäre, vernahm sie nun auch noch hinter sich ein Geräusch. Die Tür, die zum Gang führte, wurde geöffnet. Spitze Absätze klapperten auf dem Marmor. Schemenhaft, verschwommen durch den Tränenschleier, nahm Liza eine Gestalt hinter sich wahr, eine Frau, die den Raum in Richtung der Toiletten durchquerte. Sie presste die Kosmetiktücher gegen ihr Gesicht und versuchte den Anschein zu wecken, als putze sie sich die Nase.

Beeil dich, dachte sie, verschwinde!

Die Schritte hielten plötzlich inne. Einen kurzen Augenblick lang herrschte völlige Stille in dem Raum. Dann drehte die Fremde sich um und kam auf Liza zu. Eine Hand legte sich auf ihre leise bebende Schulter. Sie hob den Blick und sah die andere hinter sich im Spiegel. Ein besorgtes Gesicht. Fragende Augen. Sie kannte die Frau nicht, aber nach ihrer Garderobe zu schließen, gehörte sie ebenfalls zu der Geburtstagsgesellschaft.

»Kann ich Ihnen helfen?«, fragte sie. »Ich möchte nicht aufdringlich sein, aber …«

Die Freundlichkeit, die Sorge, die aus der ruhigen Stimme sprach, waren mehr, als Liza ertragen konnte. Sie ließ die Tücher sinken.

Dann ergab sie sich ihrem Schmerz und versuchte nicht mehr, den Strom ihrer Tränen aufzuhalten.

Es war am späteren Sonntagabend, als Carla die Eigentümlichkeit des Aufzuges und der Aufzugtüren bewusst wahrnahm. Sie hatte zu diesem Zeitpunkt nicht mehr lange zu leben, aber ihre Vorstellungskraft hätte nicht ausgereicht, sich auszumalen, was ihr in dieser Nacht passieren würde.

Sie saß in ihrer Wohnung, etwas verwundert, denn sie hatte plötzlich den sicheren Eindruck, dass es schon seit einigen Tagen so ging: Der Fahrstuhl kam bis zu ihr hinauf in den achten Stock gefahren, hielt an, die Türen öffneten sich automatisch, aber dann passierte nichts weiter. Niemand stieg aus, denn dann hätte sie die Schritte im Gang hören müssen. Es stieg aber offensichtlich auch niemand ein, denn dann hätte man zuvor Schritte gehört. Sie war aber sicher, dass da keine gewesen waren. Sie hätte sie sonst auf irgendeiner Ebene ihres Bewusstseins realisiert. Dieses Haus verschluckte kaum Geräusche. Ein Hochhaus aus den Siebzigerjahren, ein ziemlich schmuckloser Kasten mit langen Gängen im Inneren und einer Vielzahl an Wohnungen. In den größeren wohnten Familien mit Kindern, in etlichen kleineren Wohnungen lebten Singles, die ganz in ihren Berufen aufgingen und praktisch nie zu Hause waren. Hackney gehörte zu den ärmeren Stadtteilen Londons, aber die Gegend, in der Carla wohnte, war nicht allzu schlecht.

Sie überlegte, wann genau sie erstmals den Aufzug hatte

ankommen hören, ohne dass jemand ausstieg. Natürlich kam das manchmal vor, war von Anfang an vorgekommen. Es musste nur jemand auf die falsche Taste drücken, seinen Irrtum bemerken und doch früher aussteigen, dann fuhr der Fahrstuhl dennoch bis nach ganz oben, öffnete seine Türen, schloss sie dann wieder und wartete, bis er in ein anderes Stockwerk gerufen wurde. Aber in der letzten Zeit hatte es sich gehäuft. Ungewöhnlich gehäuft.

Vielleicht seit einer Woche? Vielleicht seit vierzehn Tagen?

Sie schaltete den Fernseher aus, die Talkshow, die gerade lief, interessierte sie ohnehin nicht.

Sie ging zur Wohnungstür, schloss auf, öffnete sie. Betätigte den Lichtschalter gleich neben der Klingel und tauchte damit den Gang in ein grelles, weißes Licht. Wer hatte hier nur diese Lampen eingebaut? Man hatte die Gesichtsfarbe einer Leiche in ihrem Schein.

Sie blickte den langen, stillen Gang entlang. Nichts und niemand war zu sehen. Die Aufzugtüren hatten sich wieder geschlossen.

Vielleicht irgendein Scherzkeks. Irgendein Halbwüchsiger, der hier im Haus wohnte und grundsätzlich auf die Acht drückte, ehe er ausstieg. Was er davon hatte, war Carla allerdings schleierhaft. Aber vieles von dem, was Menschen bewegte, was Menschen taten oder anstrebten, war ihr schleierhaft. Am Ende, dachte sie mitunter, befand sie sich doch schon ein ziemlich großes Stück außerhalb der Gesellschaft. Allein, verlassen und seit fünf Jahren in Rente. Wenn man morgens allein aufstand und allein frühstückte, den Tag lesend oder fernsehend in einer kleinen Wohnung verbrachte und sich nur gelegentlich zu einem Spaziergang aufraffte, abends wieder allein aß und dann erneut vor dem Fernseher saß, dann entfernte man sich aus der Normalität. Man verlor den Kontakt zu den Menschen, deren Alltag aus Beruf, Kollegen, Ehepartnern, Kindern und allen damit verbundenen Sorgen, Anstrengungen und natürlich auch Freuden bestand. Womöglich wirkte sie auf andere schon viel wunderlicher, als ihr das selbst klar war.

Sie schloss die Wohnungstür wieder, lehnte sich von innen dagegen, atmete tief. Als sie in das Hochhaus eingezogen war – eines der wenigen in Hackney, wo es sonst eher viktorianische, größtenteils ziemlich heruntergekommene Bauten gab –, hatte sie zunächst geglaubt, hier werde alles besser. Sie hatte gehofft, sich in einem Haus voller Menschen weniger einsam zu fühlen, aber nun war das Gegenteil der Fall. Jeder hier strampelte sich durch seinen Alltag, keiner schien den anderen wirklich zu kennen, man lebte in größtmöglicher Anonymität. Einige Wohnungen standen zudem leer. Oben, im achten Stock, wohnte seit einiger Zeit außer Carla überhaupt niemand mehr.

Sie ging ins Wohnzimmer zurück, überlegte, ob sie den Fernseher wieder einschalten sollte. Sie unterließ es, schenkte sich stattdessen noch etwas Wein nach. Sie trank jeden Abend, aber sie hatte sich selbst die Regel auferlegt, es nie vor acht Uhr zu tun. Bislang glückte es ihr, sich daran zu halten.

Sie zuckte zusammen, als sie das Geräusch des Aufzuges wieder vernahm. Er fuhr nach unten. Jemand hatte ihn offenbar herangerufen. Das war immerhin ein Zeichen von Normalität. Menschen im Haus kamen und gingen. Sie war nicht allein.

Vielleicht sollte ich mir aber doch eine andere Wohnung suchen, dachte sie.

Viel Spielraum ließ ihr Geldbeutel nicht zu. Ihre Rente war bescheiden, große Sprünge konnte sie nicht machen. Außerdem war fraglich, ob sie woanders weniger einsam sein würde. Vielleicht lag es nicht an dem Haus. Vielleicht lag es an ihr selbst.

Da sie die Stille plötzlich nicht mehr zu ertragen glaubte, zog sie sich das Telefon heran und tippte hastig die Nummer ihrer Tochter ein, schnell genug, ehe Furcht oder Schüchternheit ihr Vorhaben im Keim ersticken konnten. Sie hatte eigentlich immer ein gutes Verhältnis zu Keira gehabt, aber seitdem diese verheiratet war und nun auch noch ein Baby hatte, bröckelte der Kontakt immer stärker. Den jungen Leuten fehlte es an Zeit, sie waren vollauf mit sich und ihrem Leben beschäftigt.

Woher noch die Energie nehmen, sich um die Mutter mit dem gescheiterten Lebensentwurf zu kümmern?

Carla konnte es manchmal selbst nicht glauben: die Ehe nach achtundzwanzig Jahren geschieden. Ihr Mann finanziell vollkommen verschuldet, da er auf zu großem Fuß gelebt und sein Leben über Jahre nur noch auf Schulden aufgebaut hatte. Er hatte sich aus dem Staub gemacht, ehe ihn seine Gläubiger zur Rechenschaft ziehen konnten; seit Jahren gab es kein Lebenszeichen mehr von ihm. Carla selbst war verstört, häufig am Jammern. Ihre Tochter Keira hatte sich aus dem ganzen Schlamassel, in den die berufliche Pleite ihres Vaters die Familie gestürzt hatte, immerhin in eine gesicherte bürgerliche Existenz und bis in eine der zahllosen Reihenhaussiedlungen von Bracknell, eine knappe Dreiviertelstunde südwestlich vom Londoner Stadtzentrum gelegen, gerettet, indem sie nach einem Mathematikstudium eine Ausbildung zur Bankkauffrau gemacht und einen Mann mit sicherer Stelle in der Verwaltung geheiratet hatte. Carla wusste, dass sie sich eigentlich für sie freuen müsste.

Keira meldete sich beim zweiten Klingeln. Sie klang gestresst, im Hintergrund schrie ihr kleiner Sohn.

»Hallo, Keira, ich bin es, Mummie. Ich wollte nur mal hören, wie es so geht.«

»Oh, hallo, Mum«, sagte Keira. Sie wirkte nicht begeistert. »Ja, es ist alles okay. Der Kleine schläft nur wieder mal nicht ein. Er schreit wirklich ständig. Ich bin ziemlich zermürbt inzwischen.«

»Sicher bekommt er Zähne.«

»Ja, so ist es.« Keira schwieg einen Moment, dann fragte sie pflichtschuldig: »Und wie geht es dir?«

Eine Sekunde lang war Carla versucht, einfach die Wahrheit zu sagen: dass es ihr schlecht ging, dass sie sich völlig vereinsamt vorkam. Aber sie wusste, dass ihre Tochter das nicht hören wollte, dass sie sich überfordert gefühlt und sofort gereizt reagiert hätte.

»Ach, na ja, ich bin eben oft ziemlich allein«, sagte sie daher nur. »Seit ich in Rente bin…« Sie ließ den Rest des Satzes ungesagt. Die Dinge ließen sich eben nicht ändern.

Keira seufzte. »Du müsstest dir irgendeine sinnvolle Freizeitbeschäftigung suchen. Ein Hobby, das dich mit Gleichgesinnten zusammenbringt. Und wenn es ein Kochkurs ist, den du belegst, oder ein Sport, den du anfängst! Hauptsache, du kommst unter Menschen.«

»Ach, zwischen lauter alten Frauen beim Seniorenturnen herumzuhüpfen…«

Keira seufzte erneut, diesmal deutlich ungeduldig. »Es muss ja nicht das Seniorenturnen sein. Meine Güte, es wird so vieles angeboten. Da wirst du doch etwas finden, das selbst deinen Ansprüchen gerecht wird!«

Carla fühlte sich für einen Moment versucht, ihrer Tochter anzuvertrauen, dass sie es einige Zeit zuvor schon einmal bei einer Selbsthilfegruppe für allein lebende Frauen probiert hatte, dass es ihr aber auch dort nicht gelungen war, dauerhafte Freundschaften zu schließen. Wahrscheinlich jammerte sie zu viel. Niemand hielt es lange mit ihr aus. Besser, Keira erfuhr von diesem Projekt erst gar nichts.

»Ich glaube, mich deprimiert eben alles«, sagte sie. »Wenn ich mitten am Tag schwimmen gehe oder koche, dann wird mir nur noch bewusster, dass ich kein vollwertiges Mitglied der Gesellschaft mehr bin. Dass ich nicht mehr arbeite und auch keine Familie mehr zu versorgen habe. Und wenn ich wieder nach Hause komme, wartet sowieso niemand auf mich.«

»Du würdest aber bestimmt nette Frauen kennenlernen, mit denen du hin und wieder etwas unternehmen könntest.«

»Die meisten haben dann wahrscheinlich eine Familie und überhaupt keine Zeit für mich.«

»Ja, natürlich, weil du die einzige geschiedene, allein lebende Rentnerin in ganz England bist«, erklärte Keira schroff. »Willst du für den Rest deines Lebens jeden Abend vor dem Fernseher in deiner Wohnung sitzen und Trübsal blasen?«

»Und meiner Tochter auf die Nerven gehen?«

»Das habe ich nicht gesagt.«

»Das Haus ist bedrückend«, sagte Carla. »Keiner kümmert sich hier um den anderen. Und dauernd fährt der Aufzug hier hoch zu mir, und dann steigt niemand aus.«

Keira schien irritiert. »Wie?«

Carla wünschte, sie hätte das nicht gesagt. »Na ja, es ist mir einfach aufgefallen. Dass es ziemlich häufig geschieht, meine ich. Außer mir wohnt hier oben ja niemand. Aber dauernd kommt der Aufzug.«

»Dann schickt ihn irgendjemand nach oben. Oder das System ist einfach so ausgelegt. Dass er zwischendurch automatisch alle Stockwerke abklappert.«

»Bis vor ein oder zwei Wochen war das aber nicht so.«

»Mum ...«

»Ja, ich weiß. Ich werde langsam wunderlich, das denkst du doch. Mach dir keine Sorgen. Irgendwie kriege ich mein Leben schon in den Griff.«

»Ganz bestimmt. Mum, der Kleine schreit ständig, und ...«

»Ich mache schon Schluss! Es wäre schön, wenn ihr mich mal wieder besuchen würdet, du und der Kleine. Vielleicht an irgendeinem Wochenende?«

»Ich schau mal, ob das klappt«, sagte Keira unverbindlich, dann verabschiedete sie sich rasch und ließ Carla mit dem Gefühl zurück, gestört zu haben, lästig gewesen zu sein.

Sie ist meine Tochter, dachte sie trotzig, es ist normal, dass ich sie gelegentlich anrufe. Und dass ich es ihr sage, wenn es mir nicht besonders gut geht.

Sie blickte auf ihre Armbanduhr. Es war erst kurz nach zehn.

Dennoch beschloss sie, ins Bett zu gehen. Vielleicht noch ein bisschen zu lesen. Und zu hoffen, dass sie rasch einschlief.

Sie wollte gerade ins Bad gehen, um sich die Zähne zu putzen, als sie den Aufzug wieder vernahm. Er kam nach oben.

Sie blieb mitten im Flur stehen. Lauschte.

Ich wünschte wirklich, irgendjemand würde hier oben außer mir noch wohnen, dachte sie.

Der Aufzug hielt, die Türen öffneten sich.

Carla wartete. Darauf, dass nichts sein würde. Kein Laut, nichts.

Aber diesmal hörte sie etwas. Diesmal verließ jemand den Aufzug. Da waren Schritte. Sie vernahm sie ganz deutlich. Schritte draußen in dem vermutlich hell erleuchteten Gang.

Carla schluckte trocken. Sie spürte ein Kribbeln auf der Haut.

Jetzt mach dich bloß nicht verrückt! Erst hast du dich aufgeregt, weil niemand ausstieg, und jetzt regst du dich auf, weil es offenbar doch jemand tut.

Die Schritte kamen näher.

Zu mir, dachte Carla, da kommt jemand zu mir.

Wie paralysiert stand sie vor ihrer Wohnungstür.

Jemand befand sich auf der anderen Seite.

Als die Klingel schrillte, löste sich der Bann. Die Klingel war Normalität.

Einbrecher klingeln nicht, dachte Carla.

Dennoch spähte sie vorsichtshalber durch den Türspion.

Sie zögerte.

Dann öffnete sie.

I

Gillian ging in die Küche zurück. »Das war Darcys Mutter«, erklärte sie. »Darcy kommt heute nicht in die Schule. Sie hat eine Halsentzündung.«

Das Läuten des Telefons hatte Becky nicht aus der Lethargie reißen können, mit der sie über ihrer Müslischüssel hing und missmutig auf Obst und Flocken starrte, die sich dort in der Milch mischten.

Gerade eben erst zwölf Jahre alt geworden, dachte Gillian, und schon muffig und lustlos wie ein Teenager auf dem Höhepunkt der Pubertät. Waren wir nicht früher anders?

»Hm«, machte Becky uninteressiert. Auf dem Stuhl neben ihr saß Chuck, ihr schwarzer Kater. Die Familie hatte ihn während eines Urlaubs in Griechenland als ein halb verhungertes Bündel Elend am Straßenrand gefunden und in ihr Hotel geschmuggelt. Die restlichen Ferien hatten im Wesentlichen aus dem Problem bestanden, Chuck täglich ungesehen aus dem Hotel hinaus und zum Tierarzt zu bringen und ihn hinterher wieder ebenso heimlich auf das Zimmer zu schaffen. Gillian und Becky hatten ihm stundenlang mit einer Pipette flüssige Nahrung eingeflößt, und zwischendurch schien alles dagegenzusprechen, dass er überlebte. Becky hatte nur noch geweint, aber obwohl alles so schwierig und nervenzehrend gewesen war, waren sie und ihre Mutter einander sehr nah gewesen in der gemeinsamen Sorge.

Am Ende hatte Chucks Lebenswillen gesiegt. Er war mit seiner neuen Familie nach England gereist.

Gillian setzte sich ihrer Tochter gegenüber an den Tisch. Nun musste sie Becky zur Schule fahren. Gemeinsam mit Darcys Mutter bildeten sie eine Fahrgemeinschaft, und diese Woche war Darcys Mutter an der Reihe. Aber natürlich nicht an einem Tag, an dem ihre eigene Tochter gar nicht zur Schule ging.

»Ich habe bei der Gelegenheit etwas Interessantes erfahren«, sagte Gillian, »nämlich dass ihr heute eine Mathearbeit schreibt!«

»Kann sein.«

»Nein, das kann nicht sein, das ist so! Ihr schreibt heute eine Arbeit, und ich hatte keine Ahnung davon.«

Becky zuckte mit den Schultern. Sie hatte einen Kakaobart auf der Oberlippe. Sie trug schwarze Jeans, die so eng waren, dass sich Gillian fragte, wie sie es geschafft hatte, in sie hineinzukommen, dazu einen ebenfalls schwarzen hautengen Pullover und ein schwarzes Tuch mehrfach um den Hals geschlungen. Sie tat alles, um cool zu wirken, aber mit dem Kakao am Mund sah sie einfach aus wie ein kleines Mädchen in einer seltsamen Maskerade. Natürlich hütete sich Gillian, ihr das zu sagen.

»Warum hast du nichts davon erwähnt? Ich habe dich jeden Tag gefragt, ob ihr irgendwann einen Test schreibt. Du hast behauptet, dass nichts ansteht. Weshalb?«

Becky zuckte erneut mit den Schultern.

»Könntest du mir bitte eine Antwort geben?«, fragte Gillian scharf.

»Weiß nicht«, nuschelte Becky.

»Du weißt *was* nicht?«

»Warum ich es nicht gesagt habe.«

»Ich vermute, du hattest keine Lust zu üben«, stellte Gillian resigniert fest.

Becky schaute sie böse an.

Was mache ich bloß falsch, fragte sich Gillian, was mache ich falsch, dass sie mich manchmal fast hasserfüllt ansieht? Warum wusste Darcys Mutter Bescheid? Warum wussten wahrscheinlich alle Mütter Bescheid?

»Putz deine Zähne«, sagte sie, »und dann komm. Wir müssen los.«

Auf der Fahrt zur Schule sprach Becky kein einziges Wort, sah nur zum Fenster hinaus. Gillian lag es auf der Zunge, sie zu fragen, ob sie sich die Arbeit zutraute, ob sie sich einigermaßen in dem Stoff auskannte, aber sie wagte es nicht. Sie fürchtete die patzige Antwort und hatte das ungute Gefühl, dann möglicherweise in Tränen auszubrechen. Das passierte ihr immer öfter in der letzten Zeit, und sie fand keinen rechten Weg, sich dagegen zu wehren. Sie war drauf und dran, zu einer Heulsuse zu mutieren, die mit ihren Lebensumständen haderte und sich vor dem provozierenden Verhalten ihrer zwölfjährigen Tochter fürchtete. Wie konnte man als Frau von zweiundvierzig Jahren so unsouverän sein?

Becky verabschiedete sich vor der Schule mit ein paar unfreundlichen Worten und stakste dann auf ihren mageren Beinen über die Straße. Ihre langen Haare wehten hinter ihr her, der Rucksack (»Man trägt heute keine Schul*ranzen* mehr, Mum!«) schaukelte auf ihrem Rücken. Sie drehte sich nicht zu ihrer Mutter um. In der Vorschule hatte sie ihr immer noch Kusshände zugeworfen und dabei über das ganze Gesicht gestrahlt. Wie hatte sie sich innerhalb weniger Jahre so sehr verändern können? Natürlich fühlte sie sich an diesem Morgen in der Defensive. Sie wusste, dass die Mathearbeit völlig danebengehen würde und dass es ein Fehler von ihr gewesen war, sich um das Üben zu drücken. Sie musste irgendwohin mit ihrem Ärger über sich selbst.

Gillian fragte sich, ob sie alle so waren. So aggressiv. So uneinsichtig. So mitleidslos.

Sie startete das Auto, fuhr aber nur eine Straße weiter und parkte dort am Bordstein. Öffnete das Fenster ein Stück weit und zündete sich eine Zigarette an. In den Gärten ringsum lag Raureif über den Gräsern. In der Ferne sah sie den Fluss wie ein Band aus Blei dahingleiten, die Themse, die hier schon sehr breit und dem Rhythmus von Ebbe und Flut unterworfen war und dem Meer zustrebte. Der Wind roch nach Algen und die Möwen schrien. Es war kalt. Ein unwirtlicher, grauer Wintermorgen.

Sie hatte einmal mit Tom darüber gesprochen. Fast zwei Jahre war das jetzt her. Genauer, sie hatte versucht, mit ihm darüber zu sprechen. Über die Frage, ob sie als Mutter etwas falsch machte. Oder ob die anderen Kinder genauso waren. Er hatte keine Antwort darauf gewusst.

»Wenn du etwas mehr Kontakt zu den anderen Müttern hättest«, hatte er schließlich gesagt, »dann wüsstest du es vielleicht. Du wüsstest, ob du etwas falsch machst. Du wüsstest vielleicht sogar, wie man es richtig machen könnte. Aber aus irgendeinem Grund weigerst du dich, dir ein Netzwerk aufzubauen.«

»Ich weigere mich nicht. Ich komme einfach nicht richtig klar mit den anderen Müttern.«

»Das sind aber ganz normale Frauen. Die tun dir doch nichts!«

Natürlich hatte er recht. Das war nicht der Punkt. »Aber

sie akzeptieren mich auch nicht. Es ist immer so, als ob…
ich irgendwie eine andere Sprache sprechen würde. Alles, was
ich sage, scheint verkehrt zu sein. Es passt nicht zu dem, was
sie sagen…« Ihr war klar gewesen, wie sich das für Tom, den
großen Rationalisten, anhören musste. Wie Unfug. Komplet-
ter Unfug.

»Unfug!«, hatte er dann auch prompt gesagt. »Ich glaube,
du bildest dir das alles nur ein. Du bist eine intelligente Frau.
Du bist attraktiv. Du bist beruflich erfolgreich. Du hast einen
einigermaßen gut aussehenden Mann, der ebenfalls nicht
ganz erfolglos ist in seinem Beruf. Du hast ein hübsches, ge-
scheites und gesundes Kind. Woher rühren bloß deine Komplexe?«

Hatte sie Komplexe?

Gedankenverloren schnippte sie die Asche ihrer Zigarette
aus dem Wagenfenster.

Es gab keinen Grund, Komplexe zu haben. Zusammen
mit Tom hatte sie vor fünfzehn Jahren eine Firma in London aufgebaut, die auf Steuer- und Wirtschaftsberatung spezialisiert war. Sie hatten ungeheuer schuften müssen, um das
Unternehmen in Schwung zu bringen, aber die Arbeit hatte
sich gelohnt: Inzwischen beschäftigten sie sechzehn Mitarbeiter. Tom hatte immer wieder betont, dass er das alles ohne
Gillian nie geschafft hätte. Seit Beckys Geburt arbeitete Gillian nicht mehr täglich im Büro, hatte aber immer noch ihre
eigenen Kunden, die sie betreute. Drei- oder viermal in der
Woche fuhr sie mit dem Zug nach London und erledigte
ihren Job. Sie besaß die Freiheit, sich ihre Zeit völlig selbstständig einzuteilen. Wenn Becky sie brauchte, ging sie einfach einen Tag lang nicht ins Büro, holte liegengebliebene
Arbeit dafür am darauffolgenden Wochenende nach.

Alles war gut. Sie hätte zufrieden sein können.

Sie blickte in den Rückspiegel und sah ihre dunkelblauen Augen und über ihrer Stirn die rotblonden Locken. Ihre wilden, langen Haare ließen es nicht zu, dass sie jemals wirklich ordentlich aussah, und sie konnte sich nur zu gut erinnern, wie sehr sie als Kind darunter gelitten hatte: unter den Locken. Der rötlichen Farbe. Den unvermeidlich damit einhergehenden Sommersprossen im Gesicht. Dann war sie an die Universität gekommen und hatte Thomas Ward kennengelernt, ihren ersten Freund, der dann auch der Mann ihres Lebens werden sollte, die große Liebe. Er hatte ihre Haarfarbe bewundert und ihre Sommersprossen einzeln gezählt, und plötzlich hatte sie angefangen, sich selbst schön zu finden und das Besondere an ihrem Aussehen zu schätzen.

Daran solltest du auch manchmal denken, dachte sie, an all das Gute, das durch Tom in dein Leben gekommen ist. Du bist mit einem wunderbaren Mann verheiratet.

Sie hatte ihre Zigarette zu Ende geraucht und überlegte, ob sie ins Büro fahren sollte. Es wartete eine Menge Arbeit auf sie, und aus Erfahrung wusste sie, dass Arbeit am besten gegen das Grübeln half. Sie beschloss, zu Hause noch eine letzte Tasse Kaffee zu trinken, sich dann umzuziehen und auf den Weg nach London zu machen.

Sie startete ihren Wagen.

Vielleicht sollte sie sich wieder einmal mit Tara Caine treffen. Ihre Freundin arbeitete als Staatsanwältin in London und war – laut Tom, der sie nicht besonders mochte – eine radikale Feministin. Auf jeden Fall taten Gillian die Gespräche mit ihr gut.

Bei ihrem letzten Treffen hatte Tara ihr auf den Kopf zugesagt, dass sie in einer handfesten Depression steckte.

Vielleicht hatte sie recht.

2

Samson hatte lange nach unten gelauscht, und erst als er ganz sicher war, dass sich niemand im Treppenhaus aufhielt, huschte er auf Strümpfen hinunter. Er wollte möglichst schnell und ungesehen in seine Schuhe und in seinen Anorak kommen und dann nach draußen entschwinden, aber als er gerade vornübergebeugt dastand und sich die Schnürsenkel zuband, ging die Küchentür auf und seine Schwägerin Millie erschien. Die Art, wie sie sich auf ihn zubewegte, erinnerte Samson an einen Raubvogel, der eine Beute erspäht hat.

Er richtete sich auf.

»Hallo, Millie«, sagte er unsicher.

Millie Segal gehörte zu den Frauen, denen, noch ehe sie überhaupt die vierzig erreicht haben, bereits die zweischneidige Beschreibung *Sie ist sicher einmal hübsch gewesen* anhaftete. Sie war blond, hatte eine gute Figur und gleichmäßige Gesichtszüge, aber es hatten sich so tiefe Kerben und Falten in ihre Haut eingegraben, Folgen exzessiven Bräunens und zu vieler Zigaretten, dass sie älter aussah, als sie tatsächlich war, und außerdem verhärmt und seltsam verbittert wirkte. Letzteres lag weniger an dem ungesunden Lebenswandel als an der Tatsache, dass sie eine zutiefst unzufriedene Frau war. Frustriert. Samson hatte manchmal mit seinem Bruder darüber gesprochen. Dieser hatte ihm erklärt, dass Millie in der festen Überzeugung lebte, vom Schicksal benachteiligt zu sein, und zwar nicht, weil ihr jemals irgendetwas Tragisches zugestoßen war, sondern weil sie in der Summe unzähliger kleiner täglicher Ungerechtigkeiten und Enttäuschungen die gesamte große Benachteiligung ihrer Person sah.

Wenn Gavin, ihr Mann, sie fragte, was es denn genau

sei, was ihr so sehr das Leben vergälle, dann antwortete sie immer: »Alles. Einfach alles zusammen.«

Unglücklicherweise wusste Samson, dass er selbst in diesem *Alles zusammen* keine kleine Rolle spielte.

»Dachte ich mir doch, dass ich dich gehört habe«, sagte Millie. Sie war noch nicht angezogen. Wenn sie erst später arbeiten musste, schlüpfte sie morgens rasch in einen Jogginganzug und machte ihrem Mann das Frühstück, ehe dieser zu seiner Frühschicht aufbrach. Gavin arbeitete als Busfahrer. Oft musste er schon um fünf Uhr aus dem Bett. Millie kochte ihm dann Kaffee, briet Speck mit Rühreiern, schob Weißbrot in den Toaster und schmierte die Sandwiches, die er mit zur Arbeit nahm. Sie konnte eine recht angenehme Fürsorglichkeit an den Tag legen, aber Samson war überzeugt, dass sie dabei nicht von echter Warmherzigkeit getrieben wurde. Gavin zahlte für das üppige Frühstück nämlich einen hohen Preis: Er musste sich die ganze Zeit über ihr Nörgeln und Jammern und ihre Vorwürfe anhören, und Samson hatte schon manchmal überlegt, ob sein Bruder sich nicht viel lieber allein mit einer Tasse Kaffee und einem selbstgestrichenen Marmeladentoast zu dieser frühen Stunde in die Küche setzen und friedlich seine Zeitung lesen würde.

»Ich bin gleich weg«, sagte Samson und schlüpfte in seinen Anorak.

»Hat sich etwas wegen einer Arbeit ergeben?«, fragte Millie.

»Noch nicht.«

»Bemühst du dich überhaupt?«

»Natürlich. Aber die Zeiten sind schwierig.«

»Du hast diese Woche noch nichts zum Haushaltsgeld dazugegeben. Ich muss schließlich einkaufen. Und beim Essen bist du dann weniger zurückhaltend.«

Samson kramte seinen Geldbeutel aus der Hosentasche, zog einen Schein hervor. »Reicht das erst einmal?«

»Viel ist es nicht«, sagte Millie, nahm aber natürlich das Geld. »Besser als nichts.«

Was will sie eigentlich?, fragte sich Samson. Nur wegen des Geldes hat sie mich nicht abgefangen.

Er sah sie fragend an.

Millie sagte jedoch nur: »Gavin kommt heute Mittag. Wir essen um zwei. Ich habe erst nachmittags Dienst.«

»Ich komme nicht zum Essen«, sagte Samson.

Sie zuckte mit den Schultern. »Musst du wissen.«

Da ganz offensichtlich nichts weiter anstand, nickte er ihr kurz zu, dann öffnete er die Haustür und trat hinaus in den kalten Tag.

Eine Begegnung mit Millie machte ihn immer nervös, unsicher und beklommen. Er bekam schlecht Luft in ihrer Gegenwart. Hier draußen ging es ihm sogleich besser.

Er hatte einmal ein Gespräch zwischen Millie und seinem Bruder angehört, und seitdem wusste er, dass Millie nichts so ersehnte wie seinen Auszug aus dem gemeinsamen Haus. Nicht, dass ihm das vorher nicht klar gewesen wäre, Millie hatte nie einen Zweifel daran gelassen, dass sie ihn als Störenfried empfand, aber es fühlte sich noch einmal anders an, wenn man sie so unverblümt darüber reden hörte. Zudem hatte er nicht gewusst, dass sie auch seinen Bruder deswegen massiv unter Druck setzte.

»Ich wollte mit dir in einer Ehe leben, in einer ganz normalen Ehe«, hatte sie gezischt. »Und was ist das hier jetzt? Eine Art Wohngemeinschaft?«

»So kannst du das nicht bezeichnen«, hatte Gavin geantwortet, unbehaglich und mit der Erschöpfung eines Menschen, der ein unerquickliches Thema schon viel zu oft hat abhandeln müssen. »Er ist mein Bruder. Er ist ja nicht irgendein Untermieter!«

»Wäre er das bloß! Dann würden wir wenigstens noch Miete bekommen. Aber so …«

»Es ist auch sein Haus, Millie. Wir haben es beide von unseren Eltern geerbt. Er hat dasselbe Recht, hier zu wohnen, wie wir.«

»Das ist keine Frage des Rechts!«

»Sondern?«

»Des Taktgefühls. Des Anstands. Ich meine, wir beide, wir sind verheiratet. Wir werden vielleicht irgendwann einmal Kinder haben. Eine richtige Familie sein. Er ist allein. Er ist das fünfte Rad am Wagen. Jeder andere Mensch würde doch merken, dass er stört, und würde sich etwas anderes suchen.«

»Wir können ihn nicht zwingen. Wenn er geht, dann müsste ich ihn entweder auszahlen, was ich nicht kann, oder wir müssten ihm Miete zahlen, wenigstens anteilig. Meine Güte, Millie, du weißt doch, was ich verdiene! Es würde verdammt eng für uns.«

»Als dein Bruder dürfte er gar kein Geld von dir nehmen.«

»Aber er müsste ja dann irgendwo Miete zahlen. Er ist arbeitslos. Wie soll er das machen?«

»Dann lass uns ausziehen!«

»Willst du das wirklich? Ein Häuschen mit Garten kannst du dir dann aber abschminken. Nichts gegen eine Etagenwohnung, aber bist du sicher, dass du damit zurechtkommst?«

Samson, der draußen vor der Tür gestanden, gelauscht und geschwitzt hatte, hatte ein wenig verächtlich sein Gesicht verzogen. Damit würde sie natürlich nicht zurechtkommen. Millie ging das Prestige über alles, womöglich sogar über die Befreiung aus der gemeinsamen Wohnsituation mit dem ungeliebten Schwager. Millie stammte aus einfachen

Verhältnissen. Die Ehe mit einem Hauseigentümer in einem gutbürgerlichen Stadtteil war der große soziale Aufstieg in ihrem Leben – auch wenn es sich nur um ein schmales Reihenhaus an einer viel befahrenen Straße handelte. Sie liebte es, ihre Freundinnen einzuladen und mit dem tatsächlich von ihr sehr schön angelegten und gut gepflegten Garten zu protzen. Sie würde es nicht fertigbringen, diese Welt zu verlassen. Nein, Millie wollte nicht ausziehen. Sie wollte, dass Samson auszog.

Auf den letzten Satz ihres Mannes hatte sie dann auch nichts erwidert, aber das Schweigen war äußerst beredt gewesen.

Samson schüttelte den Gedanken an jenes bedrückende Gespräch ab und machte sich auf seinen Weg durch die Straßen. Er folgte dabei einem ganz bestimmten System und einem genauen Zeitplan, und heute lag er bereits fünf Minuten zurück – weil er so lange gezögert hatte, sich durch das Treppenhaus nach unten zu wagen, und weil er dann auch noch von Millie aufgehalten worden war.

Er hatte seine Arbeit im Juni verloren. Er hatte als Fahrer eines Heimservices für Tiefkühlkost gearbeitet, aber Tiefkühlgerichte waren teuer, die Wirtschaftskrise verunsicherte die Menschen, die Aufträge waren dramatisch zurückgegangen. Schließlich hatte die Firma die Anzahl ihrer Fahrer reduzieren müssen. Samson hatte es kommen sehen, und er war der Mitarbeiter, der zuletzt eingestellt worden war. Es hatte ihn als Ersten getroffen.

Er schritt zügig voran. Das Haus, das er und Gavin von den Eltern geerbt hatten, lag an jenem Ende der Straße, das auf eine viel befahrene Durchgangsstraße mündete, daher lauter war und weniger vornehm. Schmalbrüstige Häuser, handtuchschmale Gärten. Dieselbe Straße bot in der entgegengesetzten Richtung, die zum Thorpe Bay Golfclub hin führte, ein ganz anderes Bild: größere Häuser, verziert mit Türmchen und Erkern, großzügige Grundstücke mit hohen Bäumen, gepflegten Hecken, von schmiedeeisernen Zäunen oder hübschen, niedrigen Steinmauern umgeben. Imposante Autos, die in den Einfahrten parkten. Es herrschte dort eine angenehme, friedliche Ruhe.

Southend-on-Sea lag vierzig Meilen östlich von London und zog sich weitläufig am nördlichen Ufer der Themse entlang, bis hin zum Übergang des großen Flusses in die Nordsee. Die Stadt bot alles, was das Herz begehrte: Einkaufsmöglichkeiten, Schulen und Kindergärten, Theater und Kinos, den obligatorischen Vergnügungspark an der Uferpromenade, lange Sandstrände, Segel- und Surfclubs, Pubs und vornehme Restaurants. Viele Familien, denen London zu teuer war und die es überdies für ihre Kinder als in jeder Hinsicht gesünder empfanden, nicht in der riesigen Metropole aufwachsen zu müssen, zogen hier hinaus. Southend umfasste mehrere Stadtteile, darunter auch Thorpe Bay, wo Samson wohnte. Thorpe Bay bestand zu einem großen Teil aus den weiten, sanft gewellten Wiesen des Golfclubs und aus großzügigen Tennisanlagen, die sich gleich hinter dem Strand, getrennt nur von einer Straße, befanden. Wer hier wohnte, schien mitten in einer Idylle gelandet zu sein: baumbestandene Straßen, liebevoll angelegte Gärten, gepflegte Häuser. Der Wind, der vom Fluss kam, trug den Geruch nach Salz und Meer in sich.

Samson war hier aufgewachsen. Er konnte sich nicht vorstellen, jemals woanders zu leben.

Kurz bevor er die Thorpe Hall Avenue erreichte, begegnete ihm die junge Frau mit dem großen Mischlingshund. Sie führte das Tier jeden Morgen spazieren. Um diese Uhrzeit befand sie sich bereits auf dem Rückweg. Samson hatte sie mehrfach zu ihrem Haus verfolgt und war sich einigermaßen sicher, was ihre Lebensumstände anging: kein Mann, keine Kinder. Ob sie geschieden oder nie verheiratet gewesen war, vermochte er nicht zu sagen. Sie wohnte in einer recht kleinen Doppelhaushälfte, besaß allerdings einen großen Garten. Sie schien von daheim aus zu arbeiten, denn außer zum Einkaufen und zum Hundespaziergang verließ sie ihr Haus tagsüber nicht. Sie erhielt allerdings häufig Lieferungen von Kurierdiensten. Samson schloss daraus, dass sie für eine Firma arbeitete, deren Aufträge sie zu Hause ausführen konnte. Vielleicht hatte sie ein Schreibbüro. Vielleicht erstellte sie Gutachten oder Redaktionen für einen Verlag. Er hatte mehrfach registriert, dass sie für einige Tage verreist war. In dieser Zeit wohnte eine Freundin bei ihr und führte auch den Hund aus. Offensichtlich musste sie sich gelegentlich bei ihrem Arbeitgeber blicken lassen.

Ein Stück weiter kehrte eine ältere Dame den Gehweg vor ihrem Haus. Diese Dame war sehr häufig draußen anzutreffen. Heute fegte sie das Laub zusammen, die allerletzten wenigen Blätter, die von dem Baum in ihrem Garten über den Zaun gesegelt waren. Sie kehrte die Straße oft selbst dann, wenn es nach menschlichem Ermessen absolut nichts zu tun gab. Samson wusste, dass sie alleinstehend war. Selbst einem weniger gründlichen Beobachter als ihm wäre ihr Bedürfnis aufgefallen, irgendetwas zu tun, das sie für eine Weile auf der Straße sein ließ, um wenigstens den einen oder anderen Morgengruß zu erhaschen. Sie erhielt nie Besuch, hatte also entweder keine Kinder oder zumindest nur solche, die sich nicht um sie kümmerten. Auch waren ihm nie Freunde aufgefallen, irgendwelche Bekannte, die sie aufgesucht hätten.

»Guten Morgen«, sagte sie atemlos, kaum dass sie ihn erblickt hatte.

»Guten Morgen«, murmelte Samson. Er hatte es sich zum eisernen Grundsatz gemacht, in keinerlei Kontakt mit den Menschen zu treten, die er beschattete, denn es war wichtig für ihn, nicht aufzufallen. Aber bei dieser Frau brachte er es nicht fertig, grußlos vorüberzugehen. Zudem hätte er sich damit vielleicht noch nachdrücklicher in ihr Gedächtnis gebohrt. *Der unfreundliche Mann, der hier jeden Morgen vorbeiläuft…* So war er in ihrer Erinnerung wenigstens positiv besetzt.

Er hatte jetzt die Häuserreihe erreicht, die sich gegenüber einer hübschen, im Sommer dicht belaubten Grünanlage befand. Eines der Häuser gehörte der Familie Ward. Samson wusste über diese Leute mehr als über alle anderen, weil Gavin die Hilfe von Thomas Ward in Anspruch genommen hatte, als es damals nach dem Tod der Eltern Probleme wegen der Nachlasssteuer gab. Ward und seine Frau arbeiteten als Wirtschafts- und Finanzberater in London, und Ward hatte den verzweifelten Gavin seinerzeit zu äußerst kulanten Bedingungen beraten, weshalb dieser bis heute nichts auf ihn kommen ließ. Obwohl Thomas Ward ansonsten genau das Bild abgab, das beiden Brüdern nicht unbedingt sympathisch war: das ziemlich große Auto, die Anzüge aus feinem Zwirn, die dezenten, aber zweifellos teuren Krawatten…

»Man darf Menschen eben nicht nach ihrem Äußeren beurteilen«, sagte Gavin stets, wenn die Rede auf Ward kam. »Ward ist in Ordnung, da gibt es gar nichts!«

Samson wusste, dass Gillian Ward nicht täglich in die Londoner Firma fuhr. Es war ihm nicht gelungen, eine echte Regelmäßigkeit in ihren Arbeitszeiten zu entdecken. Wahrscheinlich gab es keine. Aber natürlich hatte sie ja auch noch die zwölfjährige Tochter, um die sie sich kümmern musste,

Becky, die häufig so verschlossen und trotzig wirkte. Samson hatte den Eindruck, dass Becky ziemlich rebellisch sein konnte. Sie machte ihrer Mutter das Leben bestimmt nicht immer leicht.

Er stutzte, als er plötzlich Gillians Wagen sah, der die Straße hinunterkam, in die Garageneinfahrt einbog und dort stehen blieb. Das war ausgesprochen merkwürdig. Er wusste, dass sie und die Mutter einer Klassenkameradin einander wochenweise abwechselnd die Kinder zur Schule fuhren, aber in dieser Woche war die andere dran, da war er völlig sicher. Vielleicht hatte sie die Kinder gar nicht zur Schule gebracht, bloß wo war sie dann gewesen? Zu dieser frühen Stunde?

Er blieb stehen. Ob sie vorhatte, ins Büro zu fahren? Mit dem Auto bis zur Bahnhaltestelle, entweder Thorpe Bay oder Southend Central, dann weiter mit dem Zug bis Fenchurch Station in London. Er war ihr mehrfach gefolgt, daher kannte er ihren Weg genau.

Er beobachtete, wie sie im Haus verschwand. Das Licht in der Diele ging an. Da die hübsche, rot lackierte Haustür der Wards ein rautenförmiges Fenster in der Mitte aufwies, konnte man von der Straße aus durch den Flur hindurch bis in die gegenüberliegende Küche blicken. Einmal hatte er durch dieses praktische Fenster beobachtet, wie sich Gillian morgens erneut an den Frühstückstisch gesetzt hatte, nachdem ihre Familie schon verschwunden war, wie sie sich noch eine Tasse Kaffee eingeschenkt und diese dann in langsamen, kleinen Schlucken leer getrunken hatte. Neben ihr hatte die Zeitung gelegen, aber sie hatte nicht hineingeschaut. Sie hatte nur an die gegenüberliegende Wand gestarrt. Damals hatte er zum ersten Mal gedacht: Sie ist nicht glücklich!

Dieser Gedanke hatte ihn geradezu schmerzhaft getroffen, denn die Wards waren ihm lieb geworden. Sie passten absolut nicht in das Muster der Menschen, die er bevorzugt beschattete, nämlich alleinstehende Frauen, und er hatte sich schon recht beunruhigt gefragt, weshalb er sich trotzdem an ihnen festgebissen hatte. An einem Sommerabend, an dem er sich in den Straßen herumgedrückt und in den Garten der Wards gestarrt, die kleine Familie lachend und plaudernd beim Grillen auf der Terrasse beobachtet hatte, war ihm plötzlich die Erleuchtung gekommen: Sie waren perfekt. Das zog ihn so magisch an. Die absolut perfekte Familie. Der gut aussehende, gut verdienende Vater. Die attraktive, intelligente Mutter. Das hübsche, lebhafte Kind. Der niedliche schwarze Kater. Ein schönes Haus. Ein gepflegter Garten. Zwei Autos. Kein Reichtum, kein Geprotze, aber solider Mittelstand. Eine Welt, die in Ordnung war.

Die Welt, von der er immer geträumt hatte.

Die Welt, in die er nie gelangen würde, aber er hatte festgestellt, dass es ihn tröstete, wenigstens als Zaungast an ihr teilzunehmen.

Er trat näher an das Haus heran, direkt an das Gartentor, und versuchte, in die Küche zu spähen. Tatsächlich konnte er Gillian sehen, die am Tisch lehnte. Aha, sie hatte sich wieder einmal einen Kaffee nachgeschenkt. Hielt den dicken Keramikbecher in den Händen, trank mit diesen kleinen, nachdenklichen Schlucken, die er schon einmal beobachtet hatte.

Worüber dachte sie bloß immerzu nach? Sie schien oft ganz versunken in ihre Gedanken.

Er ging eilig weiter, er konnte es sich nicht leisten, allzu lange an einer Stelle zu verharren, jedenfalls nicht mitten auf der Straße. Zu gern würde er herausfinden, worin Gillians Kummer bestand, und ihm war klar, warum: weil er hoffte, sich dann selbst beruhigen zu können. Es musste etwas Vorübergehendes sein. Nichts, bitte nichts, was mit ihrer Ehe, mit ihrer Familie zu tun hatte. Vielleicht waren ihre Mutter oder ihr Vater krank und sie machte sich Sorgen. Irgendetwas in dieser Art.

Er lief die Thorpe Hall Avenue hinunter, an den langgestreckten Parkanlagen und Tennisplätzen von Thorpe Bay Garden vorbei, überquerte die Thorpe Esplanade, wo der hektische frühmorgendliche Verkehr nur langsam abflaute, und war nun am Strand. Der kalt, verlassen und winterlich vor ihm lag. Keine Menschenseele war zu sehen.

Er atmete tief durch.

Er fühlte sich so erschöpft wie andere nach einem langen und harten Arbeitstag, und er wusste, woran das lag: daran, dass er Gillian gesehen hatte. Dass er ihr fast direkt begegnet wäre. Dieser Umstand, auf den er sich zuvor nicht hatte einstellen können, hatte ihn emotional so sehr gestresst, dass er, wie ihm jetzt nachträglich erst klar wurde, geradezu im Laufschritt an den Strand geeilt war. Nur fort. In die Stille. Dort konnten sich seine Nerven beruhigen.

Er beobachtete so viele Menschen. Prägte sich ihre Tagesabläufe ein, ihre Gewohnheiten, versuchte, ihre genauen Lebensumstände zu ergründen. Er hätte niemandem erklären können, was ihn so sehr daran faszinierte, aber es war wie ein Sog, in den man geriet. Es war unmöglich, aufzuhören, wenn man einmal damit angefangen hatte. Er hatte von Computerfreaks gelesen, die sich im *Second Life* ein Parallelleben aufgebaut hatten, und tatsächlich schienen diese Menschen und das, was sie antrieb, am stärksten mit ihm selbst verwandt zu sein. Ein Leben neben dem eigentlichen Dasein. Schicksale, in die man sich hineinträumen konnte. Rollen, in die man schlüpfte. Manchmal war er der erfolgreiche Thomas Ward mit dem schönen Haus und dem teuren Auto. Manchmal war er ein cooler Typ, der weder stotterte noch rot wurde und der die hübsche Frau mit dem Hund zu einem Date bat – natürlich *ohne* sich einen Korb einzuhandeln. Er brachte damit Glanz und Freude in seinen Alltag, und wenn das gefährlich war oder grenzwertig – und ihm schwante, dass ein Psychologe eine Menge bedenklicher Bezeichnungen für sein Hobby gefunden hätte –, so war es doch die einzige Möglichkeit, die ihm blieb, mit der Tristesse, die ihn umgab, umzugehen.

Aber allmählich veränderte sich etwas, und das beunruhigte ihn.

Er ging ein paar Schritte den Strand entlang. Hier war es windiger als oben in den Straßen, und er war schnell ziemlich durchgefroren. Er hatte seine Handschuhe vergessen und blies sich immer wieder warmen Atem in seine Hände. Natürlich blieb er bei seinen klar abgezirkelten Beobachtungsrundgängen. Er hatte sogar in seinem Computer eine Datei über seine Objekte angelegt, und er vergaß an keinem Abend, pflichtschuldig alles zu notieren, was er gesehen und erlebt hatte. Aber er tat es nicht mehr mit derselben Hingabe wie früher. Und er begriff auch, warum das so war: Es lag an den Wards, besonders an Gillian Ward. Die Wards wurden immer wichtiger für ihn. Sie wurden zu *seiner* Familie. Sie waren ständig in seinen Tagträumen, es gab nichts, was er nicht über sie wissen, was er nicht mit ihnen zusammen erleben wollte.

Wahrscheinlich war es eine zwangsläufige Entwicklung, dass sein Interesse an den anderen Menschen, die ihn einmal so gefesselt hatten, langsam erlahmte. Er hatte das unbestimmte Gefühl, dass dies nicht gut war. Er verstand jetzt, warum er sich von Anfang an einen größeren Kreis an Objekten, deren Leben er beobachtete und schriftlich festhielt, gesucht hatte: damit nicht der Einzelne zu viel Bedeutung bekam. Damit er teilnehmen konnte an ihrem Leben, sich jedoch nicht darin verlor.

Mit Gillian könnte ihm das passieren.

Der Wind, der von Nordosten blies, war wirklich kalt. Kein Tag, um ihn am Strand zu verbringen. Im Sommer hatte es Spaß gemacht, von morgens bis abends durch die Straßen zu streifen und der bedrückenden Atmosphäre daheim zu entgehen. Jetzt im Winter sah das natürlich anders aus. Der einzige Vorteil war, dass es früh dunkel wurde und er spätestens ab fünf Uhr sehr bequem in die hell erleuchteten Räume der Häuser blicken konnte. Dafür fror man sich jedoch alle möglichen Körperteile ab.

Er hob den Kopf in den Wind, witterte wie ein Tier. Er fand, dass die Luft nach Schnee roch. Sie hatten nicht oft Schnee hier im Südosten Englands, aber er würde wetten, dass sie in diesem Jahr eine weiße Weihnacht bekämen. Obwohl sich bis dahin natürlich noch eine Menge ändern konnte.

Definitiv zu kalt, entschied er, um hier weiterzulaufen.

Er verließ den Strand, und als er oben auf der Uferpromenade an einem Kiosk vorbeikam, blieb er stehen. Leider hatte er praktisch sein ganzes Geld vorhin der raffgierigen Millie in die Hand drücken müssen, aber nach längerem Kramen in sämtlichen Taschen seiner Kleidung brachte er doch zwei Pfund zusammen. Das reichte für einen heißen Kaffee.

Er trank ihn im Stehen im Windschutz der Bretterbude und genoss das Prickeln, das die Hitze der Tasse in seinen Händen erzeugte. Direkt vor seiner Nase befand sich der Ständer mit den Tageszeitungen. Er las die Schlagzeilen, blieb an der besonders reißerisch aufgemachten Titelseite der *Daily Mail* hängen: *Grausamer Mord in London!*

Er verrenkte sich, um ein Stück von dem darunter stehenden Text zu erhaschen. Eine ältere Frau war in einem Hochhaus in Hackney ermordet worden. Die Tat zeichnete sich durch extreme Brutalität aus. Die Frau hatte geschätzte zehn Tage in der Wohnung gelegen, ehe sie von ihrer Tochter gefunden wurde. Es gab keinerlei Hinweise auf das mögliche Motiv des Täters.

»Schlimme Sache«, sagte der Kioskbesitzer, der gesehen hatte, wohin Samsons Augen glitten. »Ich meine, vor allem das mit den zehn Tagen. Dass jemand so lange tot ist und niemand merkt es. Was ist nur aus unserer Gesellschaft geworden?«

Samson murmelte etwas Zustimmendes.

»Die Welt wird mit jedem Tag schlechter«, meinte der andere.

»Das ist richtig«, sagte Samson. Er trank seinen Kaffee aus. Das Wechselgeld reichte noch für eine *Daily Mail.*

Er kaufte die Zeitung und zog nachdenklich weiter.

3

Wenigstens hatte sie endlich aufgehört zu zittern.

Detective Inspector Peter Fielder von der *Metropolitan Police London,* bekannter unter dem Begriff *Scotland Yard,* war nicht sicher gewesen, ob sie überhaupt vernehmungsfähig war, aber er wusste, dass die Zeit drängte. Carla Roberts hatte vermutlich bereits seit über einer Woche tot in ihrer Wohnung gelegen, ehe sie nun von ihrer Tochter am Tag zuvor entdeckt worden war, und dieser Umstand hatte ihrem Mörder bereits jede Menge Vorsprung verschafft. Es galt rasch zu handeln, aber zunächst war aus dieser wie Espenlaub zitternden jungen Frau, die ihr Baby an sich gepresst hielt und zu weinen begann, als eine Polizeibeamtin es ihr für einen Moment abnehmen wollte, absolut nichts herauszuholen gewesen. Ein Streifenwagen hatte sie am Abend ins Krankenhaus gefahren, wo sie übernachtet und etliche Medikamente bekommen hatte: An diesem Morgen nun hatte man sie in ihr Haus in Bracknell zurückgebracht.

Die Beamten, die sie begleiteten, hatten Fielder über sein Handy verständigt, dass es Keira Jones besser zu gehen schien. Daher saß er nun in dem hübsch eingerichteten, warmen Wohnzimmer und trank ein Mineralwasser, und ihm gegenüber saß Keira, kreideweiß im Gesicht, aber deutlich gefasster als am Vortag. Ihr Mann, Greg Jones, war daheim. Als Fielder eintraf, hatte er gerade das Baby gefüttert und gewickelt und dann wieder ins Bett gelegt, und nun stand er am Fenster, die Arme vor der Brust verschränkt, weniger Abwehr als ein gewisses Schutzbedürfnis ausstrahlend. Er war deutlich erschüttert, versuchte aber, einigermaßen ruhig und gefasst zu bleiben.

»Mrs. Jones«, sagte Fielder vorsichtig, »ich weiß, es ist nicht leicht für Sie, jetzt mit mir zu sprechen, und es tut mir wirklich leid, Sie bedrängen zu müssen, aber wir haben leider keine Zeit mehr zu verlieren. Nach der ersten Schätzung des Rechtsmediziners könnte Ihre Mutter bereits seit etwa zehn Tagen tot sein, das heißt, sie ist unglücklicherweise recht spät gefunden worden …«

Keira schloss kurz die Augen und nickte.

»Wir haben einen kleinen Sohn, der gerade eine ziemlich anstrengende Phase durchläuft, Inspector«, sagte ihr Mann, »und meine Frau ist seit Monaten am Ende ihrer Kräfte. Ich arbeite den ganzen Tag und kann ihr nur wenig helfen.

Meine Schwiegermutter fühlte sich von ihr vernachlässigt, aber ...«

»Greg!«, sagte Keira leise und gequält. »Sie *fühlte* sich nicht einfach vernachlässigt. Ich *habe* sie vernachlässigt.«

»Lieber Himmel, Keira, ich arbeite hart. Wir haben ein kleines Kind. Du konntest nicht ständig nach Hackney fahren und deiner Mutter die Hand halten!«

»Ich hätte sie wenigstens öfter anrufen müssen.«

»Wann haben Sie sie denn zuletzt angerufen?«, fragte Fielder. »Oder genauer: Wann hatten Sie überhaupt zum letzten Mal in irgendeiner Form Kontakt mit Ihrer Mutter?«

Keira überlegte einen Moment. »Das war ... ja, das war am vorletzten Sonntag. Ist also über eine Woche her. Da rief sie relativ spät abends an, gegen zehn Uhr.«

»Danach haben Sie nicht mehr mit ihr gesprochen?«

»Nein.«

Fielder rechnete nach. »Das muss dann also Sonntag, der 22. November gewesen sein. Heute haben wir den 2. Dezember. Vieles spricht dafür, dass sie ziemlich bald nach dem Gespräch mit Ihnen ... überfallen wurde.«

»Ermordet wurde«, flüsterte Keira.

Er nickte. »Ja. Ermordet wurde.«

»Es ist furchtbar«, sagte Greg Jones, »ganz furchtbar. Aber wer konnte so etwas ahnen?«

Fielder blickte zum Fenster hinaus. In dem gepflegten Vorgärtchen standen eine Schaukel, ein Sandkasten und eine Rutschbahn. Bunt und fröhlich, von dem stolzen Vater vermutlich selbst liebevoll und etwas verfrüht für den kleinen Sohn aufgebaut. Die Jones' schienen eine glückliche Familie zu sein. Weder Keira noch Greg wirkten kaltherzig oder egozentrisch. Es war vieles zusammengekommen: Greg hatte Stress im Beruf, Keira Stress mit dem Baby. Der Weg hinüber nach Hackney war weit und umständlich, mit einem Kleinkind im Schlepptau sicher noch anstrengender. Die alleinstehende Großmutter war bei all dem durch das Raster der jungen Familie gerutscht. Carla hatte besonders ihrer Tochter wahrscheinlich ständig ein schlechtes Gewissen verursacht, aber Keira hatte dennoch keinen Weg gefunden, sie in ihr Leben zu integrieren.

Es war einfach so wie in vielen Familien.

»Ihre Mutter war geschieden?«, fragte Fielder. Keira hatte diese Angabe bereits in der ersten kurzen Vernehmung am Tatort gemacht, aber Fielder wollte Näheres darüber wissen.

»Ja«, sagte Keira. »Seit zehn Jahren.«

»Haben Sie Kontakt zu Ihrem Vater? Hatte Ihre Mutter Kontakt zu ihm?«

»Nein.« Keira schüttelte den Kopf. »Wir wissen nicht einmal, wo er sich aufhält. Er hatte eine Firma, die mit Baustoffen handelte, und wir haben immer gut gelebt und dachten, es sei alles in Ordnung. Aber dann stellte sich heraus, dass er völlig verschuldet war. Alles brach zusammen, und er setzte sich schließlich wohl ins Ausland ab – auf der Flucht vor seinen Gläubigern.«

»Zuvor wurden Ihre Eltern aber noch geschieden?«

»Ja. Als die Pleite offensichtlich wurde, flog auch das Verhältnis meines Vaters mit einer jüngeren Mitarbeiterin auf. Meine Mutter reichte sofort die Scheidung ein.«

»Dass Ihr Vater sich im Ausland aufhält, wissen Sie aber nicht sicher?«

»Nein. Wir haben das nur vermutet.«

»Aber Sie wissen, dass er seit Jahren keinen Kontakt mehr zu Ihrer Mutter hatte?«

»Ja. Das hätte sie mir sonst sofort erzählt.«

Fielder machte sich eine Notiz. »Wir werden versuchen,

Ihren Vater ausfindig zu machen. Kennen Sie Namen und Adresse seiner damaligen Geliebten?«

Keira schüttelte den Kopf. »Mit Vornamen heißt sie, glaube ich, Clarissa. Den Nachnamen weiß ich nicht mehr. Ich wohnte damals nicht mehr bei meinen Eltern, sondern studierte in Swansea. Ich habe nicht allzu viele Details mitbekommen. Ich meine … «, unvermittelt begann sie zu weinen. »Meine Mutter rief mich damals oft an«, schluchzte sie. »Sie war verzweifelt, weil ja ihr Leben zusammenbrach. Mein Vater hatte sie jahrelang mit einer anderen Frau betrogen, und nun war auch noch das ganze Geld weg, und das Haus wurde zwangsversteigert … Es ging ihr sehr schlecht, aber ich habe sie häufig abgewimmelt. Ich wollte … ich wollte irgendwie nichts mit alldem zu tun haben …« Sie weinte heftiger.

Greg trat an sie heran und strich ihr mit einer unbeholfenen Bewegung über die Haare. »Mach dir doch nicht so viele Vorwürfe. Du warst im Studium, du hattest dein eigenes Leben. Du konntest dich nicht um die Probleme deiner Eltern kümmern.«

»Ich hätte mehr für meine Mutter da sein müssen. Damals und auch jetzt. Dass sie tagelang ermordet in ihrer Wohnung liegt, und keiner merkt es! Das hätte nicht passieren dürfen!«

Nebenan begann das Baby zu wimmern. Fast ein wenig erleichtert verließ Greg das Zimmer. Die Situation überforderte ihn, aber schließlich, dachte Fielder, war das kein Wunder. Etwas Unfassbares war in das Leben der Jones' eingebrochen. Sie würden sich nie wirklich davon erholen.

Keira zog ihre Handtasche zu sich heran, holte ein Taschentuch heraus und putzte sich die Nase.

»Er war auch nie sehr erpicht darauf, meine Mutter zu besuchen oder einzuladen«, sagte sie mit einer Kopfbewegung zu der Tür hin, durch die ihr Mann verschwunden war.

»Er arbeitet hart, und an den Wochenenden sucht er Entspannung … Wissen Sie, meine Mutter war nicht gerade ein Mensch, der gute Laune um sich verbreitete. Sie jammerte furchtbar viel. Wegen der Scheidung, der Pleite, wegen allem. Sie konnte dadurch sehr … anstrengend sein. Meiner Ansicht nach tat sie sich deshalb auch so schwer, Freunde zu finden. Die meisten Leute … ertrugen sie nach einer Weile einfach nicht mehr. Es klingt furchtbar, was ich sage, oder? Ich will nicht schlecht über sie reden. Außerdem … egal, wie sehr sie anderen auf die Nerven gehen konnte … nie hätte sie einen solchen Tod verdient. Nie!«

Fielder betrachtete sie mitfühlend. Er hatte die tote Carla Roberts gesehen. An Händen und Füßen mit Paketklebeband gefesselt, hatte sie in ihrem Wohnzimmer gelegen. Der Täter hatte ihr ein zusammengeknäultes Stück Stoff in den Rachen gestoßen, ein kariertes Küchengeschirrtuch, wie sich herausstellte. Die erste Untersuchung hatte ergeben, dass sich Carla Roberts daraufhin offenbar hatte erbrechen müssen und mit aller Kraft versucht hatte, das Tuch aus ihrem Mund zu würgen.

»Was ihr hätte gelingen müssen«, hatte der Rechtsmediziner noch am Tatort gesagt. »Für mich sieht es so aus, als habe der Täter das Tuch mit der Faust so lange in ihren Rachen gepresst, bis sie an ihrem Erbrochenen erstickt war. Es muss ein grausamer Todeskampf gewesen sein.«

Fielder hoffte, dass Keira ihn nie nach diesen Details fragen würde.

»Mrs. Jones«, begann er, »Sie sagten gestern bereits, dass Sie, nachdem auf Ihr wiederholtes Klingeln niemand öffnete, mit dem Zweitschlüssel selbst die Wohnung Ihrer Mutter aufgesperrt haben. Wie sind Sie zuvor ins Haus hereingekommen? Haben Sie für die Eingangstür auch einen Schlüssel?«

»Ja, aber unten war sowieso offen. Ich klingelte, wartete aber gar nicht ab, sondern stieg gleich in den Aufzug. Oben klingelte ich dann wieder. Und wieder. Schließlich schloss ich auf.«

»Dachten Sie da schon, dass etwas passiert sein könnte?«

Keira schüttelte den Kopf. »Nein. Ich hatte mich ja nicht angekündigt, und ich dachte, meine Mutter sei einfach nicht zu Hause. Einkaufen oder spazieren oder so. Ich wollte in der Wohnung auf sie warten.«

»Besitzt außer Ihnen noch jemand einen Schlüssel zu der Wohnung?«

»Nicht dass ich wüsste.«

»Wie es aussieht«, sagte Fielder, »hat Ihre Mutter den Täter selbst in die Wohnung gelassen. Jedenfalls gibt es keinerlei Einbruchspuren. Natürlich ist es zu früh, endgültige Schlüsse zu ziehen, aber es könnte sein, dass Ihre Mutter den Täter kannte.«

Keira sah ihn entsetzt an. »Dass sie ihn kannte?«

»Wissen Sie etwas über den Bekanntenkreis Ihrer Mutter?«

Er konnte sehen, dass Keira schon wieder Tränen in die Augen stiegen, aber für den Moment gelang es ihr, sie zurückzudrängen.

»Sie hatte eigentlich keinen. Das war ja genau das Problem. Sie lebte völlig isoliert. An dem Abend, an dem … ich zuletzt mit ihr sprach, habe ich ihr ja noch Vorwürfe deswegen gemacht. Dass sie immer nur zu Hause sitzt, dass sie sich keine Freundschaften aufbaut, dass sie nie etwas unternimmt … Sie hörte sich das geduldig an, aber ich hatte nicht den Eindruck, dass sich etwas ändern würde.«

Fielder nickte. Das passte ins Bild. Ein Mensch, der in einem intakten sozialen Umfeld lebt, liegt nicht zehn Tage lang tot in der Wohnung, ohne dass es irgendjemandem auffällt.

»Seit wann arbeitete Ihre Mutter nicht mehr?«

»Seit fast fünf Jahren. Sie hatte nach der Scheidung Arbeit in einer Drogerie gefunden, aber das machte ihr wenig Spaß. Schließlich ist sie mit sechzig Jahren in Rente gegangen. Zum Glück hatte sie noch Ansprüche aus einer Tätigkeit während der ersten Jahre ihrer Ehe, sonst hätte sie finanziell übel dagestanden. Aber so kam sie über die Runden.«

»Gab es in dieser Drogerie jemals Ärger mit Mitarbeitern?«

»Nein. Sie kam mit allen zurecht und die anderen auch mit ihr. Aber der Kontakt brach nach ihrem Fortgang ab. Ich glaube nicht, dass sie noch mit irgendjemandem aus dieser Zeit in Verbindung stand.«

»Und sonst? Gab es nicht irgendein Hobby, das sie vielleicht gelegentlich mit anderen Menschen zusammengebracht hätte?«

»Nein. Nichts.«

»Und im Haus? Stand ihr da jemand näher?«

»Auch nicht. Jeder dort scheint ziemlich anonym und allein vor sich hin zu leben. Und meine Mutter war nicht der Mensch, der auf andere zugehen konnte. Dafür war sie zu schüchtern, zu unsicher. Andererseits hat sie auch niemals jemandem etwas getan. Sie war ein guter Mensch. Ein freundlicher Mensch. Ich verstehe einfach nicht, weshalb ihr *irgendjemand* so viel Hass entgegengebracht hat. Ich begreife es nicht!«

Fielder dachte an die Brutalität, mit der Carla umgebracht worden war. Möglicherweise hatte der Täter kein Problem speziell mit Carla, der freundlichen, etwas wehleidigen und verhuschten Rentnerin gehabt. Vielleicht hatte er ein generelles Problem mit Frauen. Ein Sadist. Ein Psychopath. Ein tief gestörter Typ. Die Tat sah danach aus.

»Gibt es sonst noch etwas, das ich wissen müsste?«, fragte er.

Keira überlegte. »Ich glaube nicht«, meinte sie und fügte dann plötzlich hinzu: »Oder doch. Ich weiß nicht, ob es wichtig ist, aber an dem Abend, an dem ich zuletzt mit meiner Mutter telefonierte, erwähnte sie etwas Eigentümliches… oder zumindest erschien es ihr eigentümlich. Sie sagte, der Fahrstuhl käme so oft nach oben zu ihr. Aber nie würde jemand aussteigen.«

»Da war sie sicher? Dass niemand ausstieg?«

»Ja, offenbar. Sie hätte das sonst wohl gehört. Und da außer ihr sowieso niemand dort oben wohnte, kam ihr das mit dem Aufzug seltsam vor.«

»Seit wann hatte sie diese Besonderheit registriert? Hat sie dazu etwas gesagt?«

»Sie sprach von ein oder zwei Wochen. Und dass es davor eben nicht so gewesen sei. Weil ich gemeint hatte, vielleicht sei das System so eingerichtet, dass der Aufzug in bestimmten Abständen in jede Etage fährt… Aber sie ließ das Thema dann fallen. Sie merkte, dass ich das Gespräch beenden wollte.« Keira biss sich auf die Lippen.

Fielder neigte sich vor. Er verspürte Mitleid mit der jungen Frau. Die Mutter zu verlieren war schlimm und einschneidend, sie durch ein brutales Verbrechen zu verlieren war geradezu unfassbar. Dann aber auch noch zeitlebens die Gewissheit in sich tragen zu müssen, allzu nachlässig, genervt und abweisend mit ihr umgegangen zu sein, würde sich für Keira Jones, da war er sicher, als fast unerträglich erweisen.

»Mrs. Jones«, sagte er, »hatten Sie den Eindruck, dass sich Ihre Mutter bedroht fühlte?«

Keiras Augen füllten sich erneut mit Tränen. »Ja«, stieß sie hervor, und es klang wie ein Schluchzen. »Ja. Ich glaube, sie hatte Angst. Sie konnte nur nicht sagen, wovor. Sie fühlte sich bedroht, ja. Und ich habe mich keine Sekunde lang darum gekümmert.«

Sie ließ den Kopf auf die Knie sinken und begann zu schreien.

4

Darcys Mutter buk Muffins.

Warum backen heutzutage alle Mütter immerzu Muffins?, fragte sich Gillian und spürte, wie sie bei diesem Gedanken erste, leise nagende Kopfschmerzen bekam. Wer sollte all die Muffins, die täglich von Millionen Müttern gebacken wurden, eigentlich essen?

Diana, Darcys Mutter, löffelte den Teig aus der großen Keramik-Rührschüssel in ihre Förmchen. Die Küche duftete nach Schokolade, nach Butter und Mandeln. Auf dem Tisch standen dicke, rote Kerzen und eine Kanne mit Vanilletee. Daneben ein Schälchen mit Kandiszucker.

»Nimm dir doch noch Tee«, sagte Diana.

Sie war eine attraktive Frau. Blond und schlank. Sie spielte sehr gut Tennis und Golf. Sie konnte fantastisch kochen. Sie verstand es, ein Haus gemütlich einzurichten. Ihre Töchter liebten sie. Bei Klassenfesten meldete sie sich zum Schmücken, und sie kam zu Schulausflügen auch gern als Begleitperson mit. Daher liebten sie auch die Lehrer.

Und sie buk Muffins.

Im Augenblick allerdings hatte sie ein Thema am Wickel,

das sich mit der gemütlichen, vorweihnachtlichen Atmosphäre in ihrer Küche nicht recht vertrug: den Mord, der an einer alleinstehenden alten Frau in London verübt worden war. Angeblich sprach man überall davon, nur Gillian hatte bislang nichts mitbekommen. Becky hatte der kranken Darcy die Hausaufgaben bringen wollen, daher waren sie hinübergegangen. Die Mädchen hatten sich in Darcys Zimmer verzogen, und Gillian war zum Tee eingeladen worden. Eigentlich wollte sie ablehnen. Sie hatte, obwohl todmüde gerade erst aus dem Büro zurückgekommen, Becky hinüber zu ihrer Freundin begleitet, weil sie sie im Dunkeln nicht allein herumlaufen lassen wollte, aber sie verspürte nicht die geringste Lust auf eine Unterhaltung. Doch Diana fragte noch in der Tür als Erstes: »Und? Was sagst du zu diesem *grässlichen* Verbrechen?«, und natürlich fragte Gillian zurück, um was es denn ging, und damit war ihr Schicksal besiegelt. Diana, immer auf der Suche nach jemandem, mit dem sie tratschen konnte, hatte sie in die Küche gezogen und erzählte ihr dann haarklein alles, was sie wusste.

»Sie soll über eine Woche in ihrer Wohnung gelegen haben, und niemand hat etwas bemerkt! Ist das nicht grauenhaft? Ich meine, so einsam zu sein, dass es ewig dauert, bis überhaupt jemandem auffällt, dass man tot ist?«

»Noch grauenhafter finde ich es, in der eigenen Wohnung ermordet zu werden«, sagte Gillian. »Wie ist der Täter hineingekommen? Weiß man da etwas?«

»Also, angeblich gibt es nicht die geringsten Einbruchspuren. Es heißt, sie hat ihn selber eingelassen. Könnte also ein Bekannter von ihr gewesen sein. Denn so unvorsichtig ist ja eigentlich niemand, dass er einfach die Wohnungstür aufreißt, wenn es klingelt, zumal wenn man völlig allein lebt!«

Diana widmete sich eine Weile mit Hingabe ihrem

Muffin-Teig, und Gillian trank ihren Tee und machte sich eine Menge Gedanken; über den Mord in London und über perfekte Mütter, und die ganze Zeit über versuchte sie, entspannt zu atmen, weil das manchmal half, wenn sich Kopfschmerzen ankündigten.

Diana hatte alle Förmchen gefüllt, schob sie in den Backofen, schaltete die richtige Temperatur ein, setzte sich dann an den Tisch und nahm sich ebenfalls einen Tee.

»Sie soll eine erwachsene Tochter haben. Die hat sie gefunden.«

»Wie entsetzlich!«, sagte Gillian.

»Na ja, aber zuvor hat diese Tochter nicht einmal bemerkt, dass ihre Mutter seit zehn Tagen nichts mehr von sich hören ließ. Schon seltsam. Das könnte mir mit meinen Töchtern nicht passieren.«

Gillian dachte an das provozierende Verhalten, das Becky ihr gegenüber an den Tag legte. Würde sie dies von ihrer Tochter auch im Brustton der Überzeugung sagen? *Das könnte mir nicht passieren?*

»Und wie ... wurde sie umgebracht?«, fragte sie beklommen.

»Darüber wahrt die Polizei Stillschweigen«, sagte Diana bedauernd. »Täterwissen und so, weißt du. Man will Nachahmungstaten und falsche Geständnisse ausklammern. Schreibt die Zeitung. Sie soll aber auf eine extrem brutale Art getötet worden sein.«

»Es muss jemand sein, der pervers ist«, sagte Gillian angewidert.

Diana zuckte mit den Schultern. »Oder jemand, der einen unbändigen Hass auf diese Frau hatte.«

»Ja, aber so sehr kann man kaum hassen. Das ist jedenfalls absolut nicht normal. Ich hoffe, sie fassen den Täter bald.«

»Das hoffe ich auch«, stimmte Diana inbrünstig zu.

Beide Frauen schwiegen eine Weile bedrückt. Dann wechselte Diana abrupt das Thema.

»Kommst du zur Weihnachtsfeier im Handballclub? Am Freitag?«

»Davon wusste ich gar nichts. Eine Feier?«

»Becky erzählt dir wohl gar nichts!«, meinte Diana in argloser Grausamkeit.

»Vielleicht hat sie es erzählt und ich habe nicht richtig zugehört«, sagte Gillian, aber sie wusste, dass es so nicht gewesen war. Sie hörte zu, wenn Becky etwas erzählte. Aber Becky erzählte kaum je etwas. Das war das Problem.

»Du kommst aber doch?«, vergewisserte sich Diana. »Jeder soll ein paar Kekse mitbringen oder irgendetwas. Wird sicher schön.«

»Ja, bestimmt.« *Und du wirst sicher deine blöden Muffins mitbringen!*

Ich stehe das durch, dachte sie, irgendwie stehe ich das durch!

Unter dem Hinweis, Tom komme bald nach Hause und sie müsse das Abendessen vorbereiten, gelang es Gillian eine Viertelstunde später, sich loszueisen. Sie fühlte sich wie befreit, als sie und Becky endlich auf der dunklen Straße standen. Der kalte Wind tat ihr gut. Von irgendeinem Moment an hatte sie die weihnachtlich geschmückte Küche, den Duft nach Gebackenem, die perfekte Diana kaum mehr ertragen können.

»Warum hast du mir nicht erzählt, dass ihr übermorgen eine Weihnachtsfeier im Handballclub habt?«, fragte sie, als sie schon beinahe daheim angekommen waren. Wie üblich hatten sie den Weg schweigend zurückgelegt.

»Keine Lust«, murmelte Becky.

»Keine Lust worauf? Es mir zu erzählen? Dorthin zu gehen?«

»Es zu erzählen.«

»Weshalb?«

Becky betrat wortlos die Einfahrt. Toms Wagen parkte vor der Garage. Er fuhr meist morgens früher als Gillian nach London und kehrte später zurück. Gillian musste noch Becky und den Haushalt in ihrem Tagesablauf unterbringen, daher hatten sie sich für getrennte Wege entschieden.

Gillian packte ihre Tochter am Arm. »Ich möchte eine Antwort!«

»Worauf?«, fragte Becky.

»Auf meine Frage. Weshalb hast du es mir nicht erzählt?«

»Ich will endlich einen eigenen Internet-Anschluss!«

»Das ist auch keine Antwort.«

»Alle in meiner Klasse...«

»Blödsinn! Nie im Leben haben alle in deiner Klasse einen eigenen Internet-Anschluss. Das Internet...«

»...ist furchtbar gefährlich, da treiben sich böse Männer herum, die in den Chatrooms versuchen, junge Mädchen anzulocken und dann...«

»Leider gibt es die, ja«, sagte Gillian. »Aber das ist nur eine Gefahr des Internets. Ich finde vor allem, dass du einfach zu jung bist, um unkontrolliert jeden Tag stundenlang vor dem Computer zu hängen. Das ist nicht gut.«

»Warum?«, fragte Becky.

»Weil es wichtiger ist, dass du deine Hausaufgaben erledigst, deine Freunde triffst, Sport treibst«, sagte Gillian und fand selbst, dass sie sich wie eine Gouvernante anhörte.

Becky verdrehte die Augen. »Mum, ich bin zwölf. Du behandelst mich immer, als wäre ich fünf.«

»Das stimmt doch überhaupt nicht.«

»Doch. Sogar wenn ich nur zu Darcy gehen will, kommst du mit, weil du denkst, mir könnte etwas zustoßen auf dem Weg dorthin. Dabei hasst du es wie die Pest, dich mit ihrer Mutter zu unterhalten. Warum lässt du mich nicht alleine gehen?«

»Weil es dunkel ist. Weil …«

»Warum kannst du mir nicht einfach vertrauen?«, fragte Becky. Dann sah sie ihren Vater, der die Haustür geöffnet hatte und im hellen Licht des Eingangs stand. Ohne eine Antwort ihrer Mutter abzuwarten, lief sie auf ihn zu und warf sich in seine Arme.

Gillian folgte ihr langsam und nachdenklich.

5

Sie schrak hoch, als der Lichtkegel über die Wand hinter dem Fernseher glitt, und schon im nächsten Moment fragte sie sich, ob sie ihn sich nicht eingebildet hatte. Oder geträumt hatte. Sie war eingeschlafen, trotz des spannenden Krimis, der gerade lief. Aber das passierte ihr oft. Sie war ein Morgenmensch. Lag ab halb sechs in der Früh wach und fühlte sich voller Tatendrang. Abends hingegen … Manchmal ging sie schon um acht Uhr ins Bett.

Sie richtete sich in ihrem Sessel auf.

Sie lauschte nach draußen. Sie konnte nichts hören.

Es war ihr drei- oder viermal aufgefallen in der letzten Zeit. Dass ein Auto hier herauskam. Am Abend, in der Dunkelheit. Sie hatte den Motor gehört, sie hatte das Licht der Scheinwerfer über die Wände des Wohnzimmers streichen sehen. Und dann – nichts. Kein Laut, kein Licht, gar nichts.

Als habe jemand angehalten, den Motor ausgeschaltet, die Scheinwerfer ebenfalls.

Um im Dunkeln dort zu stehen und … *was zu tun?*

Anne Westley war keine ängstliche Frau. Beim ersten Mal war sie aufgestanden und vor die Haustür getreten, war dann sogar den Plattenweg durch ihren Garten gelaufen bis zum Tor. Hatte versucht, irgendetwas zu erkennen, aber das war hier draußen fast unmöglich. Der Wald wuchs bis direkt an das Grundstück heran. Eine Nacht ist eigentlich nie völlig schwarz, das wusste Anne, aber hier draußen war sie es. Nahezu undurchdringlich schwarz.

Und die Lage ihres Hauses war es auch, was das Auftauchen eines Autos so befremdlich erscheinen ließ. In unmittelbarer Nähe gab es nicht einmal eine Straße. In einiger Entfernung befand sich ein abgelegener Parkplatz, von dem aus verschiedene Wanderwege in die Wälder führten. An den Wochenenden, vor allem im Sommer, herrschte dort ein gewisses Kommen und Gehen, aber im Winter, und schon gar nach Einbruch der frühen Dunkelheit, verirrte sich kaum noch jemand dorthin. Vielleicht mal ein Pärchen zum Knutschen. Aber das würde kaum weiter in den Wald vordringen und dann auch noch sein Auto über den schmalen Pfad quälen, der schließlich an Annes Gartenpforte endete.

Sie stand auf, ging ans Fenster, versuchte hinauszuschauen, sah aber vor allem ihr eigenes Gesicht, das sich in der Scheibe spiegelte. Sie schaltete das kleine Lämpchen in der Ecke sowie auch den Fernseher aus, und das Zimmer lag im Dunkeln. Wieder starrte sie angestrengt in den finsteren Abend. Es war schwierig, irgendetwas zu erkennen. Sie ahnte mehr den Garten mit seinen vielen Büschen, dem hohen Gras, den nun kahlen Obstbäumen. Im Sommer hatte sie Kirschen, Äpfel und Birnen ohne Ende geerntet, hatte wochenlang

Marmelade und Gelee eingekocht. Alles in große Gläser gefüllt, die Deckel mit Gummiringen verschlossen, Etiketten aufgeklebt und säuberlich beschriftet.

Und dabei immer an Sean gedacht. Daran, dass er vor allem davon geschwärmt hatte: von den Obstbäumen und von der eigenen Marmelade. Und sie hatte gewusst, dass sie nur seinetwegen erntete und einkochte, denn sie selbst aß Marmelade nicht besonders gern. Im Leben würde sie das alles, was sich dort unten im Keller in den Regalen stapelte, nicht mehr verzehren. Irgendwann würde sie sterben, und dann müssten neben allem anderen tonnenweise Marmeladengläser samt Inhalt entsorgt werden.

Sean und sie hatten das Haus acht Jahre zuvor auf einer Wanderung entdeckt. Sie hatten einen Ausflug nach Tunbridge Wells gemacht, der hübschen Stadt im äußersten Westen der Grafschaft Kent, eingebettet in Wiesen, Felder, Hügel und tiefe Wälder. Die Gegend war berühmt für ihre Obstplantagen und die schier endlosen Hopfenfelder. Es regnete selten hier, die Sommer waren heiß und trocken, und im Frühling lag immer der schwere, süße Geruch der Obstblüten in der Luft. Sean und Anne waren durch einen Wald gestreift, in dem Maiglöckchen und Buschwindröschen blühten, und plötzlich war das Haus vor ihnen aufgetaucht, ein ehemaliges Forst- oder Jagdhaus, wie es schien. Es sah ziemlich verfallen, deutlich unbewohnt und wenig einladend aus. Aber das hatte Sean nicht gestört. Er hatte sich in den Garten verliebt und konnte gar nicht mehr aufhören, davon zu reden.

»Dieses riesige Grundstück! Die vielen Obstbäume. Die Fliederbüsche. Goldregen, Jasmin, was du willst. Der Wald drum herum. Es ist das, wonach ich immer gesucht habe. Ich habe immer darauf gewartet!«

Sie hätte das alles nicht haben müssen. Beide waren sie damals sechzig Jahre alt gewesen, und Anne hätte es vernünftiger gefunden, sich nicht ausgerechnet im Alter mit einem Grundstück zu belasten, das ihnen harte körperliche Arbeit abverlangen würde. Sean hatte natürlich genau andersherum argumentiert. »Gerade wenn wir in ein paar Jahren pensioniert sind, können wir uns das erlauben. Wir haben dann viel Zeit und müssen nichts überstürzen. Was sollen wir in einer Wohnung herumsitzen und aus dem Fenster starren? Komm, lass es uns wagen! Lass uns noch einmal etwas Neues versuchen!«

Es war ihnen tatsächlich gelungen, das Haus zu erwerben. Genau genommen war das auch nicht schwer gewesen, denn es gab niemanden sonst, der es haben wollte. Das Haus gehörte der Gemeinde Tunbridge Wells, und die war froh, es los zu sein.

Und von da an hatten sie ihre gesamte Freizeit, jedes Wochenende und alle Ferien, dort im Wald verbracht und das Haus renoviert, Stück für Stück, in mühevoller Arbeit, die ihnen aber, wie Anne überrascht festgestellt hatte, eine Menge Befriedigung verschaffte. Sie hatten altes Parkett abgeschliffen, Küche und Bäder gefliest, Wände gestrichen, neue Fenster einsetzen lassen, Wände herausgebrochen und großzügige Räume geschaffen, wo vorher eine Vielzahl kleiner verschachtelter Zimmer gewesen waren. Sie hatten eine weitläufige Holzterrasse nach Süden hin angelegt, mit einem Geländer, das sie umschloss, und Stufen, die in den Garten führten. Sie hatten ein paar Bäume gefällt, um mehr Licht und Sonne zu bekommen. Und Anne hatte sich oben unter dem Dach ein Atelier ausgebaut. Einige Jahre zuvor hatte sie das Malen entdeckt. Es war zu einer Leidenschaft geworden.

Sie überlegte, ob sie hinausgehen sollte, aber um wirklich zu sehen, ob dort irgendwo ein Auto parkte, müsste sie bis nach vorne zum Tor laufen. Sie schreckte vor der Kälte zurück, die sie draußen erwartete. Außerdem würde sie wahrscheinlich wieder nichts entdecken. Vielleicht hatte sie sich den Lichtschein diesmal auch wirklich nur eingebildet. Immerhin hatte sie gedöst. Möglicherweise sogar geschlafen.

Aber irgendetwas hatte sie aufgeweckt.

Sie versuchte, das unheimliche Gefühl zu verdrängen, das sie beschlich. Sie war wirklich vollkommen allein hier draußen. Tagsüber kam sie damit ganz gut zurecht, aber abends musste sie sich manchmal zusammenreißen, um sich nicht allerlei beunruhigenden Gedanken hinzugeben.

Sie schaltete das Licht wieder ein, ging in die Küche hinüber – eine wunderschöne Küche aus weißgebeiztem Holz, mit einem Herd in der Mitte des Raumes und einer großen Theke gegenüber der Terrassentür, an der man frühstücken, Zeitung lesen, einen Kaffee zwischendurch trinken konnte. Sie schenkte sich einen Schnaps ein, kippte ihn in einem Schwung hinunter, nahm noch einen. Normalerweise reagierte sie nicht mit Alkohol auf Probleme, aber für den Augenblick schien der Schnaps sie tatsächlich etwas zu beruhigen.

Sie hatte nicht einmal nach Seans Tod versucht, sich mit Alkohol zu trösten. Überhaupt hatte sie keinerlei Hilfe in Anspruch genommen. Ihrer Erfahrung nach half Arbeit am besten über seelische Probleme hinweg, und so hatte sie sich auf den Garten gestürzt, viel gemalt und so das schlimme erste Jahr überstanden. Nun waren weitere zweieinhalb Jahre vergangen, und sie hatte alles im Griff. Sich, ihren Schmerz, das Leben hier draußen in der Abgeschiedenheit.

Sean war gestorben, als alles fertig war. Mitten im Sommer, wenige Wochen nach seinem 65. Geburtstag. Im Juni war er aus dem Berufsleben ausgeschieden, vier Wochen nachdem sich auch Anne aus ihrer Praxis als Kinderärztin verabschiedet und in den Ruhestand zurückgezogen hatte. Anfang Juli wollten sie die Einweihung des neuen Hauses feiern, in ihrem Garten, der im blühenden Jasmin zu versinken schien. Sie hatten fast achtzig Leute eingeladen, beinahe alle hatten zugesagt. Am Tag vor dem Fest war Sean auf das Hausdach geklettert, weil er sich in den Kopf gesetzt hatte, entlang der Regenrinne eine bunte Lichterkette zu befestigen. Beim Abstieg hatte er die oberste Sprosse der Leiter verfehlt und war hinuntergestürzt. Was zunächst nicht allzu dramatisch aussah, denn er hatte sich zwar den Oberschenkelhals gebrochen, aber sonst war nichts passiert. Natürlich war er wütend und enttäuscht darüber, im Krankenhaus zu liegen und sein Fest absagen zu müssen. Aber dann hatte er eine Lungenentzündung bekommen, keinerlei Antibiotika schlugen an, und innerhalb von vier Wochen war er tot, noch ehe Anne wirklich begriff, was eigentlich geschah.

Sie hatte ihn beerdigt, und irgendwann im November war sie ihrerseits auf das Dach geklettert und hatte die Lichterkette abgenommen, die noch immer dort hing, eine blöde, bunte Kette, die bei Gott nicht wert gewesen war, was sie verursacht hatte.

Der zweite Schnaps entspannte Anne endgültig. Sie kam zu dem Schluss, dass sie sich den Lichtschein tatsächlich eingebildet hatte. Und aufgeweckt hatte sie vermutlich irgendetwas im Fernseher. Ein Schrei, ein Schuss. Diese Dinge geschahen schließlich in Krimis.

Dennoch, sie würde die Haustür heute gründlich verriegeln, mit Sicherheitskette, was sie sonst nicht tat. Und in allen Räumen im Erdgeschoss die Läden vor den Fenstern schließen.

Das konnte zumindest nichts schaden.

I

»Und? Was machst du jetzt so den ganzen Tag?«, fragte Bartek.

Es war laut in dem Pub. Jeder Tisch besetzt, und alle lachten, redeten, tranken. Grölten. Samson ging nicht so gern hierher, aber Bartek bestand immer darauf, und da Bartek sein einziger Freund war, wollte Samson ihn nicht verärgern. Sie trafen sich manchmal freitags, wenn Bartek frei hatte. Früh, meist gegen sechs oder halb sieben. Bartek bekam Stress mit seiner Freundin, wenn er seinen freien Abend ausschließlich mit einem Freund in einer Kneipe verbrachte, daher gingen sie meist spätestens um halb neun wieder nach Hause. Samson war mit dem Auto gekommen, obwohl das bedeutete, dass er nichts trinken konnte. Aber er war ohnehin nie besonders scharf auf Alkohol, und außerdem war es ihm zu umständlich, den Bus zu nehmen. Er hatte wenig Lust, in der Kälte an der Haltestelle zu warten, und nach einem Fußmarsch war ihm noch weniger zumute. Wie üblich hatte er sich den ganzen Tag im Freien herumgetrieben. Irgendwann reichte es.

Das Auto hatte ihm seine Mutter vererbt. Er wusste, dass Millie deswegen sauer war. Immer noch, nach all den Jahren.

Sie konnte es nicht verwinden, wenn andere etwas bekamen, was sie selbst eigentlich haben wollte.

»Also, ich sitze nicht dauernd daheim, wenn du das meinst«, entgegnete Samson nun auf Barteks Frage. »Das wäre mir viel zu langweilig. Und außerdem hatte Millie diese Woche immer erst nachmittags Dienst und war den halben Tag zu Hause, und … na ja, du weißt ja. Auf ihre Gesellschaft kann ich gut verzichten.«

Millie arbeitete in einem Pflegeheim für alte Menschen. Samson wusste, dass sie ihren Beruf hasste. Manchmal hörte er, wie sie über ihre Patienten sprach, und dann gruselte es ihn bei der Vorstellung, einmal alt und jemandem wie ihr auf Gedeih und Verderb ausgeliefert zu sein.

»Dass dir das nicht stinkt«, sagte Bartek, »immer noch bei deinem Bruder und deiner Schwägerin zu wohnen! Dafür bist du doch viel zu alt!«

»Das Haus gehört mir aber auch!«

»Dann lass dir anteilig eine Miete zahlen, aber such dir etwas Eigenes. Du wirst doch da nur schlecht behandelt!«

»Ich habe Angst zu vereinsamen, wenn ich alleine lebe«, sagte Samson leise.

Bartek zog die Augenbrauen hoch. »Wie alt bist du jetzt? Vierunddreißig! Es wäre wirklich mal Zeit für eine Frau, mit der du zusammenlebst! Hast du nicht vor, irgendwann einmal zu heiraten und eine Familie zu gründen?«

Samson nahm einen Schluck von seinem alkoholfreien Bier.

Bartek hatte den heiklen Punkt erwischt. Sie hatten schon früher manchmal darüber gesprochen: heiraten, Kinder in die Welt setzen, ein normales Leben führen. Bartek, der seit Jahren eine feste Freundin hatte, tat sich schwer mit dem Thema. Seine Freundin wollte seit Langem schon heiraten, er selbst, obwohl fast vierzig Jahre alt, fürchtete die feste Bindung. Samson, der nie hatte zugeben wollen, dass seine Probleme ganz anders gelagert waren, hatte sich ebenfalls hinter einer gewissen Bindungsangst verschanzt, die er in Wahrheit gar nicht hegte. Im Gegenteil, nach nichts sehnte er sich so sehr wie nach einer Frau, die ihn heiraten würde. Ein Haus, ein Garten, Kinder, ein Hund... Er hatte das Bild deutlich vor Augen, und oft dachte er, dass er alles geben würde, es Wirklichkeit werden zu lassen. Aber die peinliche – und wie er fand: geradezu perverse – Tatsache war die, dass er überhaupt noch nie eine Freundin gehabt hatte. Weder in der Schulzeit noch danach. Überhaupt nie. Sodass er bislang nicht einmal in die Nähe des Themas *Heiraten* gelangt war.

»Na ja«, meinte er ausweichend, »es ist ja nicht so, dass man jeden Tag einer Frau begegnet, die man heiraten würde!«

»Also, meine Freundin hat mich jetzt so weit«, sagte Bartek, und er sah dabei nicht ganz unglücklich aus. »Sie hat mir nun wirklich das Messer auf die Brust gesetzt, und vielleicht war das ganz gut so. Im nächsten Sommer wagen wir es. Großes Fest, jeder kommt. Du bist natürlich auch eingeladen!«

»Wie schön«, sagte Samson und versuchte, nicht allzu neidisch zu klingen. Bartek war einfach ein Glückspilz. Immer, in jeder Hinsicht. Sie hatten einander kennengelernt, als Samson noch nicht Tiefkühlkost ausgefahren, sondern für einen Limousinenservice gearbeitet hatte. Bartek war dort ebenfalls angestellt gewesen, und im Unterschied zu Samson hatte er keine Kündigung bekommen. Einer wie Bartek wurde nicht entlassen. Ihn mochten die Menschen zu sehr, angefangen vom Chef über die Angestellten bis hin zu den Kunden. Bartek hatte immer viele gezielte Anfragen bekommen, wenn ein Wagen gebucht wurde. *Können wir Bartek haben? Können wir diesen total netten Polen haben?*

Bartek sprach perfekt Englisch, hatte aber einen charmanten osteuropäischen Akzent, der besonders bei Frauen gut ankam. Er verstand es, die Leute zu unterhalten, indem er einfach ein paar – zumeist wild erfundene – Geschichten aus seinem Leben berichtete und damit oft atemlose Spannung erzeugte.

Samson, der nächtelang wach lag und sich mit der Frage herumschlug, weshalb er von den Frauen beharrlich übersehen und bei jeder Kündigungswelle als Erster erfasst wurde, hatte oft überlegt, ob es daran lag: an seiner eigenen geradezu grotesk langweiligen Biografie. Was hatte er Interessantes zu erzählen? Oder an seinem Namen. Wer hieß schon Samson? Wenn er seinen verstorbenen Eltern etwas nicht verzieh, dann den Umstand, dass sie ihm diesen Namen gegeben hatten. Seine Mutter hatte während der Schwangerschaft ein Buch gelesen, in dem ein *Samson* vorkam, und sie hatte den Namen toll gefunden. Samsons zwei Jahre älterer Bruder hatte mehr Glück gehabt. Gavin konnte man heißen, ohne dass man deswegen die ganze Schulzeit hindurch gehänselt wurde.

»Du musst mehr unter Menschen gehen«, sagte Bartek, »sonst findest du nie die Frau fürs Leben. Was machst du noch mal den ganzen Tag? Wenn du nicht daheim sitzt?«

Ich habe noch gar nicht erwähnt, was ich tagsüber mache, dachte Samson gereizt. Bartek hörte ihm manchmal nicht richtig zu. Na ja, es war ja auch nie sehr beeindruckend, was er zu berichten hatte.

Kurz überlegte er, ob es ratsam war, sich Bartek anzuvertrauen, aber er hätte so gerne mit jemandem gesprochen, und außer Bartek gab es niemanden. »In gewisser Weise«, sagte er geheimnisvoll, »gehe ich den ganzen Tag unter Menschen.«

»Ja? Was machst du?«

»Ich schaue mir das Leben anderer Menschen an.«

»Hä?«, machte Bartek.

»Ich laufe durch die Straßen. Immer zu bestimmten Zeiten. Und es ist sehr interessant... also, man findet eine Menge über die Menschen in der eigenen Umgebung heraus. Wie sie so leben. Ob sie allein sind oder eine Familie haben. Ob sie glücklich oder unglücklich sind. So etwas eben.«

Samson dachte plötzlich, dass er wahrscheinlich einen Fehler begangen hatte. Es war idiotisch gewesen, sich Bartek gegenüber zu öffnen. Er konnte es am Gesichtsausdruck des Freundes erkennen.

»Heißt das, du *beschattest* andere Leute regelrecht?«, fragte Bartek nach einer Weile, in der er offenbar versucht hatte, das Gehörte zu sortieren.

»Ich analysiere sie«, erklärte Samson.

»Wie – du analysierst sie? Was meinst du damit?«

»Ich versuche Dinge über sie herauszufinden. Warum jemand zum Beispiel alleine ist. Und wie er damit umgeht.«

»Und was bringt dir das?«

»Erkenntnisse.«

»Ja, aber wozu? Ich meine, was genau willst du eigentlich dabei herausfinden?«

Samson erkannte, dass es zwecklos war. Bartek würde ihn nicht verstehen. Vielleicht war das alles aber auch nicht zu verstehen.

»Also, ich bin zum Beispiel ja auch allein«, versuchte er es dennoch zu erklären, »und ich beschäftige mich viel mit der Frage, warum das so ist. Und da versuche ich herauszufinden, weshalb es anderen auch so geht wie mir.«

»Ja, aber sei mir nicht böse, das ist doch eine komplett... ja, irgendwie gestörte Methode! Warum gehst du nicht ins

Internet? Da tummeln sich Tausende, die dasselbe Problem haben wie du. Da gibt es unzählige Foren, in denen du dich austauschen kannst.«

»Das mache ich ja auch«, gab Samson zu. »Aber es ist letztlich so anonym. Oft fühle ich mich doppelt einsam, wenn ich einen ganzen Nachmittag lang mit einem Typen gechattet habe, der fünfhundert Meilen von mir entfernt lebt und den ich gar nicht kenne, der aber zufällig auch keine Frau findet.«

»In der Hauptsache geht es bei dir aber schon um den Wunsch, eine Frau zu finden?«

»Ja. Auch darum.«

»Dann denkst du, du findest eine junge alleinstehende Frau, indem du durch die Straßen streunst und in fremde Häuser spähst?«, fragte Bartek, der sich offenbar bemühte, in eine ihn grotesk anmutende Situation eine gewisse Struktur und Logik zu bringen.

»Nicht direkt.«

»Ja, zum Teufel, was bringt es dir denn dann?«

Samson zuckte mit den Schultern. »Ist doch egal.«

»Nein, ist es nicht. Sei mir nicht böse, Samson, aber für mich klingt das ganz schön schräg. Wenn du mich fragst … dir bekommt es nicht, arbeitslos zu sein. Du fängst an, seltsame Marotten zu entwickeln.«

»Ich habe mir meine Arbeitslosigkeit nicht ausgesucht.«

»Nein, natürlich nicht. Aber bemühst du dich denn, etwas Neues zu finden? Du bist doch noch jung! Notfalls fährst du eben Taxi … irgendetwas. Aber den ganzen Tag lang hinter anderen Leuten herzuschleichen, also, das bringt doch nichts!«

»Es ist interessant.«

Bartek schüttelte den Kopf. »Gott, Samson, also wirklich … Hast du denn wenigstens schon eine Frau entdeckt, die zu dir passen könnte? Damit das alles irgendwann einmal zu irgendetwas führt?«

Samson musste zugeben, dass sich seine Ausbeute an jungen, alleinstehenden Frauen in Grenzen hielt. »Die meisten sind natürlich älter. Deutlich älter als ich. Eine gehört zu … zu meinem Programm. Sie hat mein Alter und lebt offensichtlich alleine. Arbeitet freiberuflich von zu Hause aus und hat einen großen Hund.«

»Ja und? Hast du sie mal angesprochen?«

Samson merkte, dass Bartek tatsächlich nichts verstand. Die Frauen, die er beschattete, würde er nicht ansprechen. »Nein.«

»Lade sie doch mal auf einen Kaffee ein.«

»Kann ich machen«, sagte Samson, aber er wollte nur, dass Bartek Ruhe gab.

»Man kann auch über das Internet Frauen finden«, sagte Bartek.

»Ich weiß, aber …«

»Nichts aber. Du darfst nicht immer nur reden. Und träumen. Du musst es machen!«

»Es gibt da eine Familie«, erzählte Samson zögernd. Eigentlich wollte er Bartek nicht noch tiefer ins Vertrauen ziehen, aber er hatte plötzlich das Gefühl, den Eindruck verwischen zu müssen, er habe es ausschließlich auf Frauen abgesehen. Bartek schien doch ziemlich schockiert, und das wollte er so nicht stehen lassen. Er mochte von seinem einzigen Freund nicht für eine Art Triebtäter gehalten werden. »Sie wohnt am anderen Ende unserer Straße … gleich an diesem Grünstreifen, gegenüber vom Golfclub.«

»Aha. Und was ist mit denen?«

»Er ist Wirtschaftsberater. Hat Gavin mal geholfen. Sie

ist sehr attraktiv. Und dann haben sie noch eine bezaubernde Tochter. Etwa zwölf Jahre alt.«

Bartek sah nicht weniger perplex drein als zuvor. »Ja, und was willst du mit *denen*? Die attraktive Mummie für dich abstauben oder was?«

»Nein. Nein, natürlich nicht. Sie sind nur ... sie sind so perfekt, weißt du. Eine Traumfamilie. Die Familie, die ich einmal haben möchte!«

Bartek wirkte nun ernsthaft beunruhigt. »Samson, ich habe den Eindruck, dass du dich zu sehr von der Realität entfernst. Du träumst dich in das Leben anderer Menschen hinein, aber so änderst du dein eigenes kein bisschen. Mir kommt das alles wie eine Flucht vor!«

Und wenn, dachte Samson, braucht man das nicht manchmal? Die Möglichkeit zu fliehen?

»Ich komme schon klar«, versicherte er. Warum hatte er bloß von all dem angefangen? Er hatte das sichere Gefühl, dass sich Bartek nun wie ein Terrier in das Thema verbeißen und immer wieder davon anfangen würde.

»Ich werde mal sehen, ob wir etwas für dich arrangieren können«, sagte Bartek. »Irgendwo muss es doch eine Frau für dich geben! Du siehst nicht schlecht aus, dir gehört ein Haus ... na ja, immerhin zur Hälfte ... du bist nicht dumm und hast keine abstoßenden Eigenschaften. Es wäre doch gelacht, wenn ...«

»Ich bin arbeitslos.«

»Deswegen wäre es natürlich auch wichtig, dass du dich ernsthaft um Arbeit kümmerst.«

»Ich suche ja wie verrückt.« Was nicht stimmte. Samson hatte sich diesmal nicht einmal offiziell arbeitslos gemeldet, und er wusste, dass das ein Fehler war. Vor allem würde es nicht ewig so weitergehen können, denn er bekam auf diese

Weise keine Unterstützung, und sein Erspartes würde bald aufgebraucht sein. Aber sowie er sich meldete, musste er Berge von Bewerbungen schreiben, musste ständig Nachweise über seine Bemühungen, Arbeit zu finden, bringen – und wie sollte er das mit seiner anderen Tätigkeit vereinbaren? An vielen Tagen schon hatte er gedacht: Morgen fange ich an, mich um meine Zukunft zu kümmern! Morgen melde ich mich arbeitslos, und dann packe ich das Problem an!

Aber nie hatte er es geschafft. Seine Sehnsucht, weiterhin die Menschen zu beobachten, an deren Leben er so intensiv, viel intensiver, als er es Bartek oder irgendjemandem sonst vermitteln konnte, Anteil nahm, war zu groß. Sein eigenes Leben ohne sie weiterzuführen erschien ihm sinnlos.

»Wenn du dich wirklich bemühst, wirst du auch etwas finden«, sagte Bartek optimistisch, und dann wechselte er zu Samsons tiefer Erleichterung das Thema und wandte sich wieder seinen eigenen Zukunftsplänen zu: der geplanten Hochzeit, seinem Wunsch, für sich und seine Braut eine Eigentumswohnung zu kaufen, dem Problem, dafür einen Kredit zu bekommen, und, und, und… Samson ließ das alles an sich vorbeirauschen. Er hatte seit dem Frühstück nichts gegessen, und seine finanzielle Situation ließ es nicht zu, dass er sich auch nur einen Burger bestellte, das billigste Gericht auf der Karte des Pubs. Aber das machte nichts. Ihm war auf eine angenehme Art etwas schwindelig, und alles ringsum erschien ihm ein wenig gedämpft, konturenlos, angenehm verschwommen: die Stimmen der Menschen, ihr Lachen und Plaudern, das Klirren der Gläser, die kalte Luft, die von draußen in den Raum fegte, wenn jemand kam oder ging. Barteks Gelaber. Alles.

Er dachte an Gillian Ward.

Wenn ich nur unauffällig verschwinden könnte, dachte Gillian.

Aber natürlich ging das nicht. Sie konnte nicht aufbrechen ohne Becky, und damit entfiel zumindest jede Möglichkeit eines *unauffälligen* Abgangs. Die Kinder der verschiedenen Handballgruppen tobten unten auf dem Spielfeld herum, Becky in schwarzen Leggins und pinkfarbenem T-Shirt als eine der Wildesten mitten unter ihnen. Unmöglich, sie dort herauszulösen. Die Eltern, vorwiegend Mütter, saßen in dem von der eigentlichen Sporthalle durch eine Glasscheibe abgetrennten Restaurant, das zum Club gehörte und in dem Vereinssitzungen und Feiern stattfanden. Der Raum war weihnachtlich geschmückt, und von einem CD-Player erklangen Weihnachtslieder. An der Bar konnte man Kaffee, Tee oder Sekt bekommen. Das Essen hatten die Eltern selbst mitgebracht und auf einem langen Tisch ein Buffet aufgebaut. Es gab Unmengen an Weihnachtsplätzchen, Plumpudding und verschiedenen Kuchen, aber auch zahlreiche Salate, zwei Käseplatten, Schüsseln mit Knabbergebäck. Niemals würde das alles aufgegessen werden können. Gillian hatte einen Schokoladenkuchen gebacken und zu den anderen Sachen gestellt, aber noch niemand hatte sich etwas davon genommen, wie sie aus den Augenwinkeln erkennen konnte; ein Umstand, der sie zu ihrer eigenen Überraschung in einen fast kindlichen Kummer trieb. Ihr Kuchen sah nicht schlecht aus. Allerdings gab es noch zwei weitere, nahezu identisch anmutende Schokoladenkuchen, und vielleicht war das der Grund.

Diana hatte in letzter Sekunde abgesagt, weil sich Darcys

Halsentzündung verschlimmert hatte, und da Gillian zu niemandem sonst hier je in Kontakt getreten war, hatte sie die erste halbe Stunde völlig allein herumgesessen, hatte sich an ihrer Kaffeetasse festgehalten und ohne jeden Appetit ein paar Kekse gegessen; irgendetwas musste sie schließlich tun, wenn sie nicht nur sinnlos an die Wand starren wollte. Alle anderen Mütter schienen miteinander befreundet zu sein, denn es herrschte ein schier undurchdringliches Gewirr aus Rufen, Lachen und Reden. Jeder fühlte sich aufgehoben, jeder war glücklich.

Jeder außer Gillian.

Schließlich hatte sich eine Mutter neben sie gesetzt, aber dies nur deshalb, weil sie später gekommen war und keinen anderen Platz fand. Sie stellte ein Tablett vor sich auf den Tisch, beladen mit verschiedenen Salatsorten, Käse und einem großen Glas Sekt.

»Gott, habe ich Hunger«, sagte sie und fügte mit einem Blick auf Gillians leere Kaffeetasse und den Unterteller mit zwei angenagten Weihnachtsplätzchen darauf hinzu: »Sie nicht?«

»Nicht so richtig«, sagte Gillian.

Die andere musterte sie. »Sie sind Gillian, stimmt's? Die Mutter von Becky?«

Gillian nickte und fragte sich, weshalb die anderen Frauen das immer wussten. Wie man hieß und wer die Mutter von wem war. Sie selbst hatte keine Ahnung, wem sie welches Kind zuordnen sollte.

Die andere Mutter begann eifrig zu essen und dabei ausgiebig von ihrem Sohn zu erzählen, der sich seit frühester Kindheit mit Neurodermitis herumschlug und auch sonst mit Allergien und jeder Menge Nahrungsmittelunverträglichkeiten zu kämpfen hatte. Sie war mit ihm bei allen nur denkbaren Ärzten gewesen, hatte alles ausprobiert, riet von Cortison aufgrund eigener schlechter Erfahrungen dringend ab, konnte aber Salben und Globuli empfehlen und kannte sich überhaupt auf dem ganzen Gebiet hervorragend aus.

»Hat Becky auch Allergien?«, fragte sie.

»Nein«, sagte Gillian und schluckte die Antwort hinunter, die ihr eigentlich auf der Zunge lag: *Mir scheint, sie ist allergisch gegen mich. In der letzten Zeit gibt es kaum noch ein gutes Wort zwischen uns. Ich wünschte, es wäre etwas anderes, eine Allergie gegen Gräserpollen, Hausstaubmilben oder Lactose. Ich wüsste dann einen Ansatz. So aber habe ich gar keinen.*

Sie sagte es nicht, spürte aber, wie dicht sie davor gestanden hatte, den Worten freien Lauf zu lassen, und erschrak darüber. Das hier war eine wildfremde Frau, mit der sie nichts anderes verband als die Tatsache, dass ihre beiden Kinder in derselben Handballmannschaft spielten, und um ein Haar hätte sie ihr den Kummer anvertraut, von dem sie in den letzten Wochen das Gefühl hatte, er werde ihr das Herz brechen.

Reiß dich zusammen, befahl sie sich. Sie beschloss, am späteren Abend ihre Freundin Tara Caine anzurufen. Tara war treu und zuverlässig, und Gillian wusste, dass sie nichts von dem, was sie erfuhr, weitertratschte.

Die andere Mutter – deren Namen Gillian noch immer nicht kannte – nahm einen tiefen Schluck von ihrem Sekt und wechselte endlich das Thema. »Sieht Burton nicht wieder fantastisch aus?«, fragte sie mit gedämpfter Stimme.

Gillian suchte den Raum ab und entdeckte John Burton, den Trainer, der inmitten einer Traube von Müttern am Bartresen lehnte und vermutlich Rede und Antwort zu den Fortschritten der Kinder stehen musste. Wenn ihn die Situation stresste, so war ihm das nicht anzumerken. Allerdings war sie für ihn auch nicht ungewöhnlich. Gillian sah jedes Mal, wenn sie Becky zum Training brachte oder abholte, wie die Frauen ihn umlagerten. Das mochte damit zusammenhängen, dass sie tatsächlich über jedes noch so unbedeutende Vorkommnis in der Mannschaft informiert sein wollten. Zweifellos hatte es aber auch mit Burtons Wirkung auf Frauen zu tun. Er sah gut aus, aber vor allem umgab ihn die Aura einer geheimnisvollen Vergangenheit: Es hieß, er sei bei der Polizei gewesen und habe dort eine Blitzkarriere hingelegt, sei aber bereits im Alter von siebenunddreißig Jahren unter mysteriösen Umständen, deren Hintergrund niemand herausfand, dort ausgeschieden. Er hatte dann eine private Wachgesellschaft gegründet, beschäftigte gut zwei Dutzend Mitarbeiter und organisierte hauptsächlich Gebäudewachdienste und Personenschutz. Er lebte und arbeitete in London, kam jedoch zweimal in der Woche hinaus nach Southend, um zwei Jugendmannschaften im Handball zu trainieren; einige Spieler hatte er sich bewusst aus sozialen Brennpunkten der Stadt zusammengesucht. Er hielt Sport, insbesondere einen Mannschaftssport, für die effektivste präventive Maßnahme, das Abgleiten gefährdeter Jugendlicher in die Kriminalität zu unterbinden. Gillian hatte einmal zufällig gehört, wie er dies einigen Müttern erklärte, die atemlos an seinen Lippen hingen. Besonders für die Frauen aus gutbürgerlichem Milieu war er ein Held, ein Retter, ein Kämpfer. Gillian konnte sich vorstellen, wie sehr sie ihn romantisierten.

Vermutlich, dachte sie, ist er in Wahrheit überhaupt nicht das, was sie in ihm sehen.

Aber sie musste zugeben, dass er attraktiv war. »Ja«, antwortete sie daher schließlich, »er sieht schon ziemlich gut aus.«

»Ziemlich gut? Ich muss immer aufpassen, keine unanständigen Fantasien zu entwickeln, wenn ich ihn sehe. Komisch, dass einer wie er keine Frau hat.«

»Vielleicht hat er jede Menge Verhältnisse.«

»Aber eines seiner Verhältnisse würde dann doch mal hier aufkreuzen. Mal zuschauen oder ihn abholen oder irgendetwas. Es ist schon merkwürdig. Ich habe ihn noch nie mit einer Frau zusammen gesehen.«

»Er will sein Privatleben eben hier nicht ausbreiten«, meinte Gillian. Sie konnte das gut verstehen. Die Weiber hier sind wie die Geier, dachte sie.

»Ich finde das trotzdem seltsam«, beharrte die andere. »Wie so manches an ihm.«

Gillian wollte nicht wissen, was sie damit meinte, und erwiderte nichts, was ihre Nachbarin natürlich nicht davon abhielt, dennoch ihre Ansichten darzulegen.

»Ich wüsste schon gerne, wieso er bei der Polizei gehen musste. Er war bei Scotland Yard! Das ist eine Karriere, die wirft man ja wohl kaum freiwillig hin! Und dann seine Trainerstunden hier bei uns. Er lebt in London. Warum also der Weg bis hierher nach Southend? Vielleicht wollte kein Londoner Sportclub ihn haben. Warum wohl?«

Gillian hatte den Eindruck, dass sie es nicht aushalten würde, nach der Krankengeschichte des Sohnes nun auch die detaillierte Meinung der fremden Frau zum Privatleben des Trainers anzuhören. Sie schaute in das selbstzufriedene Gesicht mit den groben Zügen und stand abrupt auf.

»Entschuldigung. Ich muss unbedingt eine Zigarette rauchen.« Sie versuchte, ihren Ausbruch aus dem Gespräch etwas weniger unhöflich wirken zu lassen. »Es ist ein Fluch mit dieser Sucht ...«

Lieber Gott, lass sie bloß nicht auch Raucherin sein und mitkommen ...

Die andere lächelte säuerlich. Sie war beleidigt, das war deutlich zu spüren.

Gillian dachte daran, was Tom jetzt sagen würde. *Siehst du, deshalb bleibst du immer allein! Wenn mal jemand versucht, sich dir zu nähern, wird er sogleich abgeschmettert.*

Sie drängte sich durch den Raum, atmete auf, als sie in der Garderobe stand. Ruhe. Gedämpft klangen die Stimmen durch die Tür. Gillian strich sich über die Stirn. Sie fühlte sich heiß an.

Es dauerte volle fünf Minuten, bis sie ihren Mantel unter den Bergen anderer Mäntel gefunden und angezogen hatte. Dann trat sie hinaus in den dunklen Abend, es war kalt, aber nicht mehr so windig wie in den letzten Tagen. Vom Fluss zog Nebel heran. Wie ein kaltes, feuchtes Tuch legte er sich um ihren Kopf. Sie kramte eine Zigarette hervor, zündete sie an, nahm die ersten Züge hastig hintereinander. Wie immer hatte das Nikotin eine entspannende Wirkung auf sie, obwohl sie natürlich sofort Schuldgefühle empfand. Tom hasste es, wenn sie rauchte, und mit jedem Argument, das er dagegen vorbrachte, hatte er recht. Wie immer würde sie sich zu Silvester vornehmen, endgültig damit aufzuhören.

Wie immer würde sie scheitern.

Mit dem linken Zeigefinger massierte sie sich sanft die Schläfe. Die Luft in dem Raum war fürchterlich gewesen, das fiel ihr jetzt erst richtig auf. Undenkbar, zurückzugehen.

Ich drücke mich eine halbe Stunde hier draußen herum, dann sage ich Becky, dass wir gehen müssen, beschloss sie. Ein weiterer Minuspunkt natürlich für sie. Vielleicht sollte sie sich gar nicht so sehr darüber wundern, dass ihre Tochter nicht mit ihr klarkam. Vielleicht quälte sie Becky mit ihrer seltsamen Art viel mehr, als es ihr bewusst war.

Gerade als sie ihre Zigarette in einem leeren Blumenkübel ausdrückte, sah sie John Burton aus der Tür treten. Er hatte sich eine schwarze Jacke angezogen und einen Schal um den Hals geschlungen. Er lächelte, als er sie sah.

»Tun Sie dasselbe wie ich?«, fragte er. »Ihre Lungen malträtieren?«

Sie nickte. »Ich fürchte, ja. Außerdem…« Sie sprach den Satz nicht zu Ende, weil sie ihn nicht kränken wollte, aber er schien zu verstehen, was sie sagen wollte.

»Außerdem ist es eine gute Gelegenheit, dem allen«, er machte eine Kopfbewegung zu der Sporthalle hin, »zu entkommen. Unerträglich.«

»Das finden Sie auch?«, fragte sie überrascht.

Er kramte ein Zigarettenpäckchen hervor, hielt es ihr hin, und sie nahm sich eine Zigarette. Während er sich selbst eine Zigarette in den Mundwinkel klemmte, versuchte er sein Feuerzeug in Gang zu bringen, aber die winzige Flamme verlosch immer wieder zitternd, noch ehe man mit ihr etwas hätte anfangen können. Burton fluchte. Gillian zog ihr Feuerzeug hervor, gab ihm und sich Feuer.

»Danke«, sagte er.

Sie rauchten schweigend. Schließlich sagte er: »Ich habe Sie hinausgehen sehen. Sie wirkten wie jemand, der auf der Flucht ist.«

»Ich hatte gehofft, dass man das nicht bemerkt«, sagte Gillian.

»Außer mir hat es wahrscheinlich auch niemand bemerkt. Die achten nicht auf andere, jedenfalls nicht in dieser Hinsicht. Aber ich hatte die ganze Zeit über den Eindruck, dass Sie sich nicht besonders wohl fühlen.«

Gillian schluckte. Es war erstaunlich, was eine verständnisvolle Bemerkung, ein mitfühlender Tonfall auslösen konnten. Sie hatte das Gefühl, dass plötzlich Tränen in ihr aufstiegen. Was natürlich schrecklich wäre. Sie hätte es furchtbar peinlich gefunden, an diesem nebligen Winterabend neben dem Handballtrainer ihrer Tochter vor der Sporthalle zu stehen und zu heulen.

»Ich bekam die ganze Krankengeschichte eines Jungen erzählt«, sagte sie, »in allen Details. Jede Menge Allergien. Die Frau war sehr eindringlich. Irgendwann hämmerte es nur noch in meinem Kopf. Vielleicht habe ich deshalb einen etwas gequälten Eindruck gemacht.«

»Ja, das war die Mutter von Philip«, erklärte John, »ein sehr netter, aufgeweckter Junge. Meiner Ansicht nach hat er überhaupt keine Allergien. Er hat diese Mutter, und das ist sein ganzes Problem.«

Er sagte das so trocken und sachlich, dass Gillian plötzlich lachen musste. Sie war über sich selbst erstaunt. So komisch waren seine Worte nun auch nicht gewesen. Aber das Lachen kam tief aus ihrem Inneren, entstand irgendwo in ihrem Bauch und drängte sprudelnd nach oben. Sie lachte befreit und lebhaft und dachte, dass sie ewig nicht mehr wirklich gelacht hatte, so ganz aus der Tiefe heraus, aber zugleich war ihr klar, dass etwas nicht stimmte, weil sie heftiger lachte, als es der Situation angemessen war, dass sie dicht davor war, hysterisch zu werden, und es schien ihr auch, als blicke John Burton sie erstaunt an.

»Aber nicht doch, was ist denn?«, fragte er und legte die Hand auf ihren Arm, und da erkannte sie, dass sie nicht mehr lachte, sondern weinte, und dass sie überhaupt nicht bemerkt hatte, wie das eine in das andere übergegangen war. Die Tränen strömten ihr über das Gesicht, dessen Haut sich schon vorher feucht angefühlt hatte vom Nebel und die nun nass und salzig wurde.

»Ich weiß nicht«, stieß sie hervor, »Entschuldigung ... ich weiß nicht ...«

Entsetzt stellte sie fest, dass sie nicht aufhören konnte zu weinen.

»Oh Gott«, stöhnte sie.

Kurz entschlossen drückte Burton seine Zigarette aus, nahm auch Gillian die Zigarette aus der Hand und versenkte sie im Blumenkübel. Dann umfasste er ihren Arm.

»Kommen Sie. Bevor andere Sie hier draußen sehen ... Sie möchten denen sicher nicht das Futter für einen monatelangen Tratsch liefern.«

Sie konnte nichts sagen, nur den Kopf schütteln. Willenlos ließ sie sich von ihm über den Parkplatz führen, stieg in ein Auto, dessen Tür er für sie geöffnet hatte. Sie registrierte, dass er von der anderen Seite einstieg und neben ihr saß. Sie weinte noch immer, aber es gelang ihr zumindest, ihre Handtasche zu öffnen und nach einem Taschentuch zu kramen.

»Es tut mir so leid«, schluchzte sie.

Burton schüttelte den Kopf. »Hören Sie auf, sich zu entschuldigen. Ich habe Sie den Abend über beobachtet und gesehen, wie unglücklich Sie waren, und wissen Sie, was ich dachte?«

»Nein.«

»Ich dachte: Irgendwann fängt sie an zu weinen. Und ich hatte gehofft, dass Ihnen das nicht da drinnen passiert. Letztlich ist es mir jetzt hier in meinem Auto lieber.«

Sie fand endlich ein Taschentuch, schnäuzte sich die Nase. Die Tränen liefen noch, aber der Ausbruch wilder, ungebremster Verzweiflung war vorüber.

»Mir ist das, ehrlich gesagt, auch lieber«, sagte sie, »vielen Dank.«

»Geht's wieder?«

»So einigermaßen. Aber ich kann da jetzt nicht rein.«

Burton überlegte. »Es gibt hier in der Nähe ein Pub. Wenn

Sie mögen, können wir dort einen Schnaps trinken. Das hilft manchmal.«

»Gute Idee. Ich hoffe, ich bin Ihnen nicht zu lästig.«

Er ließ den Motor an und steuerte den Wagen aus der Parklücke. »Glauben Sie, ich habe große Lust auf die Gesellschaft da drinnen?«

»Schwer vorstellbar.«

»Eben.«

Ein paar Minuten später erreichten sie das *Halfway House*. Es lag an der Eastern Esplanade, gleich am Strand und mit direktem Blick auf den Fluss, den man jetzt in Dunkelheit und Nebel jedoch nur ahnen konnte. Die Fenster waren hell erleuchtet, und es klang Musik nach draußen.

»Nicht das Beste, was die Stadt zu bieten hat«, sagte Burton, als sie ausstiegen, »aber dafür gleich in der Nähe. Und Sie treffen vermutlich niemanden, den Sie kennen.«

Stimmengewirr und lautes Gelächter schlugen ihnen entgegen. Gillian gewahrte einen Raum voller Menschen, eine Bar, etliche Tische und Stühle. Es gab keine Bilder an den weißgekalkten Wänden, keine Pflanzen vor den Fenstern. An Nüchternheit war dieser Ort kaum zu überbieten, was seiner Beliebtheit keinen Abbruch zu tun schien. Im Publikum mischten sich alle Altersgruppen, allerdings erkannte Gillian, dass John recht gehabt hatte: Es war nicht der Ort, den Tom aufgesucht hätte. Oder sonst jemand aus ihrem Bekanntenkreis.

Burton entdeckte einen freien Tisch mit zwei Stühlen und bahnte den Weg durch die Menge. »Was möchten Sie trinken?«

»Irgendeinen Schnaps. Am besten einen doppelten.«

Er nickte und drängte sich in Richtung Bar, während Gillian ihren Mantel auszog, ihn über die Stuhllehne hängte und sich setzte. Es tat gut, hier zu sein. Gut, sich ausgeheult zu haben. Sie nahm ihren Handspiegel aus der Tasche und begutachtete ihr Gesicht. Sie sah ziemlich verweint aus, hatte eine fleckige Haut, geschwollene Augenlider. Eine rote Nase. Das hatte sie wieder einmal gut hinbekommen. Typisch Gillian. Schaffte es, mit einem wirklich begehrenswerten Mann in einer Kneipe zu landen, aber sah dabei aus wie ein verheultes Schulmädchen. Genau genommen wäre das Schulmädchen noch die bessere Variante gewesen.

Ich sehe mindestens zehn Jahre älter aus, als ich bin, dachte sie resigniert, und wirklich nur wie eine Frau, mit der man Mitleid haben kann.

Sie ließ den Blick durch den Raum schweifen in der Hoffnung, den Eingang zur Toilette zu entdecken. Vielleicht würde ihr ein wenig kaltes Wasser im Gesicht helfen. Wegen der vielen Menschen, die zumeist in Gruppen beieinanderstanden, war es schwierig, die örtlichen Gegebenheiten genau zu erkunden. Ihre Augen blieben plötzlich an einem Mann hängen, der ihr bekannt vorkam. Jünger als sie, höchstens Mitte dreißig. Er saß mit einem anderen Mann vor einem Bierglas und starrte zu ihr hinüber. Gillian war sicher, dass sie ihn kannte, brauchte aber einige Sekunden, um ihn einordnen zu können. Dann fiel es ihr ein: Er wohnte in derselben Straße wie sie, nur ganz am anderen Ende. Zusammen mit seinem Bruder und seiner Schwägerin. Den Bruder hatte Tom einmal in einer Nachlassgeschichte beraten und nachher gesagt, es handele sich um etwas eigenartige Leute. Unsicher lächelte sie zu ihm hinüber. Na wunderbar! So viel zu dem Thema, dass sie hier bestimmt keine Bekannten treffen würde. So konnte man sich irren. Nun saß sie völlig verweint mit einem Mann, der nicht ihr eigener war, an einem Freitagabend in einer Kneipe und traf prompt auf einen Nachbarn. Manchmal waren die Dinge wirklich wie verhext.

Der junge Mann lächelte schüchtern zurück. Er wirkte erstaunt. Wahrscheinlich konnte man ihm das nicht verdenken.

John Burton kehrte an den Tisch zurück, bewaffnet mit zwei großen Schnapsgläsern. »Ging nicht schneller«, sagte er bedauernd und nahm ihr gegenüber Platz. »Haben Sie sich schon akklimatisiert?«

»Ja. Und festgestellt, dass ich wirklich furchtbar aussehe. Tut mir leid.«

»Wir hatten uns doch geeinigt, dass Sie sich nicht mehr entschuldigen.« Er hob das Glas. »Auf Ihr Wohl!«

Sie nahm einen tiefen Schluck. Und dann gleich noch einen. Der Schnaps brannte in ihrer Kehle, sandte Hitzewellen durch ihren Magen. Wahrscheinlich war es falsch, ihn zu trinken. Vor allem in dieser Menge. Das war kein doppelter Schnaps, das war mindestens ein vierfacher. Und sie hatte den Tag über wenig gegessen. Sie würde nachher ihre Tochter abholen und mit ihr im Auto nach Hause fahren und dabei angetrunken sein, aber sie schob ihre Bedenken zur Seite und nahm den nächsten Schluck. Für den Augenblick wollte sie nur die Entspannung, die der Alkohol ihr gab. Den Abstand zu allen Dingen. Zu den Sorgen und Ängsten und zu ihrer Traurigkeit.

»Möchten Sie… möchten Sie über Ihren Kummer reden?«, fragte John nach einer Weile.

Warum eigentlich nicht?

»In wenigen Worten«, sagte sie, »meine Tochter lehnt mich ab, weil sie sich von mir gegängelt und bevormundet fühlt, und mein Mann nimmt mich nicht mehr wahr. Wahrscheinlich also einfach das Übliche.« Sie versuchte zu lachen.

John Burton stimmte nicht ein, sondern blickte sie nachdenklich an. »Über Ihren Mann kann ich nichts sagen. Aber Ihre Tochter kenne ich zumindest ganz gut. Ich mag Becky. Sie ist sportlich, ehrgeizig und hat Teamgeist. Sie ist stark und unabhängig im Wesen. Klar, sie ist auch eigenwillig und manchmal schwierig. Aber möglicherweise macht sie gerade eine problematische Phase durch und verletzt dabei vor allem den Menschen, der ihr am nächsten steht. Sie sollten sich nicht zu viele Sorgen machen: Das kommt alles wieder in Ordnung.«

Überrascht von der Klarheit, mit der er das sagte, fragte sie: »Sicher?«

Er nickte. »Darauf würde ich wetten.«

»Danke«, sagte sie, fasziniert davon, dass er es tatsächlich geschafft hatte, ihr mit wenigen Sätzen ein Gefühl größerer Leichtigkeit zu verschaffen. Es war nicht so, dass alles schlagartig in Ordnung gekommen wäre, aber es ging ihr zweifellos besser. Er hatte sie ernst genommen und dennoch versucht, sie zu trösten. Anders als Tom, der meistens behauptete, sie bilde sich etwas nur ein. Anders als Tara, die sofort so komplizierte psychologische Zusammenhänge entwarf, dass einem ganz schwindelig wurde. Anders als Diana, die jedes Mal, wenn Gillian klagte, nur beteuerte, wie glücklich sie mit ihren eigenen pflegeleichten Töchtern war.

Zum ersten Mal hatte Gillian den Eindruck, dass ihr jemand wirklich geholfen hatte.

»Sie verstehen eine Menge von Kindern«, meinte sie.

»Ich verstehe etwas von Sport. Und man erfährt viel über Menschen, die man in Ausübung eines Mannschaftssports beobachtet. Egal, ob Kinder, Jugendliche oder Erwachsene. Im Grunde verhalten sie sich alle dabei wie im richtigen Leben.«

Sie sah ihn interessiert an. »Stimmt es eigentlich, dass Sie bei Scotland Yard waren?«

Sein Gesicht verschloss sich. »Ja.«

Es war klar, dass er über seinen Beruf und vor allem über die Umstände, die zu seinem Ausstieg geführt hatten, nicht reden würde. Daher gab Gillian dem Thema eine andere Richtung. »Was sagen Sie zu diesem schrecklichen Verbrechen? Das an der älteren Frau in Hackney?«

»Ich kann wenig dazu sagen. Ich weiß nicht mehr als das, was in den Zeitungen steht.«

»Aber Sie hatten mit so etwas beruflich zu tun.«

»Ja. Aber ich kann diesen Fall nicht beurteilen. Die Polizei lässt nichts darüber verlauten, wie das Opfer umgebracht wurde. Vermutlich also auf eine ungewöhnliche Weise, die man bewusst zurückhält, um es bei der Überführung des Täters leichter zu haben. Ich habe nur gelesen, dass sie weder beraubt noch vergewaltigt wurde. Es ging also nicht um Geld, und es ging, zumindest vordergründig, nicht um Sex.«

»Vordergründig?«

»Sollte sie auf eine besonders sadistische Art getötet worden sein, könnten sexuelle Motive eine Rolle gespielt haben.«

»Glauben Sie, dass es wieder passieren wird? Dass es ein nächstes Opfer gibt?«

»Möglich. Es ist ja nicht klar, worin das Motiv besteht. Vielleicht war es ein persönliches Problem zwischen Täter und Opfer, aber auch dann ist ein Mensch, der so etwas anrichtet, natürlich eine tickende Zeitbombe. Denn es ist zweifellos nicht der übliche Weg, Zerwürfnisse oder Streitigkeiten zu bereinigen.«

»Es macht einem Angst«, sagte Gillian. »Immer, wenn ich solche Dinge lese, denke ich, es ist ein Wunder, wenn man halbwegs unbeschadet durchs Leben kommt.«

»Es wird sich aufklären. Die meisten Verbrechen werden irgendwann aufgeklärt.«

»Aber nicht alle.«

»Nicht alle«, gab er zu.

Sie wagte einen Vorstoß. »Sind Sie deshalb weggegangen? Von der Polizei, meine ich? Weil es unerträglich war, pausenlos mit schrecklichster Gewalt konfrontiert zu werden und hinterher nicht immer für Gerechtigkeit sorgen zu können?«

Wieder bekam sein Gesicht den verschlossenen Ausdruck. »Es gab eine Menge Gründe«, sagte er ausweichend, dann trank er sein Glas leer und blickte auf die Uhr. »Ich fürchte, wir müssen in den Club zurück. Nicht, dass es mich allzu sehr dorthin zieht, aber wenn die merken, dass wir beide fehlen, kommen sie noch auf dumme Gedanken.«

Ihr wurde klar, dass sie ihn anstarrte. Nicht einfach nur anschaute, wie man einen Gesprächspartner anschaut, sondern sich fast an ihm festsaugte. Die vielen Menschen ringsum, die Geräuschkulisse schienen in den Hintergrund getreten; sie waren noch da, aber etwas hatte sich wie eine dünne Wand zwischen Gillian und John und den Rest der Welt geschoben.

Es muss am Schnaps liegen, dachte sie, ich wusste ja, es ist zu viel.

»Welche Gedanken denn?«, fragte sie und erschrak selbst im nächsten Augenblick über den herausfordernden Klang in ihrer Stimme. Es war nicht ihre Art zu flirten. Sie tat das nicht, und sie hatte es nie getan. Sie fand, dass man zu leicht dümmlich dabei wirkte.

»Ich denke, das wissen Sie«, sagte John und stand auf. Er war auf ihren Ton nicht eingegangen, und sie hatte das deutliche Gefühl, dass er verärgert war. Zumindest genervt. Vielleicht empfand er sie als plump. Vielleicht war sie ihm auch zu nahegetreten, als sie ihn nach seinem früheren Beruf gefragt hatte. Auf jeden Fall gab es die Wand nicht mehr, die Wand, die sie beide für kurze Zeit ganz allein hatte sein lassen. Sie waren wieder Teil der überfüllten Kneipe, der gedrängt stehenden Menschen, der unzähligen Stimmen; Teil des Gelächters, des Gläserklirrens, des Geruches nach Alkohol, Schweiß und feuchten Mänteln.

Als sie hinausdrängten, kamen sie dicht an dem Tisch vorbei, an dem der Mann aus Gillians Straße saß, und jetzt fiel ihr sein Name wieder ein: Segal. Samson Segal.

»Auf Wiedersehen«, sagte sie.

Er nickte ihr zu, fixierte sie mit seinem Blick. Genauso wie zu Anfang, als sie ihn entdeckt hatte.

Beklommen fragte sie sich, ob das die ganze Zeit über so gewesen war.

Ob er sie die ganze Zeit über so angestarrt hatte.

I

Es war Samstag, aber darum scherten sich Ermittlungsarbeiten selten.

Detective Inspector Fielder hatte seiner Frau versprochen, mit ihr in die Stadt zu gehen und ein paar Weihnachtseinkäufe zu erledigen, aber dann war er noch einmal an den Tatort gerufen worden, an dem Carla Roberts auf so schreckliche Weise ihr Leben gelassen hatte, und es wurde ihm klar, dass er seine Frau enttäuschen musste. In diesen Ermittlungen kam es jetzt auf jede Stunde an. Die zusammengepressten Lippen, mit denen seine Frau auf seine Bitte um Verständnis reagierte, ließen nichts Gutes ahnen: Es würde ein schwieriges Wochenende werden. Mit mindestens einer Grundsatzdebatte. Die nichts ändern würde.

Seine Mitarbeiter hatten das Haus durchkämmt, in dem Carla Roberts ermordet worden war. Mit den Bewohnern gesprochen, Fragen gestellt, Telefonnummern hinterlassen für den Fall, dass jemandem etwas einfiel. Es war wenig dabei herausgekommen, eigentlich gar nichts. Niemand hatte Carla persönlich gekannt. Wer sich überhaupt an sie erinnerte, beschrieb sie als stille, völlig zurückgezogen lebende Frau, die man selten einmal im Treppenhaus sah, die immer freundlich grüßte, aber offenkundig zu schüchtern war, mit irgendjemandem in näheren Kontakt zu treten.

»Ich glaube, sie hat ganz selten nur ihre Wohnung verlassen«, sagte ein Mann aus dem sechsten Stock, »die war total gehemmt und in sich gekehrt. Absolut vereinsamt, wenn Sie mich fragen. Nach der hat kein Hahn gekräht.«

Fielder fragte sich, ob es womöglich genau das war, was sie zum Opfer hatte werden lassen. Ob es nichts anderes war als der Umstand, dass sie in einer Isolation lebte, die es einem Täter nicht nur leicht gemacht hatte, sie zu töten, sondern die ihm auch einen Vorsprung einräumte, ehe die polizeilichen Ermittlungsarbeiten begannen. Wer nur ein klein wenig über Carla Roberts' Lebensumstände Bescheid wusste, hatte sich ausrechnen können, dass ihre Leiche nicht allzu schnell gefunden würde, dass es dauern konnte, ehe jemand sie vermisste. Ein unschätzbarer Vorteil für einen Täter: Jeder Tag, der verstrich, ehe sich die Polizeimaschinerie in Gang setzte, arbeitete für ihn. Und gegen die Polizei.

Wie schon am vergangenen Mittwoch in Keira Jones' Wohnzimmer dachte Fielder: Er ist ein Täter, der nichts gegen Carla Roberts persönlich hatte. Der einfach ein Problem mit Frauen hat. Und sich diejenigen heraussucht, die es ihm leicht machen.

Und diese Möglichkeit war gewissermaßen die schlimmste. Denn wenn es keinerlei persönliche Verbindung zwischen Carla und ihrem Mörder gab, ganz gleich, wie weit in der Vergangenheit sie liegen mochte, dann wurde die Suche nach dem Täter zu einem Stochern im Nebel.

Blieb ein Punkt: Ganz offenbar hatte sie ihn selbst in ihre Wohnung gelassen. Das war der Hoffnungsschimmer. Der einzige Hinweis darauf, dass sie ihn – wie flüchtig auch immer – gekannt haben mochte.

Detective Sergeant Christy McMarrow trat auf Fielder zu, als er endlich einen Parkplatz gefunden hatte und ausstieg. Fielder mochte Christy, weil sie so engagiert war und ihrem Beruf eine ungeheure Priorität in ihrem Leben einräumte. Christy stand Tag und Nacht zur Verfügung. Sie war ehrgeizig. Und leidenschaftlich. Sie brannte für ihre Arbeit.

Darüber hinaus fand er sie ungeheuer attraktiv, aber er wusste, dass er das eigentlich gar nicht denken durfte.

»Der Hausmeister hat uns angerufen, Sir«, sagte sie, »und ich denke, Sie sollten sich das anschauen.«

Der Hausmeister, ein kleiner, untersetzter Mann mit einer ungesunden roten Gesichtsfarbe, stand vor der Eingangstür und war kurz davor zu hyperventilieren. Fielder kannte ihn bereits. Er hatte ihn direkt nach seinem Gespräch mit Keira Jones nach dem Aufzug im Haus gefragt. Seinen Angaben zufolge konnte es nicht sein, dass der Fahrstuhl in irgendeine Etage fuhr, ohne dass er dorthin geordert worden wäre. Wenn Carla Roberts den Aufzug unnatürlich oft bei sich im obersten Stock wahrgenommen hatte, dann deshalb, weil ihn jemand dorthin geschickt hatte.

Oder mit ihm hinaufgefahren war. Ohne dann auszusteigen, was tatsächlich, wie Fielder fand, sehr seltsam anmutete.

»Ich habe entdeckt, dass mit der Tür hier etwas nicht stimmt, Inspector«, sagte der Hausmeister, kaum dass er des Beamten ansichtig wurde. Er wies auf die gläserne Eingangstür, die in das Wohnhaus führte. »Und ich verstehe nicht, dass mir das nicht schon viel früher aufgefallen ist. Irgendwie … ja, schon die ganze Zeit über konnte man sie einfach aufdrücken. Ein- oder zweimal dachte ich, dass es wirklich eine Schlamperei ist, dass die Leute sie nicht richtig zumachen, aber heute fiel mir ein … es kann gar keine Schlamperei sein. Und da habe ich Ihre Mitarbeiterin angerufen.«

»Das war die richtige Entscheidung«, versicherte Fielder. Er musterte die Tür. Er dachte daran, was Keira Jones erzählt hatte: Die Eingangstür unten sei offen gewesen, als sie gekommen war, um ihre Mutter zu besuchen.

»Weshalb kam Ihnen heute der Gedanke, dass es sich nicht um eine Schlamperei, wie Sie es nannten, handeln könnte?«, fragte er.

Der Hausmeister wirkte peinlich berührt. »Weil ich nachgedacht habe. Ich meine… nach dieser furchtbaren Geschichte fragt man sich ja ständig… Na ja, plötzlich dachte ich, dass es so nicht gewesen sein kann. Mit der Tür. Die hat eine Feder, und wenn man sie aufstößt und hindurchgeht und sie dann hinter sich zufallen lässt, dann fällt sie ins Schloss. Immer. Man muss schon ganz vorsichtig sein, um das zu verhindern. Verstehen Sie? Mir ging auf, wie blöd ich war. Die Tür war nie geschlossen, als ob jeder, der hindurchgegangen war, sie vorsichtig hinter sich angelehnt hätte. Und warum sollten die Leute das tun? Das wäre ja absurd!«

»In der Tat«, sagte Fielder. »Dieser Mechanismus mit der Feder ist also kaputt?«

Der Hausmeister nickte. »Ja. Die Tür fällt nun so langsam zu, dass am Ende das Schloss nicht einschnappt.«

»Seit wann ist das so? Oder besser: Wann ist es Ihnen aufgefallen?«

»Das ist noch nicht lange her. Vielleicht… seit vier Wochen?«

Fielder wandte sich an Christy. »Einer unserer Techniker muss untersuchen, worauf der Defekt zurückzuführen ist. Ob es sich einfach um eine Verschleißerscheinung handelt oder ob nachgeholfen wurde.«

»In Ordnung.«

»Angenommen, jemand präpariert die Haustür. Kann von

da an problemlos aus und ein gehen. Beobachtet Carla Roberts. Tyrannisiert sie ein wenig, indem er gelegentlich den Aufzug hinauffahren lässt. Und geht irgendwann zu ihrer Tür, klingelt, wird eingelassen… Hätte sie das getan? Jemandem einfach so die Tür geöffnet? So allein, wie sie da oben war?«

»Es könnte ja sein, dass sie dem Täter vorher ein- oder zweimal im Haus begegnet ist«, meinte Christy. »Ohne zu wissen, dass er sich einfach nur gelegentlich einschlich und hier herumlungerte. Sie hielt ihn vielleicht für einen der anderen Mieter. Jemandem aus dem eigenen Haus würde man schon öffnen, oder? Obwohl das in einem Haus, in dem die Leute einander kaum kennen, natürlich auch eine zweischneidige Sache ist.«

Fielder nickte zerstreut. Es waren zu viele Fragen offen: Noch immer war es ihnen nicht gelungen, Carla Roberts' geschiedenen Mann aufzutreiben. Und falls er tatsächlich seit Jahren irgendwo im Ausland untergetaucht war, möglicherweise auf der anderen Seite der Erde, dann würde sich die Suche auch sehr schwierig gestalten. Allerdings hatte er dann höchstwahrscheinlich auch nichts mit dem Tod seiner Exfrau zu tun.

Ebenso liefen die Nachforschungen, seine damalige Geliebte betreffend, bislang ins Leere. Ihre Identität war geklärt, aber unter der zuletzt bekannten Adresse lebte sie seit Jahren nicht mehr. Fielder vermutete, dass sie mit ihrem Liebhaber ins Ausland gegangen war.

Er strich sich mit einer müden Bewegung über das Gesicht. »Wir müssen unbedingt versuchen, etwas über das Privatleben von Carla Roberts herauszufinden. Es kann doch nicht sein, dass es absolut niemanden gab, mit dem sie sich unterhielt oder mal traf oder ins Kino ging. Haben Sie da bereits irgendetwas?«

»Noch nicht«, musste Christy bekennen. »Die Tochter weiß so wenig über das Leben ihrer Mutter, dass sie uns auch nicht weiterhelfen konnte. Ich habe aber ein Adressbuch der Toten. Da stehen ein paar Namen drin, die ich abklappern werde. Laut der Tochter handelt es sich hauptsächlich um Mitarbeiter der Drogerie, in der ihre Mutter damals gearbeitet hat. Vielleicht komme ich damit ein Stück voran.«

»Versuchen Sie es«, sagte Fielder.

Aus irgendeinem Grund versprach er sich nicht viel davon. Carlas Kollegen an einem Arbeitsplatz, den sie vor Jahren schon verlassen hatte. Was war dort zu erwarten?

Aber das sagte er nicht.

Er musste den Fall nicht noch komplizierter gestalten, indem er seine fähigste Mitarbeiterin demotivierte.

»Hast du denn wirklich einmal versucht, richtig mit Becky zu sprechen?«, fragte Tara. »Ich meine, in einer Art, die ihr zeigt, dass du sie ernst nimmst. Sie fühlt sich offensichtlich von dir eingeengt, wie ein Kind behandelt, und sie rebelliert dagegen. Das wird eher schlimmer werden in den nächsten Jahren. Ihr solltet also irgendeinen Weg für euch finden, bei dem ihr nicht Tag für Tag miteinander streitet.«

»Tara, es mag ja sein, dass ich sie wie ein Kind behandele, aber sie *ist* ein Kind. Sie ist zwölf! Ich weiß, dass sie glaubt, sie wäre bereits erwachsen, aber leider irrt sie sich da.«

»Heutzutage sind Mädchen mit zwölf weiter, als wir es waren. Ich meine aber auch gar nicht, dass du sie von nun an machen lassen sollst, was immer sie möchte. Du solltest ihre Probleme nur nicht herunterspielen.«

»Das tue ich nicht. Und indem ich dann versuche, ihr meinen Standpunkt zu erklären, setze ich mich ja durchaus mit ihr auseinander«, erklärte Gillian. »Nur leider stoße ich bei ihr nicht auf die geringste Bereitschaft, die Dinge auch einmal aus meiner Sicht zu betrachten. Deshalb hängen wir ständig fest.«

»Konntest du das früher?«, fragte Tara. »Mit zwölf? Dich in deine Mutter, ihre Gefühle und Sorgen und Bedürfnisse hineinversetzen?«

Sie saßen in Gillians Küche. Es war Montag, später Nachmittag. Becky war gleich nach der Schule mit zu Darcy nach Hause gegangen. Gillian hatte bis zum frühen Nachmittag gearbeitet, sich mit einem besonders unangenehmen und unzufriedenen neuen Kunden der Firma herumgeschlagen. Dann war sie zum Einkaufen gefahren und hatte gerade ihre unzähligen Einkaufstüten mit Lebensmitteln, Katzenfutter und Katzenstreu auf den Küchentisch gewuchtet, als Tara anrief. Sie hatte ein Gespräch mit einem Zeugen in Shoeburyness gehabt, der, wie sie erzählte, eine Schlüsselrolle in dem Fall spielte, den sie gerade auf dem Schreibtisch hatte, und da ihr Rückweg sie fast direkt bei Gillian vorbeiführte, wollte sie auf einen Sprung hereinkommen.

Kurz darauf stand sie in der Tür, wie immer zwar gestresst, zugleich aber auch kühl und sehr elegant in einem dunkelblauen Hosenanzug, mit beigefarbenen Wildlederstiefeln und einem dazu passenden Mantel. Gillian, die noch in rasender Eile die Einkäufe ausgepackt und den schon sehr ungehaltenen Chuck gefüttert hatte, kam sich, abgehetzt wie sie war, neben der Freundin wieder einmal unzulänglich vor.

»Wie kommt Becky denn mit Tom zurecht?«, fragte Tara.

»Mit Tom? Ganz großartig«, sagte Gillian. »Aber das ist auch kein Wunder. Er ist selten zu Hause, und in der wenigen Zeit, die er mit ihr verbringt, kann er natürlich der Traumdaddy sein, der ihr alles erlaubt und jeden Unsinn mitmacht. Für mich bleibt der Alltag, und der steckt voller Fallstricke.«

Tara sah sie aufmerksam an. »Wie läuft es zwischen euch? Zwischen dir und Tom, meine ich?«

Gillian atmete ganz tief ein. »Nicht so gut. Das heißt, eigentlich auch nicht schlecht. Es ist nicht so, dass wir streiten. Wir reden eigentlich wenig miteinander. Er ist, wie gesagt, ohnehin kaum da. Er lebt für unsere Firma und für den Tennisclub, und sehr viel mehr Zeit bleibt dann nicht mehr.«

»Ist er immer noch ein so fanatischer Sportler?«

»Es wird eher schlimmer. Er kommt nach Hause, zieht sich um und ist wieder weg. Andere trinken ein paar Gläser Bier, um nach dem Job irgendwie die Spannung abzubauen, er muss sich austoben. Das Bier wäre mir lieber, ehrlich gesagt, da wäre er zu Hause. Aber es bleibt dann nicht nur beim Sport, er muss natürlich auch Networking betreiben. Es gibt Vereinssitzungen und sonstige Treffen und Turniervorbereitungen. Jeden Dienstagabend haben sie ihren Stammtisch. Ich glaube, ich könnte im Sterben liegen, er würde das nicht ausfallen lassen. Ich weiß nicht einmal, ob er wirklich gern dahin geht, aber es gehört einfach dazu, und angeblich wird mit hochgezogenen Augenbrauen registriert, wenn jemand wegbleibt.«

»Du könntest ihn aber doch auch begleiten?«

»Ja, schon. Aber ich spiele nicht Tennis, und die sprechen über nichts anderes. Außerdem lasse ich Becky nicht gern allein. Jedenfalls nicht am Abend.«

Tara lächelte. »Du bist eine Glucke«, sagte sie. Es klang liebevoll. Gillian lächelte zurück.

Tara und Gillian hatten einander in einem Französischkurs in London kennengelernt, an dem beide fünf Jahre zuvor teilgenommen hatten. Gillian hatte damals ihr Schulfranzösisch aufpolieren wollen und sich daher in der Sprachschule angemeldet. Tara hatte sich, nachdem sie etliche Jahre als Rechtsanwältin in Manchester gearbeitet hatte, kurz zuvor bei der Londoner Staatsanwaltschaft beworben und war eingestellt worden. Ausgerechnet in dem ersten Fall, der dann auf ihrem Schreibtisch gelandet war, hätte es ihr geholfen, etwas besser Französisch zu sprechen, als sie es tatsächlich tat. Es war typisch für sie, dass sie nach dieser Erfahrung sofort einen entsprechenden Kurs belegte. Die beiden Frauen hatten nebeneinander gesessen und einander auf Anhieb gemocht. Seitdem waren sie befreundet.

»Es kann aber nicht sein, dass Tom … Sei mir nicht böse, ja? … Es kann nicht sein, dass er ein Verhältnis hat?«

»Tom? Nie im Leben«, erwiderte Gillian entsetzt, und genau in diesem Moment geschahen zwei Dinge gleichzeitig: Das Telefon klingelte, und die im Küchenfenster befestigte weihnachtliche Lichterkette, die an eine Zeitschaltuhr gekoppelt war, sprang an.

»Ach, du liebe Güte«, sagte Tara, die Weihnachten ziemlich schrecklich fand, grinsend.

»Entschuldige«, sagte Gillian und ging ans Telefon, das im Gang stand. Sie meldete sich. »Gillian Ward.«

»John Burton. Störe ich?«

Sie fragte sich, weshalb sie beim Klang seiner Stimme ein seltsames Kribbeln im Bauch bekam. Irgendetwas zog sich in ihrem Inneren zusammen, auf eine Art, wie sie es schon lange nicht mehr erlebt hatte. Unvermittelt fielen ihr die Worte der anderen Frau auf der Weihnachtsfeier ein: *Ich muss immer aufpassen, keine unanständigen Phantasien zu entwickeln, wenn ich ihn sehe …*

Wieso denke ich gerade das jetzt?, fragte sich Gillian im nächsten Moment.

»Nein«, sagte sie, »nein, Sie stören überhaupt nicht.«

»Ich wollte mich erkundigen, ob Sie am Freitag gut nach Hause gekommen sind.«

»Oh, danke, ja. Ja, das bin ich.« Sie wartete. Sie fand, dass ihre Stimme unnatürlich klang. Und sie war sich bewusst, dass Tara genau zuhörte.

»Und dann«, fuhr Burton fort, »wollte ich Ihnen sagen,

dass ich am Mittwochabend wieder im *Halfway House* bin. Falls Sie Lust haben, mich dort zu treffen, würde ich mich freuen.«

Sie war überrascht. Am Freitag hatte sie zu viel getrunken und einen beschämenden Versuch unternommen, mit ihm zu flirten. Sie hatte den Eindruck gehabt, dass sie ihn verärgert hatte, aber über das Wochenende war sie zu dem beruhigenden Schluss gekommen, dass sie nie wieder Näheres mit ihm zu tun haben würde. Obwohl Becky von ihm trainiert wurde. Bislang hatte sie jedes persönliche Gespräch vermieden, das sich beim Bringen oder Abholen ihrer Tochter hätte ergeben können, und das war nie ein Problem gewesen, da Burton derart von den anderen Müttern belagert wurde, dass man ohnehin kaum hätte zu ihm vordringen können. Und so würde es auch in Zukunft sein. Der Freitag war ein Ausrutscher gewesen, der in Vergessenheit geraten würde. Sie hatte geheult, sie hatte zu viel getrunken, sie hatte mit ihm geflirtet. Es hing alles miteinander zusammen. Burton würde das sicher einzuordnen wissen. Und wenn nicht, konnte es ihr auch egal sein.

»Am Mittwoch«, wiederholte sie.

»Ja. Ich bin gegen neunzehn Uhr dort. Nach dem Training der Jugendgruppe.«

Becky gehörte gerade noch zur Kindergruppe. Sie war mittwochs nicht dabei.

»Ich ... bin nicht sicher ...«

»Sie können es sich überlegen«, sagte Burton, »ich gehe sowieso hin, und Sie sind völlig frei, sich bis zur letzten Minute zu entscheiden.«

Ihr fiel nur eine Frage ein. »Weshalb?«

»Weshalb was?«

Es war schwierig, in Taras Gegenwart zu sprechen, aber

Gillian mochte auch nicht länger in abgehackten Worten herumstottern. John Burton musste denken, dass sie nicht in der Lage war, auch nur einen vollständigen Satz zu bilden. »Weshalb wollen Sie mich treffen?«

»Ich finde Sie interessant«, sagte Burton.

Sie schwieg. Wie, verdammt noch mal, ging man mit einer solchen Situation um?

»Ich überlege es mir«, sagte sie schließlich.

»Okay«, stimmte Burton zu. Sie hatte den Eindruck, dass er ziemlich sicher war, dass sie kommen würde.

»Also, bis dann vielleicht«, sagte sie, und er erwiderte: »Bis dann!« und legte gleich darauf auf. Das *Vielleicht* hatte er weggelassen.

Du bist ganz schön überzeugt von dir, dachte Gillian.

»Wer war das denn?«, fragte Tara natürlich prompt. »Ich will dich ja nicht in Verlegenheit bringen, Gillian, aber du hattest eine etwas schrille Stimme, und du hast ziemlich rote Wangen bekommen. Was ist los?«

»Das war der Handballtrainer von Becky. John Burton.«

»Und?«

»Er möchte sich Mittwochabend mit mir treffen.«

Tara musterte sie aufmerksam. »Gibt es etwas, das du mir erzählen möchtest?«

Gillian blieb stehen. Sie spürte selbst, dass ihr Gesicht glühte. »Noch nicht. Es gibt noch nichts, was ich erzählen *könnte*. Ob es irgendwann etwas geben wird... keine Ahnung.«

»Hm«, machte Tara. Sie wirkte absolut nicht von der Harmlosigkeit, die Gillian der ganzen Geschichte verleihen wollte, überzeugt, begriff aber wohl, dass sie im Augenblick nicht mehr erfahren würde.

Sie blickte auf ihre Uhr, griff nach ihrer Handtasche und

stand auf. »Ich muss leider los. Ich habe noch einen Termin.«

»Schwierig?«

»Es geht.« Sie musterte Gillian eindringlich. »Wirst du hingehen? Am Mittwoch?«

Gillian zuckte mit den Schultern. »Ich weiß noch nicht. Im Zweifelsfalle … könnte ich Tom sagen, dass ich mich mit dir treffe?«

Tara lächelte. Es wirkte ein wenig boshaft. »Klar. Ich gebe dir jederzeit ein Alibi. Sag mir einfach Bescheid.«

Gillian begleitete sie zur Haustür. Sie fragte sich, ob das der erste Schritt zum Betrug war und ob sie ihn eben getan hatte: wenn man die Freundin bat, ein Treffen zu bestätigen, das in Wahrheit nicht stattfand. Weil man stattdessen mit einem anderen Mann ausging.

Draußen war es dunkel. Und kalt. Alle Häuser in der Straße waren weihnachtlich geschmückt, leuchteten und funkelten miteinander um die Wette.

»Wegen Becky«, sagte Tara, »lass dich nicht unterkriegen. Ich bin keine Psychologin, aber ich könnte mir vorstellen, dass sie auch unter der Situation bei euch leidet. Man spürt sehr deutlich, dass du unglücklich und unzufrieden bist. Sie will das nicht. Kinder wollen fröhliche Mütter.«

»Aber …«

»Aber Mütter können nicht immer fröhlich sein. Und auch damit lernen Kinder zurechtzukommen.«

»Ich hoffe es. Ich glaube, ein wenig Abstand wird uns ganz guttun. Becky fährt nach Weihnachten bis Anfang Januar wieder zu meinen Eltern, und das gibt uns eine Pause voneinander.«

Es war seit Jahren so üblich. Becky war vom 26. Dezember an bei den Großeltern in Norwich. Die Regelung stammte noch aus der Zeit, als Gillian und Tom an Silvesterbällen teilgenommen hatten oder über die Jahreswende selbst verreist waren. Was sie alles schon längst nicht mehr taten.

»Denk nicht nur an sie. Denk auch an dich«, bat Tara. Im Schein der Hauslaterne konnte Gillian das Gesicht der Freundin deutlich erkennen. Sie wirkte aufrichtig besorgt.

Ein Mann ging am Gartenzaun vorbei, schaute nur kurz zu den beiden Frauen hin, ging weiter.

Tara schüttelte den Kopf. »Der schon wieder!«

»Wieso schon wieder?«

»Der lungerte hier schon herum, als ich ankam.«

»Bist du sicher? Es ist immerhin schon dunkel jetzt.«

»Trotzdem. Ich konnte sein Gesicht gerade ganz gut erkennen. Der hing vorhin hier herum.«

Gillian blickte dem Mann nach. »Könnte Samson Segal sein«, meinte sie. Sie traf ihn manchmal, wenn sie ihr Haus verließ, und sie meinte, ihn am Gang zu erkennen. »Der ist nett und harmlos. Wohnt am anderen Ende der Straße.« *Und geht in die falschen Kneipen und hat dich mit John Burton gesehen!*

»Denk an die vielen Verbrechen, die täglich geschehen«, mahnte Tara. »Es laufen eine Menge durchgeknallter Gestalten auf diesem Planeten herum!«

Gillian musste lachen. »Bei deinem Beruf würde ich das wahrscheinlich auch so sehen.«

»Sei jedenfalls vorsichtig«, bat Tara und schloss die Türen ihres dunkelgrünen Jaguars auf.

Gillian blickte ihr nach, dann zog sie seufzend ihre Winterstiefel an und schlüpfte in ihren Mantel. Sie würde Becky bei ihrer Freundin abholen, auch wenn ihr das wieder den Ärger und die Ablehnung ihrer Tochter einbringen würde. Übertrieb sie es wirklich mit der Fürsorge? In Beckys Augen ganz sicher. Aber die Welt war ein gefährlicher Ort, da hatte Tara recht. Und sie musste es schließlich wissen.

Besser, man ging kein Risiko ein.

Sie machte sich auf den Weg.

I

Er hatte Würstchen gekauft und ein paar Hundecracker, und es war ihm tatsächlich gelungen, den Hund von seiner normalen Spur abzubringen. Er kannte die Abläufe genau, und er war auch an diesem Morgen nicht enttäuscht worden. Der Hund kam bereits die Wiese hinuntergelaufen, als von seinem Frauchen noch nichts zu sehen war. Samson wusste, dass er nun einen Spielraum von ungefähr einer Minute hatte, dann würde die junge Frau hinter den Bäumen auftauchen. Er kauerte am Rand des Grünstreifens, halbwegs getarnt von entblättertem Gebüsch, hielt ein Stück von der Wurst in der Hand und lockte so gut er konnte. »Komm, Hundchen. Na komm! Hier gibt es etwas Feines zum Fressen!«

Unglücklicherweise kannte er den Namen des Hundes nicht. Nie hatte er gehört, wie die Besitzerin ihn rief. Er musste sich darauf verlassen, dass er die Neugier des Tieres weckte. Und dass der Geruch des Fleisches sein Übriges tat.

Tatsächlich sprang das Tier sofort schwanzwedelnd auf ihn zu und begrüßte ihn wie einen alten Bekannten. Es schluckte die Wurst, ohne sie zu zerkauen, hinunter und folgte dem Fremden sodann voller Erwartungsfreude. Samson schlug einen Bogen und tauchte an einer anderen Stelle wieder in die Anlage ein. Er durfte nicht mit dem Hund gesehen werden.

In der Ferne hörte er sie rufen. »Jazz! He, Jazz, wo bist du?«

Also Jazz. Endlich hatte das große, zottelige Tier einen Namen. Jazz spitzte die Ohren und wandte den Kopf. Samson nahm die nächste Wurst in die Hand.

»Jazz! Feines Würstchen!«

Jazz' Gier hatte gesiegt, und er trabte weiter hinter Samson her. Irgendwann wagte es Samson, in das Halsband des Hundes zu greifen und ihn mit sich zu führen. Sie erreichten das Ende des Grünstreifens und überquerten die Straße, um am Rande der weiträumigen Golfanlagen in dieselbe Richtung, aus der sie gekommen waren, wieder hinaufzulaufen. Samson rechnete nämlich damit, dass Jazz' Besitzerin eher unten am Fluss suchen würde, weil sie ihren Hund zuletzt in diese Richtung hatte verschwinden sehen. Sicher fürchtete sie, dass er die Kreuzung unten an der Esplanade überqueren und dabei am Ende noch Opfer des Autoverkehrs werden würde. Samson würde sich daher eine Weile um den Golfclub herumtreiben und erst später den Strand aufsuchen.

Ein langer, kalter Tag stand ihm bevor. Der Dezember war zweifellos nicht der geeignetste Monat für derlei Aktionen, aber sollte er kostbare Zeit verplempern, indem er bis zum Sommer wartete? Er hatte sich das Gespräch mit Bartek durchaus zu Herzen genommen. Er wollte nicht als ein Verrückter dastehen, jemand, der sich vom Leben, von der Realität entfernt hatte und absurden Tagträumen nachhing. Etwas musste er machen. Aktiv werden. Da hatte Bartek schon recht.

Der Einfall mit Jazz war ihm zwei Nächte zuvor gekommen, und er fand ihn geradezu genial. Den Hund entführen, sich einen dreiviertel Tag mit ihm herumtreiben und ihn sodann der verzweifelten Besitzerin zurückbringen. Ihr erklären, dass er ihn irgendwo aufgegriffen hatte. Sie würde dankbar und erleichtert reagieren, ihn vielleicht hineinbitten, ihm einen Kaffee anbieten. Womöglich ergab sich daraus mehr.

Jazz hatte ein zweites Würstchen und sämtliche Cracker verspeist und wurde unruhig. Es war deutlich, dass er umkehren wollte. Samson zog schließlich seinen Gürtel aus der Hose und schob ihn durch das Halsband, um eine Leine zu haben. Er redete beruhigend auf den Hund ein.

»Wir gehen ja wieder zu dir nach Hause. Keine Sorge. Frauchen sucht dich jetzt und regt sich ziemlich auf, und das tut mir genauso leid wie dir. Aber was meinst du, wie sie sich freut, wenn wir schließlich vor ihrer Tür stehen? Vielleicht mag sie mich dann richtig gern. Mich hat noch nie eine Frau richtig gern gemocht, weißt du?«

Jazz hörte ihm aufmerksam zu und wedelte mit dem Schwanz. Es war schön, mit einem Hund zu reden, stellte Samson fest. Er hatte einen so konzentrierten Ausdruck in den Augen, als ob er wirklich begriff, worum es ging. Und man konnte sicher sein, dass er nicht spotten und lachen würde, ganz gleich, was man ihm anvertraute. Und weitererzählen würde er sein Geheimnis auch nicht.

»Ich habe mir immer einen Hund gewünscht«, sagte Samson. »Aber erst waren meine Eltern dagegen. Und jetzt ist es Millie.«

Er konnte den Hass wie eine kleine, heiße Flamme im Bauch spüren, als er ihren Namen aussprach. Millie, die so unzufrieden und so kalt war. Die ihm auf Schritt und Tritt zeigte, was sie von ihm hielt: dass er ein Versager war. Lästig, überflüssig. Einer, der es zu nichts gebracht hatte im Leben.

»Millie bestimmt alles bei uns«, vertraute er Jazz an. »Dabei gehört das Haus meinem Bruder und mir. Aber leider steht er völlig unter ihrem Pantoffel. Ich kann nicht begreifen, wie er eine solche Giftspritze heiraten konnte. Na ja, sie war ganz attraktiv früher …«

Gavin hatte nie Probleme mit Frauen gehabt. Er war kein Mann, auf den sie alle flogen, aber er war auch nicht jemand, um den sie alle einen Bogen machten. Es war irgendwie alles immer ziemlich normal gewesen bei ihm. Unauffällig. Gavin war durchschnittlich, in jeder Hinsicht. Samson wusste, dass die meisten Menschen sich über eine Charakterisierung als Durchschnitt geärgert hätten. Aber die hatten keine Ahnung, wie es sich anfühlte, einer zu sein, dem nichts gelang und auf dem alle herumtrampelten. Einer, der eben unter dem Durchschnitt lag.

»Ich finde dein Frauchen ganz hübsch«, sagte er zu Jazz. »Sie gefällt mir nicht so gut wie Gillian, aber Gillian ist leider schon verheiratet.«

Jazz stieß ein leises *Wuff* aus.

Er streichelte ihn über den wuscheligen Kopf. »Dein Frauchen nimmt mich bisher gar nicht wahr. Aber vielleicht ändert sich das heute. Du musst wirklich keine Angst haben. Heute Abend siehst du sie wieder.«

Sie hatten den Parkplatz des Golfclubs erreicht. Ein einziges Auto stand dort, sonst war alles völlig leer an diesem kalten, frühen Morgen. Nur deshalb wagte es Samson, eine Runde um das Clubhaus zu drehen. Alle Fenster waren dunkel, niemand war dort. An der Eingangstür hing ein großes Plakat, das einen festlichen Weihnachtsball ankündigte, der am kommenden Samstag im Club stattfinden sollte. Organisiert hatte ihn, wie das Plakat in besonders großer Schrift und in schrillem Rot verriet, der bekannte Londoner Rechtsanwalt Logan Stanford. Höhepunkt würde eine Tombola sein, deren Erlös russischen Straßenkindern zugutekommen sollte.

Samson kannte Logan Stanford. Nicht persönlich natürlich. Aber aus den Klatschzeitungen, die Millie so gerne las und überall zu Hause herumliegen ließ. Stanford war ein überaus erfolgreicher Anwalt, dem erstklassige Verbindungen zu den Reichen und Mächtigen des Landes, sogar bis in die Downing Street hinein nachgesagt wurden. Er verfügte über beides in außerordentlichem Maße: Geld und Einfluss. Und er war bekannt für die ständigen Wohltätigkeitsveranstaltungen, die er überall im Land organisierte. Man hatte ihm den Namen *Charity-Stanford* gegeben, und er tat alles, dem weiterhin gerecht zu werden. Er brachte große Spenden zusammen und ließ sie den wirklich Hilfsbedürftigen dieser Welt zugutekommen, und doch konnte Samson nie anders, als ihn mit Vorbehalten zu betrachten, wenn er ihn wieder einmal auf den bunten Seiten in der *Hello!* sah. Er fand, dass Stanford ausgesprochen selbstgerecht dreinblickte. Und auch seine Gäste... Jede Menge geliftete Gesichter, erstarrt von Botox, aufwendige Abendkleider, funkelnder Schmuck. Champagner bis zum Abwinken. Die Society zelebrierte in erster Linie sich selbst, aber unterm Strich kam unbestritten Geld für diejenigen heraus, denen es weit weniger gut ging als der britischen Upperclass.

»Na und?«, hatte Millie gesagt, als er sein Unbehagen einmal zum Ausdruck brachte. »Wo ist das Problem? Die tun wenigstens etwas. Wenn sie dabei ihren Spaß haben – wen stört das?«

Er konnte selbst nicht recht benennen, was ihn störte. Vielleicht war es das Gefühl, dass es diesen Menschen nicht um das Elend in der Welt, sondern vor allem um ihre Selbstdarstellung ging. Vielleicht konnte er die Probleme russischer Straßenkinder nicht in einen Zusammenhang mit den operierten Gattinnen der oberen Zehntausend von England bringen.

Aber vielleicht war das Blödsinn. Vielleicht ging es letztlich wirklich nur um das Ergebnis und nicht darum, ob alle Beteiligten tatsächlich reinen Herzens und mit vollster Überzeugung hinter ihrer Wohltätigkeit standen. In diesem Punkt hatte Millie schon recht: Wenigstens taten sie etwas.

Samson trieb sich eine ganze Weile am Clubhaus und auf dem Parkplatz herum, dann wagte er schließlich den Weg hinunter zum Fluss. Natürlich bestand das Risiko, dass er auf die wahrscheinlich völlig aufgelöste Besitzerin von Jazz traf, aber ihm konnte nichts passieren: Er würde behaupten, den Hund aufgegriffen zu haben und gerade auf dem Weg zurück zu seinem Zuhause zu sein.

Unbehelligt erreichte er den Strand. Der Sand war nass und schwer, und der Nebel hing in dunklen Wolken über dem Wasser. Die Möwenschreie klangen gedämpft. Es war nicht mehr so kalt wie noch vor einigen Tagen, aber Samson fand die Feuchtigkeit fast noch schlimmer. Heimtückisch kroch sie unter die Kleidung und in die Knochen. Sie ließ den Körper nicht nur frieren, sie höhlte ihn förmlich aus.

Sie liefen den Strand entlang, vorbei an den leeren, verschlossenen Badehütten mit ihren bunten Fassaden und den holzgeschnitzten Verzierungen an den Dächern. Keine Menschenseele begegnete ihnen. Jazz schien sich mit der Situation abgefunden zu haben. Er trabte neben Samson her, schnüffelte gelegentlich in dem stinkenden Treibgut, das der Fluss angeschwemmt hatte, hob, wenn es besonders interessant roch, sein Bein. Er schien guter Dinge zu sein.

Samson hätte sich ohrfeigen können, weil er nicht daran

gedacht hatte, irgendwo hier in der Gegend sein Auto zu parken, um sich darin gelegentlich aufzuwärmen. Er war ein Idiot. Er hatte sich vorgenommen, bis zum späten Nachmittag zu warten, ehe er Jazz zurückbrachte. Jazz' Besitzerin musste völlig entnervt und verängstigt sein, umso größer würde ihre Dankbarkeit ausfallen. Aber er, Samson, würde sich bis dahin eine Grippe eingefangen haben.

Habe ich mal wieder schlau angestellt, sehr schlau. Typisch.

Nach einer Zeit, die ihm ewig vorkam, erreichten sie die Landspitze, an der die Themse in die Nordsee überging. Hier, bei Shoeburyness, gab es wunderbare Strände und Wiesen, dazwischen alte Verteidigungsanlagen, mit denen sich England während des Krieges gegen eine mögliche deutsche Invasion zu wappnen versucht hatte. Samson kannte die Gegend. Gavin und er hatten hier als Kinder oft gespielt, obwohl es ein gutes Stück von Thorpe Bay aus zu laufen war. Gavin hatte seine Freunde angeschleppt, Samson hatte mitspielen dürfen. Weil seine Mutter darauf bestand. Die anderen Kinder hatten gemurrt, sich aber widerwillig gefügt. Schon damals hatte Samson gelernt, was es bedeutet, unbeliebt zu sein. Nicht akzeptiert zu werden.

Er dachte darüber nach, was er noch vorhin – es schien ihm Stunden her zu sein – am Golfclub zu Jazz gesagt hatte. Dass er sein Frauchen ganz hübsch fand. Wieso hatte er geglaubt, dies Jazz erklären zu müssen? Weil es in Wahrheit nicht das war, was er empfand?

Na gut, man konnte nicht sagen, dass sie *nicht* hübsch war. Aber ehrlicherweise hatte sie keineswegs ein Aussehen, das ihm Herzklopfen verursachte. Und sie war nicht die Frau, um die seine Gedanken kreisten, wenn er abends im Bett lag und an die Zimmerdecke starrte, deren Struktur er im Schein der Straßenlaterne vor seinem Fenster schwach erkennen konnte. Sie war nur die einzige Frau in seiner Nachbarschaft, die etwa sein Alter hatte. Und die ganz offensichtlich nicht in einer festen Beziehung lebte. Natürlich würde Bartek jetzt wieder die Augenbrauen hochziehen und ihn fragen, weshalb, zum Teufel, er sich denn derart begrenzte. Weshalb die einzige passende Frau, die er bei seinen Streifzügen entdeckt hatte, für ihn offenbar die einzig denkbare Frau der Welt darstellte? Bartek würde wieder mit dem Internet und seinen Möglichkeiten anfangen. Sehr schlau, als ob Samson darauf nicht schon selbst gekommen wäre. Er hatte sogar schon ein paar Frauen auf diese Weise kennengelernt. Die jeweiligen Treffen hatte er als mühsam, manche von ihnen gar als qualvoll in Erinnerung. Er hatte keine Ahnung, wie man es anstellte, eine Frau zu faszinieren, und bereits nach wenigen Minuten hatte er gemerkt, dass er sein Gegenüber zu langweilen begann. Was ihn dann noch stärker stottern und die unmöglichsten Themen hervorkramen ließ. Und wenn die Frauen erst einmal erfahren hatten, dass er mit Bruder und Schwägerin zusammenlebte, nahmen sie endgültig Reißaus. Seine Arbeitslosigkeit würde nun alles noch schlimmer machen.

Sie hatten den Strand verlassen, den großen Parkplatz überquert, der im Sommer immer gerappelt voll und jetzt vollkommen leer war, hatten sich dem Landesinneren zugewandt und erreichten nun Gunners Park, ein riesiges Gelände, das trotz der vielen Wege, die es durchkreuzten, in seinem ursprünglichen Zustand belassen worden war. Wiesen, Felder, kleine Wäldchen, aber auch ausgedehnte Ebenen, mit Gräsern bestanden, die der Nordseewind flachdrückte. Der Park, in einigen Teilen für die Öffentlichkeit gesperrt, war ein Naturschutzreservat und bot sich als paradiesische Brutstätte für zahllose Vogelarten an. Er galt aber auch als beliebtes Ausflugsziel in der Bevölkerung. Samson entsann sich etlicher Schulwanderungen, die hierher geführt und mit einem gemeinsamen Grillfest geendet hatten. Man spießte ein Würstchen auf einen selbst zurechtgeschnitzten Stecken und hielt es über die Flammen, man öffnete die mitgebrachten Plastikdosen mit Kartoffelsalat und die Trinkflaschen mit Apfelsaft. Und alle amüsierten sich und genossen den Tag, nur Samson hatte immer das Ende herbeigesehnt. Weil er inmitten all der fröhlichen Menschen isoliert gewesen war. Allein mit dem von seiner Mutter liebevoll gepackten Rucksack dasaß. An der Art, wie sie ihn für einen Klassenausflug ausstaffiert hatte, hatte Samson immer gemerkt, wie sehr ihn seine Mutter liebte und wie innig sie wünschte, er möge eine schöne Zeit haben. Aber ihre Macht war immer schwächer geworden. Als er ein kleines Kind gewesen war, hatte sie die anderen Kinder noch verdonnern können, sich um ihn zu kümmern. Spätestens als er in die weiterführende Schule kam, funktionierte das nicht mehr. Als er ein pickliger Teenager wurde, schon überhaupt nicht mehr. Und mit den Mädchen konnte sie ihm kein bisschen helfen.

Er setzte sich auf eine Bank. Jazz kauerte sich zu seinen Füßen hin. Der Nebel umhüllte sie von allen Seiten, nahm ihnen die Sicht. Das Meer war irgendwo in diesen dicken, nassen Schleiern verschwunden.

Samson dachte an Gillian Ward.

Eigentlich dachte er seit einiger Zeit nur noch an Gillian Ward, und zwar in einer Weise, wie sich das gegenüber einer verheirateten Frau absolut nicht gehörte. Am Vortag war er um ihr Haus geschlichen. Er hatte ihre Freundin kommen und gehen sehen und dabei auch jeweils einen Blick auf Gillian selbst erhascht. Inzwischen investierte er fast seine gesamte Zeit nur noch in Gillian.

»Ich würde mich nie um sie als Frau bemühen«, sagte er zu Jazz, »denn sie ist verheiratet und hat ein Kind. Die Wards sind eine Bilderbuchfamilie. Eine solche Familie darf man nicht zerstören.«

Jazz legte den Kopf schief in dem Bemühen, zu verstehen, was Samson ihm mitteilen wollte.

Eine Bilderbuchfamilie …

Samson war fast zu Tode erschrocken, als er Gillian am Freitagabend hatte ins *Halfway House* hineinkommen sehen. Wieso ging sie dorthin? Ohne ihre Familie? Und wer war der Mann, der sie begleitete? Samson kannte ihn nicht, hatte ihn nie zuvor in der Nähe der Familie Ward gesehen. Er konnte den Kerl auf den ersten Blick nicht ausstehen. Wobei er versuchte, seine Abneigung einigermaßen objektiv zu analysieren. War er einfach eifersüchtig? Oder ging der Neid mit ihm durch, denn dass es sich bei Gillians Begleiter um einen Mann handelte, der nur mit den Fingern schnippen musste, um jede Frau in sein Bett zu bekommen, die er wollte, war auf den allerersten Blick ersichtlich. Oder ging tatsächlich etwas von ihm aus, das Samson zu Recht argwöhnisch werden ließ? Etwas Unlauteres, Unsauberes? Etwas Unaufrichtiges? So hätte Samson den Mann bezeichnet, aber er wollte ihm nicht Unrecht tun. Er ging mit der Frau in ein Pub, mit der er gar zu gern selbst ausgegangen wäre – zumindest in seiner Fantasie. Was die Realität anging, starb er tausend Tode allein bei der Vorstellung. Denn mit ihr an einem Tisch zu sitzen, zu plaudern, ein Glas Wein zu trinken, das ginge nicht, ohne dass sie merkte, wie armselig er war. Dass er weder unterhaltsam noch witzig noch anregend sein konnte. Dass er häufig über seine eigene Zunge stolperte, stotterte und jede Pointe – sollte er überhaupt in die Nähe einer solchen kommen – vermasselte. Er hatte bei etlichen Frauen bemerkt, wie sie unauffällig auf ihre Uhren zu schielen und mehr oder weniger erfolgreich ein Gähnen zu unterdrücken versucht hatten, wenn sie mit ihm zusammensaßen. Es hatte ihm den Schweiß auf die Stirn getrieben und Verzweiflung in ihm ausgelöst. Bei Gillian durfte ihm das nicht passieren. Er hatte die Ahnung, dass ihn dies dann über Selbstmord würde nachdenken lassen.

Also musste er sich zunächst das Frauchen von Jazz vornehmen. Mal sehen, ob etwas daraus wurde. Wenn es nur nicht so lange dauern würde! Er schaute auf die Uhr. Neun Uhr am Morgen. Vor Einbruch der Dunkelheit wollte er bei ihr nicht aufkreuzen.

Er verfluchte seine Idee. Bei der am Ende vermutlich ohnehin nichts herauskam.

2

Millie hatte um zwölf Uhr Dienstschluss und machte sich sofort auf den Heimweg. Sie blieb nie eine Sekunde länger in dem Pflegeheim, in dem sie arbeitete, als sie unbedingt musste. Sie konnte den Geruch dort kaum ertragen. Den Anblick der alten, gebrechlichen Menschen. Die unzusammenhängenden Sätze, das sinnlose Geplapper der Demenzkranken. Die langen Gänge, das hässliche Linoleum auf dem Fußboden. Den Anblick der großen Rollwagen, auf denen schon am Vormittag das Mittagessen zu den Zimmern geschoben wurde. Millie fand das Essen im Heim so grauenhaft, dass sie oftmals für den Rest des Tages auch zu Hause nichts mehr essen konnte, so sehr schlug ihr der Inhalt von Plastiktellern und Schnabeltassen auf den Magen. Das half ihr zumindest, schlank zu bleiben, und war vielleicht das einzig Gute an ihrem Beruf. Sie alterte im Zeitraffer, wie ihr schien, aber sie hatte wenigstens eine hübsche Figur. Manchmal drehte sie sich über eine Stunde lang vor ihrem Spiegel im Schlafzimmer hin und her, um sich davor zu bewahren, in eine Depression abzuleiten. Ihr Körper in engen Jeans und tief ausgeschnittenen Tops konnte ihr durchaus ein wenig gute Laune vermitteln.

Sie musste den Zug von Tilbury nach Thorpe Bay nehmen. Gavin und sie konnten sich nur ein Auto leisten, und meistens fuhr Gavin damit, weil er sonst noch früher hätte aufstehen müssen, um pünktlich seine Frühschicht zu beginnen. Millie ärgerte sich zutiefst über die Tatsache, dass Samson ein eigenes Auto besaß und dies auch noch meistens herumstehen ließ. Sie fragte sich, welcher Teufel ihre verstorbene Schwiegermutter geritten hatte, dass sie ihren Wagen an den Versager vererbt hatte. Gavin hatte ihr erklärt, dass seine Mutter eine sehr innige Beziehung zu Samson gehabt, dass sie immer geglaubt hatte, ihn ganz besonders umsorgen und beschützen zu müssen.

»Er war das Sorgenkind. Stets allein, stets in sich zurückgezogen. Egal was er anfing, es lief irgendwie nie richtig gut. Er war ein Tollpatsch und total kontaktgestört. Immer. Schon im Kindergarten. Als unsere Mutter starb, war es ihr quälendster Gedanke, was nun aus Samson werden sollte.«

In der Erinnerung an dieses Gespräch verzog Millie auch jetzt noch das Gesicht. Es war so ungerecht! Gavin hatte einen Beruf. Gavin hatte eine Frau. Gavin tickte ganz einfach normal. Und wer bekam das Auto? Sein kleiner Bruder, der jedem in seinem Umfeld nur auf die Nerven ging.

Die Bahn brauchte mal wieder ewig, und Millie musste den Gedanken daran, wie schnell sie mit einem Auto hätte zu Hause sein können, mit aller Gewalt zurückdrängen. Sie wäre sonst noch wütender geworden, und sie wusste, dass es diese Wut war, die ihr die tiefen Linien in das Gesicht grub und ihr diesen verbitterten Ausdruck verlieh.

Die Wut machte sie alt.

Sie trottete durch die Straßen zu ihrem Haus. Es war ein gutes Stück zu laufen vom Bahnhof aus. Abends und frühmorgens glitzerte und funkelte hier überall die Weihnachtsbeleuchtung in den Häusern, aber jetzt am Mittag herrschte die trostlose Atmosphäre eines bleiernen, nebligen Dezembertages. Im Herbst hatte das bunte Laub in den dicht bewachsenen Gärten rot und golden geglüht, aber inzwischen waren alle Äste kahl und hoben sich spitz und schwarz vor dem grauen Himmel ab. Der Nebel lastete jedoch nicht mehr so tief über dem Boden, vielleicht würde er sich bis zum Nachmittag lichten und tatsächlich noch ein paar Sonnenstrahlen Raum geben. Aber da es jetzt schon so früh dunkel wurde, hatte man nichts mehr davon. Millie zog die Schultern zusammen. Wenn sie Geld hätte, richtig Geld, dann würde sie auswandern. Irgendwohin, wo es immer warm und sonnig war.

Sie hatte die Frau, die ihr entgegenkam, nur unbewusst registriert, obwohl sie der einzige Mensch war, der sich außer ihr noch auf der Straße aufhielt, und so zuckte sie zusammen, als diese sie plötzlich ansprach.

»Entschuldigen Sie!« Eine helle Stimme. Ein wenig schrill. Verzweifelt.

»Ja?« Millie blieb stehen.

»Ich suche meinen Hund.« Die Frau hatte weit aufgerissene Augen, wirre Haare. Schweiß glänzte auf ihrer Nase, was darauf hindeutete, dass sie wohl schon lange in der Siedlung herumrannte. Ihr war warm. Sie wirkte aufgelöst. »Jazz.

Ein Schäferhundmischling. Ziemlich groß und langhaarig. Haben Sie ihn vielleicht gesehen?«

Millie mochte Hunde nicht besonders. »Nein. Ich bin eben erst mit dem Zug von Tilbury gekommen.«

»Er ist mir heute früh weggelaufen. Es war noch ziemlich dunkel, und … ich verstehe das nicht, er hat so etwas noch nie gemacht.«

Millie registrierte missvergnügt, dass die andere etwa ihr eigenes Alter hatte, dass sie aber selbst im Zustand der Verzweiflung wesentlich glatter, frischer und jünger aussah. Vermutlich hatte sie einen Beruf, der ihr Spaß machte.

»Ich habe keinen Hund gesehen. Wenn mir etwas auffällt, kann ich mich ja bei Ihnen melden, Mrs …?«

»Miss Brown. Michelle Brown.« Die junge Frau holte ein Stück Papier und einen Stift aus ihrer Manteltasche, kritzelte ein paar Zahlen darauf. »Meine Telefonnummer. Bitte, wenn Sie … Er ist alles für mich, wissen Sie.«

Doch kein so ganz glückliches Leben, dachte Millie. Sie verstaute den Zettel, nickte Michelle zu und setzte ihren Weg fort. Unwahrscheinlich, dass ihr der Hund begegnen würde.

Samsons Auto stand in der Einfahrt. Er war morgens aus dem Haus gegangen, hatte aber wieder einmal seinen Wagen stehen gelassen. Sie hatte ihn einmal darauf angesprochen, und er hatte gesagt, ihm sei das Benzin zu teuer. Das war natürlich ein Argument. Besonders bei einem Arbeitslosen.

Sie schloss die Haustür auf. Sie vermutete, dass ihr Schwager nicht daheim war. Seit einigen Monaten ging er früh und kam spät, und im Grunde war ihr das nur recht. Aber zugleich stimmte es sie misstrauisch. Was, zum Teufel, tat er den ganzen Tag über?

Sie glaubte ihm nicht, dass er Arbeit suchte. Zumal dies nicht erforderlich gemacht hätte, sich von morgens bis abends außerhalb des Hauses aufzuhalten. Nach allem, was sie wusste, bedeutete Arbeitssuche vor allem, dass man sich die Finger an Bewerbungen wund schrieb. Samson saß zwar oft noch spät an seinem Computer, aber warum sollte er etwas in der Nacht erledigen, was er genauso gut am Tag hätte tun können? Und der nächste Punkt war: Wenn jemand Arbeit suchte und keine fand, dann ging das mit Absagen einher, die er kassierte. Schriftliche Absagen, die per Post zugestellt wurden. Manches mochte auch über E-Mail abgewickelt werden, aber nie im Leben alles. Und Millie war oft diejenige, die den Briefkasten leerte. Nichts, seit Monaten kam absolut nichts für Samson. Die eine oder andere Reklame vielleicht von irgendeiner Firma, bei der er in besseren Zeiten etwas bestellt hatte. Aber kein Brief, der auch nur im Entferntesten als ein Absageschreiben zu identifizieren gewesen wäre.

Sie schaute auf die Uhr. Viertel nach eins. In einer halben Stunde kam Gavin, dessen Schicht heute auch früh endete, zum Mittagessen. Aber sie hatte Zeit, sie konnte rasch etwas auftauen. Eine der wenigen positiven Begleiterscheinungen von Samsons Anwesenheit im Haus war die, dass sie seit seiner Zeit als Angestellter bei dem Heimservice für Tiefkühlkost Rabatt auf Produkte der Firma bekamen.

Kurz entschlossen stieg sie die Treppe hinauf. Sie hatte schon einige Male in Samsons Zimmer herumgeschnüffelt, wenn er nicht da war, und sie hatte ihr Gewissen damit beruhigt, dass sie sich sagte, er sei schließlich eindeutig verrückt und es sei wichtig für Gavin und sie, ein paar nähere Informationen über ihn zu bekommen. Gavin war mit Samson zusammen aufgewachsen, sein Bruder war ihm vertraut. Er kannte es nicht anders und sah nicht, dass bei ihm eine riesige Schraube locker saß. Aber sie, Millie, hatte es vom ersten Moment an gespürt. Als Gavin ihr Samson vorgestellt hatte, war ihr erster instinktiver Gedanke gewesen: Bei dem Typ stimmt etwas nicht.

Und ihre Überzeugung, dass sie recht hatte, war seitdem mit jedem Jahr nur gewachsen.

Sie rief seinen Namen, aber als sie keine Antwort bekam, betrat sie entschlossen sein Zimmer. Obwohl sie den Raum seit Jahren kannte, schüttelte sie missmutig den Kopf. Es war das Zimmer eines Teenagers. Nicht das eines Mannes von Mitte dreißig.

Das schmale Bett, in dem er schon als kleiner Junge geschlafen hatte. Der Wimpel eines Fußballclubs darüber – obwohl Samson Millies Wissen nach niemals Fußball gespielt hatte. Im Regal Abenteuerbücher. Die geblümten Vorhänge am Fenster hatte seine Mutter genäht.

Das Zimmer war akribisch aufgeräumt. Nirgends ein Staubkorn. Die Überdecke des Bettes lag Kante auf Kante. Millie fragte sich, wie er das hinbekam. Sie hatte das bei ihrem und Gavins Bett versucht, aber nie war es ihr gelungen, diese Perfektion zu erreichen.

Sie schaute in die Regale, warf zwischendurch immer wieder einen prüfenden Blick aus dem Fenster. Das Zimmer ging nach vorn zur Straße hinaus, sodass sie Samson sehen konnte, wenn er unerwartet zurückkehren sollte. Es stand jedoch zu erwarten, dass er wieder erst am Abend auftauchen würde.

Sie öffnete die Tür des Kleiderschranks. Der klassische Jugendzimmerschrank aus hellem Holz. Darin sauber gefaltet etliche Pullover, ein paar Hemden, Jeans. Alles brav und solide. Millie wunderte sich überhaupt nicht, dass es ihm nie gelang, eine Frau zu erobern. Abgesehen von seiner Art, seiner Schüchternheit und seiner Neigung zum Stottern und Erröten, lag es auch einfach an seiner Kleidung. Er sah aus wie ein kleiner Junge. Es hätte Millie nicht erstaunt zu erfahren, dass die meisten seiner Kleidungsstücke ihm noch von seiner Mutter gekauft oder geschneidert worden waren.

Was sie jedoch am meisten interessierte, war der Computer, der auf dem Schreibtisch stand. Samson hatte ihn sich gekauft, als er noch für den Limousinenservice arbeitete und gar nicht so schlecht verdiente. Flachbildschirm, noch dazu ein ziemlich großer. Der Computer war das Einzige, was diesem altmodischen Zimmer einen kleinen modernen Anstrich verlieh.

Samson saß täglich Stunden an dem Computer. Es war Millie nie gelungen, herauszufinden, was er dabei genau tat. Ein paar Mal war sie überraschend und ohne anzuklopfen hineingekommen, aber sie hatte festgestellt, dass er zumindest dann ausgesprochen reaktionsschnell sein konnte: Womit auch immer er sich beschäftigte, er hatte es jedes Mal weggeklickt, noch ehe Millie etwas hatte erkennen können.

Sie wusste, dass es unmöglich war, was sie tat, aber sie beschwichtigte sich damit, dass es wichtig für Gavin und sie war, herauszufinden, womit sich Samson die Zeit vertrieb. Schließlich lebten sie mit ihm unter einem Dach. Man durfte nicht leichtsinnig sein. Vielleicht surfte er auf Internetseiten herum, die Kinderpornografie anboten. Sie und Gavin wollten irgendwann auch ein Kind haben. Es war ihre Pflicht, diese Gefahr abzuklären.

Sie schaltete den Computer an, vernahm das leise Rauschen, mit dem er hochfuhr. Ein rascher Blick aus dem Fenster, immer noch keine Spur von Samson. Der Bildschirm wurde blau. Wie sie gefürchtet hatte, fragte ein geöffnetes Fenster nach einem Passwort.

Klar, ganz blöd war er nicht. Millie überlegte hektisch. Die meisten Leute benutzten als Passwort die Namen von Personen, die ihnen nahestanden. Kinder, Ehepartner, Haustiere. Unglücklicherweise gab es in Samsons Leben nichts dergleichen. Sein einziger lebender Verwandter war sein Bruder. Probehalber gab sie *Gavin* ein, aber der Computer reagierte nicht.

Meinen Namen wird er kaum verwendet haben, dachte sie, verdammt, wen kennt er denn noch?

Bei einer derart kontaktgestörten Persönlichkeit wie der ihres Schwagers war das eine ausgesprochen schwierige Frage. Auf der anderen Seite schränkte das auch die Zahl der möglichen Personen erheblich ein.

Es gab da diesen Freund aus der Zeit des Limousinenservice, mit dem er sich freitags manchmal in dem Pub am Fluss traf. Wie hieß der noch gleich? Bartek. Sie tippte *Bartek* ein, aber wieder geschah nichts. Fehlanzeige.

Sie mochte jetzt nicht aufgeben. Es war das erste Mal, dass sie sich so weit vorgewagt hatte. Bis an seinen Schreibtisch. Bis hin zu einem direkten Zugriff auf seinen Computer. Sie musste nachdenken. Sie musste logisch vorgehen. Wenn er nicht ein Fantasiewort benutzte oder irgendeine Zahlenkombination, müsste es ihr möglich sein, hinter seine verflixte Absicherung zu kommen.

Sie schaute sich im Zimmer um, als könnten ihr die weißen Wände, der saubere graue Teppichboden irgendeinen Hinweis geben. Der Kleiderschrank, gefüllt mit den Pullovern, die Mum gestrickt hatte. Die Vorhänge am Fenster, die Mum genäht hatte. Die Abenteuerbücher im Regal, die Mum gekauft hatte und die er nicht wegwarf, obwohl er solches Zeug längst nicht mehr las. Das war es, was das Zimmer erzählte: von der gewaltigen Liebe zwischen Samson und seiner Mutter. Einer Liebe, die ihren Tod überdauert hatte. Es erzählte von der grenzenlosen Fürsorge einer Frau gegenüber ihrem schwierigen, leidgeprüften Kind. Und von dem Schmerz, den das Kind bis heute in sich trug, weil es die einzige Bezugsperson in seinem Leben verloren hatte.

Der Vorname von Millies Schwiegermutter war *Hannah*.

Sie tippte den Namen ein. Mit einer melodischen Tonfolge öffnete sich der Computer.

»Was, um Himmels willen, tust du denn da?«, fragte eine Stimme hinter ihr.

Millie fuhr herum. Gavin stand in der geöffneten Tür und sah sie entsetzt an.

Sie schaltete sofort den Computer aus und stand auf. Da sie immer nach dem Grundsatz vorging, dass Angriff die beste Verteidigung ist, fuhr sie ihn an: »Musst du dich so anschleichen?«

»Wie kannst du im Computer meines Bruders stöbern?«, fragte Gavin verstört.

Sie zuckte mit den Schultern. »Im Interesse unserer Sicherheit hielt ich es für notwendig.«

»Sicherheit? Wieso Sicherheit? Samson tut doch keiner Fliege etwas zuleide!«

»Woher willst du das wissen? Hast du irgendeine Ahnung, womit er sich jeden Abend stundenlang in seinem Computer beschäftigt? Vielleicht lädt er sich Gewaltspiele herunter. Oder schaut sich Pornos an.«

»Er ist ein erwachsener Mann. Er darf sich anschauen, was er will.«

Sie drängte sich an ihm vorbei zur Tür hinaus und ging die Treppe hinunter. Notgedrungen musste Gavin ihr folgen.

»Das sehe ich anders«, erklärte sie. »Er ist gestört, und solche Menschen muss man im Auge behalten. Und das, was sie so treiben. Oder willst du, dass dein Bruder eines Tages als Amokläufer an einer Schule auftaucht oder etwas Ähnliches?«

»Warum sollte er das denn tun?«

Sie waren in der Küche angelangt. Millie öffnete den Gefrierschrank, nahm eine Packung mit einem Fertiggericht heraus und knallte sie auf den Tisch. Gavin zuckte zusammen.

»Du liest entweder keine Zeitung, oder du verstehst nicht, was darin steht. Bei den meisten Typen, die plötzlich durchdrehen und andere niedermetzeln, erklären die Verwandten hinterher erstaunt, dass man das dieser Person nie zugetraut hätte. Aber wenn dann ein bisschen nachgebohrt wird, stellt man fest, dass der Betreffende sich schon immer etwas eigenartig verhielt, und hätten sich die anderen rechtzeitig gekümmert, wäre vieles nicht passiert.«

»Aber Samson …«

»Es geht nur um etwas Vorsorge«, sagte Millie, »sonst nichts.«

Sie hätte sich ohrfeigen können, weil sie so blöd gewesen war, sich von Gavin erwischen zu lassen. Wenn er Samson etwas davon erzählte, würde dieser sofort sein Passwort ändern, und diesmal würde er eines wählen, auf das sie beim besten Willen nicht käme. Allerdings wusste sie instinktiv, dass Gavin höchstwahrscheinlich die Klappe halten würde. Er war der konfliktscheuste Mensch, den sie kannte, und er würde es sich sehr genau überlegen, ob er Öl in die ohnehin gestörte Beziehung zwischen seiner Frau und seinem Bruder kippen sollte.

»Also, willst du nun weiter lamentieren, oder möchtest du, dass ich dir etwas zu essen koche?«, fragte sie kalt.

Er schien ansetzen zu wollen, noch etwas zu dem Problem zu sagen, aber er überlegte es sich anders. Er sah müde aus. Sein Tag hatte morgens um fünf begonnen. Er hatte schreiende Kinder und grölende Jugendliche in seinem Bus zur Schule transportiert. Er fühlte sich erschlagen, und sie konnte an seinem Gesicht förmlich ablesen, wie er das Thema abhakte, weil ihm die Energie fehlte, sich in eine Auseinandersetzung zu stürzen.

»Essen«, sagte er folgsam.

3

Dienstag, 8. Dezember, 22.10 Uhr

Sie ist nicht besser als andere Frauen. Kein bisschen. Michelle Brown. Ich kenne jetzt ihren Namen, und ich kenne nun ihren Charakter. Sie ist arrogant, selbstbezogen, undankbar. Sie ist übrigens nicht einmal besonders hübsch, jedenfalls nicht, wenn man direkt vor ihr steht. Aus der Ferne sieht sie besser aus. Sie war ziemlich verheult und dadurch fleckig im Gesicht, und ihre Schminke an den Augen war total verschmiert. Wenn ich das vergleiche mit Gillian Ward! Neulich im Halfway House *hatte sie auch unverkennbar zuvor geweint, aber das konnte ihr nichts von ihrer Schönheit nehmen. Es machte sie ätherisch, zart, man wollte sie in den Arm nehmen und beschützen. Michelle Brown hingegen würde ich nie in den Arm nehmen wollen. Sie ist überhaupt nicht mein Fall. Trotzdem gab es nicht den geringsten Grund für sie, mich dermaßen herablassend zu behandeln.*

Ich sitze jetzt hier und habe mir einen Wollschal um den Hals gewickelt, und vor mir steht ein großer Becher mit heißem Zitronensaft und Honig. Ich spüre, dass ich eine Erkältung bekomme. Ich werde überhaupt nicht mehr warm in den Knochen. Das

Abenteuer Michelle Brown werde ich allem Anschein nach mit einer Grippe bezahlen müssen.

Ich war gegen halb sechs bei ihr. Um halb fünf hatte ich den Rückweg angetreten, länger hätte ich es beim besten Willen da draußen in Shoeburyness nicht ausgehalten. Die Kälte war mir in alle Glieder gekrochen, ich hatte das Gefühl, mich nur noch wie ein alter Mann bewegen zu können. Ich hatte brüllenden Hunger, aber es war zu weit bis nach Shoeburyness hinein, und ich weiß auch nicht, wo sich dort ein Supermarkt befindet. Im Sommer kann man am Strand Sandwiches kaufen, aber natürlich nicht im Dezember. Ich hätte daran denken sollen, mir morgens ein Brot mitzunehmen, aber Millie sagt ja immer, dass ich so dumm bin, dass es wehtut, und wahrscheinlich hat sie recht. Ich hatte noch ein kleines Stück Wurst übrig, aber das war ja für Jazz gedacht, und obwohl mir schon ganz schlecht war, habe ich es nicht über mich gebracht, ihm diesen Happen wegzuessen. Zumal er so lieb und geduldig war und das alles so rührend über sich ergehen ließ, dabei fror er auch, und vielleicht hatte er Angst, er würde sein Frauchen nie wiedersehen. Ich hatte ein richtig schlechtes Gewissen ihm gegenüber. Daher bekam er die Wurst. Vom Geruch wurde mir schwindelig. Ich hatte vor Aufregung kaum gefrühstückt.

Eine Weile trieb ich mich noch am Strand herum. Ich war völlig allein dort. Wäre es nicht so kalt gewesen, ich hätte es genossen. Es wurde dunkel, und die Wellen brandeten schwarz und geheimnisvoll heran. Der Nebel hatte sich gelichtet und man sah, dass hinter der wabernden Feuchtigkeit ein schöner Tag gelauert hatte. Ich erlebte sogar noch den Rest eines Sonnenuntergangs. Eine feuerrote Wintersonne versank im Westen, im gelb-grauen Smog über London. Davor der Fluss mit seinem dunklen Wasser, und ein Schleppkahn glitt langsam auf die Mündung zu. Wenn ich mich umdrehte, konnte ich im letzten Licht des Tages das hohe, fahle Strandgras im leisen Wind schaukeln sehen. Es war eine wundervolle, melancholische Atmosphäre. Ich wünschte mir so sehr, Gillian wäre bei mir. Ich wünschte, ich könnte diese Stimmung, dieses Besondere, mit ihr teilen.

Um halb sechs klingelte ich also bei der Brown, nachdem ich mich mit meinen steifen Knochen den ganzen Strand entlang wieder zurück nach Thorpe Bay geschleppt hatte. Sie riss die Tür auf und stand mir direkt gegenüber, sie sah Jazz an, der wie wild mit dem Schwanz wedelte, und dann lagen die beiden sich in den Armen, das heißt, sie kauerte auf dem Boden, und er winselte und zappelte und leckte ihr verheultes Gesicht, und um mich kümmerte sich erst einmal überhaupt niemand. Endlich kam sie wieder auf die Füße. Sie sah noch zerzauster aus als vorher und wirkte irgendwie… verlegen.

Ich weiß nicht, was ich gehofft hatte. Ich glaube, in der letzten Nacht hatte ich mir manchmal ausgemalt, sie würde mich spontan umarmen. Strahlend. Überfließend vor Dankbarkeit. Stattdessen war sie gehemmt. Vielleicht hätte sie mir, nun da sie ihr Goldstück wiederhatte, am liebsten die Tür vor der Nase zugeknallt, aber dafür war sie natürlich zu höflich.

»Wo haben Sie ihn denn gefunden?«, fragte sie.

Ich machte eine unbestimmte Handbewegung in Richtung Fluss. »Ich war spazieren. Ganz weit Richtung Meer, fast schon Shoeburyness, da kam er plötzlich auf mich zu.« Während ich sprach, spürte ich, wie die Röte langsam meinen Hals hinaufkroch. Ich hoffte, dass Michelle meine Verlegenheit nicht bemerkte.

Sie schaute mich ganz ratlos an. »Was wollte er denn dort? Ich verstehe das nicht… Ich verstehe nicht, weshalb er weggelaufen ist. Er hat das noch nie getan!«

»Vielleicht hat er irgendwo einen anderen Hund gerochen oder gesehen und ist ihm nachgelaufen«, mutmaßte ich.

Sie wirkte nicht überzeugt, aber natürlich dämmerte es ihr

nicht im Geringsten, wie sich die Dinge tatsächlich abgespielt haben könnten.

»Wie gut, dass er ein Schild mit meiner Adresse und Telefonnummer am Halsband hat«, sagte Michelle, »sonst hätten Sie mich ja gar nicht so leicht ausfindig machen können. Obwohl ich ihn sowohl bei der Polizei als auch im Tierheim bereits als vermisst gemeldet habe. Spätestens da hätten Sie erfahren, wem er gehört.«

Sie hatte keine Ahnung, wie gut ich sie schon kannte. Ihre Bemerkung tat mir weh: Seit einem guten halben Jahr gingen wir jeden Morgen in der Früh, wenn sie ihren Hund spazieren führte, in einigem Abstand aneinander vorbei, und offensichtlich hatte sie mich überhaupt nicht wahrgenommen. Kein Wort in der Art: Ach, sind Sie das nicht, den wir immer morgens treffen?

Stattdessen hielt sie mich für einen Wildfremden. Es war so typisch: Frauen registrieren mich nicht. Und wenn sie mich registrieren, dann vergessen sie mich in der nächsten Sekunde schon wieder. Ich bin ein Mann, an den sie keinen zweiten Blick und keinen anderen als höchstens einen spöttischen Gedanken verschwenden. Es ist so. In meinen hoffnungslosen Momenten weiß ich auch immer, dass sich daran nie etwas ändern wird.

»Ja, also«, sagte ich, »ich bin froh, dass ich ihn entdeckt habe und Ihnen zurückbringen konnte. Er ist ein sehr lieber Hund!«

»Er ist für mich wie ein Baby«, sagte Michelle mit weicher Stimme.

Ich war so kalt, so durchfroren, und ich dachte, du könntest mich jetzt wirklich mal auf einen Kaffee hineinbitten. Natürlich wusste sie nicht, was ich hinter mir hatte, aber schließlich hatte ich ihr »ihr Baby« zurückgebracht! War ihr das nicht einmal einen Kaffee wert?

Wir standen einander ziemlich verlegen gegenüber, dann sagte Michelle: »Also, nochmals vielen Dank, Mr. ...?«

»Segal. Samson Segal.«

»Mr. Segal. Ich bin Michelle Brown. Ich bin unendlich erleichtert. Der Tag war furchtbar. Ich sah Jazz schon überfahren oder eingefangen für Tierversuche, ich hatte fürchterliche Bilder vor Augen…«

»Dann wünsche ich Ihnen beiden jetzt noch einen schönen Abend«, sagte ich und wandte mich zum Gehen. Sie hielt mich nicht zurück.

Sie rief mir ein weiteres Danke hinterher, als ich am Gartentor war.

Und das war's. Als ich mich auf der Straße noch einmal zum Haus umdrehte, war die Tür schon geschlossen.

Und ich stand da. Frierend. Hungrig. Total erschöpft. Für nichts.

Das Schlimme ist, dass ich in solchen Situationen immer denke, dass sie nur mir passieren. Dass es an mir liegt, nicht an den anderen. Ich stelle mir vor, Bartek zum Beispiel hätte den Hund abgeliefert. Bartek mit seinen schwarzen Haaren, den tiefdunklen Augen, dem herausfordernden Blick, dem leichten Akzent beim Sprechen. Bartek, der zu großer Form auflaufen kann, wenn er sich einer Frau gegenübersieht. Der witzig sein kann und charmant und dem sofort alle Sympathien zufliegen. Ihn hätte sie hereingebeten. Wahrscheinlich hätten sie mit einem Prosecco auf die glückliche Heimkehr des Hundes angestoßen, vielleicht hätte Michelle sogar ein paar Kerzen angezündet oder den Kamin, falls sie einen hat. Bartek hätte sich nicht wie ein begossener Pudel nach Hause schleppen müssen.

Natürlich sagt ihr Verhalten eine Menge über Michelle Brown aus. Einem Mann wie Bartek würde sie sich an den Hals werfen, mich wimmelt sie ab wie einen lästigen Vertreter. Als hätte ich versucht, ihr ein Zeitschriftenabonnement anzudrehen. Es sagt etwas über Frauen im Allgemeinen aus. Die meisten von ihnen sind leider ziemlich billig. Eine schwarze Haarsträhne, die gekonnt in die Stirn fällt, ein osteuropäischer Akzent, und schon kann man von ihnen bekommen, was man will. Bartek ist kein schlechter Kerl, aber er ist ziemlich oberflächlich und verfolgt immer nur seine eigenen Interessen. Ich hingegen habe Tiefgang. Ich könnte einer Frau viel mehr Gefühl und Wärme entgegenbringen, als er das tut, aber die Frauen müssten mir eine Chance geben, ihnen das zu beweisen. Auch Mum hat das immer gesagt. Samson ist ein Mann auf den zweiten Blick, hat sie immer gesagt. Mit einem großen Herzen, aber das muss man erst entdecken.

Aber die Zeit nehmen sich Frauen nicht. Sie sehen einen schüchternen Mann, der leicht errötet und dem keine witzigen Bemerkungen einfallen. Wenn sie hören, dass man arbeitslos ist, dann ist es endgültig vorbei. Frauen sind scharf auf Geld. Michelle bestimmt auch. Sie hat mich taxiert. Sie hat bemerkt, dass meine Kleidung nicht teuer ist und ziemlich abgetragen. Damit war ich erledigt. Gerade gut genug, ihr den Hund einzufangen und zurückzubringen. Aber schon mich nur für einen Moment hineinzubitten, hat sie nicht über sich gebracht.

Sie ist wie all die anderen. All diese verdammten Frauen, die dir als Mann zeigen, was du bist in ihren Augen: ein Stück Dreck. Ein Niemand.

Ich glaube, ich hasse Michelle.

Ich hasse jeden, der mir wehtut.

I

Auch die längste Nacht, dachte Anne, geht irgendwann zu Ende.

Es war sechs Uhr morgens, als ihre Anspannung endlich nachließ. Noch immer herrschte tiefschwarze Finsternis draußen, und das würde auch für die nächsten zwei Stunden noch so sein, aber Anne war schon immer um sechs Uhr aufgestanden; an den Wochentagen, um in die Praxis zu gehen, an den Wochenenden, um ungestört zwei Stunden lang zu malen, ehe sie das Frühstück zubereitete. Ganz gleich, ob es hell oder dunkel war, für sie begann der Tag um sechs Uhr. Sie war gern wach, während andere noch schliefen. Wobei jetzt, da sie mutterseelenallein in diesem Haus im Wald lebte, das Gefühl, sich in einer wohligen Stille durch eine schlafende Welt zu bewegen, kaum mehr vorhanden war. Die Geräusche, die Stimmen, das Flüstern des Waldes hörten sich in der Nacht anders an als am Tag, und dennoch war es nicht dasselbe, wie auf schweigende, dunkle Häuser zu blicken. In der Einsamkeit hier draußen bestand die Gefahr, dass Tag und Nacht, Schlafen und Wachen miteinander verschmolzen. Besonders in dieser dunklen Zeit vor Weihnachten.

Die vergangene Nacht hatte Anne im Wohnzimmer verbracht. In eine warme Decke eingewickelt, hatte sie in kleinen Schlucken eine heiße Milch getrunken und versucht, ihre aufgewühlten Nerven zu beruhigen. Sie war am Vorabend gegen halb elf ins Bett gegangen, hatte noch eine halbe Stunde lang gelesen und war dann rasch eingeschlafen, aber irgendwann war sie hochgeschreckt und hatte noch für den Bruchteil einer Sekunde einen Lichtschein über die Wände ihres Schlafzimmers gleiten sehen und das Brummen eines Automotors gehört; im nächsten Augenblick erstarb der Motor, verlosch das Licht.

Irgendwo da draußen in der kalten Winternacht stand ein Auto. Saß ein Mensch und … ja, was? Was sollte jemand tun auf dieser Lichtung weitab jeder menschlichen Siedlung? Ein einziges, in einer völligen Einöde befindliches Haus in einem Garten voller kahler Obstbäume beobachten? Warum?

Sie lag herzklopfend im Bett und hoffte, sie habe nur geträumt, aber sie wusste, dass es kein Traum gewesen war. Und auch keine Einbildung. Es war zu oft in der letzten Zeit geschehen. Sie musste anfangen, es ernst zu nehmen. Ohne die geringste Ahnung zu haben, worum es sich bei diesem *Es* handelte.

Die Leuchtziffern auf ihrem Radiowecker neben dem Bett hatten ihr gezeigt, dass es fast halb eins war.

Sie hatte sich schließlich aufgerafft und war ans Fenster getreten. Auch hier oben gab es Läden, aber die verschloss sie nie. Sie bewegte sich vorsichtig, um nicht gesehen zu werden, spähte hinaus. Ein schwacher Mondschein hinter den Wolken. Sie konnte nichts erkennen, kein Auto, keinen Menschen. Aber sie wusste, dass da jemand war. Atmete, wartete.

Für einen Moment hatte sie überlegt, die Polizei anzurufen. *Ich wohne mitten im Wald. In einem ehemaligen Forsthaus.*

Mit dem Wagen vielleicht zehn Minuten entfernt von Tunbridge
Wells. Draußen steht ein Auto. Ich glaube, dass jemand mein Haus
beobachtet. Das geht seit einigen Wochen so. Ich sehe den Licht-
schein, wenn sich das Auto nähert. Über einen holprigen Wald-
weg, denn etwas anderes gibt es hier nicht. Dann geht das Licht
aus. Das Auto muss irgendwo stehen. Und ich weiß nicht, was der
Fahrer will. Was er von mir will.

Ihre Hand hatte zweimal zum Telefonhörer gegriffen, war zweimal wieder zurückgezuckt. Sie fand, dass sich das alles wie die Spinnereien einer schrulligen alten Frau anhörte. Sie konnte sich den Eindruck vorstellen, den sie vermittelte: ältere Frau, kurz vor siebzig, wunderlich genug, um sich in eine gottverlassene Einöde zurückzuziehen. Verwitwet. Menschenscheu. Malt wilde, bunte Bilder. Und nun bildet sie sich Lichter ein. Und Motorengeräusche.

Sie hatte sich schließlich einen Jogginganzug angezogen und war nach unten gegangen. Im Erdgeschoss waren alle Läden fest verschlossen. Früher hatte Anne sie meist offen gelassen. Aber seitdem sich diese seltsamen Dinge ereigneten, wagte sie es nicht mehr.

Zumindest konnte sie von draußen niemand sehen. Sie knipste alle Lichter an, schaltete den Fernseher ein. Stimmen. Jemanden hören. Sich vergewissern, dass sie nicht allein war auf der Welt.

Sie machte sich die Milch heiß, wunderte sich, dass sie so heftig fror, und wickelte sich in eine Wolldecke. Schlafen würde sie nicht mehr können in dieser Nacht, das war ihr klar. Sie war wach und schaute abwechselnd an die Wand und in den Fernseher, während da draußen jemand saß und vermutlich ihr Haus anstarrte. Sie wusste, dass Lichtstreifen durch die Ritzen der Läden nach draußen fielen. Wer immer der geheimnisvolle Fremde war, er konnte sehen, dass sie wach war. Ob diese Tatsache allerdings irgendeine Bedeutung für ihn hatte, vermochte sie nicht zu sagen.

Am Morgen verlor der Albtraum seine scharfen Konturen. Anne hatte vor, in die Stadt zu fahren und ein paar Weihnachtspäckchen für alte Freunde zur Post zu bringen, und sie wusste, dass spätestens dann die tägliche Normalität die Schrecken der Nacht aufheben, sie fast irreal erscheinen lassen würde. Sie war jetzt froh, dass sie nicht die Polizei angerufen und sich lächerlich gemacht hatte. Und sie war sogar froh, dass es diese endlose Nacht gegeben hatte, denn sie hatte zu einer Entscheidung geführt: Anne würde das Haus verkaufen und nach London zurückkehren. Dorthin, wo sie fast ihr ganzes Leben verbracht hatte. Und wo die Menschen lebten, die sie noch von früher kannte.

Sie hatte hin und her überlegt, in diesen Stunden, die nicht verstreichen wollten. Den ganzen Schmerz noch einmal durchlebt, in den sie unmittelbar nach Seans Tod gestürzt war. Die Entschlossenheit, mit der sie Einsamkeit und Angst niedergekämpft hatte. Sie hatte sich auch und vor allem des Versprechens entsonnen, das sie ihm und sich gegeben hatte in den ersten Minuten, nachdem er im Krankenhaus für immer eingeschlafen war: *Ich mache weiter mit deinem Traum. Mit dem Haus, das du so geliebt hast. Mit den Obstbäumen und den verwunschenen Sommerabenden auf der Veranda und den schweigenden Nächten im Winter, wenn sich der ganze Wald mit Raureif überzieht. Ich lebe das alles für dich mit.*

An diesem Morgen gab sie sich die Erlaubnis, ihr Versprechen zurückzuziehen.

Nicht nur, weil irgendein Irrer hier im Wald herumzog und für sie vielleicht zur Gefahr werden würde. Wer immer das war und was immer ihn umtrieb, er war nur der Auslöser für ihre Entscheidung.

Sie hatte eines begriffen in dieser Nacht: Sie lebte tatsächlich Seans Traum. Aber der hatte mit ihr nichts zu tun, nichts mit ihren Wünschen, Sehnsüchten, Lebensvorstellungen. Zu zweit hatte das Leben in diesem Haus seinen Reiz gehabt. Für einen alleinstehenden Menschen konnte es zu einem Albtraum werden.

Sie war müde, aber zugleich elektrisiert. Freudig. Erlöst.

Sie ging in die Küche, schaltete die Kaffeemaschine ein, setzte ein Ei in den Eierkocher, nahm Toastbrot aus der Packung. Sie summte leise vor sich hin. Wenn sie in der Post gewesen war, würde sie einen Makler aufsuchen. Vielleicht konnte er sich schon in den nächsten Tagen alles hier ansehen und ihr sagen, mit welchem Kaufpreis sie etwa rechnen durfte. Und dann würde sie sich selbst in die Suche stürzen. Eine hübsche Drei-Zimmer-Wohnung mit einem großen Balkon, den sie bepflanzen konnte. In einem Haus mit anderen Menschen, mit denen man sich vielleicht anfreunden würde. Abends die Lichter der Stadt um sie herum. Sie merkte, dass ihr fast die Tränen kamen bei dem Gedanken daran, und ihr ging auf, wie schwer es ihr in Wahrheit geworden war, die Isolation, in der sie lebte, zu ertragen. Jetzt, da sie diesen Gedanken zum ersten Mal zuließ, begriff sie, wie unglücklich sie gewesen war. Wie sehr sie entgegen ihrer Träume gelebt hatte.

Sie summte leise vor sich hin.

Das Schönste war: Sie hatte den festen Eindruck, dass Sean ihr wohlwollend zunickte.

»Und?«, fragte Peter Fielder, als Christy in sein Zimmer trat. Es war noch früh am Morgen, und in den Büros und auf den Fluren der Met war noch nichts los. Peter kam gern vor Tau und Tag in das Präsidium. Er wurde dann nicht andauernd angesprochen und gestört und konnte eine Menge erledigen, ehe die übliche Hektik losging, die aus hin und her eilenden Mitarbeitern, pausenlos klingelnden Telefonen und unvermittelt angesetzten Konferenzen entstand.

Christy McMarrow war ähnlich gelagert, und wahrscheinlich, dachte Peter, machte sie diese Übereinstimmung in beruflichen Fragen zu einem so gut funktionierenden Team.

Sein »Und?« bezog sich auf die Gewissheit, dass Christy mit neuen Informationen zu ihm kam. Sie schaute niemals bloß auf einen Kaffee oder einen gemütlichen Plausch bei ihm vorbei.

Allerdings wirkte sie nicht gerade erfreut. Was immer sie herausgefunden hatte, es schien sie nicht in die Nähe eines Durchbruchs gebracht zu haben.

»Ich habe gestern mit zwei ehemaligen Kolleginnen von Carla Roberts gesprochen, die mit ihr in der Drogerie gearbeitet haben«, berichtete Christy. »Beide schildern Carla als eine nette, freundliche, allerdings auch äußerst zurückhaltende Frau. Sie soll ein eher verschlossener Mensch gewesen sein, jedoch immer hilfsbereit und warmherzig. Die beiden schließen aus, dass sie Feinde am Arbeitsplatz gehabt haben könnte. Ich werde trotzdem noch einmal mit dem Filialleiter sprechen, aber mein Instinkt sagt mir, dass wir an dieser Stelle nichts finden werden.«

»Hm«, machte Peter. »Noch etwas?«

»Ich bin das Adressbuch von Carla Roberts durchgegangen, aber es gibt kaum Einträge darin. Hauptsächlich sind die Kolleginnen aus der Drogerie notiert. Nach ihrem Fortgang dort scheint sie niemanden mehr aufgeschrieben zu haben. Entweder gab es keine neuen Bekanntschaften, oder sie hat sie zumindest nicht festgehalten. Ich habe noch eine Bekannte von früher ausfindig gemacht, aus der Zeit, als Carla noch verheiratet war. Eleanor Sullivan. Sie war mit den Roberts' locker befreundet. Ich habe auch sie aufgesucht.«

»Und wie reagierte dabei Ihr Instinkt?« Peter fragte das keineswegs spöttisch. Er hatte während der letzten Jahre gelernt, eine Menge auf Christys Instinkt zu geben. Was damit zusammenhängen mochte, dass er sie als Frau bewunderte und verehrte.

»Er schlug nicht wirklich in den hellsten Tönen an«, musste Christy bedauernd zugeben. »Eher gar nicht. Unwahrscheinlich, nach meiner Ansicht, dass der Mörder aus Carlas früherem Leben kommt – es sei denn, es gab Abgründe, die niemandem bekannt waren. Mrs. Sullivan erinnert sich noch gut an Carla und beschreibt sie genauso wie jeder andere: schüchtern, zurückhaltend, sympathisch, sehr freundlich. Sie sagt, Carla habe ihres Wissens nie mit anderen Menschen Probleme gehabt. Sie formulierte es so: Carla sei viel zu still und zu unauffällig gewesen, als dass sie mit jemandem habe in Streit geraten können. Sie muss ein ausgesprochen bescheidener Mensch gewesen sein, der Konflikten aus dem Weg ging und wohl kaum jemanden je provozierte.«

»Hm«, machte Peter erneut. »Es ist zum Verzweifeln: Sie besaß nicht einmal einen Computer. Es gibt keine E-Mail-Kontakte, keine Foren, keine Websites, die uns Aufschluss geben könnten. Wir tappen so jämmerlich im Dunkeln!«

Was Carla Roberts das Leben schwer gemacht hatte, ihre Scheu und ihre Unscheinbarkeit, erschwerte nun auch die

Aufklärung der Umstände ihres gewaltsamen Todes. Eine Frau ohne Ecken und Kanten, die nie mit einem anderen Menschen zusammengestoßen war. Die dann trotzdem auf grausame Weise sterben musste. In irgendjemandem musste dieser Ausbund an Unauffälligkeit entsetzliche Aggressionen ausgelöst haben.

»Es muss etwas gegeben haben in ihrem Leben«, sagte er, »es muss etwas gegeben haben, was den Täter zu dieser Brutalität getrieben hat. Es ist eine Sache, ob man jemanden aus sicherer Entfernung einfach abknallt. Eine andere ist es, jemanden zu fesseln und ihm ein Tuch so tief in den Rachen zu stoßen, dass er erbrechen muss. Es dann noch tiefer zu drücken und es auszuhalten, dass der andere in einem grauenhaften Todeskampf an seinem eigenen Erbrochenen erstickt. Meiner Ansicht nach gehört eine Menge Hass dazu. Wodurch hat Carla Roberts ihn ausgelöst? Sie kann nicht nur wie ein freundlicher, kaum wahrnehmbarer Schatten durch den Alltag gehuscht sein.«

»Es sei denn, ihre Ermordung hat überhaupt nichts mit ihr als Person zu tun«, gab Christy zu bedenken, »sondern hängt ausschließlich damit zusammen, dass sie in ihrer Einsamkeit ein passendes Opfer abgab. Für einen Mann, der grundsätzlich ein Problem mit Frauen hat. Immerhin war das gleich der erste Gedanke, der uns allen durch den Kopf schoss, als wir sahen, was man ihr angetan hatte.«

»Trotzdem, wir müssen uns an ihr Leben halten, weil wir keine sonstigen Anhaltspunkte haben.« Er unterdrückte ein Gähnen. Er war so müde. »Hat diese Mrs. Sullivan etwas über die Ehe der Roberts' gesagt?«

»Ja. Es war wohl eine ziemlich normale Ehe. Ohne Höhen und Tiefen. Der Mann hat viel gearbeitet, war ständig in seiner Firma. Carla fiel aus allen Wolken, als sie von dem finanziellen Desaster erfuhr und von der Tatsache, dass er sie jahrelang betrogen hatte. Am meisten erschütterte es sie wohl, dass sie nie etwas mitbekommen hatte. Mrs. Sullivan telefonierte damals mit ihr, und sie soll am Telefon geradezu stereotyp nur immer wieder den Satz wiederholt haben: *Wieso habe ich es nicht gemerkt? Wieso habe ich es nicht gemerkt?* Damit kam sie nicht klar.«

»Ist ihr Mann ihr gegenüber jemals gewalttätig gewesen? Oder überhaupt durch einen Hang zu Gewalt auffällig geworden?«

»Nein. Es muss auf eine etwas langweilige, unspektakuläre Art durchaus eine glückliche Ehe gewesen sein. Auch sonst galt er als ruhiger, eher biederer Zeitgenosse. Die Scheidung ging laut Eleanor Sullivan glatt über die Bühne. Finanziell ausgenommen hat sie ihn dabei nicht, es war ja auch absolut nichts mehr zu holen. Außerdem verschwand er dann sehr schnell auf Nimmerwiedersehen.«

Fielder hätte bei sich selbst nicht von einem Instinkt gesprochen, wenn es um die Arbeit ging, aber er hatte doch das deutliche Gefühl, dass sie ihre Zeit verschwendeten, wenn sie dem verschollenen Exehemann hinterherspürten. Er glaubte nicht, dass dieser etwas mit dem Mord an Carla zu tun hatte.

Er wechselte das Thema. »Was ist mit der Eingangstür des Hochhauses? Gibt es dazu etwas Neues?«

Diesmal hatte Christy zumindest ein Ergebnis vorzuweisen.

»Ja. Unser Techniker sagt, sie wurde eindeutig manipuliert. Die Feder, die dafür sorgt, dass die Tür automatisch wieder zufällt, wurde wohl mit einer Zange aus ihrer Verankerung gezogen. Damit konnte jeder kommen und gehen, wann er wollte, ohne einen Schlüssel zu besitzen.«

»Könnte der Mörder gewesen sein.«

»Ja. Muss aber nicht. Der Hausmeister sagt, sie haben immer mal wieder mit Vandalismus zu tun. Hackney ist nicht gerade der bürgerlichste Stadtteil. Es kann sich auch irgendein Jugendlicher einen Spaß erlaubt haben, und unserem Täter kam das dann höchst gelegen.«

Peter Fielder rieb sich die müden Augen. Er hätte jetzt irgendetwas gebraucht, einen winzig kleinen roten Faden, der aus dem Nebel dieses undurchsichtigen Falles hervorblitzte. Den Hauch eines Anhaltspunktes. Irgendetwas, das ihm einen Adrenalinstoß versetzte, die Müdigkeit schlagartig verfliegen ließ. Aber da war nichts. Nichts als das Gefühl, durch wabernden Dunst zu schleichen und dabei nicht einen Schritt wirklich voranzukommen.

Christy bemerkte seine Niedergeschlagenheit. »He, Chef! Nicht so traurig! Bald ist Weihnachten!«

Er machte sich nicht einmal die Mühe zu lächeln.

»Ja. Bald ist Weihnachten. Aber da draußen läuft ein Irrer herum. Daran ändert auch Weihnachten nichts.«

»Meinen Sie, er tut es wieder?«

»Möglich. Unter Umständen hat er ein Problem, das allein mit Carla Roberts' Ermordung noch nicht gelöst ist.«

»Ein Typ, der Frauen hasst? Und einfach auf günstige Gelegenheiten lauert, seinen Hass auszuleben? Das würde die Theorie des Zufallsopfers stärken.«

»Bedingt. Nichts ist *nur* Zufall. Irgendwo in Carla Roberts' Leben muss es einen Schnittpunkt mit dem Leben ihres Mörders gegeben haben. Er mag winzig sein und so unbedeutend erscheinen, dass wir die größten Schwierigkeiten haben werden, ihn zu entdecken. Aber ich glaube nicht, dass jemand einfach in den obersten Stock eines Hochhauses hinauffährt, dort an der nächstbesten Wohnungstür klingelt und die Frau, die dort zufällig alleine lebt, ermordet, ohne vorher von ihrer

Existenz und ihren Lebensumständen Kenntnis gehabt zu haben.« Fielder stand auf, entschlossen, sich von seiner Erschöpfung und seiner deprimierten Stimmung nicht niederringen zu lassen. »Nein, ich denke, der Mörder kannte Carla Roberts. Wusste ganz gut über sie Bescheid. Und deswegen müssen wir ihr Leben auseinandernehmen. Bis in die kleinste Verästelung. Wahrscheinlich müssen wir an Stellen suchen, die sich uns keineswegs als Erstes aufdrängen. Und wir sollten uns dabei klarmachen, dass wir vielleicht nicht viel Zeit haben.«

Christy schwieg.

Sie wusste, er dachte an das nächste Opfer.

3

Im *Halfway House* war es nicht so voll wie am Freitag zuvor. Dennoch herrschte ein reges Stimmengewirr, und an der Bar stand eine Traube von Menschen. Der Fußboden war nass und schmutzig, weil jeder das feuchte Schmuddelwetter an den Schuhen mit hereinbrachte. Irgendwo im Hintergrund dudelte ein Radio Weihnachtsmusik.

Noch in der Tür stehend, vergewisserte sich Gillian, dass der Typ aus ihrer Straße, Samson Segal, diesmal nicht anwesend war. Sonst hätte sie auf dem Absatz kehrtgemacht. Er brauchte sie nicht zum zweiten Mal in trauter Zweisamkeit mit einem Fremden zu beobachten. Er schien jedoch nicht da zu sein, soweit sie das auf den ersten Blick zu erkennen vermochte, und sie konnte nicht länger herumspähen, denn die Ersten begannen sich schon zu beschweren.

»Tür zu! Ist nicht gerade eine laue Sommernacht draußen, junge Frau!«

John Burton kam auf sie zu, als sie schon glaubte, ihr Mut werde sie verlassen. Sie hatte fast gehofft, er sei bereits wieder gegangen, denn sie war beinahe eine Dreiviertelstunde zu spät. Es schmeichelte ihr, dass er gewartet hatte, aber zugleich zog sich ihr Magen nervös zusammen.

»Schön, dass Sie gekommen sind«, sagte er. Er nahm ihr den Mantel ab und legte seine Hand auf ihren Arm, während er sie zu einem kleinen Ecktischchen führte, auf dem eine Karaffe mit Wein und zwei Gläser standen. »Ich hoffe, der Tisch hier ist in Ordnung?«

»Ja, natürlich. Es tut mir leid, dass ich so spät bin. Wir lassen Becky abends noch nicht allein, und deshalb musste ich warten, bis mein Mann nach Hause kam.«

In Wahrheit war Tom recht früh an diesem Tag zu Hause gewesen. Sie hatte ihm am Morgen gesagt, dass sie abends mit Tara verabredet war, und er hatte sich ohne Murren an die Abmachung gehalten, die für derartige Fälle zwischen ihnen bestand: Er kam so früh wie möglich nach Hause, damit Gillian rechtzeitig weg konnte.

Aber sie hatte gezögert und gezaudert. Und sich dabei immer wieder gefragt, weshalb sie sich eigentlich so unsicher fühlte. John Burton war der Handballtrainer ihrer Tochter. Er hatte sie auf ein Glas Wein eingeladen. Nicht zu sich nach Hause, sondern in ein öffentliches Pub. Es war nichts dabei. Es war lächerlich, deswegen so durcheinanderzugeraten.

Tara, mit der sie während der Mittagspause telefoniert hatte, um ihr Alibi abzusichern, brachte die Angelegenheit allerdings auf den Punkt. »Wenn überhaupt nichts dabei ist, warum sagst du dann deinem Mann nicht einfach die Wahrheit? Warum brauchst du dann mich?«

»Tom könnte auf falsche Gedanken kommen.«

»Welche Gedanken hast *du* denn?«

»Tara…«

Tara hatte gelacht. »Hör mal, Schatz, du musst dich vor mir kein bisschen rechtfertigen. Und du kannst mich gern bei Tom vorschieben. Ich habe auch keinerlei Probleme damit, wenn du gleich heute Abend mit diesem aufregenden Traummann ins Bett gehst. Nur erwarte dir davon nicht die Lösung deiner Probleme. Von einer Affäre. Es könnte ein schöner Kick sein. Mehr nicht.«

»Ich gehe doch nicht mit ihm ins Bett!«

Tara hatte nichts darauf erwidert, aber Gillian bekam eine deutliche Vorstellung davon, was der Begriff *beredtes Schweigen* zu bedeuten hatte.

Sie war schließlich doch losgezogen, sie wollte nicht als Feigling dastehen. Sie hatte sich für Jeans und Pullover entschieden, die Haare sorgfältig gebürstet und etwas Lippenstift aufgelegt, aber ansonsten blieb sie ungeschminkt. Burton sollte bloß nicht denken, dass sie sich seinetwegen besonders ins Zeug legte. Abgesehen davon musste sie vor Tom glaubwürdig bleiben: Sie takelte sich ja auch sonst nicht auf, wenn sie sich mit Tara traf.

Als sie saßen, schenkte John den Rotwein aus. »Sie haben hier erstaunlich guten Wein. Und wenn Sie Hunger haben, könnten wir…«

Sie unterbrach ihn sofort. An Essen konnte sie im Moment nicht einmal denken. »Nein danke. Ich möchte nur etwas trinken.«

Sie nahm einen Schluck. Der Wein schmeckte ihr, vor allem aber hatte er eine entspannende Wirkung auf ihre Nerven. Sie fühlte sich gleich ein wenig gelassener.

»Wie geht es mit Becky?«, erkundigte sich John.

Gillian schüttelte den Kopf. »Nichts Neues. Sie kommt mit mir im Moment einfach nicht besonders gut zurecht.

Als ich ihr heute früh sagte, dass ich abends weg sein würde, hat sie ausgesprochen gut gelaunt reagiert. Sie liebt es, mit ihrem Vater allein zu Abend zu essen und noch ein wenig fernzusehen. Ich versuche mir nichts daraus zu machen, aber es tut schon weh.«

»Ich glaube, dass viele Mädchen das in bestimmten Lebensphasen haben: eine sehr starke Vaterbeziehung. Die Mutter stört dann. Aber das ändert sich wieder. Auf einmal sind Sie ihre engste Vertraute, und der Vater weiß überhaupt nicht mehr, was eigentlich vor sich geht. Er stößt dann irgendwann morgens im Bad auf den Jungen, der gerade bei seiner Tochter übernachtet hat, und fragt sich, was ihm wohl sonst noch alles entgangen ist.«

»Bei Ihnen klingt das sehr unkompliziert. «

John zuckte mit den Schultern. »Meiner Ansicht nach wird heutzutage gerade im Umgang mit Kindern und Jugendlichen vieles viel zu dramatisch gesehen. Manchmal muss man sie einfach nur in Ruhe lassen.«

»Manchmal kann genau das aber fatal sein.«

»Es gibt kein Patentrezept«, räumte John ein.

Gillian wechselte das Thema. »Offiziell«, sagte sie, »bin ich übrigens gerade mit meiner Freundin Tara zusammen. Ich habe meinem Mann gesagt, dass ich mich mit ihr treffe.«

»Sie haben ihn angeschwindelt?«

»Ja.«

»Sie sehen nicht so aus, als ob Sie das oft tun.«

Gillian nahm rasch noch einen Schluck Rotwein und fragte sich, wieso sie sich so weit vorgewagt hatte. *Fang bloß nicht wieder an, ihn herauszufordern. Oder mit ihm zu flirten oder etwas ähnlich Blödes zu tun. Das ist nicht deine Art!*

»Nein. Natürlich nicht. Aber ich… wollte einfach keine Probleme.«

»Er hätte etwas dagegen gehabt, dass Sie sich mit mir treffen, das ist klar.«

»Hätten Sie an seiner Stelle nichts dagegen?«

»Ich bin nicht verheiratet. Absichtlich nicht. Um mich mit solchen Schwierigkeiten gar nicht erst abgeben zu müssen.«

»Es war jedenfalls einfacher zu sagen, ich gehe mit Tara weg«, sagte Gillian.

Er nickte, so als sei er plötzlich von ihrer schlichten Antwort überzeugt. »Ich verstehe.«

Eine Weile sagte keiner von ihnen etwas, und schließlich fragte Gillian: »Weshalb wollten Sie mich treffen? Ich meine … unsere letzte Begegnung kann nicht besonders anregend für Sie gewesen sein.«

»Wieso nicht?«

»Im Wesentlichen habe ich Ihnen etwas vorgeheult. Und Ihnen ein paar gewöhnliche und banale Sorgen geschildert. Nicht gerade aufregend.«

Er sah sie nachdenklich an. »Ich habe Sie nicht als eine Frau mit banalen Sorgen empfunden.«

»Als was dann?«

»Als eine sehr attraktive Frau, die ein paar Probleme hat. Und wer hat die nicht?«

»Ich hatte am Ende den Eindruck, dass Sie verärgert waren.«

»Ich war nicht verärgert. Abweisend vielleicht. Sie haben ein Thema angesprochen, über das ich nicht reden wollte.«

»Ihr Ausscheiden aus dem Polizeidienst.«

»Richtig«, sagte er, und seine Miene verschloss sich.

Diesmal war Gillian klug genug, nicht zu insistieren. »Sie haben meine Frage noch nicht beantwortet«, sagte sie. »Weshalb dieses Treffen heute?«

Er lächelte. »Doch. Eigentlich habe ich geantwortet.«

Sie wartete.

»Ich habe gerade gesagt, dass Sie eine sehr attraktive Frau sind«, erklärte er.

»Das ist der Grund?«

»Um ehrlich zu sein – ja.«

Seine Direktheit hatte etwas Entwaffnendes. Gillian musste lachen. »Ich bin verheiratet.«

»Ich weiß.«

»Und wohin soll das alles führen?«

»Das entscheiden Sie«, sagte John. »Schließlich sind Sie diejenige, die verheiratet ist. Sie haben eine Familie. Sie müssen einen Besuch bei Ihrer Freundin vortäuschen, wenn Sie mich treffen wollen. Sie müssen wissen, wie weit Sie gehen möchten.«

»Vielleicht will ich jetzt bloß meinen Wein zu Ende trinken und dann nach Hause gehen.«

»Vielleicht«, sagte John und lächelte wieder.

Sein Lächeln wirkte von oben herab, und er schien nicht zu glauben, dass sie das wirklich tun würde: nach Hause gehen. Sie merkte, dass sie ärgerlich wurde. John Burton wirkte auf einmal ausgesprochen routiniert und vermittelte ihr das Gefühl, manipuliert zu werden. Wahrscheinlich zog er gerade eine vielfach erprobte Masche ab, die aus einer geschickten Abfolge von Entgegenkommen und Rückzügen bestand, von gleichmütig hervorgebrachten Statements und der Verlockung eines im richtigen Moment aufgesetzten, etwas zynischen Lächelns. Sie dachte an die Weihnachtsfeier im Handballclub, als die andere Mutter neben ihr über das Liebesleben des gut aussehenden Trainers gerätselt hatte. Wahrscheinlich gab es tatsächlich keine beständige Partnerin in seinem Leben, und es war auch nicht das, was er anstrebte. Er verführte, was ihm gefiel und was ihm über den Weg lief, lebte kurze

Affären und wandte sich dann dem nächsten Objekt seiner Begierde zu.

Gillian war sich bewusst, dass sie manchmal keine genaue Vorstellung davon hatte, was sie wollte, aber für den Moment war ihr zumindest klar, was sie nicht wollte: eine weitere Trophäe inmitten der langen Kette von Eroberungen eines attraktiven Frauenhelden zu sein. Sie trank den letzten Schluck in ihrem Glas und wehrte ab, als John nach der Karaffe griff.

»Für mich nichts mehr, danke. Es war nett mit Ihnen, John. Ich denke, ich fahre jetzt nach Hause.«

Er wirkte überrascht. »Jetzt schon?«

Sie stand auf. »Ja. Ich habe mich entschieden, wissen Sie.«

Er erhob sich ebenfalls, aber sie lief bereits zur Garderobe, schnappte sich ihren Mantel und war durch die Tür, noch ehe sie ihn angezogen hatte. Nach der verbrauchten, stickigen Luft drinnen war es wunderbar, den feuchtkalten Abend draußen zu spüren. Gillian genoss die Kühle und die Stille. Direkt vor ihr lagen der Strand und der Fluss. Sie sah die abgrundtiefe nächtliche Dunkelheit des Wassers, hörte das leise Gurgeln der Wellen. Roch Salzwasser und Tang. Sie schlüpfte in ihren Mantel. Ihr fiel plötzlich ein riesiges Gewicht von der Seele. Was hatte sie sich bloß gedacht, als sie beschloss, hierherzukommen?

Sie hatte ihr Auto, das an der Straße parkte, fast erreicht, als John Burton hinter ihr auftauchte. Er war ein wenig außer Atem. »Nun warten Sie doch«, sagte er. »Meine Güte, haben Sie ein Tempo drauf! Ich musste schließlich noch bezahlen…«

»Mir lag ja auch nicht daran, auf Sie zu warten«, sagte Gillian und öffnete mit der Fernbedienung ihre Wagentüren. Sie wollte einsteigen, aber John hielt sie am Arm fest.

»Was habe ich falsch gemacht?«, fragte er.

»Im Prinzip wahrscheinlich gar nichts«, erklärte Gillian. »Nur – ich will einfach nicht.«

»Was wollen Sie nicht? Mit mir etwas trinken? Mit mir reden?«

»Ich will meinen Mann und meine Tochter nicht belügen. Ich will mich in nichts verstricken, was das notwendig machen würde.«

»Sie haben Ihren Mann heute bereits belogen.«

»Schlimm genug. Ich muss das ja nicht wiederholen.«

»Warten Sie«, bat er, »bitte. Steigen Sie jetzt nicht einfach ein und fahren davon. Es tut mir leid, wenn ich gerade eben ein ziemlich blasiertes und dummes Verhalten an den Tag gelegt habe.« Er wehrte ab, als sie etwas erwidern wollte. »Nein, es war so. Ich wollte als der große Verführer auftreten, und wahrscheinlich hat Sie genau das verärgert, und ich kann das verstehen. Es tut mir leid. Mehr kann ich nicht sagen. Wirklich. Es tut mir leid.«

»Es ist schon in Ordnung. Nur …«

»… nur Sie geben mir keine zweite Chance.«

»John, verstehen Sie doch …«

»Können wir uns nicht kurz in Ihr Auto setzen?«, fragte er. »Es ist ziemlich kalt, und man weiß hier auf der Straße nie, wer zuhört.«

»Okay«, willigte Gillian ein. Sie setzte sich hinter das Steuer, John rutschte auf den Beifahrersitz.

»Sie faszinieren mich«, sagte er. »Und ich möchte Sie wiedersehen. Ich nehme an, das haben Sie schon begriffen. Ich weiß, die Umstände sind äußerst ungünstig. Trotzdem. Ich kann Sie mir nicht einfach aus dem Kopf schlagen. Ich habe es über das Wochenende versucht. Es gelingt mir nicht.«

»Es gibt bestimmt genügend Frauen, mit denen Sie sich trösten können«, sagte Gillian.

Er sah ihr direkt in die Augen. Sein Gesichtsausdruck wirkte sehr ernsthaft. Und aufrichtig. »Nein«, sagte er, »die gibt es nicht. Vielleicht passt das nicht zu den Gerüchten, die sich um mich gebildet haben, aber es ist tatsächlich so: Es gibt sie nicht.«

»Unter den Müttern im Club gelten Sie als pausenloser Verführer.«

»Großartig. Aber es stimmt nicht. Das Ende meiner letzten Beziehung liegt über ein Jahr zurück. In der Zwischenzeit habe ich wie ein Mönch gelebt.«

»Dafür legen Sie ein ziemlich geübtes Verhalten an den Tag, wenn es darum geht, eine Frau für sich zu gewinnen.«

»Wäre ich wirklich geübt, hätte ich rechtzeitig gemerkt, dass ich bei Ihnen mit meinem Verhalten völlig auf dem Holzweg bin. Ich habe mich entschuldigt, Gillian. Ich wollte einfach besonders cool rüberkommen. Es war idiotisch.«

»Sie versuchen, sehr geheimnisvoll zu wirken.«

»Was wollen Sie wissen? Ich erzähle es Ihnen!« Er sah sie fast flehentlich an. »Ich möchte nichts vor Ihnen verbergen, Gillian!«

»Weshalb sind Sie aus dem Polizeidienst ausgeschieden?«

Er schien förmlich in sich zusammenzufallen. Er hob beide Hände, eine Geste der Hilflosigkeit. »Oh Gott. In der Frage lassen Sie nicht locker, oder?«

»Es interessiert mich eben«, sagte Gillian.

»In Ordnung«, sagte er resigniert, »obwohl Sie mich wahrscheinlich jetzt gleich aus dem Auto werfen, wenn ich es Ihnen sage. Und Ihre Tochter im Club abmelden.«

»Klingt nicht gut.«

»Nein. Vor acht Jahren bekam ich eine Anzeige wegen sexueller Nötigung. Die junge Frau war Praktikantin bei mir. Die Staatsanwaltschaft hat das Verfahren mangels Beweisen eingestellt, es kam nicht zur Anklageerhebung. Dennoch konnte ich danach nicht bleiben, es ging einfach nicht mehr. Zufrieden?«

Sie sah ihn erschrocken an.

4

Als sie daheim in die Garageneinfahrt bog, bewegte sich ein Schatten auf dem Weg, der zur Haustür führte. Tom.

»Ich habe dein Auto gehört«, erklärte er, »und da dachte ich…«

Sie schloss den Wagen ab. »Was dachtest du?«

»Ich dachte, ich gehe dir einfach entgegen«, sagte er und lächelte.

Toms Fürsorge rührte Gillian. Sie hatte oft den Eindruck, er sei eher mit ihrer beider Firma verheiratet als mit ihr und in zweiter Linie mit seinem Tennisclub, aber es gab Augenblicke, da spürte sie die Wärme, die es vor Jahren zwischen ihnen gegeben hatte und die verborgen und vom Alltag überlagert noch immer da war. Gerade heute Abend hätte sie allerdings lieber darauf verzichtet.

Sie spürte, dass Tom sie von der Seite musterte.

Was sieht er?, fragte sie sich beklommen. Was denkt er?

Tom gingen ähnliche Gedanken durch den Kopf. Er sah Gillian mit ihren langen, immer etwas chaotischen Haaren und dem feinen Profil. Er sah die Frau, die er seit über zwanzig Jahren kannte, die er als Student kennengelernt hatte und ohne die er sich schon nach kürzester Zeit sein Leben nicht mehr hätte vorstellen können. Er hatte sie lange nicht mehr so intensiv wahrgenommen wie an diesem Abend. Es war eine plötzliche Unruhe gewesen, die ihn hinausgetrieben hatte, die ihn dazu gebracht hatte, das warme Wohnzimmer zu verlassen und sich in die Kälte zu stellen, als er meinte, in der Ferne den Motor ihres Wagens zu vernehmen.

Besorgt fragte er sich nun, worin der Grund für seine Unruhe bestand.

Gillian war neunzehn gewesen, als sie an die Uni kam, und sie hatte ihn vom ersten Moment an fasziniert. Sie war anders als die anderen Studentinnen, und das hing nicht nur mit ihren auffälligen wilden Haaren zusammen. Es lag etwas Altmodisches in ihrem Wesen, das sie von den anderen abhob. Gillian war das einzige Kind übermäßig besorgter, fürsorglicher Eltern, die sie von klein auf praktisch bei jedem Schritt, den sie tat, vor den Gefahren einer bösartigen, gefährlichen Welt gewarnt hatten, und der Besuch der Universität verlieh ihr zum ersten Mal ein Gefühl von Freiheit. Sie hatte Glasgow gewählt, obwohl sie aus Norwich in East Anglia stammte, und dabei hatte ein einziger Gedanke den Ausschlag gegeben, wie sie Tom später einmal anvertraute: genügend räumlichen Abstand zwischen sich und ihren Eltern zu schaffen, sodass ihre Mutter nicht an jedem Wochenende anrauschen und nach ihr sehen konnte.

Gillian hatte unsicher gewirkt, oft zögernd und unerfahren, aber ihre Lebensfreude war hinter dieser Scheu spürbar gewesen. Ihre Mutter hatte es bis zu jenem Zeitpunkt geschafft, sie so lückenlos zu bewachen, dass es keinem Mann geglückt war, jemals mit ihr allein zu sein, und auch dieser Umstand hatte dazu beigetragen, Gillians Selbstsicherheit zu untergraben. Die meisten Mädchen hatten seit ihrem sechzehnten Lebensjahr einen festen Freund. Sie selbst hatte keine Ahnung, ob und wie sie überhaupt auf Männer wirkte.

Aber dann war Tom gekommen, hatte sie geradezu belagert, und im Handumdrehen waren sie ein Liebespaar gewesen, und plötzlich war Gillian aufgeblüht, nicht nur wegen dieses gut aussehenden jungen Mannes, der als der Tennisstar der Universität galt, sondern auch deshalb, weil sie ihre Kraft und ihre Fähigkeiten entdeckte und feststellte, dass das Leben entgegen den Warnungen ihrer Mutter nicht in erster Linie bedrohlich, sondern vor allem aufregend und herausfordernd war. Sie war bei Kommilitonen und Professoren beliebt, schrieb gute Noten und durchtanzte die Nächte an den Wochenenden. Als sie nach ihrem Abschluss für ein paar Monate bei einer Filmproduktion jobbte, um sich etwas Geld zu verdienen, hatte man sie dort überhaupt nicht mehr gehen lassen, sondern ihr sogleich eine feste Stelle angeboten und erste Kompetenzen übertragen. Schon nach kurzer Zeit hatte sie völlig selbstständig die finanziellen Kalkulationen für die Projekte erstellt. Gillian schien in dieser Zeit von innen heraus zu leuchten.

Das hat sich geändert, dachte Tom nun, und vielleicht macht mir das plötzlich Sorgen. Sie leuchtet nicht mehr. Sie strahlt nicht mehr.

»Und wie war es mit Tara?«, fragte er, als sie die Haustür erreicht hatten und eintraten. »Ihr wart in einer Kneipe, oder?«

»Ja. Wieso?«

»Du riechst danach. Übrigens bist du ganz schön früh zurück!«

Sie war nach ihrem überstürzten Abschied von John Burton auf einen Parkplatz in der Nähe von Beckys Schule gefahren und hatte dort eine ganze Weile gewartet, um nicht allzu rasch nach ihrem Aufbruch wieder daheim aufzukreuzen. Einen Moment war sie versucht gewesen, tatsächlich noch zu Tara zu fahren und die verstörenden Neuigkeiten mit ihr zu diskutieren, obwohl sie dafür bis nach London hinein gemusst hätte, aber sie hatte sich klargemacht, dass die Freundin dafür der falsche Gesprächspartner war. John Burton wäre für alle Zeiten bei ihr erledigt gewesen, und sie hätte keine Ruhe gegeben, ehe Gillian nicht Becky im Handballclub abgemeldet hätte. Sie war Juristin. Die Tatsache, dass das Verfahren gegen John eingestellt und keine Anklage erhoben worden war, hätte sie vermutlich wenig beeindruckt. Dafür kannte sie die Situation *Aus Mangel an Beweisen* nur zu gut.

Irgendwann war es Gillian auf dem Parkplatz zu kalt geworden und sie hatte den Heimweg angetreten, aber für einen Abend mit Tara war sie noch immer ungewöhnlich zeitig zurück.

»Tara hatte noch einen Termin«, erklärte sie nun rasch auf Toms Bemerkung hin. »Du weißt ja, im Prinzip hat sie eigentlich nie wirklich Zeit. Wir konnten uns nur ziemlich kurz auf halbem Weg zwischen hier und London sehen.«

»Ich verstehe«, sagte Tom. Er betrachtete Gillian im hellen Licht des Eingangsflures. »Du wirkst so angespannt. Ist alles in Ordnung?«

»Natürlich. Aber... na ja, Taras berufliche Geschichten gehen einem manchmal ein bisschen an die Nieren.«

»Ich verstehe ja auch nicht, weshalb du dich ausgerechnet mit...«, setzte Tom an, aber sie unterbrach ihn, ehe er sich wieder auf ihre Freundschaft mit Tara einschießen konnte:

»Becky schläft schon?«

»Sie ist vor zwanzig Minuten ins Bett gegangen, und als ich eben nach ihr gesehen habe, schlief sie bereits. Mit Chuck im Arm natürlich. Es gab keinerlei Probleme mit ihr.«

Klar. Die gab es nie zwischen ihm und Becky. Die Probleme schienen alle für Gillian reserviert zu sein.

»Wir haben Pizza bestellt«, fuhr Tom fort, »und sie dann

vor dem Fernseher gegessen. Du weißt ja, wie sie das liebt – direkt aus der Pappschachtel und auf dem Fußboden sitzend.«

»Ich kann das nur nicht jeden Abend machen«, sagte Gillian. »Sie muss auch gesunde Dinge essen und gelegentlich Messer und Gabel benutzen. Und ich muss sie früher ins Bett schicken, als du das offenbar tust, sonst schläft sie am nächsten Tag in der Schule ein!«

Sie merkte, dass sie viel schärfer als beabsichtigt geklungen hatte. Tom wirkte betroffen. »Das war doch keine Kritik an dir, Gillian! Natürlich muss so etwas eine Ausnahme bleiben. Aber ich bin nicht allzu oft mit Becky allein, und da können wir ja dann irgendetwas Besonderes veranstalten.«

Sie wusste selbst nicht, was sie geritten hatte. Tom hatte recht, und es war auch nicht so, dass sie ihm und Becky einen ausgedehnten Fernseh- und Pizzaabend nicht jederzeit von Herzen gegönnt hätte. Sie war eine erwachsene Frau, und vermutlich war es lächerlich, dass sie Eifersucht empfand und sich schlecht behandelt fühlte. Es war ungerecht und doch wahrscheinlich die Normalität in vielen Familien: Tom war der Vater, der kaum Zeit hatte, der aber, wenn er dann doch einmal mit seiner Tochter zusammen war, fünf gerade sein ließ und irgendetwas Unvernünftiges mit ihr anstellte, was ihr einen Riesenspaß machte. Gillian als Mutter, die sich viel häufiger um das Kind kümmerte, musste sich unbeliebt machen, indem sie Salat und Gemüse auf den Tisch brachte, auf das Erledigen der Hausaufgaben bestand und schimpfte, weil sich das Zimmer langsam in ein undurchdringliches Chaos verwandelte. Sie zog sich den Ärger ihrer Tochter zu, Tom die heillose Bewunderung.

»Ich sollte vielleicht jeden Tag nach London kommen«,

sagte sie unvermittelt. »Und wieder mehr arbeiten. Vielleicht täte mir das gut.«

Tom sah sie überrascht an. »Ich habe bestimmt nichts dagegen. Du machst einen ausgezeichneten Job, und es wäre wunderbar, dich öfter in der Firma zu haben. Allerdings wird es mit Becky…«

»Becky könnte ruhig etwas öfter allein bleiben. Sie fühlt sich ohnehin von mir zu sehr bemuttert. Ich sollte sie etwas mehr loslassen. Ich habe es meinen Eltern immer vorgeworfen, dass sie mich mit ihrer beschützenden Art so eingeengt haben, und vielleicht bin ich längst dabei, ihre Fehler zu wiederholen.«

»Becky ist erst zwölf«, erinnerte Tom. »In dem Alter überschätzen sie sich auch gern.«

Er ging ins Wohnzimmer, blieb am Fenster stehen und blickte in die Dunkelheit, in der er im Wesentlichen nur das gespiegelte Zimmer sehen konnte. »Vielleicht sollten wir es einfach ausprobieren«, meinte er.

Sie folgte ihm, nachdem sie ihre Stiefel abgestreift hatte. »Sie wünscht sich mehr Vertrauen von mir. Und ich will das nicht einfach ignorieren.«

Er drehte sich zu ihr um. Sie konnte sehen, wie müde er war, wie abgekämpft. Zugleich vibrierte er vor Tatendrang, und wahrscheinlich wäre er am liebsten schon wieder durch die Tennishalle getobt und hätte seinem Gegner unhaltbare Bälle über das Netz geschmettert. Es war sein zunehmendes Problem in den letzten Jahren, dass er seinen auf zu hohen Touren laufenden inneren Motor auch nach Büroschluss nicht hinunterfahren konnte. Er schien rund um die Uhr unter Adrenalin zu stehen. Die Selbstständigkeit hatte diese Entwicklung in ihm ausgelöst. Er bekam seine Drehzahl nicht in den Griff, er wirkte wie jemand, der beständig

Aufputschmittel nahm – was er nicht tat, wie Gillian wusste. Er geriet ganz von selbst immer wieder in diesen Zustand. In regelmäßigen Abständen beschwor Gillian ihn, einen Arzt aufzusuchen. Sie hatte Angst, dass er direkt auf einen Infarkt zusteuerte, denn er erfüllte auf geradezu klassische Weise sämtliche Voraussetzungen.

»Mein Herz ist völlig in Ordnung«, sagte er dann.

Als ob er das wissen konnte – schließlich machte er, seit sie ihn kannte, einen riesigen Bogen um alles, was auch nur entfernt an eine Arztpraxis erinnerte.

Sie trat an ihn heran, legte ihm sacht ihre Hand auf den Arm. »Es kommt schon alles wieder in Ordnung«, sagte sie.

»Natürlich«, sagte Tom.

Er wusste nicht genau, wovon sie sprach, hatte aber den Eindruck, dass sie das Thema *Becky* verlassen hatte, dass es um etwas anderes ging. Es hatte etwas mit ihrer beider Distanz zu tun, damit, dass das Strahlen aus Gillians Augen verschwunden war. Damit, dass er zu viel arbeitete und fanatisch Tennis spielte und viel zu wenig Zeit mit seiner Frau verbrachte. Gillian machte ihm nie Vorwürfe wegen seiner zahllosen Überstunden, sein Unternehmen war auch ihr Unternehmen, sie sah die Schwierigkeiten, in denen sie alle steckten, seitdem die Welt in die härteste Rezession seit den Zwanzigerjahren des vergangenen Jahrhunderts gerauscht war. Sie war nicht die Frau, die lamentierte, weil ihr Mann mit aller Kraft um das kämpfte, was sie gemeinsam aufgebaut hatten. Auf irgendeiner Ebene verstand sie vielleicht sogar, weshalb er so exzessiv Sport trieb, begriff, dass hier ein Ventil für ihn lag, ohne das er seine mörderische Überlastung nicht hätte aushalten können.

Aber sie verstand nicht, weshalb er nicht mehr wirklich bei

ihr war. Auch dann nicht bei ihr war, wenn er nachts neben ihr im Bett lag. Und sie litt darunter.

Er verstand es selbst nicht. Er liebte Gillian. Er wusste noch genau, wann ihm klar geworden war, dass er sie heiraten wollte und dass es nie wieder eine andere für ihn geben konnte: Während ihres Studiums hatten sie an einem Herbstwochenende eine Wanderung in den schottischen Highlands unternommen, mit Zelt und Kochgeschirr, bei wunderbarem, sonnigem Wetter. Um sie herum war die überwältigende Einsamkeit und Weite der Hochmoore gewesen, und die Hügel hatten im satten Lila des Heidekrauts geleuchtet. Abends hatten sie ein Lagerfeuer angezündet und sich später im Zelt zusammen in einen Schlafsack gekuschelt und einander in der plötzlich hereinbrechenden Kälte gewärmt. Als sie am nächsten Morgen hinauskrochen, war das Wetter umgeschlagen: Vor lauter Nebel konnten sie kaum noch die eigene Hand vor den Augen sehen. Sie traten den Rückweg an, aber an einem felsigen Steilhang, den sie hinaufklettern mussten, war Tom plötzlich ausgerutscht und so unglücklich gestürzt, dass er sich, wie sich später herausstellte, den Fuß gebrochen hatte. Er lag zwischen den Steinen im nasskalten Nebel, halb ohnmächtig vor Schmerzen, er musste sich übergeben und ihm war schwindelig, er hatte keine Ahnung, wie sie nun aus dieser verdammten Weltabgeschiedenheit hinauskommen und zu dem Parkplatz gelangen sollten, an dem er seine altersschwache Rostlaube von einem Auto abgestellt hatte. Gillian war zu Tode erschrocken gewesen, aber sie hatte sich schnell gefangen, war weder in Tränen ausgebrochen noch in entsetzte Hilflosigkeit versunken. Aus Zweigen und Mullbinden baute sie eine Schiene, die seinen Knöchel fixierte, sie schulterte das schwere Zelt und half Tom beim Aufstehen, und dann stützte sie ihn, den ein Meter neunzig großen Mann, über schmale Trampelpfade, durch Täler, in denen die Feuchtigkeit waberte, über felsige Höhen, auf denen die Kälte ihnen durch Mark und Bein ging. Sie munterte ihn auf, wenn ihn die Schmerzen quälten, sprach ihm Mut zu, und obwohl sie sich irgendwann vor Erschöpfung und unter dem Gewicht, das sie zu tragen hatte, kaum mehr auf den Beinen halten konnte, war sie unbeirrt weitergegangen, mit zusammengebissenen Zähnen und auf unerschütterliche Weise entschlossen.

Damals dachte er: Ich lasse sie nie wieder los.

Es hing nicht nur damit zusammen, dass er sie in diesen Momenten als seine Retterin empfand. Sie hatte ihm auch ihr ganzes Wesen offenbart: ihre Kraft. Ihren Willen, die Dinge zu tun, die getan werden mussten.

Sie hatten noch während des Studiums geheiratet.

An seinen Gefühlen hatte sich bis heute nichts geändert, jedenfalls nicht in seinem tiefsten Inneren, das wusste er. Noch immer war Gillian die Frau, die er liebte, die Frau, auf die er sich blind verließ. Seine Stütze, seine Kameradin. Aber um ihr das zu zeigen, hätte er innehalten müssen, und das gelang ihm nicht mehr. Er konnte nicht stehenbleiben und Luft holen und der Thomas von früher sein. Das Leben hatte einen Getriebenen aus ihm gemacht. Er schaffte es nicht, sein eigenes Tempo zu verringern.

Er wusste buchstäblich nicht, wie er das hätte anstellen sollen.

»Ich liebe dich, Gillian«, sagte er leise.

Die Verwunderung, mit der sie ihn ansah, tat fast weh. War es wirklich so lange her, dass er diesen Satz über die Lippen gebracht hatte?

»Ich liebe dich auch«, sagte sie.

Er forschte in ihrem Gesicht. Sie schien ihm verändert.

Irgendetwas geschah in ihr, geschah in ihrem Leben, und er wusste nicht, was es war.

»Ich muss dir etwas sagen«, begann sie unvermittelt. »Ich war heute …«

Sie stockte.

Tom sah sie fragend an. »Ja?«

»Ach nichts«, sagte Gillian. »Es spielt eigentlich keine Rolle.«

Anderthalb Stunden zuvor, im Auto mit John Burton, war ihr nach seinem Geständnis zunächst einmal nichts mehr eingefallen, es hatte ihr minutenlang die Sprache verschlagen. John hatte einen alten Kassenzettel, der zusammengerollt in der Ablage lag, gegriffen, einen Bleistift aus seiner Jackentasche gezogen und eine Nummer auf den Papierfetzen gekritzelt.

»Hier. Meine Handynummer. Ich werde dich nicht weiter belästigen, aber falls du mich sprechen möchtest, kannst du mich jederzeit anrufen. Ich habe dir jetzt gesagt, was du wissen wolltest, und vielleicht möchtest du manches genauer erfahren oder vielleicht auch über etwas anderes reden, egal, melde dich einfach, wenn dir danach ist!«

Mit diesen Worten war er ausgestiegen und in der Dunkelheit verschwunden, und erst später hatte Gillian realisiert, dass sie es jetzt war, die die Fäden in der Hand hielt. Sie konnte ihn anrufen. Sie konnte auch versuchen, die ganze Episode zu vergessen.

»Sicher?«, fragte Tom. »Bist du sicher, dass es keine Rolle spielt?«

Sie nickte.

»Lass uns schlafen gehen«, sagte sie.

»Es wird nicht ganz leicht, einen Käufer für das Anwesen zu finden«, erklärte der Makler. Er hieß Luke Palm und lebte eigentlich in London, aber Anne hatte ihn auf Empfehlung einer Freundin kontaktiert, und er war sofort nach Tunbridge Wells und bis hinaus in den Wald gekommen. Der Immobilienmarkt florierte nicht gerade. Als Makler nahm man, was zu ergattern war, auch wenn man ein gutes Stück dafür fahren musste.

Nun stand er in Annes Küche, und die Blicke, mit denen er sich umsah, verrieten, dass er beeindruckt war. Vermutlich hatte er nicht erwartet, das alte Haus so schön und komfortabel hergerichtet vorzufinden. Wie immer, wenn Gäste staunend durch die Räume streiften, spürte Anne einen fast kindlichen Stolz, eine tiefe Freude. Sean und sie hatten viel geleistet. Ihrer beider Arbeit, ihr Fleiß, ihre Ideen wurden gewürdigt. Die Anerkennung tat ihr gut, und sie wünschte nur, auch Sean hätte diese Lorbeeren noch ernten dürfen.

»Aber ich muss schon sagen«, fuhr er fort, »Sie haben hier ein echtes Juwel geschaffen!«

»Mein Mann hat sich einen Lebenstraum mit dem Kauf und dem Ausbau dieses Hauses erfüllt«, erklärte Anne. »Wir haben viel Liebe und Energie investiert.«

»Das sieht man. Dennoch … die Lage des Hauses …«

»Ich weiß«, sagte Anne. Es hatte schließlich einen Grund,

dass sie dieses kleine Stück Paradies hergeben wollte. »Es liegt sehr weitab. Das ist es ja auch, was mich zum Verkauf bewegt. Mein Mann und ich wollten unser Alter hier verbringen, aber nun bin ich eben allein und … habe das Gefühl zu vereinsamen.« Noch immer hatte sie das Bedürfnis, ihren Schritt zu rechtfertigen, selbst diesem im Grunde fremden Mann gegenüber, aber wahrscheinlich sprach sie in Wahrheit zu sich selbst. Ihr Entschluss war seit der vorletzten Nacht nicht ins Wanken geraten, auch nicht ihre Überzeugung, dass sie das Richtige tat. Aber es war nicht das Gleiche, etwas theoretisch zu planen oder tatsächlich erste Schritte zur Umsetzung des Planes zu unternehmen.

»Allein könnte ich hier auch nicht leben«, stimmte Luke Palm ihr sofort zu. »Ich denke, Sie tun absolut das Richtige. Es ist ja auch nicht ganz ungefährlich … so völlig allein draußen im Wald …«

»Wie meinen Sie das?«, fragte Anne. Von den Scheinwerfern in der Nacht, von dem Auto, von ihrem Gefühl, beobachtet und belauert zu werden, hatte sie nichts erwähnt.

»Na ja, es merkt hier so schnell niemand, wenn Ihnen etwas zustößt. Sie könnten stürzen, mit gebrochenem Bein auf der Treppe liegen, das Telefon nicht erreichen … Es gibt hier ja keine Nachbarn, die Ihre Rufe hören.«

»Ach, das meinen Sie«, sagte Anne und entspannte sich.

»Ganz abgesehen davon, dass sich auf dieser Welt leider auch jede Menge zwielichtige Gestalten herumtreiben«, fuhr er fort. »Selbst ich würde mich hier dann und wann ängstigen, glaube ich.«

Anne fühlte sich sogleich wieder unwohler. Solange sie hier noch wohnte, hätte sie lieber von jedem gehört, es sei völliger Unsinn, sich Sorgen zu machen. Dass die Wahrscheinlichkeit, nach der hier ein Krimineller sein Unwesen trieb, der es auf schutzlose Frauen abgesehen hatte, eins zu einer Millionen stand, und dass Hysterie fehl am Platz war. Sie fand es unangenehm, dass jeder ihre Furcht zu verstehen schien. Auch die Freundin, die sie wegen des Maklers angerufen hatte, war sofort mit diesem Argument gekommen. »Ich finde es sehr beruhigend, Anne, dass du nun bald nicht mehr wie auf einem Präsentierteller allein im Wald sitzt und ein gefundenes Fressen für jeden Raubmörder darstellst!«

Danke, hätte Anne am liebsten gesagt, bis ich etwas anderes gefunden habe, werden deine Worte sicher jede Nacht für einen ausgesprochen friedlichen und entspannten Schlaf bei mir sorgen.

»Das hier ist etwas für eine große Familie«, meinte Luke Palm, »oder für Leute, die viele Tiere haben. Eine alternative Lebensform suchen oder etwas Ähnliches. Für einen Aussteiger ist es ein Traum!«

Er hatte sich bei seinem Rundgang eine Menge Notizen und einige Fotos gemacht und sagte, er werde ein Exposé anfertigen. »Sowie sich Interessenten melden, sage ich Ihnen Bescheid. Es wird natürlich ein paar Besichtigungen geben...«

»Kein Problem«, sagte Anne, »ich bin meistens zu Hause. Rufen Sie mich einfach vorher an.«

Sie verabschiedeten sich voneinander, der Makler höchst zufrieden und zuversichtlich. Er hatte befürchtet, eine verwahrloste Absteige mitten im Wald vorzufinden, und hielt nun ein Juwel in den Händen. Als er vor die Haustür trat, wirbelten Schneeflocken durch die Dunkelheit. Der Abend war hereingebrochen. In den Wipfeln der Bäume seufzte der Wind.

»Sie sind eine mutige Frau«, sagte er zum Abschied. »Verschließen Sie bloß gut alle Türen.«

»Mach ich. Aber Unkraut vergeht nicht.« Sie sah ihm

nach, wie er zwischen den Büschen, die den Gartenweg einfassten, verschwand. Sie hatte sich munterer gegeben, als ihr zumute war. In der vergangenen Nacht hatte sie weder Lichter gesehen noch Motorengeräusche gehört, aber seltsamerweise ließ sie dieser Umstand keineswegs leichter atmen. Fast fühlte sie sich noch unruhiger. Weder glaubte sie, dass sie sich alles nur eingebildet hatte, noch ging sie davon aus, dass sich die Dinge von selbst erledigen würden. Eher schien es ihr, als warte etwas da draußen. Sie konnte dieses *Etwas* nicht im mindesten definieren, und sie hatte keine Ahnung, welchem Ziel das Warten diente. Aber sie spürte sich im Fokus einer Gefahr, und dieses Bewusstsein ließ sie die ganze vertraute Umgebung verändert wahrnehmen: Es war, als seien die Bäume näher gerückt. Als habe das Ächzen der kahlen Zweige im Wind einen bedrohlichen Klang angenommen. Als knarrten Fußböden im Haus, die sie vorher gar nicht gehört hatte. Als habe sich die Welt, die voller Menschen war, noch weiter von ihr entfernt.

Sie verriegelte die Haustür sorgfältig und ging in die Küche zurück, die hell erleuchtet war. Auf dem Tisch standen Kerzen, um die Fenster hatte sie Lichterketten befestigt. Von draußen musste ihr Haus mit den hellen Lampen und dem Weihnachtsschmuck sehr warm und anheimelnd erscheinen, aber wer sollte das eigentlich sehen?

Sie drängte den Gedanken beiseite. Genau darüber wollte sie eigentlich nicht nachdenken: darüber, wer das sehen konnte.

Sie setzte Wasser auf, um sich einen Tee zu machen, und wandte sich dann den Broschüren zu, die ihr Luke Palm dagelassen hatte. Wohnungsangebote in London. Sie war aufgeregt.

»Ich habe da ein paar richtig tolle Sachen für Sie«, hatte

er gesagt. »Helle, geräumige Wohnungen. Mit schönen, sonnigen Balkons. Schauen Sie sich die Exposés in Ruhe an. Wir können uns schon nächste Woche zum Besichtigen treffen.«

Mein erster wirklich selbstständiger Schritt, dachte sie nun und blickte versonnen auf die Hochglanzpapiere, die vor ihr lagen. Sie war sechsundzwanzig Jahre alt gewesen, als sie Sean geheiratet hatte. Von da an hatten sie jedes Vorhaben gemeinsam beschlossen. Sie kannte ihr Leben nicht anders als in der Notwendigkeit, stets einen Kompromiss mit einem anderen Menschen finden zu müssen. Und nun würde sie eine Wohnung mieten, die ihre persönliche Traumwohnung war. In ihrer Traumgegend. Und sie würde sie ausschließlich nach ihren eigenen Vorstellungen einrichten.

Auf einmal fühlte sie sich so beschwingt wie schon lange nicht mehr. Zum ersten Mal seit Seans Tod wurde sie von einer schon fast vergessenen Aufbruchstimmung ergriffen. Von einer freudigen Erregung. Erwartung.

Sie goss den Tee auf und zündete Kerzen an. Es würde ein wunderbarer Abend werden. Sie würde sich mit ihrer Zukunft beschäftigen, Fotos betrachten, Grundrisse studieren, Tee trinken und später vielleicht, zur Feier des Tages, noch ein Glas Sekt.

Sie setzte sich an den Tisch.

Und in diesem Moment vernahm sie das Geräusch.

Der Wald draußen und auch das Haus waren ständig voller Geräusche, aber die hatte Anne längst auf irgendeiner Ebene ihres Bewusstseins abgespeichert. Sie kannte das Ächzen im Dachgebälk, das Gluckern in den Heizungsrohren, das Rauschen des Windes in den Bäumen und die Stimmen der Tiere, die um sie herum lebten. Doch dieses Geräusch nun war anders und ließ sie jäh den Kopf heben.

Es klang, als sei jemand auf der Veranda vor der Küche.

Ihr erster Gedanke war, dass Mr. Palm womöglich etwas vergessen hatte und noch einmal zurückgekommen war, aber es gab keinen Grund, weshalb er dann nicht vorn an der Haustür hätte läuten sollen.

Angestrengt blickte sie durch die Scheiben, aber es war stockdunkel draußen und hell erleuchtet drinnen; sie konnte nichts anderes sehen als ihre Küche, die Kerzen, die Teekanne und eine Frau, die mit weit aufgerissenen Augen am Tisch saß.

Wieso hatte sie nicht vorhin, als der Makler noch in der Nähe war, als sie noch nicht wieder so jämmerlich allein hier draußen gewesen war, die Fensterläden geschlossen?

Weshalb hatte sie überhaupt nicht längst ihre Sachen gepackt und sich bei einer Freundin in der Stadt oder in einem Hotel einquartiert?

Sie erhob sich, hielt den Atem an, lauschte nach draußen. Nichts war mehr zu hören, was sich von den üblichen Lauten unterschied.

Vielleicht habe ich es mir nur eingebildet, dachte sie, meine Nerven sind langsam ziemlich angeschlagen.

Es war wichtig, dass sie die Fensterläden schloss. Sie konnte sich dann sicher fühlen. Die Läden aufzubrechen würde jeden, der hinein wollte, eine Menge Kraft und Zeit kosten und dazu erheblichen Lärm verursachen. Das Schlimme war nur, dass Anne die Terrassentür würde öffnen und hinaustreten müssen, um die Läden aus der Halterung an der Hauswand zu lösen und nach vorne zu klappen.

Benimm dich nicht wie eine hysterische alte Frau, sagte sie streng zu sich. Du hast ein ungewöhnliches Geräusch gehört, zumindest bildest du dir das ein. Vielleicht war da gar nichts. Du könntest es ja jetzt schon nicht einmal mehr beschwören.

Du drehst langsam durch, und das kannst du dir nicht leisten. Also schließ jetzt die verdammten Läden!

Du hast nicht nur ein Geräusch gehört. Da war ein Auto. Mehrmals. Mitten in der Nacht. Hier stimmt etwas nicht, und das hat nichts mit Hysterie und Einbildung zu tun!

Sie ignorierte ihre innere Stimme.

Sie musste die Läden schließen. Danach konnte sie an all das Ungewöhnliche denken, das sich ereignet hatte in der letzten Zeit. Sie konnte sich ihrer Angst und allen möglichen grauenhaften Vorstellungen hingeben, sowie sie sich in Sicherheit gebracht hatte. Im Augenblick durfte sie sich nicht paralysieren lassen.

Entschlossen öffnete sie die Tür. Das Schneetreiben war heftiger geworden. Schon lag eine dünne, weiße Decke über dem Gras im Garten.

Und über den Stufen, die von der Veranda hinunterführten.

Sie starrte die Stufen an.

Ihr Gehirn arbeitete so seltsam langsam. Fußabdrücke im Schnee. Dicke Profilsohlen. Jemand in klobigen Winterstiefeln war hier hinaufgestapft. Sie selbst war es nicht gewesen, sie hatte die Treppe den ganzen Tag über nicht benutzt. Mit Luke Palm war sie im Garten gewesen, aber sie waren von vorn um das Haus herumgegangen. Und der Schnee begann ja gerade erst, liegen zu bleiben.

Jemand musste vor Kurzem erst hier hinaufgekommen sein.

Irgendwann innerhalb der letzten zehn Minuten.

Ein Schatten löste sich von der Hauswand. Anne gewahrte ihn aus den Augenwinkeln. Fast zeitlupenartig, wie es ihr selbst vorkam, drehte sie sich um. Sie erkannte einen dicken Anorak, eine Strickmütze, die tief in die Stirn gezogen war.

Noch immer seltsam analytisch dachte sie: Es gibt keinen erklärbaren Grund, weshalb jemand hier im Dunkeln auf meiner Veranda steht.

Es gab zumindest keinen Grund, der ihr harmlos erschienen wäre.

Sie begriff, dass sie um keinen Preis hätte nach draußen gehen dürfen.

I

Samstag, 12. Dezember, 19.05 Uhr

Millie und Gavin schauen unten Nachrichten. Millie hat sich schon angezogen, Mantel, Stiefel. Sie hat Nachtdienst im Altenheim, muss in einer halben Stunde los. Entsprechend miserabel gelaunt ist sie, und das Abendessen war schier nicht auszuhalten. Sie ist gereizt wie ein gefährlicher Hund, wenn sie zur Arbeit muss, aber am Wochenende ist es noch schlimmer.

Beim Essen war ich natürlich wieder der Blitzableiter.

Als ich mir zum zweiten Mal von den Bratkartoffeln nahm, fragte sie, wann ich vorhätte, wieder einmal etwas in die Haushaltskasse einzuzahlen, die paar Kröten von letzter Woche seien längst aufgebraucht. Sie hatte einen lauernden Gesichtsausdruck, als sie mich fixierte, und meinte, schließlich bekäme ich ja »Stütze«.

»Du schreibst doch regelmäßig Bewerbungen, nicht wahr?«, fragte sie. »Und bemühst dich um einen Job? Denn dann bekommst du ja auch Geld!«

»Natürlich«, log ich. Ich wurde rot dabei, aber da mir das immer passiert, wenn ich etwas sage, ist es wohl nicht aufgefallen.

Ich fürchte, sie ahnt etwas. Millie ist ein Miststück, aber blöd ist sie nicht. Ich bin zu viel unterwegs, sie fragt sich längst, was ich da draußen mache. Sie wird kaum glauben, dass ich von Tür zu Tür gehe und um Arbeit bitte. Es wäre gut, wenn ich ein paar Tage daheim herumgammeln würde – so, wie Millie sich das bei einem Arbeitslosen eben vorstellt.

Aber das kann ich nicht. Ich würde durchdrehen.

Mit dem Geld wird es langsam eng. Ich kaufe ja nie etwas für mich, aber ich muss für Essen, Heizung, Strom, Wasser meinen Anteil zahlen, und das bisschen Ersparte schmilzt. Habe gestern Abend sogar Bartek im Halfway House angeschnorrt. Er hat ziemlich gejammert – er ist auch etwas klamm, seine Verlobte scheint recht anspruchsvoll und teuer zu sein –, aber er hat mir fünfzig Pfund gegeben. Die habe ich dann vorhin beim Essen mit großer Geste aus der Hosentasche gezogen und Millie über den Tisch gereicht.

»Ist das erst mal genug?«, fragte ich, und sie nickte, ziemlich perplex. Ihr Misstrauen war dadurch nicht weniger geworden, aber ich hatte ihr die Angriffsfläche genommen und so rasch fiel ihr keine neue ein.

Gavin sagte wie immer nichts. Mümmelte sein Essen und hoffte, dass die Situation nicht eskaliert.

Habe heute Mittag Gillian, Tom und Becky gesehen. Sie brachen, wie es schien, zu einem Spaziergang auf. Ich stand direkt vor ihrem Haus, als sie hinauskamen, musste also grüßen. Das war nicht gerade unauffällig, aber ich hoffe, sie haben sich nichts weiter dabei gedacht. Vielleicht hatten sie gar nicht registriert, dass ich schon eine ganze Weile dort herumlungerte, vielleicht meinten sie, ich sei zufällig gerade vorbeigekommen. Sie reagierten jedenfalls so zerstreut auf mich, dass ich mir wohl keine Sorgen machen muss – dennoch, ich habe mir vorgenommen, vorsichtiger zu sein. Diese kurzen, dunklen Tage jetzt im Dezember verführen zum Leichtsinn, weil man sich immer im Schutz der Dämmerung verborgen fühlt. Aber man ist sichtbarer, als man denkt, und außerdem ist es zwischendurch ja durchaus auch hell. Tageslicht jedenfalls, wenn auch ein trübes. Der Sommer ist so weit weg wie nie.

Auf den ersten Blick schienen die Wards genau die intakte, gesunde Familie zu sein, die ich in ihnen am Anfang gesehen hatte. Sie trugen Anoraks, Stiefel und bunte Mützen, und man hätte meinen können, sie freuten sich alle auf den bevorstehenden Ausflug. Aber inzwischen habe ich gelernt, genauer hinzusehen. Irgendetwas stimmt nicht ganz in der Familie. Thomas Ward sieht richtig schlecht aus. Er ist grau im Gesicht, wirkt völlig erschöpft und zugleich auf eine ungesunde Art hellwach. Überwach. Der ganze Mann vibriert ständig. Das kann auf die Dauer nicht gesund sein.

Becky sieht schon aus wie eine missmutige Pubertierende. Sie wirkt nicht gerade glücklich, aber instinktiv würde ich sagen, dass sich dahinter kein wirklich ernstzunehmendes dramatisches Unglück verbirgt. Die Zeit des Erwachsenwerdens ist eben schwierig. Ich weiß das nur zu gut.

Gillian hingegen macht mir richtige Sorgen. Nicht, dass sie so abgekämpft wie ihr Mann aussähe und man um ihre Gesundheit fürchten müsste. Sie ist auch nicht einfach schlecht gelaunt wie ihre Tochter. Sie ist … ja, vielleicht könnte man am ehesten sagen: unruhig, obwohl auch das es nicht wirklich trifft. Unruhig klingt fast zu schwach. Sie ist hochgradig angespannt, nervös, erregt. Sie kommt mir vor wie ein Mensch, der in sich ziemlich zerrissen ist, und ich frage mich: Weshalb? Was in ihrem Leben löst diese Zerrissenheit in ihr aus?

Sie lächelte mir kurz zu, aber ohne echte Wärme. Sie kennt mich ja auch eigentlich nicht. Sie weiß nicht, wie tief sie schon in meinen Gedanken ist, in meinen Tagträumen und nachts in meinem Unterbewusstsein. Wie sehr ich mir wünsche, ihr nahe zu sein. Nicht, dass ich die Familie zerstören will! Jede Familie ist mir heilig. Ich finde es schrecklich, wie schnell sich die Menschen *heutzutage trennen, scheiden lassen, sich in die nächste Beziehung stürzen. Als wäre eine Ehe irgendeine hübsche Zwischenstation, aus der man sich ganz rasch verabschiedet, wenn die Dinge einmal nicht so toll laufen. Deshalb würde ich nie versuchen, die Gunst einer verheirateten Frau zu gewinnen. Ich würde mich allein für die Vorstellung verachten.*

Ich will nur teilhaben. An Gillians Leben. An ihrer Familie. Es ist die Sehnsucht, etwas mitzuerleben, das ich selbst nie haben werde. Es wird mir nie gelingen, eine Familie zu gründen, ich werde nie heiraten, nie Vater sein. Ich weiß das längst, auch wenn mein Freund Bartek die Hoffnung nicht aufgibt und gestern wieder mit Internet-Dating anfing. Es wird einfach nichts bringen. Ich kann nicht mehr, als Zuschauer bei anderen zu sein.

Ich sah ihnen nach, als sie wegfuhren. Ich stand da in der Kälte des Tages, in die gelegentlich Schneeschauer fielen, und spürte, wie mir auch innerlich ganz kalt wurde. Das hatte mit den Wards zu tun. Es wird etwas passieren, das spürte ich nur zu genau, und ich spüre es auch jetzt noch.

Ich habe dann meine Runde fortgesetzt, aber ich war unkonzentriert, irgendwie nicht bei der Sache. Dieses intensive Gefühl nahenden Unheils... Ich bin kein Hellseher, aber ich habe wache Sensoren. Ich musste plötzlich auch wieder an den Typen denken, mit dem Gillian im Pub saß. Noch bringe ich das alles nicht zusammen, aber der Kerl hat mir nicht gefallen, und das passt zu der gesamten unglücklichen Situation, die über dieser Familie zu lasten scheint.

Unten fällt die Haustür ins Schloss. Ich höre Millies Schritte auf dem Gartenweg. Wütende, energische Schritte, und die Tür hätte sie auch leiser schließen können. Ich vermute, sie hatte wieder Streit mit Gavin.

Zudem vermute ich, dass ich der Grund war.

Vielleicht sollte ich wirklich ausziehen. Ich mache Gavin das

Leben schwer und mir auch. Es ist schrecklich, so unerwünscht zu sein. Am Ende wäre Alleinsein besser.

Am besten wäre, ich wäre nicht ich. Sondern ein ganz anderer.

2

Sie wählte seine Nummer, ehe der Mut sie verlassen konnte. Es war nach zehn Uhr am Abend, aber wie sie John einschätzte, gehörte er nicht zu den Menschen, die früh ins Bett gehen. Zudem war die Frage der Uhrzeit auch nicht das größte Problem in dieser ganzen Angelegenheit. Sondern die Tatsache, dass sie es überhaupt tat: Dass sie einen Mann anrief, der ihr gesagt hatte, wie fasziniert er von ihr war.

Der ganz klar eine Affäre mit ihr beginnen wollte.

Während sie ganz klar verheiratet war.

Tom hatte sich früh schon ins Schlafzimmer zurückgezogen. Sie konnte hören, dass dort der Fernseher lief, irgendeine Sportsendung. Sie waren alle zusammen über Mittag nach Windsor hinausgefahren, waren dort lange spazieren gegangen und hatten in einem Landgasthof Kaffee getrunken, und als sie zurückkehrten, hatten sie Farbe im Gesicht und waren guter Dinge. Gillian buk Baguettes mit Kräuterbutter im Backofen und aß mit ihrer Familie zu Abend. Becky wollte danach unbedingt *Twilight* auf DVD sehen, und Gillian setzte sich mit ihr zusammen ins Wohnzimmer und versuchte zu verstehen, weshalb ihre Tochter und alle ihre Freundinnen nach diesem Film regelrecht süchtig waren. Das Wandern in der Kälte am Nachmittag hatte Becky müde gemacht, irgendwann schlief sie ein und kuschelte sich dabei an ihre Mutter. Gillian streichelte ihre Finger, was sie immer gemacht hatte, als Becky noch klein gewesen war, und Becky atmete leise und sah süß und rosig wie ein kleines Mädchen aus.

Gillian, die sich längst von Edward und Bella auf dem Bildschirm abgewandt hatte, betrachtete das friedliche, zarte Gesicht, von dem der trotzige, grimmige Ausdruck, den es so oft in der letzten Zeit trug, völlig abgefallen war.

Wie sehr ich sie liebe, dachte sie.

Ihre innere Unruhe wurde dennoch nicht weniger.

Sie brachte die schlaftrunkene Becky schließlich ins Bett, deckte sie sorgfältig zu, was sie sich tatsächlich gefallen ließ, und ging dann wieder ins Wohnzimmer hinunter. Nach zwei Gläsern Wein fühlte sie sich ein wenig entspannter. Da sie selten Alkohol zu sich nahm, reagierte sie schon auf geringe Mengen sehr intensiv, und zwei Gläser Wein kamen für sie fast einem Besäufnis gleich.

Der Kassenzettel, auf den John seine Handynummer geschrieben hatte, steckte in ihrer Jeanstasche. Sie zog ihn hinaus, nahm das tragbare Telefon von der Ladestation im Flur und ging damit ins Wohnzimmer zurück.

Ein Anruf ist nichts Weltbewegendes, beruhigte sie sich.

Er meldete sich beim dritten Klingeln. Im Hintergrund konnte Gillian Stimmen hören, Reden, Lachen und das Klirren von Gläsern.

»Ich bin es. Gillian.«

»Lieber Gott«, sagte John, »ich hatte schon Angst, du meldest dich nie wieder.«

Er schien tatsächlich auf ihren Anruf gewartet zu haben.

»Bei unserem letzten Treffen«, sagte Gillian, »habe ich, glaube ich, ein wenig überreagiert. Ich wollte ... das nicht so stehen lassen.«

»In welcher Hinsicht überreagiert?«

»Ich hätte nicht gleich aufstehen und gehen sollen. Ich fürchte, die Situation hat mich nervlich einfach überfordert.«

Das Gelächter im Hintergrund schwoll an.

»Wo bist du?«, fragte Gillian.

»Im *Halfway House*. Wir hatten heute ein Turnier im Club, und danach bin ich noch hierher gegangen. Kannst du kommen? Ich sitze mutterseelenallein an einem Tisch und tröste mich mit etwas zu viel Whisky.«

Überrascht registrierte Gillian, wie sehr es sie freute und erleichterte, dies zu hören: dass er allein dort war.

»Ich kann nicht weg. Nicht einfach so heute Abend.«

»Wann kannst du?«, fragte John.

Sie lachte. »Woher weißt du, dass ich das will? Dich treffen?«

Er blieb ernst. »Du sagtest gerade: *Nicht einfach so heute Abend.* Das klang für mich so, als sei es eine Frage des Zeitpunkts. Nicht ein generelles *Nein.*«

»Du hast recht.« Sie überlegte. »Ich möchte einfach nur reden. Ich war erschrocken, als du mir gesagt hast, weshalb du aus deinem Beruf ausscheiden musstest. Ich wüsste gerne mehr darüber.«

»Sag einfach wann.«

»Am nächsten Donnerstag ist Becky zu einem Geburtstag mit Übernachtung eingeladen. Mein Mann hat abends eine Versammlung in seinem Tennisclub. Ich bin frei.«

»Nächsten Donnerstag? Es ist fast eine Woche bis dahin.«

»Ich weiß.« *Jede Menge Gelegenheit, es mir anders zu überlegen.*

»Take it or leave it«, sagte John. »Das ist vermutlich die einzige Wahl, die ich dabei habe. In Ordnung. Nächsten Donnerstag. Kommst du zu mir?«

»Zu dir nach Hause?«

»Warum nicht?«

Sie wollte nicht albern erscheinen. Oder verklemmt und spießig. »Hm … gut, in Ordnung. Du wohnst in London?«

Er diktierte ihr eine Adresse in Paddington, und sie kritzelte sie zu seiner Nummer auf den Kassenzettel.

»Also, bis dann«, sagte sie.

»Ich freue mich«, sagte John.

I

Luke Palm war achtunddreißig Jahre alt, arbeitete seit acht Jahren als selbstständiger Makler und hatte es sich zu einem Grundsatz gemacht, seinen Kunden nie zu sehr auf die Pelle zu rücken. Er kannte natürlich das Klischee vom schmierigen, aufdringlichen Makler, der die Menschen so lange bedrängt und beschwatzt, bis sie Objekte kaufen, die sie ursprünglich gar nicht wollten, und deren Fehler und Unzulänglichkeiten sie unter der Beredsamkeit eines skrupellosen Vermittlers glatt übersehen mussten. So jemand hatte er nie sein, sich deutlich dagegen abgrenzen wollen. Der Erfolg gab ihm recht. Er genoss den Ruf großer Anständigkeit und Seriosität. Die Menschen vertrauten sich ihm gern an.

Auch Anne Westley war zu ihm gekommen, weil er ihr von einer Bekannten empfohlen worden war. Eine sehr sympathische, kluge ältere Frau. Er hatte sich auf Anhieb gut mit ihr verstanden. Außerdem war eine Klientin wie sie natürlich ein Glücksfall: Sie wollte nicht nur ein Haus verkaufen, sie suchte zudem nach einer Eigentumswohnung für sich. Er würde doppelt an ihr verdienen. Es war deshalb selbstverständlich, dass er sich besonders große Mühe gab.

Er hatte sie die Woche über mehrfach zu erreichen versucht, war aber immer nur an ihren Anrufbeantworter geraten. Er hatte dringend um Rückruf gebeten, aber vergeblich. Dabei konnte er zwei Erfolge vermelden: Er hatte interessierte mögliche Käufer für das Haus im Wald von Tunbridge Wells gefunden. Und er hatte eine bezaubernde Wohnung in Belgravia völlig neu in sein Programm bekommen, von der er überzeugt war, dass sie perfekt zu Anne Westley passte. In beiden Fällen hätte er gern noch vor Weihnachten Besichtigungen durchgeführt.

Er verstand nicht, weshalb sie nicht reagierte. Sie hatte so interessiert gewirkt, so entschlossen, ihrer zweifelhaften Idylle da draußen im Wald endlich zu entkommen. Was Luke nur zu gut verstehen konnte. Ein bezauberndes Anwesen, aber er hätte es keine drei Tage dort ausgehalten.

Das Ehepaar, das sich dafür interessierte, hatte fünf Kinder und jede Menge Tiere. Auch hier war Luke Palm davon überzeugt, der Familie das perfekte Haus anbieten zu können. Es machte ihn zunehmend nervös, dass es ihm nicht gelang, den Kontakt herzustellen.

Und es bereitete ihm Sorgen.

An diesem Donnerstag hatte er mehrmals angerufen. Wieder nur der Anrufbeantworter. Er hatte nicht mehr darauf gesprochen, weil sein Text schon an die fünf oder sechs Mal darauf gespeichert sein musste. Aber er begann sich zu fragen, ob er jetzt seinem Grundsatz untreu werden würde, einen Kunden niemals zu bedrängen.

Er spielte mit dem Gedanken, genau das eben doch zu tun. Einfach hinauszufahren und Anne Westley aufzusuchen. Und herauszufinden, was eigentlich los war.

Es war am frühen Nachmittag, er hatte keine Termine mehr, nur noch etlichen Papierkram, den er aber auch daheim erledigen konnte. Eigentlich wollte er nach Hause und sich dort noch ein paar Stunden an den Schreibtisch setzen, aber er zögerte. Vielleicht sollte er doch noch nach Tunbridge Wells fahren und nach Anne sehen. Er hatte ein ungutes Gefühl. Sie war verdammt allein da draußen. Natürlich bestand die Möglichkeit, dass sie den Plan umzuziehen hatte fallen lassen, aber wie er sie einschätzte, hätte sie ihm Bescheid gegeben. Sie wäre nicht einfach abgetaucht.

Luke Palm blickte auf seine Armbanduhr. Kurz nach drei. Draußen schneite es. In immer dickeren Flocken. Es hatte in der Vorwoche bereits ein paar Schneeschauer gegeben, aber das war alles ziemlich schnell wieder weggetaut. Jetzt würde der Winter wirklich kommen, und allerorts hoffte man schon auf eine weiße Weihnacht. Die Meteorologen hatten für den Abend äußerst heftigen Schneefall vorausgesagt, aber da Luke nicht vorhatte, sich lange aufzuhalten, würde er bis dahin hoffentlich daheim sein. Er wollte ja nur kurz nach ihr schauen. Sich vergewissern, dass alles in Ordnung war, und ihr sagen, dass es Interessenten gab, die ihr Haus gerne ansehen würden.

Um zwanzig nach drei machte er sich auf den Weg.

Im beginnenden Schneefall und der daraus resultierenden Hysterie der Autofahrer dauerte es noch länger als sonst, bis er die Stadt hinter sich lassen konnte. Es war fast fünf Uhr, als er den kleinen Ausflugsparkplatz am Waldrand hinter Tunbridge erreichte. Kein einziges Auto parkte dort. Nach kurzem Überlegen beschloss Luke, seinen Wagen stehen zu lassen und den Rest der Strecke zu Fuß zu gehen. Das Schneetreiben war dichter geworden, und er misstraute dem unbefestigten Weg, der zum Haus von Anne Westley führte. Er verspürte wenig Lust, an irgendeiner Stelle steckenzubleiben und sich freischaufeln zu müssen.

Es wurde schon dunkel, und in diesem Wald voller hoher

Bäume war es noch dunkler. Luke stapfte den schmalen Weg entlang, empfand die Atmosphäre weihnachtlich und romantisch, aber zugleich bedrohlich. Der Schnee ließ die Welt so still sein. Friedlich still oder so, als hielte sie den Atem an? Er vermochte es nicht zu sagen. Er fragte sich erneut, wie es ein Mensch aushalten konnte, so zu leben.

Und plötzlich fast verärgert dachte er: Das hätte er nicht tun dürfen. Westley. Seine Frau hier herausschleppen, um seine eigenen Träume zu verwirklichen. So etwas kann man einem anderen nicht antun!

Nicht, dass Anne geklagt hätte. Aber Luke Palm verfügte über sensible Antennen. Er hatte durchaus herausgehört, dass es vor allem der verstorbene Mann gewesen war, der hier seine Wünsche umgesetzt hatte, und dass es Anne nicht ganz leichtgefallen war, ihm zu folgen. Nur ihre Loyalität über seinen Tod hinaus hatte sie bislang dort festgehalten.

Der Weg öffnete sich zu der Lichtung, auf der das Haus stand. Es sah alles aus wie immer, vielleicht sogar noch verwunschener, weil die Flocken wirbelten und alle Bäume und Sträucher überzuckert schienen. Ein Winterwaldmärchen.

Hoffentlich ist sie nicht verärgert, wenn ich hier einfach aufkreuze, dachte Luke.

Nirgends im Haus brannte Licht, aber er sah Annes Auto im Unterstand, also musste sie wohl daheim sein. Ohne Auto kam sie hier kaum weg.

Er öffnete das Gartentor, ging den Weg zwischen den hohen Büschen entlang. Flieder, wenn er das richtig erkannte, dazwischen Jasmin. Der Garten musste ein Traum sein im Frühling und Sommer. Bloß, dass einem hier Gott weiß was zustoßen konnte, ohne dass es irgendjemand mitbekam.

Er stieg die Stufen zur Haustür hinauf, klingelte. Wartete. Nichts rührte sich.

Natürlich konnte sie auch spazieren gegangen sein. Ein wenig frische Luft schnappen. Dazu brauchte sie ihr Auto nicht. Eigentlich durchaus im Bereich des Möglichen. Luke hätte selbst nicht sagen können, weshalb er das nicht glaubte. Warum er sich stattdessen einem Gefühl wachsender Bedrohung ausgesetzt sah. Mensch, war das einsam hier! Er selbst hätte sich mindestens zwei scharfe Dobermänner gehalten, wenn er je so wahnsinnig gewesen wäre, in eine solche Abgeschiedenheit zu ziehen. Eine Frau, bald siebzig Jahre alt, mutterseelenallein … Irgendwie hieß das fast, das Schicksal herauszufordern.

Blödsinn. Wahrscheinlich bauschte er die ganze Angelegenheit übermäßig auf. Am Ende war sie mit einer Axt in den Wald gezogen und schlug sich gerade einen kleinen Weihnachtsbaum, während er sich grässliche Bilder ausmalte, in denen sie das Opfer mindestens eines Raubmörders geworden war.

Dennoch beschloss er, sein Glück noch einmal auf der Rückseite des Hauses zu versuchen. Von der Besichtigung her wusste er, dass es dort eine Veranda und einen zweiten Eingang gab, der direkt in die Küche führte.

Er umrundete das Haus. Trotz des rasch schwindenden Tageslichts erkannte er sofort, dass die Verandatür weit geöffnet war. Auf den Stufen davor und auf dem nicht überdachten Teil der Terrasse begann sich der Schnee zu häufen. Jungfräulicher Schnee. Obwohl die Tür offen stand, war hier niemand während der letzten Stunden herausgekommen.

Er blieb stehen und konnte sein eigenes Atmen hören. Das sah einfach nicht gut aus. Anne musste daheim sein, und weshalb brannte dann nirgends im Haus ein Licht? Er entsann sich der Lichterketten, die bei seinem Besuch eine

Woche zuvor in den Küchenfenstern für weihnachtlichen Glanz gesorgt hatten. Nicht eine einzige leuchtete jetzt.

Und nun war er auch sicher: Die Stille um ihn herum war nicht friedlich. Sie barg ein furchtbares Geheimnis, war lauernd und böse.

Er suchte nach seinem Handy, stellte aber fest, dass er es offenbar im Auto gelassen hatte. Am liebsten wäre er umgekehrt und sofort zum Parkplatz zurückgelaufen, aber er zwang sich, innezuhalten. Er musste nachsehen, was geschehen war. Vielleicht war Anne Westley gestürzt. Lag irgendwo im Haus, unfähig, sich zu rühren, und es ging für sie um Leben und Tod.

Und weshalb ist dann die Tür offen?

Langsam stieg er die Stufen hinauf. Er wünschte, es würde länger hell bleiben. Die einfallende Dunkelheit machte alles noch schlimmer.

Leise rief er: »Hallo? Ist jemand zu Hause? Ich bin es, Luke Palm!«

Er bekam keine Antwort.

Er betrat die Küche, in der es um nichts wärmer war als draußen. Die Tür musste schon eine halbe Ewigkeit offen stehen. Er tastete nach einem Lichtschalter, fand ihn, schaltete das Licht ein, zuckte zurück unter dem hellen Schein, der so unvermittelt die Dämmerung durchbrach.

Er sah sich um.

Bis auf die Tatsache, dass die Wände völlig ausgekühlt waren, sah die Küche so aus, als sei sie Minuten zuvor erst verlassen worden. Eine Teekanne, noch halb gefüllt, stand auf dem Tisch. Ein Becher davor. Er sah die Wohnungsexposés, die er Anne bei seinem letzten Besuch ausgehändigt hatte, aufgeschlagen herumliegen. Daneben standen Kerzen, die bis auf die Halter abgebrannt waren. In der Spüle stapelte sich schmutziges Geschirr. Lukes Blick fiel auf den Abreißkalender neben der Spüle. Er zeigte den 10. Dezember an. Das war der Donnerstag der vergangenen Woche gewesen, als er sich das Haus angeschaut hatte. Seitdem hatte niemand mehr ein Blatt abgerissen.

Beklommen musterte er die Lichterketten. Ihre Kabelenden waren aus den Steckdosen gezogen worden, ziemlich ruckartig, wie es ihm schien, denn eine der Ketten war vom Fenster gerutscht und wickelte sich als lebloses Band um die darunter befindliche Kaffeemaschine.

»Hier stimmt etwas ganz und gar nicht«, sagte Luke. Es tat ihm gut, wenigstens seine eigene Stimme zu hören.

Er durchquerte die Küche, trat in den Flur, schaltete auch hier das Licht ein.

»Mrs. Westley?«, rief er im Flüsterton und fragte sich gleich darauf, weshalb er sich eigentlich so leise verhielt. Er kannte die Antwort: Er hatte Angst, dass hier nicht einfach ein Unfall passiert war, sondern dass sich etwas viel Schlimmeres und Bedrohlicheres in dieser Einöde abgespielt hatte. Dass hinter all dem jemand steckte, der vielleicht noch gar nicht das Weite gesucht hatte. Der noch da war, entweder irgendwo in diesem alten, dunklen Haus oder in den Wäldern, die es so dicht umschlossen.

Es wäre besser, er würde verschwinden. Aber zuerst musste er Anne finden. Wenn er jetzt einfach wegrannte, würde er sich nie mehr selbst im Spiegel ansehen können.

Er fragte sich, ob es ein Fehler war, überall das Licht einzuschalten. Weithin sichtbar signalisierte er damit seine Anwesenheit. Aber wie sollte er sonst irgendetwas erkennen können? Er verfluchte seinen Einfall, hierherzukommen. Er könnte längst daheim sein, am Schreibtisch sitzen, eine schöne Tasse Kaffee neben sich. Stattdessen …

Ein kurzer Blick aus dem Wohnzimmerfenster zeigte ihm, dass sich der Schneefall weiter verstärkt hatte. Er würde zu allem Überfluss Probleme bekommen, sein Auto von dem Parkplatz zu manövrieren.

Er stieg die Treppe hinauf. Auf halbem Weg fiel ihm zum ersten Mal der eigentümliche Geruch auf.

»Verdammter Mist«, sagte er laut.

Er machte sich keine Illusionen: Es war Verwesung, was er roch.

Er fand Anne Westley im Bad, das sich direkt neben ihrem Schlafzimmer befand. Die alte Frau lag vor der Dusche quer über dem Frotteevorleger und richtete den Blick aus weit aufgerissenen, starren Augen an die Decke über sich. In ihrem unnatürlich weit aufgesperrten Mund steckte etwas, irgendetwas Kariertes, ein Tuch, ein Schal, Luke konnte es nicht genau erkennen. Ihre Nase war zugekleistert mit Paketklebeband. Auch ihre Handgelenke und Fußknöchel waren mit dem Band gefesselt. Es war nur allzu ersichtlich, dass Anne keinen *Unfall* gehabt hatte. Sie war auf brutalste Art ermordet worden. Ihr Mörder hatte sie erstickt, indem er alle Atemwege blockierte. Wie sehr mochte sie gegen den Stoff in ihrem Rachen gekämpft haben. Wie verzweifelt – und wie hoffnungslos.

Es konnte am 10. Dezember geschehen sein, jedenfalls stellte der Kalender in der Küche einen Hinweis darauf dar. Nachdem er gegangen war. Nachdem er ihr noch geraten hatte, die Haustür gut zu verschließen.

Luke Palm sank auf den Badewannenrand, denn seine Knie wurden plötzlich weich und er drohte das Gleichgewicht zu verlieren. Einen Moment lang hatte er das Gefühl, sein Kreislauf werde schlappmachen und er würde gleich neben Anne auf dem Fußboden liegen. Er hatte Schweißausbrüche am ganzen Körper und im Gesicht. Er stützte den Kopf in die Hände, bemühte sich, die Tote nicht anzusehen, den Geruch nicht wahrzunehmen. Trotzdem tief durchzuatmen.

Die Schwäche verebbte.

Er hob den Kopf. Er sah, dass die Klinke der Badezimmertür seltsam schief herunterhing und dass der Beschlag um das Schloss herum völlig verrutscht war. Es sah aus, als habe jemand das Schloss aufgebrochen.

Er stöhnte leise, als ihm aufging, welches Drama sich hier vermutlich abgespielt hatte: Wie auch immer Annes Mörder ins Haus gelangt war, offensichtlich war es Anne gelungen, ihm zunächst zu entkommen. Sie war ins Bad geflüchtet, einen Raum, den sie abschließen konnte, hatte sich dort verbarrikadiert. Aber ihr Verfolger hatte nicht aufgegeben. Er hatte das Schloss zerstört und war in das Badezimmer eingedrungen.

Anne musste entsetzliche Todesangst ausgestanden haben. Eingeschlossen in diesem kleinen Raum, keine Möglichkeit, Hilfe herbeizutelefonieren, keine Chance auch, durch das Fenster nach Hilfe zu schreien. Wer hätte sie hören sollen? Und irgendwann begreifend, dass der andere gewinnen würde. Dass die Tür nicht standhalten konnte.

Luke stand auf, hoffte, dass ihn seine zittrigen Beine tragen würden. Er musste jetzt die Polizei anrufen. Hoffentlich funktionierte das Telefon, das, wie er sich erinnerte, im Wohnzimmer unten stand. Er hatte noch immer Angst, aber er sagte sich, dass Anne allem Anschein nach seit einer Woche tot war und es unwahrscheinlich war, dass ihr Mörder sich hier noch herumtrieb. Es gelang ihm, diese Dinge ruhig und vernünftig zu rationalisieren, und nur untergründig wunderte er sich über seine Ruhe. Erst später ging ihm auf, dass er unter Schock gestanden haben musste.

Leise murmelte er den Polizeinotruf vor sich hin, während er die Stufen hinunterschlich. »Neun-neun-neun, neun-neun-neun ...«

Auf keinen Fall durfte er diese Zahlen jetzt vergessen.

2

»Ich habe damals einen fürchterlichen Fehler gemacht«, sagte John, »und ich hätte mich in den Monaten danach jeden Tag selbst ohrfeigen können. Es war idiotisch. Sie war Studentin am Hendon Police College. Ich war Detective Inspector bei der Metropolitan Police. Sie machte ein Praktikum bei mir. Ich hätte unter gar keinen Umständen etwas mit ihr anfangen dürfen.«

Draußen fiel der Schnee in immer dickeren und dichteren Flocken. Die Welt schien untergehen zu wollen. Selbst hier, mitten in der Stadt, waren alle Geräusche verstummt. Es herrschte eine beinahe feierliche Stille.

Johns Schlafzimmer in der weitläufigen, höchst sparsam möblierten Altbauwohnung mitten in Paddington bestand aus einem Kleiderschrank und einer Matratze, die auf dem Boden lag. Es gab keine Vorhänge an den Fenstern, keinen Teppich auf dem Boden. Ein paar Zeitschriften lagen verstreut auf dem Parkett. In der Ecke stand eine halb leer getrunkene Flasche Mineralwasser.

Gillian hatte die Decken weggeschoben, weil ihr zu warm war, obwohl die Heizung nur wenig Wärme verströmte. Sie fühlte sich friedlich und entspannt, obwohl sie wusste, dass sie dabei war, sich in zahlreiche Probleme zu verstricken. Eines davon, und vielleicht das akuteste, war die Frage, ob es ihr gelingen würde, angesichts der hereinbrechenden Schnee-massen wieder nach Hause zu kommen und auch noch recht-zeitig vor Tom da zu sein. Weniger akut, aber langfristig be-deutsam war die Situation, in die sie sich begeben hatte: Sie hatte eine Affäre mit einem anderen Mann begonnen. Es war unwahrscheinlich, dass sich daraus nicht eine Schwierigkeit nach der anderen entwickeln würde.

Nach all den Überlegungen, Zweifeln und Sorgen, mit denen sie sich in der Woche vor der Verabredung herumge-schlagen hatte, war dann alles schnell und fast zwangsläufig passiert. Sie hatte an Johns Wohnungstür geklingelt, und er hatte sofort geöffnet, ihre Hand genommen und sie hinein-gezogen, und er hatte freudig und erleichtert gewirkt, sie zu sehen.

»Bis eben«, sagte er, »habe ich noch gefürchtet, du kommst nicht.«

»Ich konnte nicht anders«, sagte Gillian. Sie hatte immer wieder überlegt, John abzusagen und das ganze Abenteuer im Sand verlaufen zu lassen, aber sie begriff jetzt, dass sie nie wirklich die Chance dazu gehabt hatte. Sie war bereits viel tiefer verstrickt, als sie gedacht hatte.

Er hielt noch immer ihre Hand. »Möchtest du einen Kaf-fee?«

»Danach«, sagte sie und dachte in der nächsten Sekunde: Oh Gott, Gillian, das hast du doch eben nicht wirklich ge-sagt! Jeder, der dich kennt, wäre entsetzt! Es ist dir ja selbst total peinlich.

Er stutzte, zog dann die Augenbrauen hoch. »Okay«, sagte er, »dann eben danach.«

Er hatte ihr aus dem Mantel geholfen, dann war er mit ihr in sein spartanisches Schlafzimmer gegangen. Gillian hatte fast ein Jahr lang keinen Sex mehr gehabt. Nichts bereute sie auf einmal so sehr wie ihre eigene Unverfrorenheit, mit der sie darauf gedrängt hatte, sofort mit John ins Bett zu gehen. Vermutlich würde sie sich völlig unbeholfen anstellen.

»Vielleicht… hätte ich doch lieber nur einen Kaffee«, murmelte sie.

Er lächelte. »Wie du willst.«

Sie trat einen Schritt zurück. Weshalb wurde sie in seiner Gegenwart immer zu einer anderen, als sie eigentlich war? Flirtete, gab sich provozierend, wagte sich wie selbstverständlich in die Offensive, sogar dann, wenn es um Sex ging. Um dann einen Rückzieher zu machen und sich plötzlich lächerlich zu fühlen.

»Ich weiß nicht. Ich weiß nicht, was ich will.«

Er sah sie abwartend an.

»Ich bin nicht so«, fuhr Gillian fort, »ich meine, nicht so, wie du mich erlebst. Wenn ich mit dir zusammen bin, sage und tue ich immer Dinge, die gar nicht zu mir passen. Ich bin dann eine Fremde. Ich weiß nicht, warum das so ist.«

Er streckte den Arm aus. Sacht zog er mit dem Finger eine Linie von ihrem Kinn über ihren Hals hinunter bis an den Ausschnitt ihres Pullovers. Gillian konnte nicht verhindern, dass ihr Schauer über den ganzen Körper liefen.

»Hast du mal überlegt, dass es andersherum sein könnte?«, fragte er. »Dass die Gillian, die gerade so unverblümt und direkt war, die wirkliche Gillian ist? Und die andere, die aus deinem normalen Alltag, die Fremde?«

Sie schwieg perplex. Am Ende hatte er recht. Vielleicht war doch noch mehr von dem scheuen, in Konventionen gefangenen Mädchen in ihr, als sie gehofft hatte. Vielleicht war sie ihre Erziehung, die ihr stets vor allem Einschränkung gebracht hatte, noch immer nicht losgeworden. Vielleicht würde ihr das nie ganz gelingen.

»Ich will dich natürlich nicht manipulieren«, erklärte John.

»Ich lasse mich auch nicht manipulieren«, erwiderte Gillian.

Ich habe nur diesen Moment, dachte sie, *wenn ich jetzt ausweiche, einen Kaffee mit ihm trinke und dann nach Hause fahre, dann wage ich es nie wieder. Dann wird es nie wieder eine Situation wie diese geben.*

»Ich will mit dir schlafen«, sagte sie.

Er schlang beide Arme um sie. »Ein Glück«, flüsterte er, »alles andere hätte ich jetzt auch kaum ausgehalten.«

Als es vorbei war, nach einer Ewigkeit, als sie beide vollkommen erschöpft waren und vielleicht sogar für einen Moment geschlafen hatten, öffnete John die Augen und sagte, dass er sie liebte.

Gillian sah ihn an und erkannte, dass er es ernst meinte.

Sie war wieder eingeschlafen und erst aufgewacht, als John aufstand und das Zimmer verließ. Sie beobachtete ihn, wie er mit zwei großen Tassen zurückkehrte. Sie tranken den Kaffee, blickten hinaus in den immer dichter fallenden Schnee. Gillian konnte den Dachgiebel des gegenüberliegenden Hauses erkennen. Im Fenster der Gaube hing ein Leuchtstern. Darüber türmte sich der Schnee zu einer pudrigen Haube.

»Warum hast du eigentlich kein richtiges Bett?«, fragte sie.

Er zuckte mit den Schultern. »Wenn du dich in meiner Wohnung umsiehst, wirst du feststellen, dass ich überhaupt kaum Möbel habe. Ich habe offenbar eine Blockade.«

»Eine Blockade?«

Er lachte. »Kannst du dir mich in einem Möbelhaus vorstellen? Wie ich eine Schrankwand, einen Couchtisch und eine Perserbrücke kaufe?«

»Ich glaube, das hängt von den einzelnen Teilen ab.«

»Was ich besitze, stammt von verschiedenen Flohmärkten und beschränkt sich auf das Notwendigste. Wenn es um mich herum bürgerlich wird, bekomme ich Beklemmungen.«

»War das schon immer so?«

Er erriet, was sie eigentlich fragen wollte. »Du meinst, ob es etwas mit meinem Beruf zu tun hat? Genau genommen damit, dass ich ihn aufgeben musste?«

»Es war ein Bruch in deinem Leben.«

»Aber keiner, der mich als Mensch verändert hat. Ich war immer so. Ziemlich unkonventionell. Wahrscheinlich hätte ich sonst diesen ganzen Mist nie angerichtet.«

»Du wolltest mir davon erzählen«, sagte Gillian.

Er spielte mit ihren Haaren, betrachtete sie gedankenverloren. »Ja«, sagte er schließlich, »ich glaube, ich kann dir davon erzählen.«

Dann sprach er von seinem Fehler. Diesem Fehler, der sein Leben verändert hatte.

»Aber was sie mir später anhängen wollten, die sexuelle Nötigung, das stimmte einfach nicht. Wir hatten eine Affäre. Sie wollte diese Affäre genauso wie ich. Ihre Signale waren eindeutig. Es war natürlich vollkommener Schwachsinn von mir, darauf einzusteigen.«

»Wie lange ging die Affäre?«

»Vier Monate etwa. Wir hatten eine gute Zeit. Sie war jung und sehr attraktiv, und ich fand es einfach schön mit ihr.«

»Wie alt warst du?«

»Ich war siebenunddreißig. Sie war einundzwanzig. Ich dachte… na ja, ich dachte, wir haben einfach Spaß zusammen, irgendwann trifft sie jemanden, der altersmäßig besser zu ihr passt, der sie heiratet… Ich habe einfach den Augenblick genossen.«

»Wann kippte das alles?«

Er lächelte bitter. »Als sie durch eine der Prüfungen fiel. Sie war eigentlich recht begabt, aber sie hatte wohl einen schlechten Tag. Sie versiebte eine besonders wichtige Arbeit. Aber im Grunde war das Ganze kein Drama. Sie musste dieses Fach wiederholen, später würde kein Hahn mehr danach krähen. Aber sie ... drehte komplett durch. Wollte diese Niederlage nicht hinnehmen. Sie beschwor mich, ich müsste *diese Sache aus dem Weg räumen.* Mit dem Prüfer sprechen, ihn bewegen, sie durchkommen zu lassen, sein Urteil zu revidieren, was weiß ich.«

Gillian schüttelte den Kopf. »Das konntest du nicht.«

»Natürlich nicht. Selbst wenn ich gewollt hätte: So funktionieren die Dinge nicht. Ich habe ihr das auch erklärt. Aber sie war kaum ansprechbar.« Jetzt schüttelte er den Kopf, noch immer, wie es schien, frappiert über die Situation, in der er sich damals plötzlich befunden hatte. »Sie war wie von Sinnen. Drohte, unser Verhältnis im ganzen Yard bekannt zu machen, wenn ich mich nicht für sie einsetzte. Ich konnte ihrem Wunsch trotzdem nicht entsprechen. Ich hatte ganz einfach nicht die Möglichkeit.«

»Und wie kam es zu der Nötigung?«

»Es hat keine Nötigung gegeben«, stellte John klar. »Ich wollte schließlich das Verhältnis beenden. Es hatte ja auch einfach keinen Sinn mehr. Unglücklicherweise war ich blöd genug ...« Er sprach nicht weiter.

»Was?«, fragte Gillian.

»Ich war blöd genug, noch einmal mit ihr zu schlafen. Während ich eigentlich gerade mit ihr Schluss machte. Es war eine verworrene Situation, ich weiß auch nicht, wieso ich das tat.«

»Vermutlich weil sie eine ganz schön aufregende junge Frau war«, meinte Gillian sachlich.

Er seufzte. »Ja. Da hast du recht. Auf jeden Fall begriff sie dann, dass das nichts ändern würde. Dass es trotzdem zwischen uns zu Ende war. Und da wurde sie völlig hysterisch. Behauptete auf einmal, diesen letzten sexuellen Verkehr nicht gewollt zu haben. Schrie *Vergewaltigung* und rannte zu meinem Vorgesetzten. Es kam zu einem Ermittlungsverfahren. Der Fall ging schließlich sogar an die Staatsanwaltschaft.«

»Und du hast ziemlich in der Tinte gesessen!«

»Das kann man wohl sagen. Dass wir Geschlechtsverkehr hatten, war leicht nachzuweisen, aber das habe ich ja auch gar nicht abgestritten. Ich blieb nur dabei, dass alles einvernehmlich geschehen sei. Sie hatte sich selbst Verletzungen zugefügt und verhielt sich genauso, wie man sich eine traumatisierte Frau vorstellt. Dazu kam, dass ich ja in der Zeit ihres Praktikums sozusagen ihr Chef war. Ich hatte mich nicht strafbar gemacht, indem ich etwas mit ihr anfing, aber ich hatte gegen jede Menge ungeschriebener Gesetze verstoßen. Ich wurde vorübergehend vom Dienst suspendiert.«

»Aber du konntest deine Unschuld beweisen?«

»Nein. *Beweisen* kann man das in Geschichten wie dieser nicht. Zum Glück gab es mehrere medizinische Gutachten, in denen die zahlreichen Verletzungen an ihrem Körper mit größter Skepsis bedacht wurden. Es hieß dort, dass sie sich einige davon mit Sicherheit, die übrigen mit einer hohen Wahrscheinlichkeit selbst zugefügt hatte. Außerdem hatte sie sich in etliche Widersprüche verwickelt. Der Fall konnte die Beweisprüfung des zuständigen Staatsanwalts nicht passieren. Es kam nicht zur Anklageerhebung.«

»Trotzdem musstest du gehen?«

»Ich hätte bleiben können. Aber eines war klar: Für all das musste ich die Verantwortung übernehmen. Ich hätte nie ein

Verhältnis mit ihr anfangen dürfen. Der Fehler, die Schuld lag bei mir. Ich habe dann ziemlich schnell meinen Dienst quittiert. Ich wusste, die Geschichte würde mir für immer und ewig anhängen. Und ich hatte das alles plötzlich so satt. Die Heuchelei meiner Kollegen, die mitleidigen oder auch schadenfrohen Blicke, das Getuschel… Ich wollte raus und ich ging, und bis heute bin ich froh über diese Entscheidung.«

»Bist du das wirklich?«

»Definitiv – ja! Ich habe dann diesen Gebäude- und Personenschutzdienst gegründet, ich bin selbstständig, ich bin mein eigener Herr, und es ist genau die Art, wie ich leben möchte. Ich bin nicht dazu geschaffen, mich in einer Hierarchie, in der es von Intrigen, Bevorzugungen und jeder Menge Speichelleckern nur so wimmelt, nach oben zu dienen. Ich habe das spät erkannt, aber zum Glück nicht zu spät.«

Sie musterte ihn aufmerksam, fragte sich, ob er wirklich fühlte, was er sagte, oder ob er sich die Dinge zurechtredete, um sie besser ertragen zu können.

»Warum bist du überhaupt zur Polizei gegangen?«, fragte sie.

»Idealismus«, sagte er. »Ich wollte die Guten beschützen und die Bösen verfolgen. Das war es wohl am Anfang. Man verliert natürlich viel von dieser Einstellung, wenn man dem Beruf dann tatsächlich nachgeht, aber das ist wahrscheinlich immer so. In den meisten Berufen, meine ich.«

»Die Kinder, die du trainierst…«

Jetzt lachte er. »Na gut. Das sind die Reste des Idealismus. Ich bin der festen Überzeugung, dass es gelingen muss, Kinder und Jugendliche von der Straße zu holen, sie vom Herumgammeln abzuhalten und ihre Energien in sinnvolle Bahnen zu lenken. Es ist ihre Langeweile, ihr sinnloses Treiben durch den Tag, das sie anfällig macht für alles, was schlecht ist: Drogen, Gewalt und für die Unfähigkeit, irgendetwas in ihrem Leben zielgerichtet und mit ganzem Einsatz zu Ende zu bringen. Ich halte Sport für die beste Methode. Es ist das, was ich anbieten kann, und ich habe Erfolg damit.«

»Warum Southend? Warum so weit draußen?«

»Ich habe es zunächst in zwei Londoner Clubs versucht. Jedes Mal gab es Probleme, als man dort herausfand, dass ich früher bei Scotland Yard war und weshalb ich dort weggegangen bin. Schließlich beschloss ich, weiter fortzugehen, einfach in der Hoffnung, dass man dann meinen Lebensweg nicht so einfach zurückverfolgen kann. In Southend gibt es nicht so viele Problemfamilien, und ich trainiere dort auch Kinder, die sicher nicht gefährdet sind, aber einigen kann ich auch wirklich helfen. Und es ist gut, dass es so gekommen ist, oder?« Er nahm ihr die Kaffeetasse aus der Hand, stellte sie neben die Matratze auf den Fußboden. Er zog Gillian in seine Arme. »Sonst hätte ich dich ja nicht kennengelernt. Und das«, er fing an sie zu küssen, »wäre absolut schade.«

Sie schliefen noch einmal miteinander, und es war schließlich ganz dunkel draußen und im Zimmer geworden, als sie sich voneinander lösten. Gillian merkte, dass sie kaum noch ihre Augen offen halten konnte. Mit dem letzten wachen Gedanken *Ich darf auf keinen Fall schon wieder einschlafen* glitt sie in den Schlaf, ohne sich noch dagegen wehren zu können. Sie war sehr glücklich und sehr müde.

Als sie aufwachte, hatte sich nichts geändert. Es war dunkel, aber im Licht der Straßenlaterne, die vor dem Fenster stand, konnte sie den Schnee fallen sehen. Sie blickte auf ihre Uhr und erschrak: Es war halb neun. Spätestens um zehn würde Tom daheim aufkreuzen. Ihr blieben eineinhalb Stunden, um nach Hause zu kommen und gründlich zu duschen, und angesichts der Tatsache, dass es inzwischen seit etwa fünf Stunden ununterbrochen schneite, fragte sie sich beklommen, ob sich die Rückfahrt wohl ungeahnt schwierig gestalten würde.

Sie konnte Johns tiefe Atemzüge neben sich hören. Lautlos stand sie auf, schlüpfte in ihre Kleider, nahm ihre Handtasche. Auf Zehenspitzen verließ sie das Schlafzimmer. Auch auf dem langen Flur der Altbauwohnung gab es keine Möbel, lediglich einen Kleiderhaken an der Wand, an dem ein paar Jacken und Mäntel hingen. Zuoberst befand sich Gillians Wintermantel. Darunter standen ihre Stiefel.

Sie zog sich gerade an, als John, ein Handtuch um die Hüften gebunden, neben ihr auftauchte. »Du willst schon gehen? Ich wollte noch etwas für uns kochen. Einen Wein mit dir trinken ...«

Sie schüttelte den Kopf. »Mein Mann kommt bald nach Hause. Ich bin schon viel zu spät. Abgesehen davon habe ich sowieso Angst, dass ich in einer Schneewehe stecken bleibe. Es schneit wie verrückt draußen.«

»Soll ich dich fahren?«

»Nein. Das schaffe ich schon.«

Er nahm ihr Gesicht zwischen beide Hände. »Wann sehen wir uns wieder?«

»Ich rufe dich an«, sagte Gillian.

3

Sie kam genau gleichzeitig mit Tom daheim an, nach einer albtraumhaften Fahrt, die mehr als einmal beendet zu sein schien. Schneeverwehungen, quer stehende Autos, immer wieder Staus. Sie hatte nahezu die ganze Zeit über geflucht, weil sie wusste, dass ihr Vorsprung gegenüber Tom langsam zu einem Nichts zusammenschmolz, und weil sie sich fast panisch in dem Gedanken festgebissen hatte, unbedingt duschen zu müssen: Sie roch nach John. Sie roch nach Sex.

Sie konnte Tom so nicht begegnen.

Als sie beide gleichzeitig, jeder aus einer anderen Richtung kommend, in die Einfahrt bogen, begriff Gillian, dass sie die Situation auf irgendeine Weise durchstehen musste.

Es war fast halb elf in der Nacht. Auch bei Tom war es später geworden.

»Wo kommst du denn her?«, fragte er überrascht.

»Aus London«, sagte sie wahrheitsgemäß. »Weihnachtseinkäufe.« Ihr fiel ein, dass sie nicht eine einzige Tüte oder ein Paket dabeihatte. »Äh … ich habe allerdings nichts gefunden. War dann noch etwas essen und habe mich dabei verträdelt. Ja, und dann der Schnee. Auf den Straßen geht es nur noch stockend voran.«

»Was ist mit Becky?«

»Die übernachtet bei Darcy. Geburtstagsparty.«

Sie brachten ihre Autos in die Garage, gingen dann ins Haus. Chuck kam ihnen maunzend entgegen, rieb sich an ihren Beinen. Der Anrufbeantworter piepte, ein Zeichen dafür, dass sich nicht abgehörte Nachrichten darauf befanden.

»Ich habe mich ziemlich aufgeregt auf der Fahrt«, sagte Gillian, »und ich bin völlig verschwitzt. Ich glaube, ich springe noch mal schnell unter die Dusche.«

Tom nickte zerstreut und betätigte die Wiedergabetaste des Anrufbeantworters. Es war nur eine einzige Mitteilung gespeichert.

Die Stimme, die durch den Raum klang, kannten sie beide nicht.

»Ja, also … hallo, hier spricht Samson Segal. Ich bin …
ich wohne nur ein paar Häuser weiter. Am Ende der Straße.
Mein Bruder war mal Klient bei Ihnen. Ich … also, ich wollte
sagen, Ihre Tochter ist bei mir. Weil sie nämlich nicht rein-
kam zu Hause, und sie war ziemlich verzweifelt, und da habe
ich … sie mitgenommen. Sie können sie ja gern abholen.« Er
machte eine längere Pause. Es war deutlich, dass er zu den
Menschen gehörte, die nicht gerne auf derartige Geräte sprachen. »Also … dann auf Wiedersehen.« Wieder eine Pause.
Gestresstes Atmen.

Dann legte er auf.

»Was?«, fragte Tom fassungslos.

Gillian, die in ihrer Eile, ins Bad zu kommen, innegehal-
ten hatte, wandte sich um. »Das gibt es doch nicht! Sie sollte
doch bei Darcy übernachten!«

»Wieso geht sie mit einem wildfremden Mann nach
Hause?«, rief Tom erschrocken und wütend. »Wieso warst
du nicht da?«

»Und wieso warst du nicht da?«, schrie Gillian.

»Ich war im Tennisclub. Ich hatte vorher gesagt, dass es
spät wird!«

»Bei dir wird es immer spät! Wenn es danach ginge, könnte
ich überhaupt nie mehr weg, weil ich hier ständig die Stellung halten muss. Du wohnst doch hier praktisch schon nicht
mehr!«

»Glaubst du, dass jetzt der richtige Moment ist, sich darüber auseinanderzusetzen?«, fauchte Tom.

Gillian drängte kurz entschlossen an ihm vorbei zur
Garderobe und nahm ihren Mantel. »Ich hole jetzt mein
Kind ab!«

»Ich komme mit«, sagte Tom.

Wenige Minuten später klingelten sie an der Haustür der

Familie Segal. Es dauerte nur Sekunden, bis ihnen geöffnet wurde.

Samson Segal stand vor ihnen.

»Ich ... ich dachte mir, dass Sie es ... sind«, stotterte er.

Tom schob sich sofort an ihm vorbei in den Hausflur. »Wo ist unsere Tochter?«

»S...sie ist eingeschlafen. V...vor dem Fernseher«, erläuterte Samson.

Ohne eine Aufforderung abzuwarten, ging Tom in Richtung der Stimmen, die nach einem laufenden Fernsehapparat klangen. Gillian lächelte Samson entschuldigend an und folgte ihrem Mann dann.

Im Wohnzimmer lief tatsächlich der Fernseher. Davor lag Becky auf einem Sofa und schlief. Auf dem Sessel daneben saß Gavin Segal und folgte gebannt der Dokumentation, die über den Bildschirm flimmerte. Eine Frau saß am Esstisch und lackierte sich die Fingernägel.

Gavin erhob sich sofort.

»Mr. Ward ...«

»Wie kommt Becky hierher?«, fragte Tom scharf.

»Tom ...«, sagte Gillian beschwichtigend.

»Mein Bruder kam wohl heute Abend zufällig an Ihrem Haus vorbei, als sie dort stand, klingelte und bereits völlig in Tränen aufgelöst war«, erklärte Gavin. »Sie kam von einer Freundin, wenn ich das richtig verstanden habe, und niemand war zu Hause. Er wollte sie nicht da einfach im Schnee stehen lassen und nahm sie deshalb mit zu uns.«

»Ich habe ihm aber gleich gesagt, er muss bei Ihnen eine Nachricht hinterlassen«, sagte die Frau.

Becky schlug die Augen auf, sah ihre Eltern erstaunt an, sprang dann auf und stieß einen Jubelschrei aus. »Dad!« Sie warf sich in seine Arme.

»Das war sehr nett von Ihnen, Mr. Segal«, sagte Gillian zu Samson, der schüchtern hinter ihr stehen geblieben war. »Meine Tochter sollte eigentlich bei ihrer Freundin übernachten. Sonst wäre natürlich einer von uns daheim gewesen.«

»Ich habe mich total mit Darcy zerstritten«, erklärte Becky, »und deshalb wollte ich dort nicht bleiben.«

»Weiß Darcys Mutter, dass du nach Hause gegangen bist?«, fragte Gillian.

»Ja. Ich habe es ihr gesagt.«

»Und da vergewissert sie sich nicht, dass wir auch daheim sind?«, fragte Tom entgeistert.

»Sie hat fünfzehn Kinder da, die alle bei ihr übernachten«, gab Gillian zu bedenken. »Vermutlich weiß sie kaum mehr, wo ihr der Kopf steht!«

»Trotzdem, es geht nicht, dass ...«

Sie wünschte, Tom würde endlich aufhören, auf alles und jeden zu schimpfen. Sie fühlte sich ohnedies schlecht genug.

Meine Tochter kommt daheim nicht rein, weil ich mit meinem Liebhaber im Bett liege.

Und es stimmte: Im Unterschied zu Tom hatte sie ihre Abwesenheit nicht angekündigt. Becky war sicher gewesen, ihre Mutter zu Hause anzutreffen.

Es hätte auch ein gefährlicher Mensch vorbeikommen und sie mitnehmen können ...

»Ich habe mich gern um Becky gekümmert«, sagte Samson. »Ich ... W...wissen Sie, ich mag Kinder.«

»Ja, vielen Dank«, sagte Tom, dem schließlich aufging, dass Samson Segal absolut nichts Unrechtes getan hatte, widerwillig.

»W...wenn Sie mich mal brauchen ... Ich hätte Zeit ...«

»Mein Schwager ist arbeitslos«, warf die Frau spitz ein

und wedelte mit ihren Händen, um den Nagellack schneller trocknen zu lassen.

»Vielen Dank«, wiederholte Tom. Er wollte nach Hause. Er fand das alles schrecklich, das wusste Gillian: die etwas zu schrille Frau mit den dunkelroten Fingernägeln, den stotternden Samson Segal, seinen müde und abgekämpft wirkenden Bruder, das überheizte Wohnzimmer, den plärrenden Fernseher. Er war wütend, und Gillian war klar, dass sich seine Wut vor allem auf sie richtete. Weil sie nicht da gewesen war. Weil sie die Situation hatte entstehen lassen.

Auf dem kurzen Heimweg schwieg er verbissen. Auch daheim sagte er zunächst kein Wort. Erst später, nachdem Gillian Becky ins Bett gebracht und endlich geduscht hatte, meinte er plötzlich: »Ich mag den Kerl nicht. Meiner Ansicht nach ist bei dem mehr als eine Schraube locker.«

Er lag im Bett, hielt ein Buch in der Hand, las aber nicht darin, sondern blickte an die gegenüberliegende Wand.

Gillian stand mitten im Zimmer und kämmte ihre nassen Haare. »Wer?«

»Na, dieser Segal. Mit dem komischen Namen. Samson. Samson Segal. Der ist nicht ganz dicht.«

»Wieso? Er ist schüchtern und gehemmt, aber er ist sehr freundlich.«

»Er ist nicht normal«, beharrte Tom. »Wer lebt denn schon so? Er ist mindestens Mitte dreißig und wohnt bei Bruder und Schwägerin. Kriegt kein Wort raus, ohne seine Zunge dabei zu verknoten. Es gibt keine Frau in seinem Leben, und…«

»Woher willst du das wissen?«

»Das spüre ich. Der ist viel zu verklemmt für eine Frau. Ich frage mich, wo er sich schadlos hält. Womöglich an Kindern!«

Gillian schüttelte den Kopf. »Du benimmst dich unmöglich, Tom. Du hast dich vorhin schon unmöglich benommen. Mr. Segal hat genau das getan, was man als guter Nachbar tut: Er hat sich in einer Notsituation um eines unserer Familienmitglieder gekümmert. Dafür machst du jetzt schon fast einen Kinderschänder aus ihm. Ich bin froh, dass er im richtigen Moment zufällig vorbeikam. Es hätte auch jemand anderes sein können, und bei dem Gedanken wird mir ganz schlecht.«

»Genau«, sagte Tom. Er legte das Buch zur Seite und setzte sich aufrecht hin. »Ich glaube, das genau ist es, was mich so irritiert: Wieso kam er schon wieder *zufällig* vorbei?«

»Schon wieder?«

»Erinnerst du dich an vergangenen Samstag? Als wir aus dem Haus kamen. Da stand er auf dem Gehweg direkt an unserem Gartenzaun. Was tat er da?«

»Keine Ahnung. Er ging spazieren, blieb vielleicht ab und zu stehen und schaute sich die Häuser an. Seine Schwägerin sagte doch, dass er arbeitslos ist. Er hängt halt den ganzen Tag hier in der Gegend herum, wahrscheinlich, weil er nicht weiß, was er sonst tun soll.«

»Er hängt vor allem vor unserem Haus herum!«, sagte Tom.

»Weil du ihn einmal am Samstag gesehen hast?«, fragte Gillian, aber sie konnte sich nicht gegen ein etwas beklommenes Gefühl wehren. Ihr fiel Taras letzter Besuch ein. Als sie Tara zum Abschied vor die Tür begleitet hatte, war Samson Segal gerade vorbeigegangen, und Tara hatte angemerkt, dass er ihr bei ihrer Ankunft auch schon aufgefallen war. Samson Segal kreuzte in den letzten Wochen tatsächlich auffällig oft die Wege der Familie Ward.

Dennoch mochte es sich um Zufälle handeln.

Sie schlüpfte ins Bett, zog die Decke hoch. Übermäßig intensiv musste sie plötzlich an John denken. Es war erst ein paar Stunden her, seitdem sie mit ihm geschlafen hatte. Und jetzt lag sie wieder neben Tom und sie nörgelten einander an, weil der Abend einen ziemlichen Schrecken für sie bereitgehalten hatte.

So fühlt es sich also an, wenn man in zwei Welten lebt, dachte Gillian, auf der einen Seite leidenschaftlicher Sex mit einem aufregenden und höchst undurchsichtigen Mann in einer praktisch leeren Londoner Mietwohnung. Und dann wieder das gepflegte Häuschen in Thorpe Bay, der übliche Ehezoff, die Sorgen um das Kind.

»Becky muss lernen, dass sie nicht einfach mit einem Fremden mitgehen darf«, sagte Tom. »Ich dachte wirklich, das hätte sie längst begriffen!«

Er war nicht bereit, das Thema loszulassen.

Gillian verdrehte die Augen. »Hat sie ja auch. Aber er ist ein Nachbar – ein entfernter Nachbar jedenfalls. Sie kennt ihn zumindest vom Sehen.«

»Ja und? Wie oft sind es genau solche Nachbarn, mit denen Kinder vertrauensvoll mitgehen, und hinterher wird es ihnen zum Verhängnis.«

»Ich werde morgen noch einmal sehr ausführlich mit ihr sprechen«, sagte Gillian.

Und ich werde John nicht wiedersehen, schwor sie sich, *eine solche Situation darf es nicht mehr geben.*

Sie meinte damit nicht nur den Umstand, dass ihre Tochter verzweifelt vor der Tür gestanden hatte und nicht ins Haus gekommen war. Sie meinte alles: das Lügen. Das eilige Nachhausefahren. Das verschämte Duschen.

Wahrscheinlich war sie für ein Leben in zwei Welten nicht geschaffen.

Sie fing plötzlich an zu weinen. Leise und unterdrückt in ihr Kissen hinein. Sie dachte daran, wie es mit John im Bett gewesen war. Wie wild. Wie zärtlich. Sie dachte an seine Wohnung, die in ihrer Kargheit einen solchen Kontrast zu ihrem eigenen mit Türmchen und Erkern verzierten Haus darstellte.

Sie sehnte sich danach, wieder dort zu sein.

Sie würde Tara anrufen am nächsten Tag. Ihr alles erzählen. Na ja, fast alles. Den dunklen Fleck in Johns Vergangenheit würde sie weglassen. John hatte einfach schon immer sein eigenes Unternehmen gehabt. Und da Tara acht Jahre zuvor noch nicht in London gelebt und gearbeitet hatte, kannte sie den Fall Burton nicht. Aber der *Fall Burton* war auch nicht das Problem.

Das Problem waren Tom und Becky und ihr bisheriges gemeinsames Leben.

Sie musste mit jemandem sprechen, brauchte einen Rat, was, um Gottes willen, sie tun sollte.

Sie weinte heftiger bei dem Gedanken, dass vermutlich auch Tara diesmal ratlos sein würde.

I

»Nur noch wenige Tage bis Weihnachten«, sagte Peter Fielder deprimiert, »und wir sitzen hier, haben ein zweites grauenhaftes Verbrechen und nicht einmal den Anflug einer Spur. Da draußen läuft ein Killer herum, der Frauen auf bestialische Weise tötet, und wir kommen einfach keinen Schritt an ihn heran.«

Er saß in seinem Büro, wie immer in aller Herrgottsfrühe, umgeben von der besonderen Stille eines noch beinahe leeren, großen Gebäudes. Christy McMarrow war natürlich da. Sie saß ihm gegenüber, hatte Kaffee mitgebracht. Sie waren beide übermüdet, völlig erschöpft. Das Wochenende, soweit man dieses Wort mit den Begriffen *Freizeit* und *Ausschlafen* gleichsetzte, war seinem Namen nicht im mindesten gerecht geworden. Nicht, nachdem ein Makler am späten Donnerstagnachmittag die Polizei hinaus in ein völlig abgeschieden gelegenes Waldhaus irgendwo hinter Tunbridge Wells gerufen hatte, weil er im Badezimmer die offensichtlich seit gut einer Woche dort liegende Leiche einer Kundin vorgefunden hatte. Das tief in Mund und Rachen der Toten steckende Geschirrtuch hatte die am Tatort eingetroffenen Beamten dazu gebracht, sofort Detective Inspector Fielder von Scotland Yard zu verständigen. Zusammen mit Christy hatte er sich noch am Abend durch dichtestes Schneetreiben in die Einöde gekämpft. In und um London war der gesamte Verkehr zusammengebrochen, aber irgendwann hatten sie ihr Ziel erreicht. Das Bild, das sie erwartete, war so schrecklich und aufwühlend wie das in Carla Roberts' Wohnung, hinzu kam aber noch die völlige Abgelegenheit des Hauses im Wald.

»Hier wird man ja verrückt«, hatte Peter zu Christy gesagt, völlig fassungslos darüber, welch eigentümliche Orte sich manche Menschen aussuchten, um dort zu wohnen.

In den ersten Stunden war es Luke Palm gewesen, der Makler aus London, der ihnen wichtige Auskünfte über die Ermordete geben konnte. Fielder fand ihn unten im Wohnzimmer, wo er kreidebleich auf dem Sofa saß. Eine mitleidige Beamtin hatte ihm Tee aus ihrer Thermoskanne in einen Becher gefüllt, aber es schien nicht so, als habe er davon auch nur einen Schluck zu sich genommen. Er hielt den randvoll gefüllten Becher sorgfältig ausbalanciert in der Hand, so als warte er, dass ihm irgendwann irgendjemand das Gefäß wieder abnehmen würde. Fielder konnte sehen, dass er wieder und wieder trocken schluckte und sich mit der Zunge die Lippen benetzte.

Er berichtete, was er von der Toten wusste: dass sie Anne Westley hieß, dass sie Ende sechzig war und seit drei Jahren verwitwet. Dass sie und ihr Mann das Haus als Altersruhesitz gekauft und renoviert hatten, dass ihr Mann jedoch direkt nach der Fertigstellung gestorben war. Dass Anne die Abgeschiedenheit nicht mehr ausgehalten und deshalb ihn, Luke Palm, mit dem Verkauf des Hauses beauftragt hatte. Dass sie zugleich über ihn nach einer Wohnung in London gesucht hatte. Schließlich sei es ihm seltsam vorgekommen, dass sie überhaupt nicht mehr zu erreichen war, obwohl er ernsthafte Interessenten gefunden und ihr diese Neuigkeit auch mehrfach auf den Anrufbeantworter gesprochen hatte. Deshalb sei er hierhergefahren. Um dann zu entdecken...

An dieser Stelle seiner Schilderung begann er so zu zittern, dass Tee auf den Boden schwappte. Fielder nahm ihm vorsichtig den Becher aus der Hand, was Palm kaum zu registrieren schien.

»Gab es irgendeinen konkreten Anlass, weswegen Sie sich Sorgen machten?«, fragte er behutsam. »Sie konnten sie nicht erreichen. Gut. Aber dass Sie extra hierherfahren... Immerhin liegt das hier nicht bei Ihnen um die Ecke. War da noch etwas? Irgendetwas, das Sie beunruhigte? Es könnte wichtig sein.«

Palm überlegte, doch ihm fiel nichts ein. »Nein. Eigentlich nicht. Ich meine, ich fand es an sich schon beunruhigend, dass eine fast siebzigjährige Frau hier völlig allein in dieser Einöde lebt. Ich dachte aber weniger an ein Verbrechen. Ich dachte eher, was ist, wenn sie zum Beispiel unglücklich stürzt, das Telefon nicht mehr erreichen kann, hilflos im Haus liegt? Niemand würde es merken.«

»Mrs. Westley hat nicht erwähnt, dass sich irgendetwas Ungewöhnliches ereignet hatte?«

»Etwas Ungewöhnliches?«

Fielder musste an den Fahrstuhl denken, der Carla Roberts kurz vor ihrer Ermordung als eigentümlich aufgefallen war. »Etwas, das sie beunruhigte?«

»Davon sagte sie nichts.«

»Weshalb wollte sie gerade jetzt hier weg? Kurz vor Weihnachten, mitten im Winter... Ist das ein typischer Zeitpunkt für Menschen, ihren Wohnsitz zu verändern?«

»Das ist eher untypisch«, musste Luke Palm zugeben.

»Was nannte sie Ihnen als Grund?«

»Dass es ihr hier zu einsam sei. Es war ihr schon lange viel zu einsam. Sie sagte das nicht direkt, aber ich konnte heraushören, dass sie es wohl aus Loyalität zu ihrem verstorbenen Mann so lange ausgehalten hatte. Das alles hier war vor allem sein Projekt. Sie hatte Hemmungen, das Anwesen zu verscherbeln, nachdem er unter der Erde war. Aber inzwischen hielt sie es einfach nicht mehr aus.«

»Sie nannte aber keinen konkreten Auslöser?«

»Nein.«

»Die Kollegen hier aus dem Ort sagten mir, Sie seien Ihren Angaben zufolge letzte Woche, am zehnten Dezember, hier gewesen, um sich alles anzusehen. Und Sie meinen, das war der Tag, an dem sie auch ermordet wurde?«

»Der Kalender«, sagte Palm leise, »in der Küche. Der steht immer noch auf dem zehnten Dezember. Deshalb vermute ich das.«

»Ihnen ist absolut nichts aufgefallen, als Sie hier waren?«

»Nein.«

»Standen weitere Autos unten auf dem Parkplatz?«

»Nein.«

»Und als Sie wegfuhren, bog auch kein anderes Auto ein?«

»Nein. Leider.« Palm schüttelte den Kopf. »Ich würde Ihnen gerne helfen. Aber da war nichts. Jedenfalls nichts, was ich bemerkt hätte.«

An dieser Stelle war Christy McMarrow ins Zimmer gekommen und hatte Fielder nach oben gebeten.

»Die Kollegen von der Spurensicherung«, sagte sie, »haben etwas gefunden.«

Oben stand ein Beamter vor der Badezimmertür und hielt ein durchsichtiges Tütchen in der Hand, in dem das Projektil einer Schusswaffe lag.

»Damit hat er offensichtlich die Tür geöffnet, hinter der sich das Opfer verbarrikadiert hatte. Er hat das Schloss kaputtgeschossen.«

»Interessant.« Fielder betrachtete das Projektil aus zusammengekniffenen Augen. »Am anderen Tatort wurde ja keine Spur einer Schusswaffe gefunden. Er sollte daraufhin aber noch einmal sehr genau untersucht werden.«

»Sir, er wurde bereits …«

»Trotzdem. Morgen geht noch einmal ein Team in die Wohnung von Carla Roberts.«

Das ganze Wochenende lang waren die Ermittlungen weitergelaufen. Hinweise auf den Gebrauch einer Schusswaffe wurden in Carla Roberts' Wohnung trotz einer erneuten akribischen Suche nicht gefunden. Anne Westley wurde in der Gerichtsmedizin obduziert. Die Ergebnisse lagen Christy an diesem Montagmorgen vor. Sie nahm einen Schluck Kaffee und sagte: »Die Rechtsmedizin bestätigt die Vermutungen des Maklers, was den Tatzeitpunkt angeht. Der zehnte Dezember erscheint als äußerst wahrscheinlich. Der elfte käme auch infrage, aber dagegen spricht tatsächlich der Kalender.«

»Woran ist sie gestorben?«, fragte Peter Fielder. »Ist sie auch an ihrem Erbrochenen erstickt?«

»Nein. Der Täter hat ihr das Tuch mit größter Brutalität immer wieder in den Rachen gestoßen, aber offenbar wurde kein Brechreiz ausgelöst. Er hat ihr schließlich die Nase mit Paketklebeband hermetisch verschlossen. Daraufhin ist sie dann erstickt.«

»Er hätte sie leicht erschießen können, wie wir jetzt wissen.«

»Das wäre ihm wahrscheinlich zu schnell gegangen.«

Fielder nickte. Er blickte auf seine Notizen. Sie hatten herausgefunden, dass Annes Ehemann, Sean Westley, Professor an der Universität von London gewesen war. Dass er nach einem Unfall drei Jahre zuvor an einer Lungenentzündung gestorben war. Anne hatte, ehe sie sich zur Ruhe setzte, als Kinderärztin in einer Praxisgemeinschaft in Kensington gearbeitet. Eigene Kinder hatte das Paar nicht.

»Wir müssen uns in der Praxis umhören«, sagte Fielder, »ob es irgendwann einen Fall medizinischen Versagens gegeben hat, der Anne Westley angelastet wurde.«

»Sie meinen: rachsüchtige Eltern?«, fragte Christy. »Wie verträgt sich das mit Carla Roberts?«

»Kaum. Ich will es auch nur ausschließen. Wir gehen also beide davon aus, dass es sich um jeweils denselben Täter handelt?«

»Da wir die Geschichte mit dem Geschirrtuch absolut vertraulich behandelt haben, kommt ein Nachahmungstäter nicht infrage. Beide Fälle tragen deutlich dieselbe Handschrift. Ich vermute, im Fall Roberts hatte der Täter ebenfalls eine Waffe dabei, nur musste er sie nicht einsetzen. Aber das erklärt, weshalb sich Carla Roberts offenbar recht bereitwillig an Händen und Füßen hat fesseln lassen: Sie wurde mit einer Pistole bedroht.«

Fielder schaute wieder auf seine Notizen, so als könnte ihn die Erkenntnis anspringen, wenn er alles, was er wusste, nur lange genug fixierte.

»Wo«, murmelte er, »liegen die Schnittpunkte? Oder der eine Schnittpunkt? Zwischen Carla Roberts und Anne Westley?«

»Auf den ersten Blick haben sie vor allem ihre Einsamkeit gemeinsam«, sagte Christy. »Beide lebten auf ungewöhnliche Weise abgeschieden und allein. Beide hatten sie den Partner verloren, die eine durch Scheidung, die andere durch den Tod. Anne Westley hatte keine Angehörigen. Carla Roberts hatte zwar eine Tochter, aber es gab wenig Kontakt. In beiden Fällen konnte der Täter ziemlich ungestört morden. Und damit rechnen, dass es eine ganze Weile dauern würde, ehe jemand die Tat entdeckte.«

»Das ist aber auch schon alles.«

»Es ist viel. Wenn man in Erwägung zieht, dass es vielleicht doch das ist, was den Täter anzieht: einfach nur die Gelegenheit. Egal, welche Frau mit welchem Schicksal und mit welcher Geschichte dahintersteht.«

»Na schön«, sagte Fielder, »das Prinzip Zufall. Das könnte mir im Fall Westley einleuchten. Ein Psychopath, der sich in den Wäldern herumtreibt und auf Beute lauert. Er kann leicht herausgefunden haben, dass hier eine Frau ganz allein lebt und dass niemand regelmäßig vorbeikommt. Aber wie ist er auf die spezielle Situation von Carla Roberts aufmerksam geworden? Nein, da muss noch etwas anderes sein. Etwas, das Westley und Roberts verbindet, jenseits ihrer beider Einsamkeit. Die Rentnerin in Hackney, die finanziell gerade so eben durchkommt. Und die ehemalige Ärztin und Witwe eines Professors draußen in Tunbridge Wells. Sehr gut situiert. Das sind zwei ganz verschiedene Welten.«

»Carla Roberts hat nicht immer in einem Hochhaus und von einer bescheidenen Rente gelebt«, gab Christy zu bedenken. »Bevor seine Baufirma Pleite machte, hat ihr Exmann recht viel Geld verdient. Es ist durchaus vorstellbar, dass die Roberts' und die Westleys an denselben gesellschaftlichen Ereignissen Londons teilnahmen.«

»Und dass die beiden Frauen sich kannten?«

»Nicht völlig ausgeschlossen, oder? Beispielsweise ist es auch denkbar, dass Dr. Westley früher die Kinderärztin von Keira Jones, Carlas Tochter, war. Das lässt sich leicht feststellen.«

»Ja. Anderes wird schwieriger.«

»Es liegt eine Heidenarbeit vor uns.«

Er nickte müde. Dann fiel ihm noch etwas ein. »Der Dachboden in Anne Westleys Haus… Sie scheint leidenschaftlich gern gemalt zu haben. Gab es in Carla Roberts' Wohnung irgendeinen Anhaltspunkt dafür, dass auch sie dieses Hobby hatte?«

Christy schüttelte bedauernd den Kopf. »Nein. Nicht im Geringsten. In der Wohnung wurde nicht einmal ein Pinsel gefunden, geschweige denn eine Zeichnung oder etwas Ähnliches. Ich kann noch einmal bei der Tochter nachfragen, aber, ehrlich gesagt: Ich fürchte, diesen Punkt können wir auch vergessen.«

2

Montag, 21. Dezember, 22.05 Uhr

Gillian Ward ist um nichts besser als Michelle Brown. Beide sind sie undankbar, hochnäsig und eingebildet, und sie haben schlechte Manieren. Der einen habe ich den Hund zurückgebracht, der ihr Lebensinhalt zu sein scheint (einen Kerl kriegt sie offenbar nicht ab, was mich bei ihrem Charakter nicht wundert, das tut sich kein Mann an, und ich würde sie auch nicht wollen, selbst wenn sie auf Knien angerutscht käme!!). Und bei der anderen habe ich mich sogar um ihr Kind gekümmert. Ihr einziges Kind! Und was bekomme ich dafür? Ein lauwarmes »Dankeschön«, und das war es dann! Irgendwie kam sie mir fast misstrauisch vor. Als ob ich die Kleine aus irgendwelchen niedrigen Beweggründen heraus mitgenommen hätte!

Ihr Mann war noch schlimmer. Thomas Ward, der absolut unsympathischste Typ aller Zeiten. Kam hier am letzten Donnerstag hereingestürmt, als starte er einen Angriff auf ein Terroristenquartier. Hätte am liebsten wortlos seine Tochter an sich gerissen und wäre wieder verschwunden. Es tat fast weh zu sehen, wie viel Überwindung es ihn kostete, sich bei mir zu bedanken. Gavin fand ihn ja immer ganz nett, was ich wirklich überhaupt nicht verstehe. Der Mann kann vor lauter Arroganz kaum aufrecht laufen. Dabei ist er drauf und dran, seine Ehe in den Sand zu setzen, und ich glaube, er merkt es nicht einmal. Lebt nur für seine Firma und für seinen Sport. Natürlich, jeder kann tun, was er möchte, nur sollte man seine Frau und sein Kind darüber nicht vergessen. Irgendwann wird Gillian ihm weglaufen, das ist so sicher wie das Amen in der Kirche. Und dann wird er ziemlich dumm dreinschauen und sich fragen, was er bloß falsch gemacht hat. Und ich werde mich freuen, wenn er ganz alleine ist und abends in ein leeres, dunkles Haus zurückkehren muss. Das Schlimme ist nur, dass er wahrscheinlich ziemlich schnell eine Neue haben wird. Er sieht gut aus und verdient ordentlich, und das ist den Frauen ja das Wichtigste. Selbst wenn sie dann schlecht behandelt werden. Männer wie ich, die nett wären zu ihrer Frau und die ihr auch Zeit und Zuwendung entgegenbringen würden, die werden übersehen.

Ich weiß genau, dass er dachte, ich sei ein Kinderschänder. Zum Lachen, wenn es sich nicht so demütigend anfühlen würde. Ich würde mich nie an Kindern vergreifen. Ich mag Kinder. Ich hätte so sehnlichst gern selber welche. Und was Becky betrifft, so wollte ich einfach nur helfen. Was hätte ich machen sollen, was wäre Thomas Ward lieber gewesen? Wenn ich sie im Dunkeln einfach hätte stehen lassen und meiner Wege gegangen wäre?

Ich habe Gillian an dem Nachmittag mit dem Auto aufbrechen sehen. Sie war nicht im Büro an jenem Tag. Ich vernachlässige alle meine anderen Objekte, weil ich mich von ihr fast nicht mehr lösen kann. Sie kam aus dem Haus, gegen vier Uhr, und irgendwie sah sie anders aus als sonst. Nicht besonders aufgetakelt – vielleicht ein bisschen stärker geschminkt, aber nicht extrem. Ich glaube eher, ihre Aura war anders. Es ist schwer zu beschreiben. Sie wirkte so anziehend. Anziehender, als ich sie früher empfunden habe.

Ich habe mir Sorgen gemacht, nachdem sie fort war. Ich glaube fast, hätte ich in dem Moment mein Auto bei mir gehabt, ich wäre ihr nachgefahren. Aber es stand in der Garage, und bis ich nach Hause gelaufen wäre und es geholt hätte, wäre sie weg gewesen. Aber in den ganzen nächsten Stunden konnte ich nicht anders, als mich immer wieder zu fragen, wohin sie wohl gefahren ist. Ich war so unruhig, von düsteren Vorahnungen gequält. Etwas bahnt sich an in dieser Familie, das nicht zum Guten führen wird. Thomas Ward ist der Auslöser. Aber oft entwickeln die Dinge dann eine Eigendynamik, und möglicherweise haben sie es in diesem Fall bereits getan.

Ich ging dann meine Runde, es war kalt und es schneite immer heftiger, aber ich brachte es nicht fertig, mich in mein schönes, warmes Zimmer zurückzuziehen. Ich wollte wissen, wann Gillian nach Hause kommt.

Und während ich dort im immer dichteren Schneegestöber stand und das Haus beobachtete, dessen Weihnachtsbeleuchtung sich irgendwann automatisch eingeschaltet hatte, tauchte plötzlich Becky aus der Dunkelheit auf. Es war kurz nach sechs. Ich hatte mittags gesehen, dass sie zu ihrer Freundin hinüberging, und nach der Menge von Mädchen, die dort eintrafen, zu schließen, handelte es sich um eine Geburtstagsfeier. Jetzt war die Party wohl vorbei, aber Gillian nicht zurück. Das passt nicht zu ihr, so ist sie nicht. Allerdings begann ich mir inzwischen auch zu überlegen, dass es am Schnee liegen mochte. Am Ende hing sie irgendwo fest.

Es war der erste richtige, anhaltende Schneefall dieses Winters, und da bricht ja jedes Mal der Verkehr zusammen.

Becky klingelte, aber natürlich tat sich nichts. Sie klingelte wieder. Sie trat zurück, schaute an der Fassade des Hauses hinauf. Klingelte erneut. Hämmerte schließlich mit den Fäusten an die Tür. Und brach in Tränen aus.

In jener eigentümlichen Stille, in der die Welt bei Schneefall versinkt, konnte ich ihr Schluchzen hören. Es brach mir fast das Herz.

Ich überquerte die Straße, blieb am Gartentor stehen und rief sie. »Becky!«

Sie fuhr herum. Ich stand genau unter einer Straßenlaterne, sie konnte mich unschwer erkennen. Es war schön zu sehen, wie Angst und Misstrauen, die sich jäh in ihren Zügen ausgebreitet hatten, verschwanden. Sie erkannte mich. Der Mann, der in derselben Straße wohnt.

»Hallo«, sagte sie. Ihre Stimme klang tränenschwer.

»Niemand daheim?«, fragte ich, obwohl ich es ja wusste.

»Nein. Niemand. Und ich habe keinen Schlüssel dabei.«

»Wissen deine Eltern, dass du jetzt nach Hause kommen wolltest?«

Sie schüttelte den Kopf. »Ich wollte bei meiner Freundin übernachten, aber wir haben uns total zerstritten, und deshalb bin ich nach Hause gegangen.«

Das war zumindest eine beruhigende Erklärung für Gillians Verhalten: Sie wähnte ihre Tochter die ganze Nacht über bei der Freundin. Sie konnte nicht ahnen, dass sie nach Hause kommen würde.

»Weißt du was?«, sagte ich. »Ich denke, dass du krank wirst, wenn du hier noch lange in der Kälte herumstehst. Entweder ich bringe dich zu deiner Freundin zurück...«

Sie schrie auf. »Nein!«

»... oder du kommst einfach mit zu mir. Später begleite ich dich dann wieder nach Hause. Was meinst du?«

Sie war unsicher, natürlich, ihr war eingeschärft worden, nicht mit Fremden zu gehen, und letztlich war ich ein Fremder für sie. Aber einer, den sie vom Sehen kannte, den sie und ihre Eltern grüßten. Das gab wohl den Ausschlag, dass sie doch mitkam. Außerdem hatte sie keine Wahl. Da sie sich mit der Freundin offenbar gründlich überworfen hatte, blieb ihr nur ich.

Sie bekam Orangensaft bei uns und selbstgebackene Kekse, und sie fand uns, glaube ich, recht nett. Sie erzählte von der Schule und von der Party, auf der sie gewesen war, und dass sie mit ihrer ehemals besten Freundin nie wieder ein Wort wechseln würde. Es war ganz entzückend. Sie freut sich auf Weihnachten und auf ihre Großeltern, zu denen sie immer am 26. Dezember fährt und dann bis Anfang Januar bleibt. Es sind die Eltern ihrer Mutter, und sie leben in Norwich. Gillian stammt also aus East Anglia, und das passt zu ihr. Das Land dort ist sehr weit und sehr grün. Ich kann mir Gillian zwischen den Seen und Flüssen der Norfolk Broads vorstellen, ich sehe sie inmitten der Lavendelfelder, und ich ahne, dass der Sommer seltsam bleiche, silbrige Strähnen in ihre langen rotblonden Haare färbt. Ein Tag am Strand, und ihre Haut ist voller Sommersprossen, und der Meereswind macht ihre Haare noch unbändiger und gelockter.

Millie sagte dann, ich solle den Eltern gleich auf den Anrufbeantworter sprechen, was wahrscheinlich mal eine wirklich gute Idee von ihr war. Trotzdem kam es später zu dem unsäglichen Auftritt des Ehepaares Ward hier bei uns. Er benahm sich widerlich, und sie ... Ja, von ihr bin ich tief enttäuscht. Irgendwie hatte ich auch gedacht, sie käme vielleicht noch mal vorbei. Wenn nicht am nächsten Tag oder am Wochenende, dann zumindest heute. Um sich noch mal zu bedanken oder um sich für das Verhalten ihres Mannes zu entschuldigen. Aber nichts. Sie kennt mich mal *wieder nicht. Deshalb sagte ich eingangs, sie ist wie die Brown. Von der habe ich auch nichts mehr gehört. Sie zieht wieder fröhlich mit ihrem Hund herum, und ich bin … nicht existent.*

Frauen nehmen mich nicht wahr. Egal, was ich für sie tue. Ich könnte unsichtbar sein. Oder einen schlechten Geruch verströmen, der mich mit einer Bannmeile umgibt. Bei Gillian dachte ich, sie sei vielleicht anders. Aber im Grunde behandelt auch sie mich wie Dreck.

Ich darf den Hass nicht zu groß werden lassen. Hass vernichtet. Auch den, der ihn empfindet.

I

Millie blickte aus dem Fenster der Gästetoilette im Erdgeschoss, das zur Straße hinausführte. Sie sah Samson, der gerade das Haus verlassen hatte. Er hatte gesagt, er wolle in die Stadt, um letzte Geschenke zu besorgen, aber er werde nicht das Auto nehmen, da er fürchtete, im Chaos des 24. Dezember keinen Parkplatz zu finden. Wie üblich traute ihm Millie nicht. Inzwischen war sie vollkommen davon überzeugt, dass er nicht auf Arbeitssuche ging, wenn er morgens das Haus verließ, und was immer er in all den Stunden tat, die verstrichen, ehe er abends wieder aufkreuzte – es konnte nichts Gutes sein. Schließlich würde er sonst mit jemandem darüber reden, zumindest mit Gavin, zu dem er ja ein durchaus intaktes Verhältnis hatte. Sie hatte Gavin vor wenigen Tagen darauf angesprochen.

»Was tut Samson eigentlich den ganzen Tag über?«, fragte sie beiläufig. »Er ist nie daheim, und draußen ist es viel zu kalt, um immerzu spazieren zu gehen.«

»Er sucht Arbeit«, sagte Gavin. Es klang wie eine Antwort, die man automatisch abgibt, ohne wirklich nachzudenken.

»Aber Arbeit sucht man doch nicht, indem man durch die Straßen zieht. Man schreibt Bewerbungen!«

»Vielleicht tut er das. Er sitzt doch stundenlang an seinem Computer.«

Millie ließ nicht locker. »Aber er müsste dann Antworten per Post bekommen. Zu- oder Absagen ...«

»Vielleicht macht er das alles per E-Mail. Das ist heutzutage doch vorstellbar, oder?«

»Ja, und wo ist er dann tagsüber?«

Gavin hatte die Autofachzeitschrift, in der er blätterte, sinken lassen und fast bittend gesagt: »Lass ihn doch einfach in Ruhe, Millie. Du kannst ihn nicht ausstehen, das weiß ich, aber er ist mein Bruder, und er hat dir nichts getan. Du suchst förmlich danach, etwas zu finden, das du ihm ankreiden kannst, und ich glaube, es macht dich verrückt, dass du nichts findest!«

Sie hatte die Lippen zusammengepresst und gedacht: Ich werde etwas finden. Weil da etwas ist. Verlass dich darauf!

Jetzt stand sie am Fenster und drückte sich die Nase platt, weil sie ihm schon wieder nicht glaubte, aber er bewegte sich tatsächlich mit einer gewissen Zielstrebigkeit von daheim weg. Geschenke kaufen! Hoffentlich besorgte er nichts für sie, denn sie hatte nichts für ihn. Gavin hatte ein Buch gekauft, das musste reichen.

Samson war jetzt um die Ecke verschwunden. Millie spürte heftiges Herzklopfen, sagte sich aber, dass die Gelegenheit günstig war. Samson für Stunden unterwegs – im Einkaufszentrum oder wo auch immer. Gavin hatte Dienst bis zum frühen Nachmittag. Ihr selbst war es gelungen, sich von heute an drei Tage Urlaub freizuschaufeln.

Ich versuche es jetzt einfach noch einmal, dachte sie.

Auf Zehenspitzen huschte sie die Treppe hinauf, fand sich selbst albern deswegen, denn schließlich war niemand im Haus, dessentwegen sie hätte leise sein müssen, aber aus irgendeinem Grund hatte sie das Gefühl, möglichst unauffällig und vorsichtig agieren zu müssen. Sie öffnete Samsons Zimmertür und trat ein. Aufgeräumt wie immer. Nirgends ein Staubkorn, die Überdecke des Bettes wieder einmal Kante auf Kante gefaltet.

Allein das, dachte sie, ist ja schon nicht normal!

Sie schaltete den Computer ein. Während er hochfuhr, sah sie aus dem Fenster. Sie bekamen nun wirklich eine weiße Weihnacht. Seit dem großen Wintereinbruch am vergangenen Donnerstag, der die ganze Region für Stunden in den Ausnahmezustand versetzt hatte, schneite es immer wieder, und Dächer, Zäune, Bäume und Straßen waren weiß bedeckt. Ein romantisches Bild. Millie mochte Weihnachten. Was sie wieder einmal störte, war die traute Dreisamkeit unter dem Tannenbaum.

Draußen war niemand zu sehen. Sie wandte sich dem Computer zu, gab das Passwort ein, hielt den Atem an. Wenn Gavin Samson einen Tipp gegeben hatte ... Aber offensichtlich hatte er dichtgehalten. Mit dem Zauberwort *Hannah* öffnete sich der Bildschirm.

Millie setzte sich, legte die Hand um die Maus. Sekunden später erst merkte sie, dass sie den Atem anhielt. Konzentriert navigierte sie sich durch die Programme.

»Komm schon, komm schon«, murmelte sie.

Es gab hier etwas von Belang. Es musste etwas geben. Und sie wollte es unter allen Umständen finden.

Zehn Minuten später hatte sie es. Die Datei trug den Namen *Tagebuch*.

Sie öffnete sie, war geistesgegenwärtig genug, noch einmal zum Fenster zu eilen und hinauszuschauen. Es war niemand zu sehen. Vor unangenehmen Überraschungen konnte sie erst einmal sicher sein.

Gleich darauf saß sie wieder am Schreibtisch und starrte auf den Bildschirm. Und las und las.

Und wusste kurz darauf, dass sich ihre Suche gelohnt hatte.

Samson war verrückt. Er war wahrscheinlich sogar gefährlich. Dafür hatte sie jetzt den Beweis, und nicht einmal Gavin würde die Tatsachen leugnen können.

2

Das Haus war kalt und roch bereits modrig. Seit einer Woche stand es leer. Davor hatte seine Bewohnerin eine Woche lang tot im Badezimmer gelegen. Durch die offene Küchentür waren Kälte und Feuchtigkeit eingedrungen.

Er geht so schnell, dachte Fielder, der Verfall. Warum geht er immer so schnell?

Er und Christy waren noch einmal hinaus nach Tunbridge Wells und in die stillen, tiefverschneiten Wälder ringsum gefahren. Sie hatten das Auto auf dem wie immer leeren Parkplatz abgestellt und waren durch den Wald gestapft.

»Man sollte Weihnachten im Wald feiern«, hatte Peter Fielder gesagt und einem Eichhörnchen nachgeblickt, das den Stamm einer Fichte hinaufsauste. »Es ist so ruhig hier. So feierlich.«

»Und verdammt kalt«, hatte Christy erwidert.

Gegen zwei Uhr erreichten sie das Haus. Die Beamten hatten alle Fensterläden verschlossen, die Türen sorgfältig verriegelt. Fielder hatte Düsternis und klamme Luft erwartet, war aber trotzdem von der bedrückenden Atmosphäre überrascht worden. Auch von der Traurigkeit, mit der er auf sie reagierte. Er war seit Jahrzehnten bei der Polizei, er hatte gelernt, sich vor den Gefühlen, die einen Fall begleiten konnten, vor Schmerz, Wut, Verzweiflung und Hoffnungslosigkeit, zu schützen. Er wollte sich von dem desolaten Zustand, in dem sich die Welt befand, psychisch nicht niederringen lassen, denn wenn das passierte, konnte er seinen Beruf aufgeben.

Im Allgemeinen hatte er sich gut im Griff. Dennoch, an diesem Tag, in dieser Abgeschiedenheit, in diesem Haus…

Liegt an Weihnachten, hoffte er, das ist einfach so eine Zeit…

»Sir?«, riss ihn Christy aus seinen Gedanken.

Er nahm sich zusammen. »Okay«, sagte er, »ich wollte mir das Atelier noch einmal ansehen.«

Sie stiegen die Treppe hinauf. Noch immer gab es keinen greifbaren Anhaltspunkt, nichts, was sie einer Erkenntnis hätte näher kommen lassen.

Christy war in der Praxis gewesen, in der Anne Westley bis vor dreieinhalb Jahren gearbeitet hatte, hatte jedoch nichts in Erfahrung bringen können, was darauf hindeutete, dass es irgendwann einmal einen Skandal um eine falsche Diagnose oder einen Kunstfehler gegeben hatte.

»Anne war bei allen ihren kleinen Patienten äußerst beliebt«, hatte eine Kollegin, die wegen der Nachricht von dem Mord noch vollkommen fassungslos schien, gesagt, »auch bei deren Eltern und bei allen Mitarbeitern. Mir ist absolut nicht bekannt, dass sie sich jemals irgendetwas hat zuschulden kommen lassen oder dass man ihr etwas angehängt hätte.«

»In früheren Zeiten vielleicht?«, hatte Christy nachgehakt. »Sie hat ja über dreißig Jahre lang hier praktiziert.«

»Was vor meiner Zeit war, weiß ich natürlich nicht so genau. Aber wahrscheinlich hätte es Gerede gegeben, und das wäre mir zu Ohren gekommen. Nein, ich glaube, da war nichts.«

Christy hatte akribisch die alten Patientenkarteien durchsucht. Eine Keira Roberts gab es dort nicht. Sicherheitshalber hatte sie erneut bei der heutigen Keira Jones angerufen und nach Dr. Westley gefragt.

»Nein«, hatte Keira gesagt, »ich war als Kind definitiv nicht bei einer Ärztin dieses Namens. Wir hatten einen Kinderarzt, der ganz in unserer Nähe wohnte, zwei Häuser weiter oder so.«

»Aber fiel der Name *Westley* irgendwann einmal bei Ihren Eltern? Kann es da eine – egal wie weitläufige – Bekanntschaft gegeben haben?«

Keira hatte sich alle Mühe gegeben und ihr Gedächtnis durchforscht, aber schließlich resigniert gesagt: »Nein. Es tut mir leid, Sergeant. Soviel ich weiß, gab es niemanden dieses Namens, den meine Eltern kannten.«

Sie kamen an dem Badezimmer vorbei, in dem Anne Westley getötet worden war. Fielder musste sich abwenden, trotz seiner langjährigen Berufserfahrung. Der Gedanke an den Albtraum, den die alte Frau durchlebt hatte, wühlte ihn auf.

Das Atelier unter dem Dach war der hellste Raum im ganzen Haus, und selbst an diesem dämmrigen Dezembermittag herrschte hier noch ein schönes Licht. Die Wände waren mit Holz getäfelt, die Fenster in drei großen Dachgauben nach Süden hin ausgerichtet. Es standen mehrere Staffeleien im Zimmer verteilt, und überall lehnten fertige oder halb fertige Bilder. Es roch nach Farbe und Terpentin. Ein bunt gesprenkelter Malkittel hing an der Tür. Es dominierten helle, leuchtende Farben und Bilder, die Blumen und Landschaften zeigten.

»Ausgesprochen fröhliche Bilder«, stellte Christy nach einem ersten Blick in die Runde fest, »allerdings nicht so ganz mein Geschmack.«

»Hm«, machte Fielder. Langsam ging er von Bild zu Bild.

»Meinen Sie, wir finden hier etwas?«, fragte Christy zweifelnd.

»Ich weiß nicht. Aber ich denke, ich kann Anne Westley so etwas näherkommen. Die Bilder sind ein Teil von ihr. Sie erzählen etwas über sie, aber natürlich muss man sie auch richtig entschlüsseln.«

»Meine Interpretation mag ja naiv sein«, sagte Christy, »aber wenn ich Anne Westley zu beschreiben hätte, würde ich den Bildern nach sagen: eine lebensfrohe, ausgeglichene, glückliche Frau. Wobei mir klar ist, dass keine dieser Eigenschaften einen Menschen davor schützt, ermordet zu werden.«

Fielder blieb stehen. Er zog eine Decke von einer Staffelei und betrachtete das Bild, das sich darunter verbarg. »Hier ist etwas«, sagte er, »das nicht ganz so lebenslustig wirkt!«

Christy trat näher.

Das Bild sah tatsächlich völlig anders aus als alles, was sich sonst in diesem Atelier befand. Ein schwarzer Hintergrund. Zwei Lichtkegel. Ein flirrender Strahl aus Lampen oder Scheinwerfern. Nicht sorgfältig und plakativ gemalt, nicht liebevoll bis ins kleinste Detail ausgeführt, wie es sonst die Gewohnheit der Künstlerin zu sein schien. Das Bild wirkte hingefetzt, die Leinwand schien geradezu zornig mit dem Pinsel bearbeitet worden zu sein. Ein Bild, das trotz des eher neutralen Motivs Wut auszudrücken schien.

Und Angst.

Christy schien die Zeichnung eine Menge Begabung zu

verraten, mehr als die Blumen und Bäume und friedlichen Sommerlandschaften ringsum. Sie fragte sich, wie ein Bild, das nichts weiter zeigte als zwei Lichter in der Dunkelheit, gleichzeitig so starke Emotionen ausdrücken konnte.

»Was stellt das hier dar, Sergeant – ganz spontan gesagt?«, fragte Fielder.

Christy überlegte nicht lange. »Autoscheinwerfer. In der Nacht.«

Er nickte, kniff dann die Augen zusammen. »Haben Sie den Eindruck, auf die Lichtquelle selbst zu blicken?«

»Auf die Lichtquelle selbst? Wie meinen Sie das?«

»Na ja, ich habe nämlich nicht diesen Eindruck. Ich finde, es wirkt eher so, als schaue man auf ein Spiegelbild. Also nicht in das Licht selbst, sondern auf das Abbild des Lichtes.«

»Kann sein. Und was sagt uns das?«

»Das weiß ich noch nicht. Das Licht von Autoscheinwerfern, das über eine Wand gleitet?«

»Ich verstehe nicht, was …«

»Ich auch nicht. Es kann auch alles ganz unerheblich sein. Aber das Bild unterscheidet sich sehr deutlich von allem, was wir hier sonst sehen. Und es war noch dazu abgedeckt. So, als habe Anne Westley es selbst nicht gern betrachtet. Trotzdem hat sie es gemalt. Und zwar mit ziemlich starken Gefühlen, wie es scheint.«

Christy gab ihm recht, fand jedoch nicht, dass sie damit auch nur einen Schritt näher an einem Durchbruch in diesem Fall waren.

»Sir – wir bewegen uns vollkommen im Bereich des Spekulativen. Wir wissen nicht, ob …«

Er unterbrach sie ungeduldig. »Stimmt. Wir wissen nichts. Aber wir müssen irgendwo ansetzen. Ich bin weder Psychologe noch kreativer Künstler, aber bei diesem Bild springt mich etwas an, und zwar das Gefühl von Angst. Mehr noch als Wut oder Aggression. Anne Westley hatte Angst vor irgendetwas oder irgendjemandem. Und das erinnert mich an Carla Roberts. Sie hatte auch Angst. Das hat sie ihrer Tochter in jenem letzten Telefonat gesagt. Hier sehe ich eine Gemeinsamkeit, und deshalb ist es wichtig.«

»Aber bringt es uns weiter?«

Er musterte noch immer das Bild. »Keine Ahnung. Aber wenn Sie mich fragen, Anne Westley hat gewusst, dass sie in Gefahr war. Deshalb wollte sie auch Hals über Kopf zwei Wochen vor Weihnachten ihr Haus verkaufen. Der Täter bewegte sich vielleicht bereits über einen langen Zeitraum in ihrer Nähe. Und sie hatte ihn bemerkt.«

»Und jetzt?«, fragte Christy.

Er antwortete nicht. Er riss sich von dem Bild los. Für den Moment brachte es nichts, noch länger darauf zu starren. Es war so intensiv in seiner Wirkung, besonders im Zusammenhang mit der ermordeten Frau, dass es sich ohnehin fast gewaltsam auf seine Netzhaut gebrannt hatte. Er würde es mit sich tragen. Es betrachten und hoffen, dass ihm eine Erleuchtung kam.

Sie gingen wieder hinunter. Christy ließ ihren Blick über die Zeichnungen an den Wänden, die schönen Teppiche auf dem Fußboden, die Gardinen an den Fenstern schweifen. Alles war so liebevoll, mit viel Geschmack und großer Sorgfalt zusammengestellt worden. Nach dem, was das Haus über Anne Westley erzählte, schien es kaum vorstellbar, dass sie in irgendeinem Menschen so viel Hass erzeugt haben sollte, dass sich ein solches Sterben erklären ließ.

»Ich werde ein oder zwei Leute abstellen, die sich im Umfeld des verstorbenen Professor Westley umsehen«, sagte

Fielder, als sie unten angekommen waren. »Obwohl ich mir nicht viel davon verspreche. Denn wenn es ein konkreter, persönlicher Racheakt war, der hier verübt wurde, passt Carla Roberts nicht dazu. Wie auch umgekehrt. Es muss uns gelingen, eine Verbindung zwischen den beiden Frauen herzustellen, das ist die einzige Chance.«

Christy berührte ihn leicht am Arm. »Trotzdem, Chef. Jetzt feiern Sie erst einmal schön Weihnachten. Sie haben es verdient.«

Er sah sie an. Fragte sich, wie sie wohl feierte. Sie lebte alleine, in Gesellschaft zweier Katzen, wie er wusste. Hängte sie Strümpfe am Kamin auf? Und wenn ja – wer füllte sie ihr?

Als könnte sie seine Gedanken lesen, fuhr sie fort: »Ich mache es mir jedenfalls morgen gemütlich. Ich glaube, ich bleibe den halben Tag im Bett und stehe immer nur auf, um mir einen neuen Cappuccino zu holen. So richtig schön, mit Schokostreuseln auf dem Milchschaum. Dabei zappe ich mich durch die Fernsehprogramme, lasse mich davon einlullen und denke nicht an irgendwelche abscheulichen Verbrechen!«

Er lächelte und ertappte sich bei der Vorstellung, dass es schön wäre, einen solchen Tag mit ihr zu teilen. Mit Fernsehen und Cappuccino. Im Bett vor allem.

Er flüchtete sich in ein Hüsteln. Er durfte so etwas nicht denken.

»Bei uns ist meine Schwiegermutter zu Besuch«, erklärte er dann deprimiert. »Wie jedes Jahr an Weihnachten.«

»Ist sie schlimm?«

»Ziemlich verwirrt. Und streitsüchtig.«

Christy lachte. »Halten Sie die Ohren steif, Sir. Irgendwie ist Weihnachten ja dann doch immer schnell vorbei.«

»Gehen wir«, sagte Fielder. Das immerhin hatte er in diesem Jahr: eine Wanderung mit Christy durch den Winterwald.

Das war besser als gar nichts.

DIENSTAG, 29. DEZEMBER

I

In der Nacht hatte es wieder geschneit, und am Morgen sah es aus, als wolle die Welt langsam im Schnee untergehen, aber bis zum Nachmittag waren zumindest die Hauptstraßen geräumt. Für den Abend waren weitere Schneefälle angekündigt.

Gillian hatte die Weihnachtstage als schwierig empfunden, jedoch versucht, das Beste daraus zu machen. Sie und Tom wollten eigentlich mit Becky zum Schlittenfahren und Eislaufen gehen, aber bereits am Weihnachtsmorgen hatte ihre Tochter über Halsschmerzen geklagt, und bis zum frühen Nachmittag hatte sie Fieber bekommen. Sie lag zwei Tage lang im Bett und musste auch danach noch im Haus bleiben. Die obligatorische Reise nach Norwich wurde abgesagt, und nachdem Becky zuvor herumgemeckert hatte, weil sie sich für Ferien bei den Großeltern eigentlich zu alt fühlte, fing sie nun an zu weinen wie ein kleines Kind. Ihre Laune sank anschließend auf den Nullpunkt, sodass sich niemand mehr besonders wohl fühlte. Gillian und Tom taten ihr Bestes, kochten abends mit ihr zusammen, entzündeten den Kamin im Wohnzimmer, spielten Karten mit ihr oder schauten sich gottergeben zum wiederholten Male – Tom dabei ständig kopfschüttelnd – *Twilight* auf DVD an. Die elektrischen Kerzen am Weihnachtsbaum tauchten das Zimmer in ein warmes Licht, während draußen Schnee und Kälte und die tiefe Dunkelheit der Dezembernächte für die perfekte Weihnachtsstimmung sorgten. Es war das Bild einer kleinen, glücklichen Familie auf einer Insel der Wärme und Geborgenheit, und doch wusste Gillian die ganze Zeit über, dass es ein falsches Bild war und dass dies keineswegs nur mit Beckys Erkältung zusammenhing. Tom wollte eigentlich in sein Büro, weil dort noch Arbeit liegen geblieben war. Weihnachten mit seiner Feierlichkeit und seinem Anspruch auf Besinnlichkeit und Ruhe bedeutete für ihn beinahe unerträgliche Stagnation.

Und Gillian sehnte sich… nach John. Sie hatte sich geschworen, ihn nicht mehr wiederzusehen, aber sie vermisste schmerzlich die Gefühle, die er in ihr auslöste. Es lag an der Aufmerksamkeit, die er ihr schenkte. An der Bewunderung. Die meisten Menschen wären dafür anfällig gewesen; das sagte sie sich, um ihr Gewissen zu beschwichtigen. Seit sie ihn getroffen hatte, fühlte sie sich stärker und sicherer. Und das war es, wonach sie sich vor allem anderen sehnte: nach der Sicherheit, die er ihr gab.

Sie hatte lange mit Tara telefoniert, gleich am Tag, nachdem sie bei John gewesen war. Tara hatte die Affäre mit keinem Wort verurteilt, aber Gillian konnte doch zwischen den Zeilen heraushören, dass die Freundin in der Beziehung zu einem anderen Mann nicht die Lösung von Gillians Problemen sah. Und vielleicht hatte sie damit recht.

Zwei Tage vor Silvester beschloss sie, John aufzusuchen. Sie würde nicht wieder mit ihm ins Bett gehen, aber sie wollte ihn sehen. Einfach nur sehen.

Sie sagte Tom, dass sie Tara besuchen wollte. Er reagierte

etwas unwirsch. »Schon wieder! Du hast sie doch gerade erst vor Weihnachten gesehen.«

»Vor drei Wochen! Du kannst wirklich nicht behaupten, dass wir uns sehr oft treffen.«

»Ich wollte eigentlich für ein paar Stunden ins Büro ...«

»Becky hat immer noch leichtes Fieber. Ich möchte nicht, dass sie allein bleibt.«

Tom seufzte. »Wenn nur nicht so viel Arbeit warten würde. Jetzt ist eine gute Zeit, Liegengebliebenes zu erledigen.«

»Nur heute, Tom. Schenk mir diesen Nachmittag. Bitte. Falls Becky kein Fieber mehr hat, fahren wir dann morgen gemeinsam nach London und arbeiten den ganzen Tag. Okay?«

»Meinetwegen. Aber sei bitte um sieben Uhr hier, du weißt ...«

Sie unterbrach ihn. »Ich weiß. Glaub nicht, dass ich das jemals vergesse. Dienstag. Clubabend!«

Er schien etwas erwidern zu wollen, schluckte es dann aber hinunter. Presste stattdessen die Lippen zusammen. So sah sie ihn, als sie zur Garage ging: mit zusammengepressten Lippen in der Haustür stehend.

Sie kam gegen vier Uhr vor Johns Haus in Paddington an, fand sogar einen Parkplatz in annehmbarer Nähe. Sie klingelte an der Eingangstür, aber nichts rührte sich. Sie klingelte noch einmal, trat einen Schritt zurück, blickte an der Fassade hinauf. Hinter den Fenstern, die zu Johns Wohnung gehörten, lag Dunkelheit. Er schien tatsächlich nicht daheim zu sein.

Sie war ein Idiot. Hatte die Möglichkeit einfach nicht einkalkuliert, dass er vielleicht nicht zu Hause war. Was hatte sie geglaubt? Dass er seit ihrem letzten Besuch Mitte Dezember regungslos in der Wohnung saß, auf ihren Anruf oder ihren Besuch wartete und sich vorsichtshalber nicht fortbewegte, für den Fall, dass sie plötzlich aufkreuzte? Es musste an der Ferien- und Feiertagsstimmung liegen, die sich in der Zeit zwischen Weihnachten und Neujahr ausbreitete, die aber trügerisch war. Gebäude mussten auch in diesen Tagen, vielleicht gerade in diesen Tagen bewacht werden, und John führte einen Wachdienst. Er war ganz schlicht an diesem normalen Dienstagnachmittag bei seiner Arbeit. Und sie hatte sich die Stunden gestohlen, hatte Tom belogen und war hierhergefahren, alles umsonst.

Langsam ging sie zu ihrem Auto zurück. Es war ihr ein unerträglicher Gedanke, einfach zurückzufahren und den Rest des Tages einmal mehr im heimischen Wohnzimmer mit Christbaum zu verbringen. Ein wenig Zeit blieb ihr noch. Von ihrem Parkplatz aus hatte sie den Eingang zu Johns Haus im Blick.

Sie setzte sich ins Auto, vergrub sich tief in ihren Mantel, versuchte die Kälte, die ihr langsam in alle Knochen kroch, zu ignorieren. Es wurde rasch dunkel draußen, in vielen Wohnungen gingen die Lichter an, etliche Fenster waren mit Kerzen oder Leuchtsternen geschmückt. Selbst diese eher trostlose, graue Straße bekam eine heimelige Anmutung.

Sie fragte sich, ob sich ein Leben mit John anders anfühlen würde als das Leben mit Tom. Ob es sich *dauerhaft* anders anfühlen würde. In dieser Straße. In der kaum eingerichteten Wohnung. Warum legte ein Mann einfach eine Matratze zum Schlafen auf den Boden und nagelte im Flur einen Haken an die Wand, an den er seine Mäntel hängte? Warum diese völlig reduzierte Form? Und keine Frau in seinem Leben, keine Kinder. Nichts davon auch in seiner Vergangenheit. Affären, aber nichts Verbindliches.

Wieder schaute sie zu seinen dunklen Fenstern hoch. Er ließ sich auf nichts ein. Nicht auf eine Ehe, nicht auf eine

Lebenspartnerschaft. Nicht einmal auf anständige Möbel, die ihm möglicherweise das Gefühl gegeben hätten, sich zumindest dauerhaft in einer Wohnung einzurichten. So, wie er lebte, konnte er zu jeder Sekunde aufstehen und gehen. Auf einem Schiff anheuern und um die Welt segeln. Nach Australien auswandern und eine Straußenfarm eröffnen. Touristen durch kanadische Naturschutzparks führen.

Sie lächelte, weil ihr aufging, welch verrückte Varianten sie sich für ihn ausdachte, aber ihr Lächeln war mühsam und nicht ganz echt, weil sie wusste, ihre Ideen waren nicht so weit hergeholt, wie es zunächst den Anschein hatte. Sie entsprangen dem Bild, das er abgab, der Empfindung, die er auslöste: sprunghaft zu sein, ungebunden, vielleicht sogar unfähig zur Bindung. Nicht greifbar, nicht berechenbar.

Auf keinen Fall, dachte sie, darf man sich als Frau gefühlsmäßig auf diesen Mann einlassen. Jedenfalls nicht, wenn man nicht ausgesprochen schmerzhaft am Ende auf die Nase fallen möchte.

Um zwanzig nach sechs wusste sie, dass sie dringend eine Entscheidung treffen musste. Sie brauchte mindestens eine Dreiviertelstunde für den Heimweg. Tom verließ sich darauf, dass sie um sieben Uhr die kranke Becky übernahm. Außerdem war sie inzwischen so durchgefroren, dass sie eine schwere Erkältung bekommen würde, wenn sie noch länger im Auto sitzen blieb.

Sie stieg aus, ging langsam und unschlüssig die Straße entlang. Sie hoffte immer noch, er werde plötzlich auftauchen, wie aus dem Nichts vor ihr stehen, diesem langen, tristen Warten noch einen Sinn geben.

Ihr kamen fast die Tränen bei der Vorstellung, nach Hause fahren zu müssen. Sie blieb stehen. Sie war am Ende der Straße angelangt, und direkt neben ihr befand sich ein Lokal.

Indisch. Paddington war inzwischen von Indern und Pakistanis förmlich überschwemmt, und an jeder Ecke gab es ein Geschäft oder eine Gaststätte, die Spezialitäten aus diesen Teilen der Welt anboten. Dieser Laden wirkte ziemlich heruntergekommen, aber das Licht hinter den schlecht geputzten Fensterscheiben verhieß zumindest Wärme. Und sich dort hineinzusetzen bedeutete, nicht sofort den Heimweg antreten zu müssen.

Soll Tom eben eine Stunde später in den Club gehen, dachte sie und stieß entschlossen die Tür auf.

Es herrschte fast kein Betrieb. Hinter dem Tresen stand ein Mann und fummelte an einer altersschwach wirkenden Kaffeemaschine herum, die eine Reparatur dringend nötig zu haben schien. An einem Ecktisch saß ein junges Paar, schwieg und starrte vor sich hin. Es gab ein paar Tannenzweige, die schon reichlich Nadeln verloren hatten, an den Fenstern, und von dem Leuchter in der Mitte des Raumes baumelten silberne Kugeln.

»Haben Sie geöffnet?«, fragte Gillian.

Der Mann, eindeutig indischer Herkunft, blickte von seiner Kaffeemaschine auf und nickte. »Auch wenn es auf den ersten Blick nicht so aussieht, ja. Ist ziemlich ruhig zu dieser Zeit. Na ja, kann man nichts machen. An Silvester habe ich dann dafür das Chaos hier.« Er musterte sie. »Sie sehen aber ganz schön verfroren aus, liebe Güte! Ist ein ziemlich frostiger Winter dieses Jahr!«

»Ja.« Sie schälte sich aus ihrem Mantel. Ihr war so kalt, dass sie kaum ihre Arme bewegen konnte.

»Also«, meinte der Wirt, »ich würde Ihnen erst einmal zu einem kräftigen Schnaps raten. Und ich habe heute eine schöne heiße Suppe. Würde Ihnen guttun.«

Sie ließ sich auf einen Stuhl fallen, nahm erleichtert wahr, wie ihre Füße kribbelnd auftauten. Es war überraschend angenehm, allein in einem fast leeren Restaurant zu sitzen, wie sie feststellte. Sie konnte ein bisschen Smalltalk mit dem Wirt machen, musste sich aber mit niemandem tiefgründig unterhalten. Sie konnte sich der Wärme hingeben, essen, trinken oder einfach nur die Wand anschauen. Wie das Pärchen in der anderen Ecke, das auch nichts anderes tat. Es wurde nichts von ihr erwartet. Vielleicht lag darin das gute Gefühl.

Der Wirt brachte den Schnaps und einen Teller mit dampfender Suppe. Einer Eingebung folgend fragte Gillian: »Kennen Sie zufällig John Burton? Kommt er manchmal hierher?«

Der Wirt nickte. »Klar kenne ich John. Wohnt hier in der Straße. Kommt oft mal auf die Schnelle vorbei, um einen Happen zu essen.« Er musterte sie neugierig. »Sind Sie eine Freundin von ihm?«

Kurz kam Gillian der ungute Gedanke, dass vielleicht öfter *Freundinnen* von John in dieser Kaschemme aufkreuzten. Frauen, die vergeblich auf ihn warteten. Sie fragte sich, welches Bild der Wirt in diesem Fall von ihr hatte: mittelalte Frau, in den gut aussehenden Burton verknallt, halb erfroren vom Warten vor seinem Haus und nun hoffend, dass es ihn irgendwann in dieses Pub ziehen würde.

Sie mochte diesen Eindruck nicht erwecken, daher sagte sie: »Er trainiert meine Tochter im Handball. Daher kenne ich ihn.«

»Ach so!« Es war dem Wirt anzumerken, dass er gern mehr erfahren hätte, aber er traute sich glücklicherweise nicht, weitere Fragen zu stellen.

»Dann lassen Sie es sich mal schmecken«, sagte er nur und zog sich wieder hinter seinen Tresen zurück.

Die Suppe war scharf und sehr heiß und weckte Gillians

Lebensgeister. Als sie fertig war, bestellte sie eine Flasche Mineralwasser und nahm sich eine Zeitung von einem zur Selbstbedienung ausliegenden Stapel. Die Zeitung war drei Wochen alt, dennoch las sie sie konzentriert, ohne eine einzige Zeile auszulassen. Das Paar in der Ecke schwieg noch immer. Der Wirt schwieg. Er hatte das Radio eingeschaltet. Es wurden Witze erzählt.

Sieben Uhr vorbei.

Halb acht vorbei.

Acht Uhr vorbei.

Seltsam, wie leicht sie sich fühlte. Einfach nur dadurch, dass sie sich die Freiheit nahm, die Erwartungen, die andere an sie richteten, zu ignorieren.

Die Uhr ging auf halb neun. Gillian hatte drei Zeitungen durchgelesen, nach der Suppe noch etwas Fladenbrot gegessen und noch eine zweite Flasche Mineralwasser getrunken. Sie fühlte sich gut, obwohl sie wusste, dass ein wahrscheinlich ziemlich wütender Tom daheim auf sie wartete und dass es mit ihm unweigerlich zu einem Streit kommen würde. Sie begriff inzwischen, dass dies einer der Gründe war, weshalb sie in dieses Lokal gegangen war und etwas tat, was nicht zu ihr passte und was sie sich selbst nie zugetraut hätte: Sie hielt ein Versprechen bewusst nicht ein. Sie agierte unzuverlässig und egoistisch. Sie stürzte einen anderen Menschen – ihren Mann – in Ungewissheit und Sorgen. Sie legte ein Verhalten an den Tag, das sie eigentlich verabscheute und ablehnte. Aber diesmal wollte sie unter allen Umständen den Streit. Wollte eine Eskalation. Sie war sogar entschlossen, Tom von John zu erzählen.

Wie würde er reagieren? Fassungslos? Aggressiv?

Vielleicht wollte sie das Ende ihrer Ehe.

Obwohl sie mit sich im Einklang war, keine Furcht empfand und das Gefühl hatte, das Richtige zu tun, wurde sie doch die ganze Zeit über das Empfinden nicht los, dass irgendetwas nicht stimmte. Etwas an der Situation irritierte sie, aber sie wusste nicht, was es war.

Vielleicht bilde ich es mir nur ein, dachte sie.

Um zwanzig vor neun stand sie auf, zog ihren Mantel an, ging zum Tresen und bezahlte ihre Rechnung. Das Pärchen war verschwunden, sie war der letzte und einzige Gast.

»Na? Geht's nach Hause?«, fragte der Wirt. Sie spürte, dass er sie nicht einordnen konnte. Frauen, die so lange völlig allein in einer Kneipe saßen, betranken sich für gewöhnlich, ersäuften ihren Kummer, den Frust um irgendeinen Typen in jeder Menge Wein und Schnaps. Sie schwankten, wenn sie sich schließlich auf den Heimweg zurück in eine leere Wohnung und in ein kaltes Bett machten. Gillian hatte bis auf den ersten Schnaps nur literweise Wasser getrunken und offenkundig interessiert gelesen.

Soll er sich seine Gedanken machen, dachte sie.

Sie trat auf die Straße. Es war kalt, neuer Schneefall hatte eingesetzt. Die frische Luft tat gut nach dem stickigen Geruch, der drinnen geherrscht hatte. Auch war es angenehm, keine hektischen Radiostimmen mehr zu hören. Gillian atmete tief durch.

Während sie zu ihrem Auto ging, suchte sie in ihrer Handtasche nach dem Schlüssel. Dabei stieß sie plötzlich gegen ihr Handy, blieb stehen. Schlagartig wusste sie, was sie untergründig die ganze Zeit über gestört hatte: das Handy. Es hatte nicht ein einziges Mal geklingelt. Dabei wäre zu erwarten gewesen, dass spätestens ab Viertel nach sieben Tom im Fünf-Minuten-Takt bei ihr anrief, um zu fragen, wo sie blieb. Weil er weg wollte. Aber auch, weil er sich Sorgen machte.

Sie nahm es aus der Tasche, vergewisserte sich im Schein einer Straßenlaterne, dass es eingeschaltet war. Sie schaute auf das Display. Nicht ein einziger Anruf in Abwesenheit.

Plötzlich sehr unruhig beschleunigte sie ihren Schritt. War Tom so wütend, dass er nicht einmal anrief?

Es passte nicht zu ihm.

Sie schloss ihr Auto auf. Es war zehn vor neun, als sie losfuhr.

2

Sie bog um Viertel vor zehn in die Einfahrt zu Hause ein. Im Erkerfenster des Wohnzimmers, das zum Vorgarten hinausging, brannte Licht. Die Vorhänge waren nicht vorgezogen, was sehr irritierend war: Tom hasste es, auf dem Präsentierteller zu sitzen, wie er es nannte. Es sah ihm absolut nicht ähnlich, das Licht anzuschalten und die Gardinen offen zu lassen.

Sie stieg aus, verschloss das Auto. Ihr war sehr beklommen zumute. Sie hatte sich so stark gefühlt, als sie in London in der Gaststätte gesessen und ihr Leben mit Tom infrage gestellt hatte, aber nun, da sie ihrem Mann gleich würde gegenübertreten müssen, hatte sie weiche Knie bekommen. Auf der Heimfahrt war ihr der Gedanke gekommen, dass er vielleicht bei Tara angerufen und dabei bereits herausgefunden hatte, dass er belogen worden war. Gillian hatte sich diesmal nicht abgesichert, und möglicherweise war Tara in Verlegenheit geraten. *Hol mir doch mal Gillian ans Telefon*, hatte Tom wahrscheinlich gesagt, und genau diesem Wunsch hatte Tara nicht nachkommen können.

Aber sie hätte mich angerufen und gewarnt, dachte Gillian. Irgendetwas passt dabei auch nicht zusammen.

Und würde Tom bei Tara anrufen? Hatte er überhaupt ihre Nummer? Wäre es nicht naheliegender, es über das Handy seiner Frau zu versuchen?

Sie beschleunigte ihre Schritte. Das ungute Gefühl verstärkte sich. Es schneite in dicken Flocken.

Sie schloss die Haustür auf. Auch der Eingangsflur war hell erleuchtet.

»Hallo?«, rief sie halblaut.

Niemand antwortete.

Er sitzt im Wohnzimmer, hat sich ein paar Schnäpse reingekippt und macht mir jetzt gleich eine furchtbare Szene, dachte sie unbehaglich.

»Tom? Bist du da?«

Immer noch erhielt sie keine Antwort. Sie spähte ins Wohnzimmer. Es war leer. Sie hängte ihren Mantel an die Garderobe, zog ihre Stiefel aus. Auf Strümpfen ging sie in die Küche. Die Gartentür stand offen. Es war eiskalt im Raum. Auf der Arbeitsplatte stand ein Teller mit belegten Broten, daneben lagen ein Messer und eine aufgeschnittene Tomate. Eine noch verschlossene Flasche Weißwein wartete neben der Spüle, der Öffner befand sich in griffbereiter Nähe. Es sah aus, als sei Tom dabei gewesen, für sich und Becky ein Abendessen vorzubereiten und als sei er dabei völlig unerwartet unterbrochen worden. Und dann hatte niemand etwas gegessen und getrunken. Hatte er plötzlich beschlossen, alles stehen und liegen zu lassen und im Club zu essen? Und Becky mitzunehmen? Die dafür eigentlich noch zu krank war.

Wieso ließ er dann alle Lichter brennen? Wieso ließ er die Tür zum Garten offen?

Gillian verließ die Küche und betrat das daneben liegende Esszimmer.

Sie sah die Gestalt, die zusammengebrochen halb auf einem der Stühle am Tisch und halb auf dem Fußboden lag.

Sie sah, dass es Tom war. Es war Tom, der über dem Stuhl lag, das Gesicht auf das Sitzkissen gedrückt, die Beine auf eine unnatürliche Art von sich gespreizt.

Sie bewegte sich wie in Zeitlupe auf ihn zu.

Ein Infarkt. Er hatte einen Herzinfarkt erlitten. Während er das Abendessen zubereitete. War gerade im Esszimmer gewesen, vielleicht um Feuer im Kamin zu machen oder ein Tischtuch aufzulegen, und war zusammengebrochen.

Sie hatte es immer gewusst. In geradezu selbstmörderischer Gradlinigkeit war er auf genau dieses Schicksal zugesteuert, und mit ihren Warnungen und Vorhaltungen hatte sie ihn nicht erreichen können.

Ein würgender Laut kam aus ihrer Kehle. Großer Gott, warum gerade so? Sie fuhr los, um sich mit ihrem Liebhaber zu treffen, und Tom erlitt ein schreckliches Schicksal. Alleine. Ohne Hilfe. Auf sich gestellt und doch nicht mehr fähig, sich selbst zu helfen.

Wo war Becky?

Sie schob sich am Tisch vorbei und beugte sich über Tom.

Lieber Gott, lass ihn noch leben.

Vorsichtig versuchte sie, ihn umzudrehen und ihn dabei sacht auf den Teppich hinuntergleiten zu lassen. Er war erstaunlich schwer, fast zu schwer für sie.

»Tom«, wisperte sie, verzweifelt und entsetzt, fassungslos. »Tom, bitte sag etwas. Tom! Ich bin es. Gillian. Tom, bitte dreh dich um!«

Sie legte die Hand auf seinen Kopf, tastete mit den Fingern

zum Gesicht hin. Hatte plötzlich nasse Finger, zog sie zurück und betrachtete sie ungläubig. Sank auf die Knie.

Ihre ganze Hand war voller Blut.

Ihr Gehirn bemühte sich krampfhaft, eine Abfolge logischer Gedanken zu produzieren, aber es bewegte sich dabei mit einer Schwerfälligkeit, die Gillian noch nie zuvor erlebt hatte. Als wollte ihr Kopf nicht zu der Schlussfolgerung gelangen, die sich am Ende ergeben musste.

Er konnte sich den Kopf kaum an dem Kissen verletzt haben, in das sich sein Gesicht presste. Er war vorher aufgeschlagen, hatte sich wieder hochgerappelt, hatte es bis zum Tisch geschafft, dort hatten seine Beine versagt … Irgendwo musste Blut im Zimmer sein, am Kaminsims vielleicht oder am Türpfosten. Sie sah sich hektisch um. Konnte die Stelle, an der er aufgeschlagen sein musste, nicht entdecken.

Wo war Becky?

Becky musste doch gemerkt haben, dass etwas nicht stimmte. Irgendwann musste sie hinuntergegangen sein und nachgesehen haben, weshalb ihr Vater sie nicht zum Abendessen rief. Sie musste ihn gefunden haben. Was tat ein zwölfjähriges Mädchen dann? Es lief los, holte Hilfe. Klingelte Sturm bei den Nachbarn. Längst hätte ein Notarzt da sein müssen, ein Krankenwagen. Wie konnte Tom hier einfach so liegen? Vielleicht seit Stunden.

Wieso stand die Tür zum Garten in der Küche sperrangelweit offen?

Ihr kam ein neuer Gedanke, einer, der die Szenerie in ein völlig anderes Licht tauchte.

Sie sprang auf.

Wo war Becky?

Sie lief aus dem Zimmer, jagte die Treppe hinauf. Auch hier oben brannten alle Lichter.

»Becky!« Sie brüllte den Namen ihrer Tochter. »Becky! Wo bist du?«

Beckys Zimmer war leer. Die Barbiepuppen, mit denen sie nur noch selten und wenn auch bloß heimlich spielte, waren auf dem Teppich verstreut, auf dem Schreibtisch lagen der Malblock und etliche Pinsel, daneben standen der geöffnete Farbkasten und ein Einweckglas mit Wasser. Die Schranktür war offen, die meisten Pullover, Röcke und Jeans waren auf dem Boden ausgebreitet, in wilder Hast, wie es schien, aus ihren Fächern gerissen. Gillian schlug die Bettdecke zurück, spähte dann unter das Bett, anschließend hinter die große Kiste mit Spielsachen. Nichts. Keine Spur von Becky.

Sie schluchzte, ohne es zu merken. Ihr Mann lag tot unten im Wohnzimmer, er war möglicherweise von einem Einbrecher ermordet worden, und ihr Kind war wie vom Erdboden verschluckt, hatte ganz offensichtlich auch in Panik alles stehen und liegen gelassen. Was immer geschehen war, es hatte Tom und Becky ohne jede Vorankündigung überrascht. Sie hatten sich inmitten des Ablaufs eines völlig normalen Abends befunden, und plötzlich hatte jemand den Frieden gestört, war in das Haus eingedrungen, gewaltbereit und zu allem entschlossen. Gillian kam sich vor wie in einem furchtbaren Albtraum, den sie zu allem Überfluss nicht begriff und von dem sie nur dachte, dass er grausam und irreal war und eigentlich jeden Moment enden müsste – doch wenn ihr eines in all der Verworrenheit klar war, dann die Tatsache, dass es kein gnädiges Erwachen geben würde. Der Schrecken würde sich nur noch vertiefen.

Sie lief in das Nebenzimmer, das Schlafzimmer von Tom und ihr. Auch hier brannten alle Lichter, standen die Türen des Kleiderschrankes offen, aber der Raum war leer. *Wieso war überall Licht? Wieso hatte jemand alle Schränke durch-*

sucht? Becky war in ihrem Zimmer gewesen, offensichtlich mit Malen beschäftigt, und Tom hatte realisiert, dass sich seine Frau verspäten würde, und hatte, wahrscheinlich zähneknirschend, begonnen, das Abendessen vorzubereiten. Wieso war Licht im Elternschlafzimmer? Wieso im Bad daneben? Wieso im Gästezimmer? Sie rannte in jeden dieser Räume, alles war hell, aber alles war leer. Keine Spur von Becky.

Immer zwei Stufen auf einmal nehmend, stürzte sie die Treppe zum Dachboden hinauf. Hier gab es einen kleinen Raum, der als Abstellkammer diente, und ein größeres Zimmer, in dem Tom eine Schaukel an den Dachbalken befestigt und Turnmatten auf den Boden gelegt hatte. Früher hatte Becky hier mit ihren Freunden getobt und gespielt, wenn das Wetter draußen zu schlecht und der Garten zu matschig gewesen war. Selbst hier brannte die Deckenleuchte.

Gillian atmete schwer. »Becky! Becky, bitte, wo bist du?«

Sie wollte schon wieder hinunterlaufen, denn der Keller war ihr in den Sinn gekommen, und dort hatte sie noch nicht nachgesehen, aber in diesem Moment vernahm sie ein Geräusch. Es schien aus der nebenan gelegenen Abstellkammer zu kommen.

Sie fuhr herum. »Becky?«

Deutlich vernahm sie jetzt ein Schluchzen. »Mummie!«

Sie war wie der Blitz in dem Gerümpelraum. Hier herrschte ein furchtbares Durcheinander, das sie schon lange hatte aufräumen wollen; letztlich hatte sie aber nie die Zeit oder die Energie gefunden. Koffer und Reisetaschen stapelten sich hier, alte Kisten und Kartons, ausrangiertes Spielzeug von Becky, Zeitschriften, von denen irgendjemand einmal geglaubt hatte, er werde sie noch brauchen, ein paar alte Möbelstücke und zusammengerollte Teppiche. Die Kammer war völlig unüberschaubar.

»Becky?«, fragte Gillian ängstlich.

Der Deckel eines großen Koffers hob sich ein Stück. Beckys Gesicht tauchte auf. Die Haare fielen ihr wirr in die Stirn, die Augen waren rot und geschwollen vom Weinen, die Haut bleich und mit roten Flecken übersät.

»Mummie!« Ihre Stimme klang krächzend von der noch kaum überstandenen Halsentzündung.

Gillian stolperte über das Chaos zu ihren Füßen hin zu ihrer Tochter, kniete neben dem Koffer nieder, klappte den Deckel zurück und schlang beide Arme um Becky.

»Becky! Um Himmels willen... was ist passiert? Was ist denn nur passiert?«

Becky versuchte sich aufzurichten, fiel aber mit einem Aufstöhnen in sich zusammen.

»Mummie, meine Beine! Meine Beine tun so schrecklich weh!«

Gillian massierte mit hektischen Bewegungen die Beine ihres Kindes. Becky musste in einer völlig verkrampften und verdrehten Haltung in dem Koffer gelegen haben, und das möglicherweise über mehrere Stunden. Es war kein Wunder, dass ihr alle Knochen schmerzten.

»Das wird wieder, Schatz, das ist bald vorbei. Was ist passiert?«

Becky sah sich aus riesigen, grauenerfüllten Augen um. »Ist er noch da?«

»Wer?«

»Der Mann. Er hat irgendetwas Schlimmes mit Papa gemacht, und dann hat er das ganze Haus nach mir abgesucht. Vielleicht ist er noch irgendwo.«

»Ich glaube nicht. Wer war das?«

»Ich weiß nicht. Ich weiß nicht!«

Gillian erkannte, dass die Pupillen in Beckys Augen unnatürlich groß und völlig starr waren. Sie brauchten sofort einen Arzt. Sie brauchten die Polizei.

Sie zog Becky in die Höhe. »Geht es? Kannst du laufen?«

Becky unterdrückte einen Jammerlaut. »Ja. Nein. Es... geht schon...« Mit schmerzverzerrtem Gesicht stützte sie sich auf Gillian, die versuchte, mit dem Fuß das Gerümpel beiseitezuschieben und eine Art Gasse für sich und Becky zu bauen. Irgendwie erreichten sie die Tür.

Becky schrak vor dem gleißend hellen Licht im Treppenhaus zurück. »Bist du sicher, dass er nicht mehr da ist?«, flüsterte sie.

Gillian nickte, äußerlich ruhiger, als sie sich eigentlich fühlte. »Ich bin ja durch das ganze Haus gelaufen. Da ist niemand.«

Sie war nicht im Keller gewesen. Ausgerechnet ihr Haus gehörte zu den in England nicht unbedingt üblichen Häusern mit Unterkellerung. Was Gillian immer sehr gut gefunden hatte, weil es ihnen zusätzlichen Platz bot. Jetzt wünschte sie, es wäre anders.

Aber weshalb sollte sich jemand dort verborgen halten?

Ein Killer, der wartet, dass Becky aus ihrem Versteck auftaucht. Becky, die ihm gefährlich werden kann. Die in der Lage ist, den Täter zu identifizieren?

Sie humpelten die Treppe hinunter. Dort schob Gillian Becky in ihr Zimmer. »Du schließt dich dort jetzt ein! Und du machst nicht auf, bis ich es sage, verstanden?«

Becky krallte sich sofort an ihrer Mutter fest. »Mummie! Geh nicht weg, bitte! Lass mich nicht alleine!«

»Ich muss die Polizei anrufen, Becky. Und den Notarzt. Bitte warte in deinem Zimmer! Und schließ ab!«

»Mum...«

»Bitte!« Gillian merkte, wie die Nervosität Schärfe in ihre Stimme legte. »Tu, was ich sage, Becky!«

Sie machte sich von ihrer Tochter los. Es war klar, dass Becky drauf und dran war, jeden Moment hysterisch zu werden, und vorher musste Gillian sie in Sicherheit bringen und die Polizei verständigen.

»Geh in dein Zimmer, Becky! Sofort!«

Becky schaute ihre Mutter an. Immer noch ein kalkweißes Gesicht mit fiebrigen Flecken. Immer noch die starren Pupillen.

»Wo warst du, Mummie? Wo warst du denn bloß den ganzen Abend?«

Gillian gab ihr keine Antwort.

Er war außer Atem, als er vor der Haustür ankam, obwohl er sich bemüht hatte, ganz normal zu laufen. Er hatte Angst gehabt, am Ende einer Polizeistreife aufzufallen, wenn er wie ein Verrückter durch die Nacht jagte. Er wusste nicht, wie schnell die Mühlen mahlten. Lief bereits eine Fahndung nach ihm? Hatte jeder Polizist bereits ein Foto und eine Beschreibung von ihm vorliegen? Wurde mit Hochdruck nach ihm gesucht?

Er wischte sich mit der Hand über die Stirn, stellte erstaunt fest, dass sein Gesicht klatschnass war. Und das in dieser kalten Nacht, fast zehn Grad unter dem Gefrierpunkt.

Es war halb elf, noch eineinhalb Stunden bis Mitternacht. Aber überall in der Stadt gingen bereits Raketen hoch und sprühten ihre wilden, bunten Muster in den dunklen Himmel. Vereinzelt zogen Gruppen fröhlicher Menschen, zum Teil schon ziemlich alkoholisiert, durch die Straßen, allerdings nicht viele. Es war einfach zu kalt. Wer konnte, blieb zu Hause.

Er blickte an der Fassade hinauf. Ein Mehrfamilienhaus im Stadtzentrum von Southend. Außer in der obersten Wohnung brannte in allen Etagen Licht. Von irgendwoher erklang laute Musik. Natürlich, wer ging schon schlafen in der Silvesternacht? Die Menschen feierten, kamen zusammen, tanzten und amüsierten sich.

Wenn sie nicht gerade von der Polizei gesucht wurden.

Er hoffte, dass Bartek daheim war. Und dass die Partygeräusche, die bis hinunter auf die Straße drangen, nicht aus seiner Wohnung kamen. Was, wenn da oben jetzt dreißig Menschen in Feierlaune herumsaßen? Er zögerte, aber er drückte schließlich doch die Klingel. Er hatte keine Wahl. Er brauchte ein Versteck, und wenn er sich im Freien eines suchte, würde er in dieser eisigen Nacht erfrieren.

Es dauerte eine ganze Weile, bis der Öffner summte. Samson stemmte die Tür auf und machte sich an den Aufstieg in die zweite Etage. Er war schon ein paar Mal hier gewesen, konnte sich aber nicht erinnern, dass ihm die paar Stufen je zu schaffen gemacht hatten. Immer wieder musste er stehen bleiben und nach Luft schnappen.

Er war fix und fertig. Nervlich, seelisch. Offenbar schlug sich das bei ihm auf die Atmung.

Auf dem Treppenabsatz vor seiner Wohnung stand Bartek und spähte hinunter. Hinter ihm drangen Stimmengewirr und Tanzmusik durch die Tür.

Es ist tatsächlich seine Party, dachte Samson deprimiert.

Bartek wirkte zuerst erschrocken und dann verlegen, als er den späten Gast erkannte. »Oh, Samson, wie schön, dass du vorbeikommst!«, sagte er gedehnt. »Wir haben ein paar Gäste und … na ja, ich wollte dich eigentlich auch einladen, aber du gehst ja nicht so gern auf Partys, und da dachte ich, vielleicht …«

Samson erklomm die letzten Stufen.

»Bartek, ich brauche Hilfe«, sagte er.

»Du siehst ja schrecklich aus«, stellte Bartek fest. Er zog die Tür hinter sich bis auf einen winzigen Spalt zu. »Was ist passiert?«

»Die Polizei«, sagte Samson. »Die Polizei ist hinter mir her.«

»Was?«

»Millie hat mich angezeigt. Und Gavin hat mich gewarnt. Und jetzt … weiß ich nicht, wohin ich gehen soll.«

»Großer Gott«, sagte Bartek. Er wirkte bei Weitem nicht so cool wie sonst, sondern ziemlich überfordert.

Kein Wunder, dachte Samson. Er hat die Wohnung voller Gäste, und eigentlich will er feiern und fröhlich sein, und nun kreuze ich hier auf mit einer Geschichte, die sich für ihn total absurd anhören muss.

»Was heißt denn *angezeigt*?«, fragte Bartek. »Wofür kann sie dich denn anzeigen?«

»Ein Riesenmist«, sagte Samson und dachte, dass das noch untertrieben war. Er steckte so schlimm in der Patsche wie noch nie vorher in seinem Leben. »Ich habe dir doch erzählt, dass ich … na ja, was ich so mache den ganzen Tag über …«

»Dass du … Frauen beobachtest?«

Wie das klang! Samson fand selbst, dass sich allein diese Formulierung schon höchst verdächtig anhörte. *Du beobachtest Frauen.* Die Worte vermittelten ein Bild, das nichts mit dem zu tun hatte, was tatsächlich geschehen war, aber an der Stelle lag genau sein Problem: Sein Hobby war zu absonderlich, als dass er angesichts der Geschehnisse darauf hoffen konnte, dass man ihn bloß für einen harmlosen Spinner hielt.

»Ich habe das ja alles aufgeschrieben«, erklärte er hastig, »meine Beobachtungen und Gedanken und so weiter, und ich habe alles im Computer gespeichert. Millie hat mir nachspioniert. Sie hat mein Passwort geknackt und alles gelesen und ausgedruckt, was sie gefunden hat, und für sie ist das alles der Beweis, dass ich gefährlich bin.«

Bartek schüttelte den Kopf. »Also, so ganz normal ist das ja auch nicht, was du da tust.«

»Vorgestern ist ein Mann ermordet worden. In unserer Straße. Erschossen. In seinem Esszimmer.«

»Ich habe davon gelesen«, sagte Bartek. »Aber wieso…?«

»Millie muss Gavin seitdem beständig in den Ohren gelegen haben, dass man mit meinen Aufzeichnungen zur Polizei gehen müsste, und er hat es ihr auszureden versucht, aber, na ja, Millie macht am Ende immer, was sie will, und heute Morgen ist sie mit allem zum nächsten Polizeirevier marschiert und hat dort offenbar erklärt, dass sie mich für verdächtig hält.«

»Ja, aber ich glaube nicht, dass die Polizei deshalb…«, setzte Bartek an, wurde jedoch unterbrochen. Die Tür ging auf, und eine junge Frau im kurzen schwarzen Kleid und auf abenteuerlich hohen Absätzen blickte heraus. »Hier bist du, Bartek! Ich suche dich schon überall!« Sie musterte Samson. »Hallo!«

»Hallo«, sagte Samson. Er kannte Barteks Verlobte Helen nur flüchtig, hatte sie aber zweimal begrüßt, als er bei Bartek gewesen und sie kurz an den beiden Männern vorbeigerauscht war. Offensichtlich erinnerte sie sich nicht an ihn.

»Mein Freund Samson«, erklärte Bartek.

»Ach ja, hallo, Samson. Was steht ihr hier herum? Drinnen ist eine Bombenstimmung!«

»Wir kommen gleich«, sagte Bartek. »Samson hat ein Problem.«

Helen lachte. Sie war sehr attraktiv, stellte Samson wieder einmal fest. So attraktiv wie Bartek. Die beiden würden eines Tages unglaublich hübsche Kinder in die Welt setzen.

»Na schön, wenn ihr das Problem geklärt habt, dann kommt rein«, sagte Helen, dann verschwand sie wieder in der Wohnung.

Es war Bartek anzumerken, dass er langsam ungeduldig wurde. »Also, wie gesagt, Samson, ich finde…«

»Warte«, unterbrach ihn Samson. Sein Freund musste die Brisanz der Lage begreifen. »Der Mann, der vor zwei Tagen umgebracht wurde ... das ist der Ehemann dieser Frau, die mir so sehr gefällt. Ich habe dir doch von ihr erzählt. Diese Familie, weißt du, die ich am meisten und häufigsten ... beobachtet habe. Auch das steht in meinen Aufzeichnungen.«

»Scheiße«, sagte Bartek.

»Und dann ist da noch etwas ...«

»Oh nein!«

»Ich habe ... gegen diesen Mann ziemliche Hasstiraden losgelassen. In meinen Aufzeichnungen. Weil ... ich mich furchtbar über ihn geärgert habe kurz vor Weihnachten.«

»Wieso hast du dich über ihn geärgert?«

»Weil er ... weil er sehr unhöflich zu mir war. Ich hatte seine zwölfjährige Tochter mit nach Hause genommen, und ...«

Bartek starrte ihn entsetzt an. »Was?«

Im Zusammenhang mit allem anderen hört sich das so furchtbar an, dachte Samson, absolut furchtbar. Aber sein Freund durfte doch nicht auch denken, dass er ... Himmelherrgott, weshalb hielt ihn jeder sofort für einen Kinderschänder?

»Nein«, sagte er verzweifelt, »es war eine echte Notlage. Sie kam daheim nicht rein, beide Eltern waren weg, und ich kam gerade vorbei und ...«

»Du hattest mal wieder vor dem Haus dieser Familie herumgehangen«, stellte Bartek fest, und sein Gesichtsausdruck verriet deutlich, was in ihm vorging: *Warum musste ich mich mit diesem Idioten befreunden, und warum muss ich jetzt hier stehen und mich in einen elenden Schlamassel hineinziehen lassen?*

»Ich konnte das Kind doch nicht draußen im Schnee stehen lassen. Aber als die Eltern es abholten, hat sich der Vater benommen, als ob … als ob er glaubte …«

Bartek seufzte.

»Ich habe geschrieben, dass ich ihn hasse. Und nun ist er tot, und … na ja, die werden das seltsam finden bei der Polizei, dass ich die Familie … beobachtet habe …«

»Ich fasse es nicht«, sagte Bartek. »Ich fasse es einfach nicht! Meine Güte, ich habe dir doch gesagt, das ist nicht ganz dicht, was du da treibst! Kein Wunder, dass dich das irgendwann in Schwierigkeiten bringen musste! Du bist ganz sicher, dass deine Schwägerin mit den Aufzeichnungen zur Polizei gegangen ist?«

»Gavin hat es mir heute Mittag gesagt. Er war verzweifelt, weil er sie nicht daran hindern konnte, und er war verzweifelt, weil das alles überhaupt passiert ist.«

»Kann ich gut nachvollziehen«, murmelte Bartek.

»Ich bin dann voller Panik mit meinem Auto weggefahren. Ziellos in der Gegend herum, den ganzen Nachmittag über. Irgendwann kam mir die Idee, dass das gefährlich ist … Ich meine, die haben inzwischen bestimmt auch mein Kennzeichen herausgefunden. Ich habe den Wagen drüben am Gunners Park stehen lassen und mich zu Fuß zur Stadt zurückgeschlagen. Auf tausend Umwegen. Bartek, ich bin seit Stunden unterwegs. Ich bin völlig erledigt. Kann ich hierbleiben?«

»Auf keinen Fall«, sagte Bartek und fügte, als er das entsetzte Gesicht seines Freundes sah, hinzu: »Ich meine, das wäre doch dumm. Bestimmt will die Polizei Namen und Adressen von deinen Freunden wissen, und deine Schwägerin wird ihnen meinen Namen nennen. Sie können sich ja ausrechnen, dass du nach einem Unterschlupf suchst.«

»Aber ich muss doch irgendwohin!«

»Hast du Geld?«

»Hundert Pfund in bar. Das Letzte, was auf meinem Konto war.«

»Okay«, sagte Bartek, »okay.« Es war deutlich, dass es ihm zunächst nur um eines ging: den Freund erst einmal loszuwerden, um zu überlegen, was man als Nächstes tun könnte.

»Pass auf, das reicht für ein Hotel. Irgendeine kleine, billige Pension. Die suchst du dir jetzt und nimmst dir ein Zimmer. Und morgen rufst du mich an. Vielleicht ist mir bis dahin ein genialer Einfall gekommen.«

»Ein Hotel? Ist das nicht zu gefährlich?«

»Ich würde sagen, es ist nicht halb so gefährlich wie meine Wohnung«, sagte Bartek.

Samson nickte. Er begriff, dass Bartek recht hatte.

Bartek warf einen Blick zurück durch die Wohnungstür, hinter der Musik, Gelächter und Gläserklirren mit unverminderter Intensität weitergingen. »Samson, ich habe Gäste. Ich muss da jetzt wieder rein. Wir telefonieren morgen, ja?«

»Du hilfst mir?«

»Klar«, sagte Bartek, aber Samson hatte den Eindruck, dass er ihm in diesem Moment alles zugesagt hätte. Er wollte nichts so sehr, wie diese unerquickliche Situation zu beenden.

»Bartek«, sagte Samson flehentlich, »bitte, du musst mir glauben: Ich habe mit all dem nichts zu tun. Ich habe Mr. Ward nicht umgebracht. Ich könnte nie jemanden umbringen. Nicht einmal angreifen oder verletzen. Ich bin unschuldig.«

»Natürlich glaube ich dir das«, sagte Bartek beruhigend. Er hörte sich an wie ein Arzt, der mit einem nicht zurechnungsfähigen Patienten spricht.

Samson schloss für eine Sekunde erschöpft die Augen. »Ich habe es wirklich nicht getan.«

»Bis morgen«, sagte Bartek und verschwand in der Wohnung. Er schloss die Tür mit einigem Nachdruck.

Samson wandte sich zum Gehen. Seine Füße hingen wie Bleigewichte an seinen Beinen. Gavin hatte ihm am Mittag geraten, selbst zur Polizei zu gehen. »Du machst es nur schlimmer, wenn du wegläufst. Wenn du nichts getan hast, dann wirst du das denen schon klarmachen können. Verstecken bringt nichts. Irgendwann kriegen sie dich und du stehst richtig blöd da!«

Sicher hatte Gavin recht, und trotzdem… Er hatte die Nerven nicht. Er hatte Angst. Er hatte riesige Angst, und er konnte nur seinem ersten Instinkt folgen, der ihm riet, sich in Sicherheit zu bringen.

Aber wo fand er Sicherheit?

Langsam schlich er die Treppe hinunter. Elf Uhr. Noch eine Stunde, dann begann das neue Jahr.

Für ihn hielt es von seiner ersten Sekunde an nichts als einen Albtraum bereit.

I

Detective Inspector Peter Fielder wusste, dass er seiner Frau ein Höchstmaß an Toleranz abverlangte, aber der Fall um die grausame Mordserie hatte ausgerechnet am 31. Dezember eine brisante Wendung genommen, sodass es für ihn ausgeschlossen war, den ersten Januar, dem dann auch noch ein Wochenende folgen würde, daheim am Kamin zu verbringen. Auch wenn das seiner Ehe zuträglicher gewesen wäre.

Daher hatte er für den Vormittag eine Sonderkonferenz im Yard anberaumt, hatte mit einem erheblichen Aufwand an Zeit und Mühe sein völlig zugeeistes Auto freigekratzt und war durch einen bitterkalten, dunklen Morgen zu seinem Büro gefahren. Er war müde, weil er in der Nacht mit seiner Frau und einem befreundeten Ehepaar in das neue Jahr hineingefeiert hatte, aber er wusste, dass ihm Christy einen Kaffee kochen würde, der ihm seine Lebensgeister zurückbrachte. Er kannte niemanden, der einen so perfekten Kaffee machte wie Detective Sergeant McMarrow. Abgesehen davon gehörte sie zu seinen intelligentesten und scharfsinnigsten Mitarbeitern. Peter Fielder wusste, dass Christy ihm gefährlich werden konnte. Er selbst war in diesen Dingen schüchtern und würde von sich aus nie einen Schritt auf sie zugehen, das war ihm klar. Aber es konnte heikel werden, falls sie sich je von sich aus auf ihn zubewegte.

Die Konferenz hatte sich als mühsam erwiesen, da alle übernächtigt, verkatert und nicht sonderlich motiviert waren. Eine Beamtin, Detective Constable Kate Linville, hatte die Bemerkung in die Runde geworfen, man habe doch jetzt den Täter, man müsse ihn nur noch finden und festnehmen.

»Ach ja?«, hatte Fielder gefragt. »Und wer ist der Täter?«

Die junge Frau hatte verunsichert um sich geblickt. »Samson Segal. Ich denke, dass …«

»Ich denke, dass wir da vorsichtig sein sollten«, hatte Fielder sie unterbrochen. »Ich gebe zu, dass man, wenn man Segals Aufzeichnungen liest, zu dem Schluss kommen muss, dass er eine Schraube locker hat. Aber zunächst nicht mehr und nicht weniger.«

»Er äußert sich ausgesprochen aggressiv über Thomas Ward«, beharrte Kate.

»Er äußert sich hingegen überhaupt nicht über Carla Roberts und Dr. Anne Westley.«

»Er treibt sich tagelang in der Gegend herum und spioniert wildfremden Menschen hinterher. Vor allem Frauen. Es würde mich absolut nicht wundern, wenn er derjenige war, der in dem Hochhaus in Hackney mit dem Fahrstuhl hinauf- und hinuntergefahren ist!«

»Genau das werden wir überprüfen«, sagte Peter Fielder, »aber solange wir keine Ergebnisse haben, sollten wir uns mit wilden Spekulationen zurückhalten, Constable Linville!«

Kate Linville wurde rot. Sie war nicht mehr ganz jung, hätte längst befördert werden müssen, verharrte aber wie ein vergessener Koffer auf dem Rang eines Constable. Sie war eine zuverlässige und sehr pflichtbewusste Mitarbeiterin, aber sie verfügte nicht über den geringsten kriminalistischen Spürsinn, hatte wenig Menschenkenntnis und tat sich kaum je mit einem wirklich konstruktiven eigenen Vorschlag hervor. Umso typischer waren für sie Auftritte wie dieser, in denen sie sich voreilig auf einen Täter festlegte; wahrscheinlich, wie Fielder mutmaßte, um während einer Konferenz überhaupt etwas zu sagen.

Man musste nun schrittweise vorgehen. Ein Team der Spurensicherung war draußen in Thorpe Bay gewesen und hatte im Haus von Samson Segal jede Menge Fingerabdrücke gesichert, die nun mit den wenigen bislang nicht identifizierten Abdrücken aus Carla Roberts' Wohnung in Hackney sowie mit den unzähligen aus dem Fahrstuhl verglichen wurden. Ebenso wurden Abgleiche mit Spuren aus Anne Westleys Haus vorgenommen. Sollte sich eine Übereinstimmung ergeben, wäre man einen großen Schritt weiter.

Peter Fielder hatte am Ende der Konferenz Constable Linville losgeschickt, noch einmal mit Millie Segal zu sprechen, der Frau, die am Vortag mit den Computereinträgen ihres Schwagers auf einer Polizeiwache in Southend-on-Sea aufgekreuzt war und behauptet hatte, einen gefährlichen Killer enttarnt zu haben.

»Er war es! Er hat Thomas Ward umgebracht. Und was weiß ich, wen sonst noch. Lesen Sie das, dann wissen Sie, dass Sie es mit einem Psychopathen zu tun haben!«

Fielder betrachtete angestrengt die vielen Notizen, die vor ihm auf dem Schreibtisch lagen und die er nach einem System, das außer ihm niemand erkennen oder gar durchdringen konnte, auf verschiedene Zettel gekritzelt hatte. Die ganze Geschichte wurde immer verworrener, und er fühlte sich Lichtjahre von einer Lösung des Falles entfernt. Niemand hatte ihn heute während des Gesprächs entscheidend weiterbringen können, aber vielleicht erwartete er wirklich ausgerechnet am ersten Januar zu viel von seinen Leuten. Christy war jetzt im Nebenzimmer und telefonierte. Die anderen waren entweder nach Hause gegangen oder arbeiteten die Aufgaben ab, die er verteilt hatte.

Er hatte Zeit zu grübeln. Den ganzen langen, kalten Tag über.

Der Name *Thomas Ward* sprang ihn aus seinen Notizen an. Er hatte ihn immer wieder mit einem roten Stift umkreist und mit Fragezeichen versehen. Wie passte Thomas Ward in die Mordserie, in der es um ältere, alleinstehende Frauen ging und an der sich die Beamten von Scotland Yard die Zähne auszubeißen drohten? Auf den ersten Blick – und ebenso auf den zweiten oder dritten – gehörte er absolut nicht dazu: Thomas Ward war ein Mann. Er war alles andere als einsam. Er war umgebracht worden, obwohl sich seine kleine Tochter im Haus befand, und er war wenige Stunden später von seiner Ehefrau gefunden worden. Er war nicht an einem Tuch erstickt, das man ihm in den Rachen geschoben hatte.

Er war erschossen worden. Zwei Schüsse hatte sein Mörder auf ihn abgefeuert. Eine Kugel hatte ihn an der Schläfe gestreift und für einen großen Blutverlust gesorgt, aber daran war er nicht gestorben. Der zweite Schuss hatte seine Halsschlagader zerfetzt. Er hatte keine Chance gehabt, hätte sie nicht einmal dann gehabt, wenn er früher gefunden worden wäre.

Es war Routine gewesen, dass nach der Analyse des Projektils per Computer ein Abgleich mit anderen kürzlich untersuchten Tatwaffen und deren Munition erfolgte, und dabei hatten die Beamten in Southend einen unerwarteten Treffer gelandet, der durch eine daraufhin sofort erfolgte gründliche Überprüfung bestätigt wurde: Thomas Ward war mit derselben Waffe erschossen worden, mit der sich der Mörder von Anne Westley seinen Weg in deren Badezimmer freigeschossen hatte.

Daher war der Fall Ward nun ebenfalls bei DI Fielder und seinem Team gelandet. Und als, um die ganze Geschichte noch zu verkomplizieren, die befremdlich anmutenden Notizen eines Samson Segal aus Thorpe Bay, der in der Nachbarschaft von Thomas Ward lebte und offenbar ein Problem mit ihm hatte, aufgetaucht waren, hatte man auch diese sofort an Scotland Yard weitergereicht.

Das war der Grund für die Sonderkonferenz am ersten Januar gewesen.

An deren Ende alle eigentlich noch ratloser waren als zuvor.

Was hatten Thomas Ward und die beiden ermordeten Frauen gemeinsam?

Christy McMarrow hatte den entscheidenden Gedanken ausgesprochen: »Und wenn Ward gar nicht gemeint war? Wenn der Täter eigentlich seine Frau im Visier hatte? Und nicht wusste, dass sie nicht daheim war?«

Fielder nickte nachdenklich, während er langsam den nächsten Kreis um den Namen *Thomas Ward* malte. Er hatte am 30. Dezember, einen Tag nach Wards Ermordung, mit der Ehefrau gesprochen, die ihm recht sachlich hatte Auskunft geben können. Danach war es tatsächlich so, dass Ward an jedem Dienstagabend zu einem Stammtisch in seinem Tennisclub ging. Normalerweise war er nie vor zehn oder halb elf daheim. Wer auch nur ein wenig über die Gewohnheiten der Familie Bescheid wusste, hätte annehmen müssen, Gillian Ward zu Hause vorzufinden, nicht ihren Mann.

Wenn diese nicht an jenem Abend versucht hätte, ihren Liebhaber zu treffen. Auch davon hatte sie ihm erzählt. Es war ihr schwergefallen, aber er hatte nicht den Eindruck gehabt, dass sie Details zurückhielt.

Gillian Ward.

Auch diesen Namen hatte er notiert, ebenfalls schon ein paar Mal umrandet. Und er hatte von dort einen Pfeil gezeichnet, der zu einem weiteren Namen führte, den er in Schwarz geschrieben und dick unterstrichen hatte: *John Burton.*

Das hatte ihn nun wirklich frappiert. Unverhofft auf Burton zu stoßen. Im Zusammenhang mit einer Mordermittlung.

Detective Inspector Burton, der Kollege von früher. Der sich auf so unfassbar idiotische Weise seine Karriere bei der Met ruiniert hatte. Burton, den Fielder nie hatte leiden können, wobei es ihm immer schwergefallen war, seine Abneigung zu begründen. Manchmal hegte er den Verdacht, dass er diesen Mann einfach deshalb nicht mochte, weil er genauso unbekümmert und rücksichtslos durchs Leben ging, wie auch Peter Fielder es sich ab und zu erträumte – ohne es jedoch zu wagen. Burton hatte die junge Frau seinerzeit attraktiv und anziehend gefunden und sich Hals über Kopf in eine Affäre gestürzt, ohne sich dabei um die möglichen Folgen zu scheren. Als dann alles eskalierte und ihm praktisch keine andere Wahl blieb, als seinen Hut zu nehmen, hatte er auch das mit größter Gelassenheit getan und dabei den Kollegen noch das ungute Gefühl vermittelt, dass sie alle im grauen Polizeialltag und in ihrem verbissenen Karrierestreben zurückblieben, während er selbst in die Freiheit und Unabhängigkeit hinausging. In einem Moment, der faktisch die bisher größte Niederlage seines Lebens darstellte, hatte er wie ein Sieger gewirkt, nicht wie ein Verlierer.

Vielleicht ist es das, was ich ihm am allermeisten übel

genommen habe, dachte Fielder nun und rief sich gleich darauf zur Ordnung: Sei vorsichtig und bleib objektiv! Du würdest Burton gern eins auswischen, keine Frage, aber lass dir davon jetzt nicht den Blick verstellen.

Und nun hatte Burton also etwas mit dieser Gillian Ward angefangen, deren Mann jetzt erschossen aufgefunden worden war, und Fielder fand das alles mehr als merkwürdig. Burton, der mit dem Makel der *sexuellen Nötigung* herumlaufen musste, auch wenn ihn sämtliche Gutachten damals entlasteten und die Staatsanwaltschaft von einer Anklage abgesehen hatte.

Christy kam ins Zimmer. »Eine Neuigkeit: Das Auto von Samson Segal wurde gefunden. Gunners Park, draußen in Shoeburyness. Von Segal selbst keine Spur. Und dann habe ich mit der Spurensicherung gesprochen. Bislang kein Treffer. Die Fingerabdrücke aus Samson Segals Zimmer daheim finden sich weder in Roberts' Wohnung noch im Fahrstuhl des Hauses in Hackney. Tunbridge Wells läuft noch.«

»Ich bin ohnehin der Ansicht, dass wir es uns mit diesem Segal als Täter zu leicht machen und dass …«, begann Fielder, aber Christy unterbrach ihn: »Sir, Entschuldigung, aber ich weiß genau, was bei Ihnen gerade los ist. Sie schießen sich auf Burton ein, und Samson Segal und seine mehr als eigenartigen Aufzeichnungen wie auch sein seltsames Verhalten kommen Ihnen keineswegs gelegen. Aber weshalb sollte John Burton …«

»… Thomas Ward umbringen? Er hat immerhin eine Affäre mit dessen Frau.«

»Und deshalb ermordet er den Ehemann? Wieso? Wenn er eine Zukunft mit Gillian Ward anstrebt, hätte sie sich doch einfach scheiden lassen können!«

»Vielleicht wollte er Gillian töten. Laut ihrer Aussage

wusste er ja nicht, dass sie ihn an diesem Abend besuchen wollte und dass sie in diesem Pub in Paddington herumsaß. Er wähnte sie allein zu Hause.«

»Und glaubte, die Tochter sei nicht da?«

»Er trainiert sie im Handball. Durchaus denkbar, dass sie ihm von den geplanten Ferien bei den Großeltern erzählt hat, oder?«

»Und warum wollte er Gillian töten?«

Fielder stand auf, trat ans Fenster. Tiefe Wolken hingen über der Stadt. »Vergessen Sie nicht, Sergeant, dass Burton schon einmal wegen eines Sexualdeliktes auffällig geworden ist. Was wissen wir denn genau über ihn? Vielleicht ist der Kerl hochgradig gefährlich. Gestört, pervers, was weiß ich. Er ist damals relativ unbescholten davongekommen, trotzdem ist er dann sehr schnell auf eigenen Wunsch aus dem Polizeidienst ausgeschieden. Weshalb? Um zu verhindern, dass noch genauer nachgeforscht wird? Dass Dinge herauskommen, die verdammt ungemütlich für ihn hätten werden können?«

»Welche Dinge?«, fragte Christy.

»Keine Ahnung. Am Ende hat Burton eine gewaltige Störung, wenn es um Sex geht.«

»Sir, ich will ihn wirklich nicht verteidigen. John und ich waren damals ein Team, und wir haben toll zusammengearbeitet. Ich kenne seine Stärken – und seine Schwächen. Er kann die Finger nicht von hübschen Frauen lassen, aber das heißt ja noch nicht, dass er eine *gewaltige sexuelle Störung* hat, wie Sie es nennen. Keiner von uns hat doch damals auch nur einen Moment lang geglaubt, dass er dieses ziemlich hysterische Mädchen tatsächlich vergewaltigt hat. Der Staatsanwalt hat es nicht geglaubt. Mehrere Gutachter haben es unabhängig voneinander auch nicht geglaubt. Trotzdem konnte er nicht bleiben. Weil zumindest jeder männliche Kollege hier im Yard ihm das ganze Drama von Herzen gegönnt und ihm das auch gezeigt hat. Und weil klar war, dass ihn die Geschichte sein Leben lang begleiten würde. Ein hochrangiger Ermittler macht keine besonders gute Figur, wenn ihn jeder von ihm erwischte Kriminelle oder dessen Anwalt als Erstes grinsend fragen kann, ob er nicht der Bulle ist, gegen den schon mal wegen Vergewaltigung ermittelt wurde. Das wollte er sich nicht antun, und ich kann ihn absolut verstehen.«

»Christy, Sie sind vielleicht nicht ganz objektiv, wenn es um Burton geht. Ich weiß, dass Sie ihn als Polizisten sehr geschätzt haben. Aber das ändert nichts daran, dass er nun im Umfeld einer Mordermittlung aufgetaucht ist und dass wir ihn und seine Rolle in sämtlichen Fällen überprüfen müssen.«

»Gut. Schauen wir uns *sämtliche Fälle* an. Weshalb Carla Roberts und Anne Westley? Nicht gerade Burtons klassisches Beuteschema, oder? Die eine Mitte sechzig, die andere fast siebzig. Affären hatte er mit denen bestimmt nicht.«

»Was Thomas Ward angeht«, beharrte Fielder, »so hat Burton jedenfalls kein Alibi für den Tatzeitpunkt.«

Er hatte einen Beamten abgestellt, mit John Burton zu sprechen. John hatte angegeben, am Dienstagnachmittag in seinem Büro gewesen zu sein. Er hatte einen Kunden gehabt, der seine Villa mit einem umfangreichen Sicherungssystem schützen und sich daher beraten lassen wollte. Das Gespräch hatte bis achtzehn Uhr gedauert und konnte von dem Kunden bestätigt werden. Dann jedoch war John allein geblieben, hatte begonnen, das Konzept für den Kunden zu erstellen und die Kosten zu berechnen, und hatte zudem die Telefonbereitschaft bis zweiundzwanzig Uhr übernommen. Danach war er von einem Mitarbeiter abgelöst worden und eigenen Angaben zufolge direkt nach Hause gegangen. Unglückli-

cherweise hatte es an jenem Abend nicht einen einzigen Anruf, nicht das geringste Vorkommnis gegeben. Was bedeutete: John hätte zwischen achtzehn und zweiundzwanzig Uhr
nach Thorpe Bay hinaus- und nach London zurückfahren
können, ohne dass irgendjemand etwas davon mitbekommen
hätte.

»Nicht jeder, der kein Alibi hat, ist ein Täter«, gab Christy
zu bedenken. »Außerdem wäre Burton nicht so dumm, seinen Bereitschaftsdienst zu verlassen. Das birgt viel zu viele
Risiken.«

Fielder wandte sich vom Fenster ab. »Ich schieße mich
nicht auf Burton ein«, sagte er, »ich versuche nur, mich nicht
zu sehr an diesem Samson Segal festzuhalten. Es ist so ein
Gefühl… Alles, was diesen Mann betrifft, oder zumindest
das, was wir wissen, kommt mir zu… offensichtlich vor.
Vielleicht ist es einfach dieser Eindruck, hier einen möglichen Täter auf dem Silbertablett serviert zu bekommen. Da
kreuzt auf einmal diese Frau auf, behauptet gelassen, dass ihr
Schwager das Leben eines Nachbarn auf dem Gewissen hat,
und präsentiert auch gleich noch einen Stapel Papiere, die
diese These praktisch schwarz auf weiß untermauern. Bei mir
springen fast reflexartig sämtliche Warnlichter an, ich kann
gar nichts dagegen tun.«

»Er ist abgehauen. Das spricht nicht unbedingt für ihn.
Und nicht für seine Unschuld«, sagte Christy. Sie schüttelte
den Kopf. »Ich verstehe, was Sie meinen, Chef. Aber manchmal funktioniert es genau so. Man erwischt einen Täter deshalb, weil jemand, der ihn kennt und ihn vielleicht schon
lange verdächtigt, den Mund nicht mehr hält. Und Sie müssen zugeben, dass Segal geradezu lehrbuchhaft auf unser
Täterprofil passt. Er hat ein riesiges Problem mit Frauen,
das sagt seine Schwägerin, und das kommt auch in seinen

Notizen zum Ausdruck. Seit Jahren wünscht er sich sehnlichst eine Beziehung und wird ständig abgewiesen. Teilweise schreibt er hasserfüllt über Frauen. Er beschattet Frauen, notiert sich jede Kleinigkeit über ihr Leben. Auch über das ihrer Familien. Er wusste, dass Thomas Ward Dienstagabend nie zu Hause ist. Er wusste, dass Becky Ward eigentlich bei ihren Großeltern hätte sein sollen. Er hatte jede Information, die er brauchte.«

»Nicht jede. Er hatte offensichtlich keine Ahnung von Gillian Wards Affäre mit einem anderen Mann. Zumindest wusste er nichts Konkretes darüber.«

»Diese Geschichten verbirgt man ja naturgemäß auch nach besten Kräften.«

»Zugegeben. Aber trotz seiner intensiven Überwachung ist es ihm entgangen, dass die Tochter daheim geblieben war?«

»Sie ist wegen ihrer Halsentzündung nicht rausgegangen. Er hat sie nicht mehr gesehen und musste annehmen, dass sie abgereist ist«, mutmaßte Christy.

»Sie fährt seit Jahren zwischen Weihnachten und Silvester zu den Großeltern. Jeder im Umfeld der Wards wusste davon.«

»Aber nicht auf jeden treffen all die anderen Merkwürdigkeiten zu, die wir bei Samson Segal finden.«

»Er glaubt also, dass Gillian Ward alleine in dem Haus ist? Dringt ein und will sie töten? Die Frau, die er anhimmelt?«

»Die ihn aber nicht erhört«, erklärte Christy. »Nicht einmal bemerkt. Und sie hat sich nicht an seine Seite gestellt, als ihr Mann ihn anblaffte. Er fühlte sich von ihr *wie Dreck behandelt*, das hat er geschrieben. Er bringt den Hass zum Ausdruck, den er empfindet. Er hat sie verehrt, aber das war inzwischen gekippt. Er war bitter enttäuscht von ihr.«

Fielder strich sich mit beiden Händen über das Gesicht.

Er war müde und ungeduldig, und der Sekt aus der vergangenen Nacht machte ihm auch noch zu schaffen. »Und wie bringen wir Westley und Roberts in dieser Theorie unter? Die eine in Hackney? Die andere in Tunbridge?«

»Er hat ein Auto. Das waren keine unüberwindlichen Strecken für ihn.«

»Er hätte die beiden dann doch auch in seinen Notizen erwähnt. Nein, Sergeant«, Fielder schüttelte den Kopf, »da passt noch zu vieles nicht zusammen. Und sogar die wackeligen Theorien, die wir bereits hatten, brechen zusammen. Immerhin hatten wir wenigstens eine Gemeinsamkeit bei Westley und Roberts gefunden: Beide waren sie alleinstehend und seit ihrem Renteneintritt ziemlich vereinsamt. Gillian Ward hingegen ist verheiratet, hat eine Tochter, ist berufstätig.«

»Das bedeutet«, sagte Christy, »dass wir um den falschen gemeinsamen Nenner gekreist sind. Die Tatsache, dass sie alleine sind, scheint nicht die entscheidende Verbindung zwischen den Opfern zu sein. Es muss einen anderen Punkt geben. Einen, der uns bislang entgangen ist.«

»Wir müssen noch einmal die Vergangenheit von Anne Westley auseinandernehmen«, sagte Fielder, »ebenso die von Carla Roberts. Und von Gillian Ward, was einfacher sein wird, weil sie zumindest noch lebt. Ja, bei der Ward müssen wir ansetzen.«

»Und wir sollten zusehen, dass wir Samson Segal finden«, meinte Christy. »Er ist wichtig, Sir! Entweder hat er selbst Dreck am Stecken. Oder er entpuppt sich als ein interessanter Zeuge. Er hat das Haus der Wards observiert und in ihrem Leben herumgeschnüffelt. Ihm könnte etwas aufgefallen sein, was sich als entscheidend herausstellt.«

»Die Schwägerin wird gerade noch einmal befragt«, sagte Fielder, »und vielleicht ergibt sich daraus ein Hinweis. Es ist teuflisch kalt draußen. Segal muss irgendwo untergekrochen sein.«

»Wir kriegen ihn«, versicherte Christy.

Er sah sie an. Er spürte förmlich ihre Überzeugung, in diesem Moment auch den Täter zu haben.

Aber er glaubte es noch immer nicht.

2

Sie hatte das Gefühl, seit drei Tagen nur auf dem Sofa zu sitzen, an die Wände zu starren und nicht zu begreifen, was in ihrem Leben passiert war. Was nicht stimmte. Sie kochte Essen, vor allem für Becky, sie räumte die Wohnung auf, sie duschte morgens und zog frische Wäsche an, sie füllte die Spülmaschine und leerte sie dann wieder. Abends nahm sie ein starkes Schlafmittel, legte sich auf das Sofa und versank in eine betäubte, schwarze Tiefe, aus der sie morgens erwachte, ohne sich erfrischt zu fühlen. Sie bereitete das Frühstück zu, toastete Brot, schnitt Obst, briet Eier. Ohne selbst etwas davon anzurühren.

Tara hatte schon protestiert. »Gillian, ich kann ja gar nichts mehr tun! Ich möchte dich umsorgen, und ich habe das Gefühl, es läuft umgekehrt!«

Sie hatte die Freundin bittend angesehen. »Lass mich irgendetwas tun, Tara. Ich werde sonst wahnsinnig.«

Tara gab sofort nach. »Natürlich. Ich verstehe dich ja.«

Gillian und Becky waren in jener furchtbaren Nacht zu Tara übergesiedelt, zusammen mit Chuck, dem Kater, den Gillian nach einer verzweifelten, hektischen Suche zu später Stunde völlig verstört und zitternd ein paar Gärten weiter aufgegriffen hatte. Er musste in Panik durch die offene Küchentür hinausgelaufen sein, als Schrecken und Gewalt über das Haus hereingebrochen waren. Eine freundliche und sehr sensible Polizeibeamtin hatte Gillian erklärt, das Haus müsse als Tatort nun erst einmal gesichert werden. »Es dürfen keinerlei Spuren vernichtet werden. Kennen Sie jemanden, bei dem Sie vorübergehend wohnen können?«

Gillian hatte zuerst an ihre Eltern gedacht, aber die wohnten viel zu weit weg, und als Nächstes war ihr Tara eingefallen. Sie hatte die Freundin angerufen und ihr erklärt, was geschehen war, und zunächst nichts als Schweigen aus dem Telefonhörer vernommen. Schließlich hatte Tara fassungslos gefragt: »*Was* ist passiert?«, um sich im nächsten Moment als die Frau zu beweisen, die mit Fällen dieser Art beruflich öfter zu tun hatte; sie hatte sachlich und tatkräftig agiert. »Ich bin gleich da«, hatte sie gesagt, »ich hole dich und Becky. Natürlich könnt ihr bei mir wohnen, so lange ihr mögt.«

Seitdem waren sie hier. In Taras schicker Altbauwohnung in Kensington. Ein Detective Inspector von Scotland Yard war inzwischen erschienen, um mit Gillian zu sprechen, und sie hatte ihm alles gesagt, was sie wusste, hatte ihm auch reinen Wein eingeschenkt, was ihre Geschichte mit John anging. Eine Beamtin hatte sich im Beisein von Gillian und einer Psychologin mit Becky unterhalten. Becky, das wusste Gillian, galt als wichtige Zeugin. Sie hatte den Täter nicht gesehen, war aber die Treppe hinuntergeschlichen, als sie von unten plötzlich ein lautes Poltern und Rumpeln vernahm und ihren Vater rufen hörte: »Was, um Himmels willen, soll das?«

Dann waren zwei Schüsse gefallen. Durch die Esszimmertür hatte Becky von der Treppe aus gesehen, wie ihr Vater über einem der Stühle zusammenbrach.

»Hast du überlegt, sofort zu ihm hinzulaufen?«, fragte die Beamtin.

Becky schüttelte den Kopf. »Nein.« Es klang entschuldigend. »Ich wusste, dass da noch jemand war. Ich hatte ja gehört, dass mein Vater mit jemandem sprach. Ich hörte, dass jemand schoss. Ich ... hatte solche Angst. Ich wollte weg. Nur weg!« Sie war blass geworden. »Ich hätte ihm helfen sollen. Ich hätte hingehen müssen. Ich hätte ...«

Die Psychologin schaltete sich schnell ein. »Absolut nicht, Becky. Du konntest nichts für ihn tun. Es war richtig, dass du dich in Sicherheit gebracht hast.«

»Ich wollte nur herausfinden, was genau bei Becky diesen raschen Reflex ausgelöst hat, sich zu verstecken«, erklärte die Beamtin. Es klang wie eine Rechtfertigung. »Leider ist alles, was sie gesehen, gehört und empfunden hat an jenem Abend, für uns bedeutsam.«

Doch nichts, was Becky berichtete, half wirklich weiter. Sie hatte gemalt, war so vertieft gewesen, dass sie den Umstand, dass sich ein Fremder im Haus aufhielt und ihren Vater bedrohte, erst realisierte, als Tom laut geworden war.

»Als ich sah, wie Daddy zusammenbrach, bin ich furchtbar erschrocken. Ich stand ja auf der Treppe und bin mit dem Fuß abgerutscht. Es gab ein ziemlich lautes Geräusch, und ich wusste in dem Moment ... Ich wusste irgendwie, dass der, der das getan hat, jetzt weiß, dass ich im Haus bin. Ich bin fast verrückt geworden vor Angst. Ich bin hinaufgerannt und habe ein Versteck gesucht.«

Der Koffer in der Gerümpelkammer unter dem Dach war ihr eingefallen, weil sie sich früher darin versteckt hatte, wenn sie mit ihren Freunden im Haus spielte. Sie hatte dort gelegen, in völlig verkrampfter Haltung, mit stechenden Schmerzen in Armen und Beinen und mit angehaltenem Atem, und sie hatte gehört, wie der Täter das ganze Haus nach ihr absuchte. Durch alle Zimmer jagte, Schränke aufriss, Möbel beiseiterückte.

»Als er hinaufkam, bin ich beinahe gestorben vor Angst. Ich dachte, er findet mich gleich. Er hat einen furchtbaren Lärm veranstaltet und in der Abstellkammer mit Kisten und Kartons um sich geworfen. Ich dachte, ich bin jeden Moment tot.«

»Aber du hast absolut nichts gesehen?«

Becky schüttelte den Kopf. »Der Kofferdeckel war ja geschlossen. Es war schwarz um mich. Vollkommen schwarz.«

Die Beamtin wollte wissen, ob Becky irgendwann zuvor die Haustürklingel gehört hatte, aber das Mädchen konnte sich nicht erinnern. »Ich glaube nicht. Ich weiß es nicht. Aber ich glaube, ich wäre hinuntergegangen, wenn ich sie gehört hätte.«

An diesem Neujahrstag war eine noch sehr betäubt und willenlos wirkende Becky mit Tara zum Schlittschuhlaufen in den Hyde Park gegangen. Tara hatte Gillian überreden wollen, sie zu begleiten, aber sie hatte abgewehrt. »Nein. Geht alleine. Ich bin ganz froh, wenn ich für mich sein kann.«

Kurz nachdem die beiden gegangen waren, hatte Detective Inspector Fielder angerufen und gefragt, ob er vorbeikommen könnte. Sie hätte ihn am liebsten abgewimmelt, weil sie sich so müde, ausgebrannt und leer fühlte, aber sie wusste, dass sie sich zusammenreißen musste. Der Mann tat seine Arbeit, und er brauchte ihre Unterstützung. Es war wichtig, dass Toms Mörder gefunden wurde.

Nun saß Fielder ihr gegenüber auf einem Sessel in Taras Wohnzimmer. Sie hatte Kaffee gekocht, und er ließ sich dankbar eine Tasse einschenken. Er sah sehr müde aus, hatte wahrscheinlich in der Nacht gefeiert.

Was für ein schrecklicher erster Januar, dachte Gillian. Sie konnte von ihrem Platz aus hinaus auf den Balkon und in den grauen Himmel sehen. Vor dem Fenster saß Chuck. Er starrte ebenfalls hinaus, verfolgte mit den Augen die Vögel, die hin und wieder auf der Brüstung landeten und ihn frech musterten.

Detective Inspector Fielder führte soeben seine Theorie darüber aus, wie der Täter in das Haus hineingekommen sein könnte. »Wenn wir annehmen, dass er tatsächlich nicht geklingelt hat, dass ihm also auch nicht geöffnet wurde, so könnte es sein, dass sich ihm ein viel einfacherer, bequemer Weg geboten hat. Wir haben das überprüft. Von der Straße aus kann man durch das kleine Fenster in Ihrer Haustür bis in die Küche blicken, und man sieht auch die Tür dort, die in den Garten führt. Das funktioniert umso besser am Abend, wenn alles hell erleuchtet ist. Wir vermuten, dass Ihr Mann die Gartentür geöffnet hatte. Er wollte einfach ein bisschen frische Luft reinlassen. Es gibt nämlich keinerlei Hinweise an der Tür, dass sie gewaltsam aufgebrochen wurde. Der Täter, der womöglich zunächst vorhatte, zu klingeln, erkennt seine Chance, läuft um das Haus herum und betritt die Küche durch den Garten. Deshalb hat auch Becky überhaupt nichts mitbekommen.«

»Gibt es Fußspuren?«

Er schüttelte bedauernd den Kopf. »Bis die Polizei eintraf, hatte es ja schon wieder stundenlang geschneit.«

»Warum nur?«, fragte Gillian. »Warum? Warum sollte jemand Tom töten?«

Er stellte eine Gegenfrage. »Sagen Ihnen die Namen Carla Roberts und Anne Westley etwas?«

Gillian brauchte ein paar Sekunden, um die Frage in ihrer ganzen Konsequenz zu begreifen. »Glauben Sie, es besteht ein Zusammenhang…?«

»Sie wissen also, wer diese beiden Frauen sind?«

»Aus den Zeitungen, ja. Ich kenne sie aber nicht.«

»Sie haben vorher nie von ihnen gehört? Ihr Mann hat sie nie erwähnt?«

»Nein. Nie.«

»Dr. Anne Westley war Kinderärztin in London. Sie waren aber nicht mit Becky …?«

»Nein. Wie ich sagte: Ich kenne sie nicht.«

Peter Fielder nahm einen Schluck Kaffee, stellte dann seine Tasse vorsichtig auf den Tisch zurück und sah Gillian ernst an. »Die Tatwaffe. Die Pistole, mit der Ihr Mann erschossen wurde. Mit einer sehr hohen Wahrscheinlichkeit handelt es sich um dieselbe Waffe, die auch gegen die beiden von mir genannten Frauen eingesetzt wurde.«

»Sie wurden auch erschossen?«, fragte Gillian. In den Zeitungen war über die Todesursache nur spekuliert worden, da die Polizei dazu keinerlei Angaben gemacht hatte. Fielder wollte es Gillian gegenüber dabei auch vorerst belassen.

»Allem Anschein nach wurden sie jedenfalls mit dieser Waffe bedroht«, entgegnete er daher ausweichend. »Im Falle Dr. Westley hat der Täter das Schloss einer Tür, hinter der sich die alte Dame verbarrikadiert hatte, zerschossen. Daher konnten wir die Projektile vergleichen.«

Gillian erschien das mehr als seltsam. »Aber wieso sollte jemand, der zwei ältere Frauen ermordet, einen Mann in mittleren Jahren umbringen? Es wurde ja nicht einmal irgendetwas bei uns gestohlen. Das ergibt doch keinen Sinn!«

»Bislang ergibt in der ganzen Geschichte noch gar nichts einen Sinn«, sagte Fielder resigniert, »zumindest sehen wir den Sinn nicht. Es drängt sich allerdings die Vermutung auf, dass …« Er suchte nach Worten. Er wollte Gillian seinen Verdacht nicht in aller Härte entgegenschleudern.

Sie erriet jedoch, was er sagen wollte. Sie sah es ihm an. »Sie denken, dass Tom gar nicht das Opfer sein sollte? Sie denken, *ich* war eigentlich gemeint?«

Er schien erleichtert, dass sie es selbst ausgesprochen hatte. »Es ist wirklich nur eine Vermutung. Aber tatsächlich ist es ja so, dass Ihr Mann normalerweise an jenem Abend nicht daheim gewesen wäre. Genauso übrigens wie Ihre Tochter. Wer Ihre Familie auch nur ein bisschen kannte oder ein wenig Recherche betrieben hatte, konnte davon ausgehen, Sie allein anzutreffen.«

»Er schaute in die Küche …«

»Ja. Sah aber niemanden, denn Ihr Mann war ja offenkundig gerade im Esszimmer. Der Täter sah einfach die helle Küche, die geöffnete Tür. Dringt in das Haus ein und steht plötzlich einem Mann statt, wie erwartet, einer Frau gegenüber. Hat aber wohl kaum eine überzeugend harmlose Erklärung bereit, weshalb er, bewaffnet mit einer Pistole, soeben ins Esszimmer geschlichen kommt. Er kann Thomas nur noch umbringen – schon um später nicht von ihm identifiziert zu werden. Und zu seinem Entsetzen hört er dann plötzlich noch von der Treppe her ein Geräusch. Es ist noch jemand im Haus. Jemand, der ihn vielleicht auch gesehen hat. Deshalb sucht er wie ein Wilder, wird aber Gott sei Dank nicht fündig.«

Gillian stöhnte leise und vergrub das Gesicht in beiden Händen. »Hätte er Becky gefunden …«

»Becky hatte großes Glück. Sie hatte auch Glück, dass es dem Täter offenbar irgendwann zu heikel wurde, noch weiterzusuchen und sich damit viel zu lange am Tatort aufzuhalten. Er gab auf. Die Schutzengel Ihrer Tochter haben gut funktioniert, Gillian!«

Sie hob den Kopf. »Aber warum ich? Wer sollte mich töten wollen?«

»Die gleiche Frage stellen wir uns seit Wochen in den Fällen Roberts und Westley«, sagte Fielder, »und wenn wir Sie nun in eine Reihe mit diesen Morden stellen – und den Mord an Ihrem Mann als ein nicht geplantes dramatisches Unglück werten –, ergibt das zwei vollendete Tötungsdelikte sowie ein versuchtes, für die uns das Motiv völlig schleierhaft ist. Die Person, die hier mordet, scheint von einem gewaltigen Hass getrieben zu sein, das war die einzige echte Information, die uns die beiden anderen Tatorte gaben. Mrs. Roberts und Dr. Westley mussten auf ausgesprochen grausame Weise sterben. Wir dachten erst, dass es sich um einen Täter handelt, der von einem ungeheuren Aggressionspotenzial gegen Frauen im Allgemeinen getrieben wird und der Roberts und Westley vielleicht nur deshalb auswählte, weil sie beide so allein und verlassen lebten, dass sie eine leichte Beute darstellten. Jede von ihnen wurde erst eine Woche nach ihrer Ermordung aufgefunden, und auch das nur durch Zufall. Aber in dieses Raster passen Sie nicht. Also muss es etwas anderes sein, das Sie mit den beiden Frauen verbindet.«

»Aber ich kenne sie ja überhaupt nicht!«

»Trotzdem kann es Schnittpunkte geben.«

»Oh Gott«, murmelte Gillian, »wie furchtbar!«

»Was wissen Sie über Samson Segal?«, fragte Fielder, und er bekam genau die Antwort, die er aufgrund der Aufzeichnungen Samson Segals erwartet hatte.

»Segal? Der Typ, der immer vor unserem Haus herumlungert?«

Vielleicht hat Christy doch recht, dachte er plötzlich, aber ehe er einhaken konnte, klingelte es an der Wohnungstür und Gillian stand mit einer leise gemurmelten Entschuldigung auf. Als sie zurückkehrte, war sie nicht allein.

John Burton folgte ihr auf dem Fuß.

Samson Segal erschrak fast zu Tode, als jemand an seine Zimmertür klopfte. Da die Absteige, in der er sich einquartiert hatte, mit Sicherheit nicht über einen Zimmerservice verfügte, nahm er nicht an, dass es sich um jemanden vom Personal handelte.

Vorsichtig fragte er: »Wer ist da?«

»Ich. Bartek. Mach auf!«

Erleichtert entriegelte Samson die Tür. Er hatte Bartek am frühen Morgen angerufen, war aber nur auf der Mailbox seines Handys gelandet. Er hatte ihm erklärt, wo er sich aufhielt, und ihn dringend gebeten, ihm mit Geld auszuhelfen. Von da an hatte er auf dem durchgelegenen Bett gesessen, auf den rechteckigen Fleck Himmel im Fenster gestarrt und verzweifelt gehofft, dass sein Freund irgendwann im Laufe des Tages die Nachricht abhören würde. Mit seinen lächerlichen hundert Pfund würde er nicht weit kommen. Als er irgendwann tief in der Nacht in dieser versifften Bude, die man kaum als Hotel bezeichnen konnte, um ein Zimmer gebeten hatte, wurden ihm sofort dreißig Pfund abgenommen, und die nach Zigaretten und Schnaps stinkende Wirtin an der Rezeption hatte bereits angekündigt, dass sie für die nächste Nacht ebenfalls dreißig im Voraus wollte. Das bedeutete, nach drei Nächten war Schluss.

»Dreißig Pfund?«, hatte er entsetzt gefragt, und die Wirtin war sofort giftig geworden.

»In welcher Welt leben Sie denn, junger Mann? In einer, in der es die Dinge umsonst gibt? Dann wachen Sie mal auf! Außerdem ist in dem Geld sogar noch ein Frühstück inklusive, also beschweren Sie sich mal nicht!«

Die Qualität dieses Frühstücks hatte er allerdings noch nicht ausprobiert. Er fühlte sich wie paralysiert. Es war ihm nicht möglich, das muffige, kalte Zimmer mit den scheußlichen Möbeln auch nur für einen Moment zu verlassen. Er wusste, dass ihm die vier blassgrün verkleisterten Wände nur eine höchst trügerische Sicherheit vermittelten, aber die Welt draußen erschien ihm in seiner Situation als ein wahres Haifischbecken, und er wagte es nicht, den Kopf hinauszustrecken.

Bartek sah schrecklich aus, das fiel Samson sofort auf, als der Freund ins Zimmer stolperte. Braune Ringe unter den Augen, graue Lippen. Wahrscheinlich hatte er bis in die frühen Morgenstunden gefeiert, war übernächtigt und verkatert. Normalerweise wäre er vermutlich bis zum Abend im Bett geblieben. Stattdessen musste er sich um einen Freund kümmern, der in riesigen Schwierigkeiten steckte.

Samson fühlte sich sofort schuldig.

»Bartek! Danke, dass du da bist!«

Bartek sah sich in dem engen Zimmer um. Das Hotel lag in unmittelbarer Nähe der Bahnstation Southend, ein altes, heruntergekommenes Gebäude, dessen Räume niedrige Decken und knarrende Fußböden hatten. Kleine Fenster, scheußliche Tapeten. Dem Bett in Samsons Zimmer war anzusehen, dass man bis zum Boden hinuntersank, wenn man sich darauflegte. Es gab einen Sessel. Einen schmalen Kleiderschrank aus Billigholz. Ein Waschbecken an der Wand. Zur Toilette musste man den Gang draußen überqueren.

Es war die perfekte Trostlosigkeit.

»Oh Gott«, sagte Bartek. Dann hob er fröstelnd die Schultern. »Kalt hast du es hier!«

»Die Heizung funktioniert nicht richtig«, erklärte Samson.

»Mannomann«, sagte Bartek und ließ sich in den Sessel

fallen, »Samson, das alles ist eine riesige Scheiße! Die Polizei war vorhin bei mir!«

»Was?«

»Und zwar nicht irgendein Polizist hier aus Southend. Sondern *Scotland Yard*, verstehst du?«

»Um Gottes willen!«

»Eine Beamtin. Detective Constable Linville. Sie war vorher bei deiner reizenden Schwägerin, und die hat ihr den Tipp gegeben, es doch mal bei mir zu versuchen. Hat erzählt, dass wir dicke Freunde sind und uns jede Woche im Pub treffen und was-weiß-ich-noch! Und schon kam sie angerauscht. Helen und ich lagen noch im Bett ...«

»Hat Helen erzählt, dass ich letzte Nacht bei euch war?«

Bartek schüttelte den Kopf. »Gott sei Dank, nein. Obwohl wir nichts abgesprochen hatten. Sie war total erschrocken, dass plötzlich eine Polizistin in unserer Wohnung stand und nach dir fragte, aber sie ist schlau, sie hat einfach erst einmal den Mund gehalten.«

»Was hast du gesagt?«

»Dass ich dich zuletzt vor Weihnachten gesehen habe. Und dass ich keine Ahnung habe, wo du steckst.«

Samson entspannte sich ein wenig. »Ich bin dir wirklich dankbar, Bartek.«

Bartek schüttelte erneut den Kopf, so als wolle er Samsons Dankbarkeit um jeden Preis abwehren, als wolle er sich den ganzen Samson am liebsten so fern wie möglich halten. »Dann habe ich deine Nachricht auf meinem Handy abgehört. Das ist leichtsinnig, Samson! Mach das nicht mehr! Sprich mir nicht mehr auf die Mailbox. Auch nicht auf den Anrufbeantworter vom Festnetz. Ruf mich von jetzt an überhaupt nicht mehr an!«

Samson merkte, wie seine Knie weich wurden. In Ermangelung einer anderen Sitzgelegenheit sank er auf das Bett, das seufzend zu Boden ging. »Aber ich brauche deine Hilfe, Bartek! Ich kann das allein nicht schaffen!«

»Du kannst das auch mit mir nicht schaffen«, sagte Bartek, »das ist eine Tatsache, und der musst du dich stellen. Hier«, er kramte in seiner Hosentasche, zog ein paar zerknitterte Scheine hervor, »zweihundert Pfund. Mehr kann ich dir nicht geben. Mehr kann ich überhaupt nicht für dich tun.«

Samson beugte sich vor, nahm das Geld. Er würde damit insgesamt fast eineinhalb Wochen in dieser Unterkunft bleiben können. Vorausgesetzt, sein Bild erschien nicht in der Presse. Dann wurde es gefährlich, sich länger als ein paar Stunden an einem Ort aufzuhalten.

»Danke, Bartek. Ich weiß, für dich ist das …«

»Für mich ist das total gefährlich«, sagte Bartek, und er klang wütend. »Ich bin kein englischer Staatsbürger, verstehst du? Ich bin dabei, mir hier eine Existenz aufzubauen. Ich arbeite hart. Ich will heiraten. Helen und ich wollen eine Wohnung kaufen. Wir möchten ein Kind haben. Weißt du, was es bedeutet, wenn ich jetzt in einer Mordermittlung lande? Wenn sie offiziell nach dir fahnden und ich dir helfe, dich zu verstecken? Du wanderst vielleicht ein paar Jahre in den Knast, aber mir droht die Abschiebung. Ich finde mich plötzlich in Polen wieder, und alles, wofür ich mich angestrengt habe, ist mit einem Schlag kaputt! Mir verbaust du unter Umständen die ganze Zukunft!«

»Aber ich war es nicht, Bartek. Ich habe niemandem ein Haar gekrümmt!«

»Dann lauf nicht weg! Stell dich der Polizei!«

»Das ist doch jetzt zu spät! Nachdem ich erst einmal abgehauen bin!«

»Das kannst du erklären. Panik, Verwirrung. Dir war ja

sofort klar, wie verdächtig du wirken musstest, also bist du im ersten Schrecken davongerannt.«

»Die werden mir nicht glauben.«

»Sie werden dir aber auch nichts beweisen können, wenn du nichts getan hast!«

»Aber du weißt doch, wie das ist. Die brauchen einen Täter, und ich biete mich an. Denen ist das doch am Ende ganz egal, ob ich wirklich …«

»Ach, hör auf«, unterbrach ihn Bartek, »einfach so stecken die dich nicht in den Knast. Die müssen dir die Tat nachweisen, und wenn du es nicht warst, haben sie damit ein Problem.« Er stand auf. »Ich lasse mich da nicht hineinziehen, Samson. Das war eben das Letzte, was ich für dich getan habe, und ich kann nur beten, dass mich das nicht um Kopf und Kragen bringt. Von jetzt an musst du allein sehen, wie du durchkommst. Ich habe das auch Helen versprochen. Sie ist absolut außer sich. Ich habe sie selten so wütend erlebt.«

Auch Samson erhob sich. »Ich war es nicht«, wiederholte er und kam sich schon wie eine Gebetsmühle vor.

»Dann hast du nichts zu befürchten«, sagte Bartek.

»Aber du auch nicht«, sagte Samson. »Denn du hilfst keinem Killer. Du hilfst einem Unschuldigen.«

In den Augen seines Freundes gewahrte er den Zweifel.

Traurig dachte er: Er ist sich keineswegs sicher.

4

Die beiden Männer standen einander gegenüber und musterten sich sekundenlang schweigend, beide überrascht und für Momente nicht sicher, wie mit der Situation umzugehen war.

Dann sagte Fielder: »Hallo, John. Ich hätte nicht gedacht...«

Er sprach den Satz nicht zu Ende, aber natürlich hakte John ein.

»Hallo, Peter. Was hättest du nicht gedacht? Dass wir uns im Leben noch einmal wiedersehen?«

»Dass wir uns innerhalb einer Mordermittlung wiedersehen. Das hätte ich nicht gedacht«, sagte Fielder.

»Mich haben deine Leute ja bereits überprüft«, sagte John.

Fielder lächelte freundlich. »Richtig. Und dabei festgestellt, dass du kein Alibi für die Tatzeit hast. Was den Mord an Thomas Ward angeht.«

Die Betonung, die Fielder auf den letzten Satz legte, ließ John die Augen zusammenkneifen. »Für welchen Mord sollte ich mich außerdem noch nach einem Alibi umsehen?«

»Niemand verdächtigt dich«, sagte Gillian. Fielder fiel auf, dass ihre Hände ganz leicht zitterten. »Mich haben sie auch überprüft. Das ist normal, oder?«

»Natürlich«, sagte Fielder.

»Welcher Mord noch?«, wiederholte John.

»Tom ist mit derselben Waffe umgebracht worden, die auch bei der Ermordung der beiden älteren Frauen eine Rolle gespielt hat«, erläuterte Gillian. »Du weißt schon, die gerade durch die Zeitungen gingen. Deshalb handelt es sich in allen drei Fällen wahrscheinlich um denselben Täter.«

John zog die Brauen hoch. »Dieselbe Waffe?«

»Richtig«, sagte Fielder. Er beobachtete John genau und sah, dass ihm bei der Erwähnung der beiden Frauen fast schlagartig derselbe Gedanke kam, der auch bei der Polizei längst offen ausgesprochen wurde: Dass Tom ein zufälliges Opfer geworden war. Dass der Täter seine Frau gemeint hatte. Fielder konnte diese Erkenntnis in Johns Augen förmlich lesen, und bei sich dachte er: Er ist entweder ein verdammt guter Schauspieler, oder er hat tatsächlich nichts damit zu tun.

John wandte sich an Gillian. »Gillian…«

»Ich weiß«, sagte Gillian. »Möglicherweise war ich gemeint. Ich bin eine Frau, und normalerweise wäre ich an jenem Abend allein zu Hause gewesen. Ich passe besser in die Reihe als Tom.«

»Mit aller Sicherheit wissen wir das natürlich nicht«, sagte Peter Fielder, »aber es ist schon besser, wenn Sie eine Zeit lang hierbleiben. Auch dann, wenn Ihr Haus freigegeben ist.« Abrupt wandte er sich wieder an John: »Woher wusstest du, dass sich Mrs. Ward hier bei ihrer Freundin aufhält?«

»Ich habe ihm heute Morgen eine SMS geschickt«, erklärte Gillian, noch ehe John antworten konnte, »und ihn gebeten zu kommen. Direkt nach Toms… Tod wollte ich ihn nicht sehen, aber inzwischen…« Sie zuckte hilflos mit den Schultern. »Es geht mir nicht besonders gut«, fügte sie leise hinzu, »und ich muss mich ständig zusammenreißen wegen Becky. Tara, meine Freundin, kümmert sich sehr fürsorglich um mich, aber ich denke immer, dass sie wahrscheinlich ein Problem damit hat, dass ich mich an jenem Abend mit John treffen wollte. Sie spricht das nicht aus, aber… in ihren Augen wäre es sicher besser gewesen, ich hätte Tom konsequent verlassen, wenn ich mit ihm nicht mehr glücklich war. Dauernd denke ich, dass sie insgeheim meint, dass eben nur Unglück und Schrecken dabei entstehen, wenn Menschen einander hintergehen und unehrlich zueinander sind.«

Sie schluckte. Ihr Gesicht zitterte in dem Bemühen, die Tränen zurückzuhalten.

John trat neben sie, legte den Arm um ihre Schultern. Über ihren Kopf hinweg sahen die beiden Männer sich an.

Sie dachten beide dasselbe. Man musste kein Psychologe sein, um zu begreifen, dass Gillian genau die Gedanken in ihre Freundin projizierte, von denen in Wahrheit sie selbst rund um die Uhr gequält wurde: ihre fast unerträglichen Schuldgefühle.

»So dürfen Sie nicht denken«, bat Fielder. »Es geht hier absolut nicht darum, ob Sie sich Ihrem Mann gegenüber moralisch korrekt verhalten haben oder nicht. Es geht hier um einen skrupellosen Mörder, der es aus irgendeinem Grund, den wir nicht kennen, auch auf Ihre Familie abgesehen hatte, und wenn wir hier eine Schuldfrage klären, dann ausschließlich die, die diesen Menschen betrifft. Er wird hoffentlich irgendwann vor einem Richter stehen, Mrs. Ward, nicht Sie!«

Sie hatte sich ein paar Tränen von den Wangen gewischt, nun ließ sie die Hände sinken. Sie hatte die Kontrolle über sich zurückgewonnen. »Und Sie meinen, das könnte Samson Segal sein?«, fragte sie, auf das Thema zurückkommend, bei dem Johns Erscheinen sie unterbrochen hatte.

»Wer ist Samson Segal?«, fragte John sofort.

»Er wohnt bei uns in der Straße«, sagte Gillian, »und er … hat sich ein wenig merkwürdig verhalten. Tom war ziemlich wütend auf ihn.« Sie sah Peter Fielder an. »Wie sind Sie auf ihn gekommen?«

»Wir haben einen Hinweis bekommen«, sagte Fielder, »aber ich muss dazu sagen, dass wir absolut keine Ahnung haben, ob da irgendetwas dran ist. Was meinen Sie mit *merkwürdig*, Mrs. Ward? Und was meinten Sie vorhin genau, als Sie sagten, er habe vor Ihrem Haus *herumgelungert*?«

»Irgendwann fiel uns auf, dass wir ihn praktisch jedes Mal sahen, wenn wir das Haus verließen oder nach vorne auf die Straße schauten. Er ging entweder gerade vorbei oder stand herum … Tom registrierte das noch vor mir. Auch Tara fiel es einmal auf, als sie mich besuchte. Nachdem die beiden mich darauf aufmerksam gemacht hatten, stellte auch ich fest, dass ich ziemlich häufig über ihn stolperte.« Sie zuckte die Schultern. »Aber ich empfand ihn nicht als Bedrohung. Er schien mir ein netter, schüchterner Mann zu sein. Ein harmloser Eigenbrötler.«

»Der Eindruck von Harmlosigkeit mag täuschen«, erklärte Fielder. »Ich habe schon Schwerverbrecher vor mir gehabt, die so harmlos wirkten, dass jede alte Großmutter ihnen ohne Vorbehalt ihr Sparbuch anvertraut hätte.«

»Kurz vor Weihnachten kam es zu einem Zwischenfall«, sagte Gillian. Sie berichtete von ihrem Treffen mit John, davon, dass sie und Tom spät nach Hause gekommen waren, dass Becky die Übernachtungsparty ihrer Freundin abgebrochen hatte und von Samson Segal mit zu ihm nach Hause genommen worden war. Davon, dass Tom dem Nachbarn gegenüber aggressiv aufgetreten war, während sie Dankbarkeit empfunden hatte. Peter Fielder kannte die Geschichte bereits aus Segals Aufzeichnungen, hörte jedoch interessiert zu. Es war in seinen Augen durchaus von Bedeutung zu erfahren, dass sich Thomas Ward tatsächlich unangemessen gegenüber dem Nachbarn verhalten hatte. Segal hatte sich in diesem Punkt offensichtlich nichts eingebildet oder sich in etwas hineingesteigert. Er hatte der Tochter der Wards in einer Notlage geholfen und war von deren Vater dafür alles andere als dankbar behandelt worden.

»Wissen Sie, warum Ihr Mann so reagierte?«, fragte er. »Was hatte er gegen Segal?«

Sie überlegte, versuchte sich den Abend und die Gespräche ins Gedächtnis zu rufen. Seltsamerweise schien alles so weit zurückzuliegen. Als wären Jahre seitdem vergangen, nicht gerade zwei Wochen.

»Ich glaube, er konnte das selbst nicht richtig begründen«, meinte sie schließlich. »Er mochte Samson Segal einfach nicht. Er war erschrocken, als er erfuhr, dass dieser uns fast fremde Mann unsere Tochter mitgenommen hatte. Er vermutete gleich das Schlimmste, aber tatsächlich war die Situation dann völlig harmlos. Der Bruder und die Schwägerin waren ebenfalls da, und Becky saß im Wohnzimmer vor dem Fernseher und war eingeschlafen. Mir war es peinlich, wie ruppig sich Tom aufführte. Aber er sagte mir an diesem Abend, dass er Samson Segal schon öfter vor unserem Haus gesehen habe und dass es deswegen natürlich auch kein Zufall sei, dass gerade er da war, als Becky daheim aufkreuzte und vergeblich klingelte. Ihm erschien das alles höchst suspekt.«

»Wir wissen, dass Becky Segal an jenem Abend von den geplanten Ferien in Norwich bei den Großeltern erzählte. Er ging also davon aus, dass sie verreist sein würde«, sagte Fielder.

»Habt ihr diesen Mr. Segal schon vernommen?«, erkundigte sich John.

»Nein«, sagte Fielder, »das ist eben das Problem. Er ist verschwunden.«

»Verschwunden? Er ist flüchtig?«

»Ja.«

John pfiff leise durch die Zähne. »Verstehe. Das macht ihn nicht unbedingt unverdächtig.«

»Sollte er unschuldig sein, so ist das nicht sein klügster Schachzug«, pflichtete Fielder ihm bei.

»Er ist um das Haus der Wards herumgestrichen«, sagte John, »er hatte Grund, auf Thomas Ward richtig wütend zu sein. Ist er auch in einen Zusammenhang mit den beiden ermordeten Frauen zu bringen?«

Peter Fielder schüttelte den Kopf. »Soweit wir bislang wissen – nein.«

Er hatte den Eindruck, dass John die Tatsache, dass nicht alle Karten auf den Tisch gelegt wurden, durchschaute, aber offenbar war ihm auch klar, dass Nachfragen ihm im Moment nichts bringen würde. Der Mann war mal ein richtig guter Ermittler gewesen. Sehr intuitiv und fähig, das Ungesagte spüren zu können.

Konnte er ein Mörder sein?

Du hast ein Problem mit Frauen, dachte Fielder, darauf wette ich. Nicht so deutlich und unverkennbar und geradezu klassisch wie Samson Segal. Aber irgendwie tickst du auch nicht richtig. Wer lässt schon eine vielversprechende Karriere sausen, weil er die Finger nicht von einem jungen Ding lassen kann? Wieso bist du offenbar unfähig, eine halbwegs normale Beziehung einzugehen? Wieso jetzt diese Geschichte mit einer verheirateten Frau, Mutter eines der Kinder, die du trainierst? Ehefrau eines Mordopfers. Das ist das Entscheidende. Der tote Thomas Ward rückt dich in die Nähe einer abscheulichen Verbrechensserie, John, und wenn du damit etwas zu tun hast, dann schwöre ich, dass ich es herausfinde und dich hinter Gitter bringe, und es wird mir eine unglaubliche Genugtuung sein!

Er erschrak über die Heftigkeit seiner Gedanken, über die Emotionen, die der Kollege von einst in ihm wachzurufen vermochte. Er gewahrte ein kleines, nur angedeutetes Lächeln, das um Burtons Mundwinkel spielte, und er hatte den unguten Eindruck, dass seine Gesichtszüge etwas von seinen Gefühlen wiedergegeben hatten.

Er zwang sich, wieder sachlich zu agieren, und kam noch einmal auf das Thema von Beckys geplanter Ferienreise zurück.

»Wer wusste alles, dass Becky nach Weihnachten fort sein würde? Wir können nicht ausschließen, dass der Täter diesen Umstand einkalkuliert hatte – dass Ihre Tochter nicht im Haus sein würde.«

Gillian machte eine hilflose Geste mit beiden Armen. »Einfacher wäre zu fragen, wer es nicht wusste. Ich glaube, in ihrer Schulklasse wusste es jeder. Vielleicht auch einige der Eltern. Nahezu jeder in unserem Bekanntenkreis wusste es. Meine Freundin Tara. Diana, die Mutter von Beckys bester Freundin Darcy. Etliche in der Nachbarschaft wussten es. Samson Segal wusste es offenbar. Seit Jahren fahren Tom und ich Becky am 26. Dezember nach Norwich und kehren zwei Tage später zurück. Mein Vater bringt sie uns dann zum Schulanfang wieder. Das war schon immer so. Verschiedene Putzfrauen, die in der Zeit bei uns arbeiteten, wussten es. Unsere Mitarbeiter im Büro wussten es. Eben jeder.«

»Verstehe«, sagte Fielder.

»Ehe du fragst: Ich wusste es auch«, sagte John. »Wir haben während der letzten Trainingsstunde vor Weihnachten über die Ferienpläne der Kinder gesprochen. Dabei erzählte Becky davon.«

»Entschuldigen Sie, Gillian«, sagte Fielder, »aber ich muss das fragen: Weiß Becky von dem Verhältnis zwischen Ihnen und Mr. Burton?«

Sie schüttelte den Kopf. »Nein«, flüsterte sie. Und fügte dann hinzu: »Zumindest hoffe ich, dass sie nichts ahnt.«

»Ich vermute, dass auch viele Menschen wussten, dass Thomas Ward dienstags immer in seinen Tennisclub ging?«

»Das wussten fast ebenso viele. Ja.«

»Wusstest du es?«, wandte sich Fielder abrupt an John.

»Ja. Gillian hat es einmal erwähnt.«

Und du wärest viel zu schlau, mich anzulügen, dachte Fielder, schön kooperativ in allen Punkten, die ich überprüfen kann. Aber das heißt nicht, dass du nicht ansonsten lügst wie gedruckt.

Er reichte Gillian die Hand. »Auf Wiedersehen, Mrs. Ward. Sie haben vor, hierzubleiben? Bei Staatsanwältin Caine? Ich kann Sie hier erreichen?«

»Ja.«

»Es wäre gut, wenn Sie ... diese Wohnung nicht zu oft verlassen. Und einfach ein bisschen vorsichtig sind. Jedem gegenüber.« Er hätte ihr gerne deutlicher klargemacht, dass er Burton misstraute und dass sie sich am besten auch von ihrem Liebhaber fernhielt, aber er konnte seinen Verdacht nicht so deutlich aussprechen. Er hatte nichts gegen John in der Hand.

»Ich werde vorsichtig sein«, versprach Gillian. Ihre Finger fühlten sich eiskalt an. »Und ich werde sowieso kaum weggehen. Ich will viel Zeit mit Becky verbringen. Sie braucht mich.«

»Wir werden auch noch einmal mit Becky sprechen müssen. In aller Vorsicht. Aber es ist denkbar, dass ihr noch Details von jenem Abend einfallen. Sie hatte einen schweren Schock und mag manches verdrängt haben. Alles, woran sie sich vielleicht nach und nach erinnert, könnte von Bedeutung sein.«

»Natürlich«, sagte Gillian.

Sie begleitete Inspector Fielder zur Wohnungstür. Nachdem er im Treppenhaus verschwunden war, schloss sie die Tür sehr sorgfältig, legte die Sicherheitskette vor. Als sie ins Wohnzimmer zurückkehrte, kauerte John am Boden und streichelte den schnurrenden Kater, der seinen Fensterplatz verlassen hatte.

»Er misstraut mir«, sagte er, »Detective Inspector Fielder.

Er konnte mich noch nie ausstehen, und es kommt ihm durchaus gelegen, mich nun im Umfeld eines Verbrechens anzutreffen.«

»Er macht auf mich einen sehr kompetenten und sachlichen Eindruck«, sagte Gillian. »Er wird sich nicht von seinen persönlichen Gefühlen leiten lassen.«

John stand auf. »Glaubst du, dass ich es getan haben könnte?«

Sie sah ihn erstaunt an. »Natürlich nicht.«

Er trat auf sie zu. Seine Stimme klang sanft. »Wie geht es dir? Ich konnte dich das noch gar nicht fragen, weil mein netter Exkollege ja ständig hier herumstand. Du bist sehr blass.«

Sie hatte sich die ganze Zeit über zusammengerissen. Vor allem wegen Becky. Aber auch, um nicht selbst Opfer ihrer Gefühle zu werden. Opfer ihres Entsetzens, ihrer Fassungslosigkeit, ihrer Trauer, ihrer Schuld und ihrer Angst. Aber jetzt, unter seiner sanften Stimme, brach der Schutzwall ein, den sie mühsam um ihr Herz oder ihre Seele oder wo auch immer der pulsierende, glühende Kern ihres Schmerzes saß, errichtet hatte.

Sie begann zu weinen, zum ersten Mal, seitdem das Unfassbare geschehen war. Nicht nur ein paar Tränen, nachts in ihr Kissen geweint, unterdrückt und mit angehaltenem Atem, damit Becky, die neben ihr schlief, nichts merkte. Jetzt strömten die Tränen nur so, sie weinte, dass sie zitterte, und sie ließ es zu, dass John sie in seine Arme zog und an sich drückte. Sie konnte die Wolle seines Pullovers unter ihrer Wange spüren, seinen Herzschlag, seinen Atem, der seine Brust ruhig und gleichmäßig hob und senkte. Es war die kräftige, sichere Umarmung eines Mannes, der es gewohnt war, die Ruhe zu bewahren und sich niemals und unter keinen Umständen von den Geschehnissen, die um ihn herum tobten, in die Defensive drängen zu lassen.

Es hätte Trost in dieser Umarmung liegen können.

Dass sie keinen fühlte, begriff sie erst danach, als sie sich wieder von ihm gelöst hatte und im Bad verschwunden war, um ihre Nase zu putzen, ihr Gesicht zu waschen, die verschmierte Schminke an ihren Augen abzuwischen.

Sie betrachtete sich im Spiegel und verstand es nicht. Verstand nicht, warum sie im Inneren kalt und hoffnungslos blieb. Warum sie sich in seiner Umarmung so einsam gefühlt hatte.

Vielleicht konnte sie keinen Trost finden. Nirgends. Nie mehr.

Sie fing wieder an zu weinen.

TEIL 2

I

Die Sonntage waren am schlimmsten. Nicht, dass sie im Grunde anders abgelaufen wären als die Montage oder Donnerstage. Aber an den Sonntagen senkte sich eine bleierne Ruhe über die Stadt, jedenfalls über dieses ziemlich seelenlose Neubaugebiet in Croydon, im Süden Londons gelegen, in dem Liza wohnte. Selbst da, wo man Menschen sah, Geräusche hörte, durchaus registrierte, dass man nicht allein auf der Welt war, schien eine dicke Decke erstickend über den Resten von Lebendigkeit zu liegen. Eine Atmosphäre der Reglosigkeit. Die Sonntage waren tote Tage.

Sie hatte einmal gelesen, dass sich die meisten Selbstmorde sonntagnachmittags ereigneten, und sie bezweifelte keine Sekunde lang den Wahrheitsgehalt dieser Information. Außerdem gab es eine Suizidhäufung in den Silvesternächten und jeweils am ersten Januar. Auch das glaubte sie sofort. Weihnachten, seltsamerweise, nahm keine Spitzenposition ein. Aber auch das verstand sie. Wer Kummer hatte, brachte das Fest der Besinnlichkeit und inneren Einkehr noch halbwegs standhaft hinter sich. Die aufdringliche Fröhlichkeit der Silvesternacht mit ihren knallenden Korken, ihren Luftschlangen und ihrer dröhnenden Musik hingegen verlieh jedem

Schmerz erst wahrhaft grelle Umrisse. Zu diesem Zeitpunkt war er nicht mehr verdrängbar. Und der erste Januar tauchte ihn in ein blasses Winterlicht, das in den Augen schmerzte. Das neue Jahr begann so trostlos, wie das alte aufgehört hatte, und es würde genauso wieder enden.

Also beendete man es lieber gleich.

Liza hatte alle Klippen überstanden. Weihnachten, Silvester, den ersten Januar.

Sie würde ihr Leben nun nicht an diesem traurigen, leeren, toten Sonntagnachmittag wegwerfen.

Sie beschwor sich, auszuhalten. Irgendwo in einer der Wohnungen unter ihr spielte jemand Klavier. Das Stück kam ihr vage bekannt vor, aber sie vermochte es nicht einzuordnen. Es war eigentlich nur eine ziemlich kurze Passage. Am Ende machte der Klavierspieler jedes Mal einen Fehler und begann dann von vorn. Seit zwei Stunden jetzt schon. Er musste eine Engelsgeduld haben.

Oder er war einfach stumpfsinnig.

Bis auf das Klavier war nichts im Haus zu hören. Die meisten Familien gingen sicher spazieren. Draußen schien die Sonne, der Schnee glitzerte und funkelte, es war eisig kalt. Genau der Tag, an dem man einen ausgiebigen Fußmarsch unternahm, um sich hinterher im warmen Wohnzimmer mit einem Glühwein aufzuwärmen und sich ein schönes Abendessen zu kochen.

Das konnte sie zumindest auch tun: sich etwas Schönes kochen. Es war zwar nicht dasselbe, wenn man vorher nicht gelaufen war, aber es gab dann etwas, worauf sie sich freuen konnte.

Sie blickte auf die Uhr. Noch nicht ganz vier. Etwas früh, um über ein Abendessen nachzudenken. Trotzdem ging sie in die Küche, schaute in den Kühlschrank. Sie hatte einiges da, was sich verwenden ließ, Fleisch, Kartoffeln, Karotten. Sie könnte ein Irish Stew…

Ihr wurde auf einmal übel, sie schlug die Kühlschranktür zu, richtete sich auf. Ihr Hunger und ihre Vorfreude waren mit einem Schlag verflogen.

Sie verließ die Küche. Sie würde nichts essen. Über zwei Monate waren vergangen seit ihrem Zusammenbruch an jenem Abend im Waschraum des Kensington-Hotels, und nichts war mehr wie vorher. Ihr ganzes Leben hatte sich verändert, allerdings fragte sie sich, ob sie von *Leben* überhaupt noch sprechen konnte. Sie bewegte sich praktisch nicht mehr, streifte nur noch wie ein gefangenes Tier durch diese Wohnung in dem völlig anonymen Hochhaus. Sie hatte stark abgenommen, dabei war sie auch vorher – in dem anderen Leben – schon viel zu dünn gewesen. Es ging ihr zu oft so wie gerade eben: Sie hatte Hunger, sie verspürte Lust zu kochen. Und dann kam irgendeine Erinnerung in ihr hoch, Situationen, Bilder, Momente, und fast gleichzeitig schwappte die Übelkeit über sie hinweg und killte ihren Appetit, und sie ließ alles stehen und liegen und löste sich höchstens noch ein Aspirin in Wasser auf. Vorbeugend. Denn als Nächstes, das wusste sie schon, kamen die Kopfschmerzen und zwangen sie in ein abgedunkeltes Zimmer, wo sie stundenlang mit einem kalten Waschlappen auf der Stirn die Attacke auszuhalten versuchte. Manchmal gelang ihr die rechtzeitige Abwehr.

Auch jetzt ging sie ins Bad, nahm eine Tablette aus dem Spiegelschrank, warf sie in ihren Zahnputzbecher und ließ Wasser darauf laufen. Aus dem Spiegel sah sie ein Wesen mit fahler Haut und grauen Lippen an. Sie drehte ein wenig den Kopf, betrachtete sich halb von der Seite. Sie sah aus wie ein Wrack, aber sie hatte immer noch wunderschöne Haare. Hellblond, lang und leicht gewellt. Es gab Momente, da hielt sie es für möglich, dass es ihr irgendwann gelingen konnte, die Normalität, wie sie sich für andere Menschen darstellte, zu finden. Aber natürlich würde das nicht der Fall sein, solange sie sich in dieser Wohnung verbarrikadiert hielt und kaum je einen Schritt hinaustat. Solange sie jeglichen Kontakt mit anderen Menschen vermied.

An einem Tag wie heute, an dem der Schnee in der Sonne funkelte und die kalte Luft auf der Haut brannte, hätte sie sonstwas dafür gegeben, hinauszukönnen. Einfach durch einen Park zu marschieren, den Schnee unter ihren Füßen knirschen zu hören, Kindern zuzusehen, die einen Schneemann bauten, Hunde zu beobachten, die wild hintereinander herjagten.

Aber es wäre unvernünftig gewesen, so etwas zu tun. Einfach nur des Vergnügens wegen die Wohnung zu verlassen. Zwei- oder dreimal in der Woche ging sie zum Einkaufen. Das machte immerhin einen Sinn. Und dann waren da die Expeditionen, die sie gelegentlich in ihren alten Stadtteil, in das Leben von früher, unternahm: um Finley zu sehen. Wenigstens einen Moment lang.

Anders hätte sie es überhaupt nicht ausgehalten. Sie hätte sich einfach in eine Ecke gesetzt und wäre gestorben.

In kleinen Schlucken trank sie das Wasser mit der aufgelösten Tablette darin. Zwang sich, die bösen, quälenden Gedanken, die sie in eine Panik stürzen konnten, nicht übermächtig werden zu lassen.

Denn das alles war so völlig ohne jede Perspektive. Das war das Schlimme daran. Die Dauer ihres Aufenthaltes hier in Croydon war unabsehbar. Es war ein Aufenthalt ohne Ziel, ohne Hoffnung. Vielleicht musste sie fünf Jahre in dieser Wohnung sitzen.

Es konnten auch zehn oder fünfzehn Jahre werden.

Sie stellte den Becher ab, ging ins Wohnzimmer hinüber. Sie ließ die Jalousien an dem großen Fenster, das nach Süden hinausging, hinunter.

Sie konnte die Sonne einfach nicht länger ertragen.

2

Samson sank das Herz in die Hose, als es an seiner Zimmertür klopfte. Seitdem Bartek am ersten Januar bei ihm aufgekreuzt war, hegte er die Furcht, der Freund werde ihn verpfeifen. Bartek hatte von seiner Angst gesprochen, in eine ganz und gar ungute Geschichte hineingezogen zu werden, und Samson hatte spüren können, wie echt und bedrängend diese Furcht war. Zudem hatte Bartek Zorn und Angst seiner Verlobten erwähnt. Samson konnte sich nur zu gut vorstellen, dass Helen Bartek heftig bearbeitete. *Geh zur Polizei! Sag, was du weißt! Noch kommst du mit heiler Haut da heraus! Du bist doch verrückt, wenn du deinen Kopf für diesen Idioten hinhältst. Und wir wissen nicht einmal, ob er wirklich unschuldig ist!*

Im Grunde wartete Samson geradezu auf die Polizei. Er wusste, dass es geschickter gewesen wäre, schleunigst das Quartier zu wechseln, ohne Bartek Auskunft darüber zu geben, wo er sich aufhielt, aber ihm fehlte die Energie. Es war ohnehin nur eine Frage der Zeit, bis er aufgeben musste. Sein Geld zerrann. Seine seelische Kraft sowieso. Wahrscheinlich dauerte es nicht mehr lange und er spazierte von selbst in das nächste Polizeirevier und stellte sich.

Trotzdem begann er am ganzen Körper zu zittern, als nun tatsächlich jemand Einlass begehrte. Es war etwas anderes, das Ende immer wieder in Gedanken durchzuspielen, dabei aber das Gefühl zu haben, Zeitpunkt und Ablauf noch halbwegs in der Hand zu haben, als plötzlich mehrere Polizisten vor der eigenen Zimmertür zu vermuten, Handschellen klicken zu hören, sich vorstellen zu müssen, dass man in wenigen Minuten verhaftet und abgeführt würde.

»Wer ist da?«, fragte er. Seine Stimme klang dünn und zittrig.

»John Burton. Ich bin ein Freund von Gillian Ward. Können Sie mich hereinlassen?«

Ein Freund von Gillian? Woher, zum Teufel, wusste Gillian, wo er war?

Vollkommen verwirrt schloss Samson die Tür auf. Der Mann, der vor ihm stand, kam ihm vage bekannt vor, aber er konnte ihn nicht sofort einordnen.

»Darf ich reinkommen?«, fragte John.

Samson nickte und trat zur Seite. Er schloss die Tür hastig wieder und fragte: »Wer sind Sie?«

»Mein Gott, ist das kalt hier«, sagte John. Vorsichtshalber behielt er seine dicke Winterjacke an. Samson fiel in dieser Sekunde ein, wo er ihn schon einmal gesehen hatte: im *Halfway House*. Zusammen mit Gillian.

»Sie sind ein Freund von Gillian«, sagte er ziemlich lahm.

»Ja, wie ich ja gerade schon erwähnte«, bestätigte John. Unaufgefordert setzte er sich in den Sessel. »Sie wundern sich bestimmt, woher ich Ihren Aufenthaltsort kenne. Ich habe mit Ihrer Schwägerin gesprochen. Sie verwies mich an Ihren Freund. Diesen Polen. Bei dem auch die Polizei schon war.«

Millie natürlich. War wahrscheinlich zerflossen wie Butter in der Sonne, als der attraktive Burton plötzlich vor ihr stand. Und hatte sich förmlich überschlagen, ihm mit Rat und Tat behilflich zu sein.

»Ihr Freund hat mir dann diese Adresse genannt.«

Na großartig! Bartek schickte jeden vorbei, der nach ihm fragte! Warum setzte er die Adresse nicht gleich in die Zeitung?

»An Ihrer Stelle«, fuhr John fort, »würde ich hier möglichst schnell verschwinden. Dieser Bartek vergeht vor Angst, er könnte in etwas hineingezogen werden, was ihm die Abschiebung bringt, und seine Verlobte ist geradezu hysterisch. Dem nächsten Polizeibeamten, der bei ihnen vorbeischaut, erzählen die beiden alles, darauf würde ich wetten.«

»Ich weiß nicht, wohin«, flüsterte Samson.

John musterte ihn aufmerksam. »Sie sind in einer schwierigen Situation. Sie haben nicht zufällig für den Zeitpunkt des Mordes an Thomas Ward ein hieb- und stichfestes Alibi?«

»Wann war denn genau die Tatzeit?«

»Zwischen sieben Uhr und halb acht abends. Am 29. Dezember.«

Samson schüttelte hilflos den Kopf. »Ich war gegen neun Uhr wieder zu Hause. Aber selbst das hat, glaube ich, niemand gemerkt. Meine Schwägerin hatte Dienst und war nicht daheim, und mein Bruder schlief schon.«

»Wo waren Sie bis neun Uhr?«

Wahrscheinlich ist es egal, wenn er es erfährt, dachte Samson, vermutlich ist sowieso alles in meinem Leben egal.

»Ich bin hinter Gillian Ward hergefahren. Ich sah sie am frühen Nachmittag von daheim mit dem Auto aufbrechen. Ich saß auch gerade in meinem Auto. Fuhr so ein bisschen herum…«

Und hast Leute beobachtet, ergänzte John im Stillen. Segal war wirklich ein komischer Vogel.

»Sie sind also hinter Gillian hergefahren?«, fragte er. »Warum?«

Das eben war so schwierig zu erklären. Er verstand es vielleicht selbst nicht einmal wirklich. Jedenfalls konnte er es nicht rational erklären. Auf einer Ebene diffuser, nicht wirklich steuerbarer Gefühle wusste er, was mit ihm los war, aber wie sollte er das in Worte fassen?

»Ich wollte sie nie bedrängen«, begann er. »Ich habe sie auch nie bedrängt. Ich wollte nur... ich wollte an ihrem Leben teilnehmen. Nein, nicht teilnehmen. Aber etwas von ihrem Leben mitbekommen. Innerlich teilnehmen. Ja, das vielleicht. Nur *innerlich* teilnehmen.« Er hielt inne und sah John unglücklich an. »Ich kann das einfach nicht erklären.«

»Ich denke schon, dass ich verstehe, was Sie meinen«, sagte John. »Unglücklicherweise klingt das alles ein wenig... neurotisch. Besessen sogar.« Er machte eine Pause. »Mr. Segal, es geht leider inzwischen um mehr als den Mord an Thomas Ward. Sie haben sicher in der Zeitung von den Verbrechen an zwei alleinstehenden Frauen gelesen? In Hackney und in Tunbridge Wells?«

»Ja.«

»Das Problem ist... die Waffe, mit der Thomas Ward erschossen wurde, ist dieselbe, die auch in den beiden anderen Fällen eingesetzt wurde. Verstehen Sie, was das bedeutet?«

In Samsons ungläubig dreinblickenden Augen dämmerte Begreifen. »Es war derselbe Täter? In allen drei Fällen?«

»Davon muss die Polizei ausgehen.«

»Und das soll ich gewesen sein?« Samson sah John entsetzt an. »Ich s...soll drei Menschen erschossen haben?«

John schüttelte den Kopf. »So direkt würde das im Moment noch niemand sagen. Vieles bleibt da recht ungereimt. Aber ich weiß, dass man bei der Polizei aufgrund der Tatumstände davon ausgeht, es bei dem Täter mit einem

Mann zu tun zu haben, der ein schwer gestörtes Verhältnis zu Frauen hat. Und Ihre Aufzeichnungen, die der Polizei ja nun bekannt sind, lassen darauf schließen, dass Sie zumindest… na ja, ein gewisses … Problem mit Frauen haben.«

Samson nickte. Dem ließ sich nicht widersprechen.

»Sind Sie den ganzen Tag an Gillian drangeblieben?«, fragte John sachlich. »An jenem 29. Dezember?«

»Nein. Ich habe sie verloren. Auf der A127. Sie fuhr sehr zügig, es herrschte recht viel Verkehr… Und auf einmal war sie weg.«

John nickte. Die vierspurige A127, die Southend mit London verband, war häufig recht unübersichtlich.

»Und dann? Es fehlen ja noch etliche Stunden bis neun Uhr abends.«

»Ich wollte nicht nach Hause. Ich bin nicht gerne dort, wissen Sie.«

»Weshalb nicht?«

Er überlegte. »Die Unruhe«, sagte er dann. »Ich bin so unruhig. Und ich weiß nicht, wohin mit mir. Ich habe keine Arbeit. Ich finde keine Frau. Ich habe nichts. Mein Leben ist absolut leer.«

John schwieg abwartend. Samson starrte ihn an. *Würde ich aussehen wie er. Hätte ich diese Ausstrahlung.*

Mit fast physisch empfundener Gewalt drängte sich ihm die Erkenntnis auf, dass dieser Mann eine intime Beziehung zu Gillian unterhielt. Er war nicht einfach *ein Freund.* Er war ihr Liebhaber, sie hatten eine Affäre, und sie hatten sie schon gehabt, als Thomas Ward noch am Leben gewesen war. Im Grunde hatte er das schon gespürt, als er sie an jenem Abend vor Weihnachten im Pub zusammen gesehen hatte. Er hatte es sich nur nicht klargemacht, hatte vermutlich verdrängt, was er eigentlich deutlich empfand: die unglaubliche Spannung zwischen den beiden, die sexuell aufgeladene Atmosphäre.

Du begehrst sie, dachte er, und das Gefühl der Feindseligkeit, das ihn überschwemmte, nahm ihm sekundenlang fast den Atem, du schläfst mit ihr, und es ist dir vollkommen egal, dass sie eine Familie hat, einen Mann, ein Kind, und dass du alles kaputt machst. Allerdings, na ja, der Ehemann ist ja nun praktischerweise tot, und damit hast du freie Bahn und ...

Die Frage kam ihm sehr plötzlich: Wie interessant war unter diesen Umständen eigentlich John Burton selbst für die Polizei? Schließlich hatte er ein Verhältnis mit einer Frau, deren Mann erschossen wurde.

Konnte er damit nicht auch in Schwierigkeiten geraten?

»Wer sind Sie?«, fragte er noch einmal. »Ich meine, außer *ein Freund von Gillian*?«

John lächelte. Es schien, dass er die Aggression, die plötzlich von Samson ausging, durchaus spürte.

Er stand auf. »Samson, ich habe selbst einmal bei Scotland Yard gearbeitet, und ich verfüge noch über ein paar gute Kontakte. Die ich in den letzten beiden Tagen reaktiviert habe. Daher weiß ich manches über den Fall, was sonst in der Öffentlichkeit nicht bekannt ist.«

»Ich verstehe«, sagte Samson, bereits wieder eingeschüchtert und unterwürfig. Eigentlich verstand er gar nichts. Ein Exbulle. Wieso war er nicht mehr bei der Polizei?

»Unter anderem kenne ich zumindest in groben Zügen den Inhalt Ihres ... Tagebuches, wenn man es so nennen will«, fuhr John fort, »und daher kann ich mir durchaus vorstellen, dass Sie bei der Polizei auf der Liste der Verdächtigen recht weit oben rangieren. Sie haben Frauen, und zwar in erster Linie alleinstehende Frauen, monatelang beschattet und sich jedes Detail über ihren Tagesablauf notiert. Unter anderem gibt es da eine ziemlich bizarre Geschichte über eine junge Frau, deren Hund Sie entführt haben, um dann über die Rückgabe des Tieres die Sympathie der Frau zu erringen.«

Samson merkte, dass seine Wangen glühten. Er hatte den Plan so genial gefunden. Nun hörte sich das alles nur krank an.

»Es war einfach ein Versuch, sie näher kennenzulernen«, murmelte er.

»Ja, aber ein derartiger Versuch ist zumindest etwas ungewöhnlich«, sagte John. »Zudem funktionierte er dann nicht einmal, und Sie scheinen sich ziemlich hasserfüllt über die betreffende Frau geäußert zu haben. Sie ist bis Mitte Januar verreist, sonst hätte man sie jetzt unter Polizeischutz gestellt. *So ernst* nimmt man das!«

Samson blickte ihn verzweifelt an. »Aber ich würde doch nie … ja, ich war wütend auf sie. Aber ich würde sie niemals angreifen. Ich habe auch noch nie jemanden angegriffen. Oder bedroht. Sie werden niemanden finden, der mich jemals aggressiv erlebt hat!«

Das ist eines deiner Probleme, dachte John, deine lebenslang verschluckten Aggressionen. Jeder Profiler würde genau diesen Umstand auf die Liste der Charakterpunkte setzen.

Er sagte es nicht. Samson kam ihm vor wie ein in die Enge getriebenes Tier. Er musste es nicht noch schlimmer machen.

»Sie haben eine ziemlich starke Verehrung für Gillian Ward zum Ausdruck gebracht, Samson. Sie haben sich in sehr intensive Gefühle für sie hineingesteigert …«

Ach ja?, dachte Samson feindselig. Da können wir uns doch die Hand geben, oder?

»Bei der Polizei glaubt man, dass Gillian in Gefahr sein könnte. Und auch ich habe diese Befürchtung. Und deshalb lag mir daran, Sie kennenzulernen. Und mir liegt daran, zu wissen, was Sie gemacht haben, als Thomas Ward ermordet wurde. Also?« John kehrte zum Ausgangspunkt des Gesprächs zurück. »Was taten Sie, nachdem Sie Gillians Fährte verloren hatten?«

»Nichts«, sagte Samson, »nichts, was sich beweisen lässt. Ich bin in der Gegend herumgefahren. Saß in zwei oder drei Pubs. Trank Tee. Es war kalt.«

»In welchen Pubs?«

»Keine Ahnung. Irgendwo in Wickford. In Raleigh. Ich war traurig und verwirrt. Ließ mich treiben. Ich würde die Orte, an denen ich mich aufhielt, gar nicht mehr wiederfinden. Geschweige denn Zeugen auftreiben können, die mich gesehen haben. Ich dachte nur an Gillian, fragte mich, wohin sie fährt. Überlegte, weshalb mir mein Leben nicht gelingen will. Und irgendwann fuhr ich nach Hause.«

John betrachtete ihn forschend. »Ich will Ihnen etwas sagen, Samson, es gibt die Vermutung, dass es Thomas Wards Mörder eigentlich auf Gillian abgesehen hatte. Als Frau passt Gillian in die Reihe der anderen ermordeten Frauen, jedenfalls passt sie besser als ein Mann. Zudem wusste offenbar jeder in ihrem näheren und weiteren Umfeld, dass Ward jeden Dienstagabend in seinen Tennisclub ging und dass es von dieser Regel praktisch nie eine Ausnahme gab. Wer die Familie auch nur ein kleines bisschen kannte, musste davon ausgehen, Gillian daheim anzutreffen. Und Sie kannten die Familie ziemlich gut. Sie hatten monatelang recherchiert.«

»Aber«, sagte Samson und ein Anflug von Hoffnung durchströmte ihn, »aber ich wusste, dass Gillian nicht daheim war! Ich war ihr schließlich gefolgt!«

»Das entlastet Sie nicht hundertprozentig, Segal. Denn natürlich könnten Sie davon ausgegangen sein, dass Gillian inzwischen wieder zurück war. Spätestens als Sie sahen, dass Licht im Haus brannte. Und außerdem ist es natürlich nur eine Theorie, dass Thomas das falsche Opfer war. Genauso gut könnten Sie ihn bewusst getötet haben, weil Sie sich in einen krankhaften Wahn, was seine Frau betraf, hineingesteigert hatten.«

Samson sank in sich zusammen. »Aber wieso sollte ich die beiden anderen Frauen umgebracht haben?«

John zuckte die Schultern. »Ablehnung. Ihr Grundproblem.«

»Die waren doch viel zu alt für mich!«

»In der Not frisst der Teufel Fliegen. Ich sage ja nicht, dass es so war. Ich erkläre Ihnen nur, wie viele Szenarien denkbar sind.«

»Was wollen Sie?«, fragte Samson leise. »Mich jetzt zur Polizei bringen?«

»Vor allem wollte ich mir einen Eindruck von Ihnen verschaffen. Ich werde Sie nicht denunzieren, Segal. Ich wollte Sie nur kennenlernen.«

»Heißt das, Sie halten mich für unschuldig?«

»Ich würde es so formulieren«, sagte John. »Wenn ich Sie ganz klar für schuldig hielte, dann *würde* ich jetzt zur Polizei gehen. Verstehen Sie?«

Samson nickte beklommen. Aber war er nun in Burtons Augen der Täter oder nicht?

»Ich fürchte Folgendes«, fuhr John fort, »die Polizei nimmt Sie fest, und die Verdachtsmomente gegen Sie sind doch so erheblich, dass es zur Anklage kommt. Das ist zumindest nicht auszuschließen. Möglicherweise reicht es am Ende nicht zu einer Verurteilung, aber in jedem Fall zieht sich die ganze Geschichte in die Länge. In dieser Zeit läuft der Täter frei herum, ohne dass überhaupt noch nach ihm gesucht wird.

Diese Vorstellung gefällt mir überhaupt nicht, und zwar im Hinblick auf Gillian, die möglicherweise auf der Abschussliste dieses Verrückten steht. Es liegt nicht in meinem Interesse, der Polizei nun zu der einfachsten und naheliegendsten Lösung des Falles zu verhelfen und damit am Ende die Ergreifung des wahren Schuldigen zu verzögern.«

»Ich war es wirklich nicht«, sagte Samson. Wie oft hatte er diesen Satz nun schon gesagt? Wie oft würde er ihn sagen müssen, ehe er ihn beweisen konnte?

John nickte. »Das sagen sie alle. Und ich war eine ganze Zeit lang bei der Polizei. Ich habe Mörder erlebt, die wirkten so harmlos und sympathisch wie Sie und haben grauenhafte Taten begangen. Und dann gab es Menschen, denen hätte man alles zugetraut, und in Wahrheit taten sie keiner Fliege etwas zuleide. Es ist schwierig. Wir alle tragen unsere Gesinnung nicht auf der Stirn geschrieben.«

»Und was soll ich jetzt tun? Bartek hat Ihnen sofort gesagt, wo ich bin. Sie sind selbst überzeugt, dass er das auch tun wird, wenn die Polizei noch einmal bei ihm aufkreuzt. Ich bin hier nicht sicher. Außerdem habe ich bald kein Geld mehr.«

»Bleiben Sie vorerst in diesem Zimmer«, sagte John, »ich überlege mir etwas.«

»Kann ich Sie irgendwie erreichen?«, fragte Samson.

John ging zur Tür, öffnete sie. »Nein. Warten Sie, bis ich mich melde.«

»Bitte … kommen Sie wieder?«

»Sie hören von mir«, versprach John.

I

»Hast du Zeit heute Abend?«, fragte John. Er saß am Steuer seines Autos und hatte gerade vor dem Haus gehalten, in dem Tara wohnte.

Gillian, die neben ihm saß, schüttelte den Kopf. »Becky braucht mich. Und … sie soll nicht den Eindruck haben, dass wir einander ständig treffen.«

Das Haus der Familie Ward war von der Polizei freigegeben worden, aber Gillian hatte beschlossen, vorerst dort nicht einzuziehen. Das schreckliche Ereignis erschien noch zu nah, zu präsent. Gillian glaubte nicht, dass Becky es verkraften würde, dort bereits wieder zu wohnen, und was sie selbst betraf, war sie auch nicht sicher. Sie hatte nur ein paar Sachen holen wollen, Kleidungsstücke, Wäsche, Bücher, und John hatte angeboten, sie zu begleiten. Sie war dankbar, nicht allein in ihr einstiges Zuhause gehen zu müssen. Alles schien unverändert, und doch war es nicht mehr das Heim, das sie und Tom geschaffen, in dem sie mit Becky als Familie gelebt hatten. Im Wohnzimmer stand noch der Weihnachtsbaum und nadelte vor sich hin, und im Kühlschrank vergammelten die ersten Lebensmittel. Die Lichterketten und die Strohsterne in den Fenstern wirkten wie Relikte einer lang vergangenen Zeit. In der es Ordnung, Vertrautheit, Gleichmaß, Normalität gegeben hatte.

Diese Zeit würde nie wiederkommen.

»Wirst du das Haus behalten können?«, hatte John gefragt, als sie beide im Esszimmer gestanden und beklommen den Tatort betrachtet hatten, den Stuhl, über dem Tom zusammengebrochen und gestorben war.

Sie hatte mit den Schultern gezuckt. »Die Frage ist eher, ob ich hier leben will. Ob ich hier leben kann.«

»Was wird aus eurer Firma?«

»Wir haben gute Mitarbeiter. Im Moment laufen die Dinge, auch ohne dass ich mich intensiv kümmere. Natürlich werde ich bald eine Entscheidung treffen müssen. Ich bin jetzt die alleinige Chefin. Aber ich weiß noch nicht, ob ich einfach so weitermachen kann.«

Dann hatte sie ihre Sachen zusammengesucht, immer hastiger und schneller in ihren Bewegungen, weil sie plötzlich gemeint hatte, es keinen Moment länger in diesem Haus auszuhalten. Sie atmete erst wieder tief durch, als sie im Auto saßen.

»Es war schlimmer, als ich dachte«, sagte sie.

John half ihr, die zwei Waschkörbe mit Utensilien die Treppen zu Taras Wohnung hinaufzutragen, dann verabschiedete er sich. Als Gillian jedoch die Wohnungstür aufschloss und in das Wohnzimmer trat, blickte sie direkt in die hasserfüllten Augen ihrer Tochter.

»Warum schickst du ihn weg? Glaubst du, ich bin blöd? Ich weiß doch, dass du schon wieder mit ihm zusammen warst.«

Tara, die über einem Berg Akten am Tisch saß, blickte bekümmert drein. »Sie hat aus dem Fenster geschaut. Sie hat dich und Burton unten gesehen.«

Gillian versuchte über Beckys Haare zu streichen, aber das Mädchen duckte sich rasch zur Seite. »Er ist mein *Handballtrainer*, Mum! Kannst du ihn nicht in Ruhe lassen? Und er dich?«

»Becky, er hat mir doch nur geholfen, ein paar Sachen aus unserem Haus zu holen. Ich mochte dort nicht allein hingehen. Ich war froh, dass er mitgekommen ist.«

»Hast du sonst niemanden? Tara hätte dir doch auch geholfen!«

»Jemand musste doch auch bei dir bleiben«, gab Tara zu bedenken.

»Ich kann wirklich auch mal ein paar Stunden allein bleiben. Außerdem hätte ich mitkommen können.«

»Auf keinen Fall«, sagte Gillian. »Becky, du hast etwas sehr Schlimmes in diesem Haus erlebt, und es wäre nicht gut, wenn ...«

Beckys Augen sprühten Blitze. »Tu doch nicht so, Mum! So besorgt! Als ob du dir Gedanken um mich machst! Wenn es dir um mich ginge, dann würdest du aufhören, mit John herumzuvögeln!«

»Becky!«, sagte Gillian geschockt.

»Also, Becky, da wirfst du nun wirklich mit ziemlich heftigen Anschuldigungen um dich«, sagte Tara. »Und du solltest nicht derart vulgäre Ausdrücke benutzen.«

»Wie soll ich das denn sonst nennen, was meine Mutter und John tun? Es ist vulgär, was sie tun, Tara, und deshalb brauche ich doch auch nicht nach einer vornehmen Umschreibung zu suchen.«

»Wir tun überhaupt nichts«, sagte Gillian. »Er ist ein Freund, Becky. Mehr nicht.«

Becky war voller Wut. »Hör doch auf, mich wie ein Baby zu behandeln! Du hast mir immer noch nicht gesagt, was du eigentlich an dem Abend gemacht hast, als Dad ermordet wurde. Und ich weiß genau, dass du zu feige bist, es mir zu sagen.«

»Ich habe es dir gesagt. Ich war in einem Restaurant. Allein. Ich wollte für mich sein und nachdenken.«

»Du in einem Restaurant!«, sagte Becky gehässig. »Allein! Du gehst doch nie allein essen. Du hast dich mit John getroffen, und wahrscheinlich hast du mit ihm im Bett gelegen, während jemand gekommen ist und meinen Vater erschossen hat!« Bei den letzten Worten versagte ihre Stimme. Trotz der Wut, die sie ihrer Mutter entgegenschleuderte, war es in erster Linie Schmerz, der aus ihr herausbrach, Verzweiflung und noch immer die völlige Fassungslosigkeit, in die sie die furchtbare Tat gestürzt hatte. Die eigene stundenlang durchlittene Todesangst saß ihr noch in den Knochen. Sie war ein Kind, ein verstörtes, verängstigtes und todtrauriges Kind.

»Becky, lass uns doch …«, sagte Gillian und machte einen Schritt auf sie zu, aber Becky drehte sich um und lief aus dem Zimmer. Die Badezimmertür fiel krachend hinter ihr zu, und man konnte hören, wie der Schlüssel umgedreht wurde.

Gillian und Tara sahen einander an.

»Vielleicht solltest du es nicht abstreiten«, sagte Tara. »Die Sache zwischen dir und John Burton. Sie hat einen wachen Instinkt, und sie weiß einfach, dass zwischen euch etwas ist, das nichts mehr mit einer einfachen Freundschaft zu tun hat. Jeder kann das spüren. Indem du das abstreitest, gibst du ihr das Gefühl, dass sie von dir angelogen wird, und das ist nicht gut für eure Beziehung.«

»Aber wenn ich es zugebe, hasst sie mich auch.«

»Ihr ist etwas Furchtbares zugestoßen. Ihr Vater wurde ermordet, sie selbst ist dem Killer nur um Haaresbreite entkommen. Sie wird von Albträumen heimgesucht. Ihre behütete

Welt ist von einem Tag auf den anderen zusammengebrochen. Und ihre Mutter…«

»Ja?«, fragte Gillian, als Tara innehielt. »Was ist mit ihrer
Mutter?«

»Ich glaube, sie hat das Gefühl, dass du ihren Vater im
Stich gelassen hast. Dass er deshalb sterben musste.«

»Ich konnte doch nicht wissen…«

»Natürlich nicht. Aber versuch dir doch das Bild vorzustellen, von dem Becky gequält wird: Ihre Mutter liegt mit
dem gut aussehenden Handballtrainer im Bett, und währenddessen dringt jemand daheim in das Haus ein und erschießt
ihren über alles geliebten Daddy. Wen soll sie denn hassen,
wenn nicht dich? Den unbekannten, gesichtslosen Täter?«

»Ich frage mich, ob wir diese ganze Situation irgendwie
überstehen werden«, flüsterte Gillian.

»Es wird Zeit brauchen«, sagte Tara.

Gillian setzte sich in einen Sessel und stützte den Kopf in
beide Hände. »Ich habe mich nicht Hals über Kopf in eine
Affäre gestürzt, Tara, wirklich nicht. Nicht einfach nur so.
Tom und ich haben uns während der letzten Jahre sehr voneinander entfernt. Ich habe mich innerhalb meiner Ehe sehr
einsam gefühlt.«

»Leider ist dieser John nicht gerade der größte Sympa-
thieträger«, sagte Tara. »Es mag sein, dass ich von Vorurtei-
len bestimmt werde, und ich kenne ihn ja auch bislang eher
flüchtig, aber mir ist er zu attraktiv, zu selbstsicher, zu routiniert. Der ewige Verführer, der sich auf niemanden wirklich
einlässt. Ich hoffe, dass du dich nicht irgendwann an seiner
Seite noch verlassener fühlst als an Toms.«

»Ich weiß ja gar nicht, was aus uns wird«, entgegnete
Gillian abwehrend, aber Taras Worte gingen ihr unter die
Haut. Die Freundin hatte genau das ausgesprochen, was

auch Gillian selbst als beunruhigend und manchmal auch als undurchschaubar empfand: Johns seltsames Leben. Seine zerbrochene Karriere. Die Tatsache, dass er nie eine länger anhaltende Beziehung hatte aufbauen können oder wollen. Seine Wohnung, in der es praktisch keine Möbel gab, als hätte er selbst davor schon Angst.

Auf einmal hatte sie das Bedürfnis, darüber zu sprechen. Tara war Staatsanwältin. Aber auch ihre beste Freundin.

»Er war übrigens nicht immer Chef eines Sicherheitsdienstes«, sagte sie und es klang fast beiläufig. »Er hat früher für Scotland Yard gearbeitet. Er war Detective Inspector.«

»Tatsächlich? Und warum hat er dort aufgehört?«

Gillian zögerte, sah zu Boden. »Das war eine dumme Geschichte«, sagte sie. »Er hatte eine Affäre mit einer Praktikantin. Und diese junge Frau hat ihn angezeigt, als er mit ihr Schluss machen wollte. Wegen sexueller Nötigung.«

Sie blickte auf, als sie realisierte, dass keine Antwort kam, und erkannte, dass Tara sie geradezu fassungslos ansah.

»Wie bitte?«, fragte Tara schließlich.

»Es kam zu einem Ermittlungsverfahren, aber die Staatsanwaltschaft hat letztlich keine Anklage erhoben. Mehrere Gutachten haben John entlastet. Die junge Frau hat sich immer wieder in Widersprüche verstrickt. John war absolut unschuldig.«

»Oh ja, natürlich. Garantiert hat sie ihn ohne jeden Grund angezeigt!«

»Sie wurde hysterisch, als John ihr nach einer versiebten Prüfung nicht aus der Patsche helfen wollte. Drehte vollkommen durch. Er beschloss daraufhin, die Beziehung zu beenden. Das machte sie noch wütender. Und dann … na ja, dann zahlte sie es ihm richtig heim.«

»Gillian, ich kenne mich in solchen Fällen naturgemäß

ein bisschen aus. Wenn tatsächlich Ermittlungen aufgenommen wurden und die ganze Sache schließlich beim Staatsanwalt landete, dann gab es durchaus Indizien, die gegen John Burton sprachen. Und *für* die junge Frau.«

Gillian bereute, dass sie mit all dem angefangen hatte. Sie hatte auf Trost gehofft, aber nun war klar, dass Tara ihre Ängste und Zweifel nur noch verstärken würde. Und weil sie dies immer geahnt hatte, war sie ja auch bislang nicht mit dieser Geschichte herausgerückt. Wäre sie bloß bei dieser Haltung geblieben.

»Als John sich von ihr trennen wollte, kam es noch einmal zum Geschlechtsverkehr, aber …«

»Wirklich? Also haben sie seine Spermien nachweisen können.«

»Ja. Aber er hat nie abgestritten, dass er …«

»Lass mich raten«, sagte Tara. »Eigentlich wollte er die Beziehung beenden. Andererseits war dieses junge Ding ungeheuer reizvoll. Also springt er schnell noch mal mit ihr ins Bett. Mit ihrem Einverständnis natürlich, denn obwohl er sie gerade verlassen möchte, fällt ihr auch nichts Besseres ein, als mit dem Typen eine Nummer zu schieben. Hinterher ärgert sie sich, dass er trotzdem den Schlussstrich zieht, und rennt – ganz bösartiges, rachsüchtiges, kleines Monster, das sie ist – schnurstracks zur Polizei, um ihn nun wenigstens ins Gefängnis und um seine weitere Karriere zu bringen! So hat er es bei dir dargestellt, stimmt's?«

Gillian rieb sich über die Stirn. »Nicht mit diesen Worten«, sagte sie. »Aber inhaltlich läuft es darauf hinaus, ja.«

»Inhaltlich läuft es darauf immer hinaus«, sagte Tara. »In der Angabe der Täter jedenfalls. Du ahnst nicht, wie oft ich genau diese Geschichte auf den Schreibtisch bekomme, Gillian. Wenn es danach geht, gibt es den Tatbestand *Ver-*

gewaltigung in der Realität eigentlich gar nicht. Das ist nur etwas, das sich ein paar besonders perfide Frauen ausgedacht haben, um Männern, die nicht so wollen, wie sie sollen, richtig eins auszuwischen!«

»Sie hat sich selbst Verletzungen zugefügt. Das haben mehrere Gutachter bestätigt. Tara, du kannst doch nicht behaupten, dass das alles Menschen sind, die ein Komplott geschmiedet haben, um John Burton vom Verdacht eines scheußlichen Verbrechens zu befreien!«

»In Fällen wie diesen«, sagte Tara, »gibt es kaum je echte Beweise. Für die eine wie für die andere Seite nicht.«

»Ich glaube ihm«, erklärte Gillian. »Er hat sich in der ganzen Sache idiotisch verhalten, und das weiß er. Aber er hat niemanden zu irgendetwas genötigt.«

»Und das weißt du sicher? Du kennst ihn so gut?«

»Ich kann es mir nicht anders vorstellen«, sagte Gillian, merkte aber selbst, wie lahm das klang.

Wieso führen wir plötzlich ein solches Gespräch? Wieso läuft dieser ganze Tag so verrückt? Wieso greift mich erst meine Tochter an und dann meine beste Freundin?

»Was willst du denn, Tara?«, fragte sie.

Tara atmete tief durch. »Entschuldige. Ich bin zu heftig geworden. Ich will gar nichts, Gillian. Ich wundere mich nur, dass du ...«

»Ja?«

»Ich könnte mit einem Mann, dem ein solcher Verdacht anhaftet, keine Beziehung eingehen. Das wäre mir einfach zu gefährlich.«

»Das hieße, John hätte, selbst wenn er unschuldig ist, nie wieder eine Chance auf ein normales Leben!«

»*Du* musst ja nicht ausgerechnet seine Chance sein ...«

»Wieso nicht ich?«

»Hast du überhaupt keine Angst?«

Gillian schüttelte den Kopf. »Nein.«

»Na schön!« Tara hob ergeben beide Hände. »Es ist… Wahrscheinlich geht meine Fantasie mit mir durch. Burton ist nur… Ich meine, ich habe ihn ja nur zwei- oder dreimal gesehen, wenn er dich hier abgeholt hat, aber ich finde, dass er etwas Aggressives ausstrahlt. Er nimmt sich, was er haben möchte, zumindest ist es das, was ich in ihm sehe. Gillian, es tut mir leid, ich kann ihn nicht ausstehen, und was du mir eben erzählt hast, bestärkt die Gefühle, die er von Anfang an in mir ausgelöst hat. Ich traue ihm nicht. Ich wundere mich, dass du es tust. Aber das ist wahrscheinlich Ansichtssache. Und vielleicht bin ich auch ein wenig vorbelastet durch meinen Beruf.«

»Du denkst aber nicht, dass er etwas mit… Tom zu tun hat?«, fragte Gillian nach einer Weile, in der sie versucht hatte, das Gehörte zu verarbeiten.

»Nein«, sagte Tara, »das denke ich nicht. Ich denke nur, dass er nicht gut ist für dich. Ich glaube, er ist ein brutaler Kerl. Mit einem völlig gestörten Gefühlsleben. Das macht mir Sorgen.«

Nun schwiegen beide, jede erschöpft von der Auseinandersetzung.

Schließlich stand Gillian auf. »Ich sehe jetzt mal nach Becky«, sagte sie. Da ihre Tochter sie auf absehbare Zeit nicht in das Badezimmer hineinlassen würde und da sie das auch wusste, begriff sie durchaus, dass sie lediglich einen Vorwand suchte, um zu fliehen.

Sie fragte sich nur noch, ob sie vor Tara floh.

Oder vor sich selbst.

Detective Inspector Fielder war überrascht, als die Anruferin zu ihm durchgestellt wurde. Sie war in der Zentrale gelandet, und er hatte nicht damit gerechnet, von ihr zu hören.

Keira Jones. Carla Roberts' Tochter.

»Mrs. Jones!«, sagte er. »Wie schön, dass Sie mich anrufen!«

Keiras Stimme klang klein und scheu. »Guten Abend. Ich hoffe, ich störe nicht?«

»Keineswegs. Wie geht es Ihnen?«

»Nicht besonders gut, wenn ich ehrlich bin«, sagte Keira. »Die Wohnung meiner Mutter wurde ja inzwischen freigegeben, und ich habe heute begonnen, sie auszuräumen. Irgendwann muss es ja sein. Und es ist … es fällt sehr schwer. Es kommen viele Erinnerungen hoch.«

Sie schwieg.

»Ich kann das gut nachfühlen«, sagte Fielder. »Sie gehen durch eine schwere Zeit. Ein Verbrechen ist noch etwas anderes als ein natürlicher Todesfall. Auch die Angehörigen sind von der Gewalttat betroffen.«

»Ich hatte nur noch so selten Kontakt zu meiner Mutter in den letzten Jahren«, sagte Keira leise, »und heute, als ich in ihren Sachen kramte, bin ich ihr plötzlich ganz nah gekommen. Ich sah mich wieder als Kind, und sie war meine Mummy, die immer für mich da war …« Sie stockte, schluckte.

»Ich verstehe«, sagte Fielder mitleidig.

»Also, weswegen ich anrufe«, sagte Keira mühsam gefasst. »Ich habe im Briefkasten meiner Mutter einen Brief an sie gefunden, der offenbar gerade heute dort eingetroffen ist. Ich kannte die Absenderin nicht. Eine Frau aus Hastings.

Ich habe den Brief gelesen. Die Frau hat anscheinend keine Ahnung, dass meine Mutter nicht mehr lebt, aber der Mord wurde da unten in East Sussex natürlich auch nicht so in der Tagespresse ausgewalzt wie hier. Abgesehen davon haben ja auch nur wenige Zeitungen den Namen genannt. Ich bin mir nicht sicher, aber vielleicht ist der Inhalt des Briefes wichtig.«

»Was steht denn darin?«

»Nichts, was auf den ersten Blick einen Anhaltspunkt ergibt. Aber Sie waren doch so sehr auf der Suche nach irgendwelchen Menschen, mit denen meine Mutter in Kontakt stand, und ganz offenbar gab es da eine Gruppe ... von der ich keine Ahnung hatte.«

»Was für eine Gruppe?«

»Wenn ich den Brief richtig interpretiere, dann ging meine Mutter bis etwa vor einem Dreivierteljahr einmal wöchentlich zu einer Art Selbsthilfegruppe. Für Frauen, die allein leben. Geschieden oder verwitwet. Sie trafen sich, um über ihre Situation zu reden. Um Menschen kennenzulernen, die ein ähnliches Schicksal erlebt haben. Meine Mutter hatte mir nie etwas davon erzählt.«

Fielder überlegte. Es war ein Anhaltspunkt, immerhin. Es konnte sein, dass er zu nichts führte und das Verbrechen an Carla Roberts nicht das Geringste mit jener Selbsthilfegruppe zu tun hatte, aber immerhin bot sich die Möglichkeit, mit Menschen zu sprechen, die Carla gekannt hatten. Jenseits ihrer Arbeit in der Drogerie, die nun schon länger zurücklag.

Vielleicht fand sich nun ein neuer Einstieg. Wenngleich Fielder sorgsam darauf achtete, seine Erwartungen nicht zu hochzuschrauben. Dieser Fall schenkte ihm gar nichts, das hatte er schon begriffen.

»Es geht aus dem Schreiben eindeutig hervor, dass Ihre Mutter vor einem Dreivierteljahr die Gruppe verließ?«, fragte er.

Keira zögerte. »Wenn ich es richtig verstehe, dann war die Frau, die den Brief geschrieben hat, die Initiatorin der Gruppe. Sie ist offenbar im April vergangenen Jahres aus privaten Gründen von London nach Hastings gezogen, und damit hat sich wohl alles aufgelöst. Sie schreibt, dass es ihr leidtue, dass die Gruppe ihren Weggang nicht überstanden habe. Sie erkundigt sich sehr genau, wie es meiner Mutter geht. Sie hat sich Sorgen um sie gemacht. Wollte einfach mal wieder von ihr hören.«

»Ich verstehe. Es ist sehr gut, dass Sie mich anrufen, Mrs. Jones. Unsere Ermittlungen sind ziemlich festgefahren, auch deshalb, weil wir im Fall Ihrer Mutter praktisch auf überhaupt kein Umfeld zurückgreifen konnten. Ich werde den Brief bei Ihnen abholen lassen. Können Sie mir bitte Namen und Adresse der Absenderin nennen?«

»Natürlich. Die Frau heißt Ellen Curran.« Sie diktierte die Anschrift. Dann fügte sie hinzu: »Halten Sie mich bitte auf dem Laufenden?«

»Selbstverständlich«, versicherte Fielder.

Nachdem sie sich verabschiedet hatten, ließ er sich sofort von der Auskunft die Telefonnummer von Ellen Curran geben. Warum sollte er es nicht gleich bei ihr versuchen? Es war halb sieben am Abend, selbst wenn sie berufstätig war, bestand eine Chance, sie daheim anzutreffen.

Mrs. Curran hob nach dem siebten Klingeln ab und war völlig außer Atem. »Ich bin eben erst nach Hause gekommen«, sagte sie entschuldigend, nachdem Fielder sich vorgestellt hatte, und fügte dann alarmiert hinzu: »Scotland Yard? Ist etwas passiert?«

»Ja, leider«, sagte Fielder. Kurz berichtete er von der Ermordung Carla Roberts', ließ aber zunächst unerwähnt, dass man es möglicherweise inzwischen mit einem Serientäter zu tun hatte. Ellen Curran reagierte vollkommen entsetzt. Sie hatte keine Ahnung gehabt.

»Das ist ja furchtbar! Um Gottes willen! Weiß man, wer das getan hat?«

»Wir tappen ziemlich im Dunkeln«, musste Fielder gestehen. »Die Ermittlung wird dadurch erschwert, dass Carla Roberts so völlig zurückgezogen von allen Menschen lebte, dass wir kaum Ansatzmöglichkeiten finden, uns überhaupt mit ihrem Leben vertraut zu machen. Geschweige denn, mögliche Feinde auszuloten. Zum Glück hat die Tochter heute Ihren Brief gefunden, als sie daranging, die Wohnung ihrer Mutter auszuräumen. Ihre Gruppe stellt einen der ganz wenigen Anhaltspunkte dar.«

»Ich kann es gar nicht fassen«, sagte Ellen. »Wirklich, wer sollte denn ausgerechnet Carla umbringen?«

»*Ausgerechnet Carla?* War sie so beliebt? Oder weshalb erscheint es Ihnen gerade bei ihr so abwegig?«

»Sie war nicht ungeheuer beliebt«, sagte Ellen, »aber auch keineswegs unbeliebt. Sie war ein Mensch, der oft übersehen wurde. Eine graue Maus. Sehr still, sehr bescheiden, sehr zurückhaltend. Aber immer hilfsbereit. Nein, ich kann mir nicht denken, dass jemand etwas gegen sie hatte.«

»Wie viele Frauen nahmen an der Gruppe teil?«, erkundigte sich Fielder.

»Fünf. Mit mir sechs.«

»Sie hatten die Gruppe ins Leben gerufen?«

»Mein Mann hat mich vor drei Jahren verlassen. Die klassische Geschichte, er hatte etwas Jüngeres gefunden. Ein Jahr lang dachte ich, dieses Drama würde mich umbringen. Dann beschloss ich, mich an den eigenen Haaren aus dem Sumpf zu ziehen. Ich suchte mir einen Job und ich gründete einen Gesprächskreis für Frauen, denen es ähnlich ergangen war wie mir. Es hilft manchmal, mit anderen zu sprechen, die genau wissen, was man fühlt.«

»Das kann ich nachvollziehen. Sie haben die Gruppe demnach vor zwei Jahren gegründet? Und sind vor einem Dreivierteljahr weggezogen. Das heißt, das Ganze lief etwa über eineinviertel Jahre?«

»Ja.«

»War Carla Roberts von Anfang an dabei?«

»Nein. Anfangs hatten sich nur drei Frauen zusammengefunden. Carla schloss sich uns etwa nach einem halben Jahr an. Etwas später stieß dann die fünfte Frau dazu.«

»Wie hat Carla Roberts von Ihnen erfahren?«

»Nicht auf dem üblichen Weg. Ich hatte eine Homepage im Internet. Darüber haben mich die anderen kontaktiert.«

»Und Mrs. Roberts …?«

»Carla besaß keinen Computer. Keinen Internetanschluss. Diese Entwicklung hatte sie irgendwie verpasst. Aber vor eineinhalb Jahren brachte eine Zeitschrift einen Bericht über uns.«

»Welche?«

»*Woman and Home*. Wahrscheinlich kennen Sie sie nicht, Inspector, es ist …«

»Meine Frau liest sie manchmal«, sagte Fielder. »Ich habe durchaus eine Vorstellung.« Die klassische Frauenzeitschrift. Mode, Schönheit, Diät. Lebensberatung. Prominente.

»Also, jedenfalls hat Carla den Artikel gelesen«, sagte Ellen. »Und daraufhin hat sie uns kontaktiert. Und kam dann auch zu unseren Treffen.«

»Bekamen Sie viele Zuschriften auf den Artikel hin? Drohbriefe vielleicht auch? Von Männern, die geschiedene Frauen grundsätzlich als Abzockerinnen oder Blutsauger begreifen?«

»Nein. Wir bekamen schon Briefe, aber fast ausschließlich von Frauen. Es waren positive Reaktionen.«

»Gab es ein Forum auf Ihrer Homepage?«

»Ja.«

»Aber auch da kamen keine aggressiven Beiträge?«

»Nein. Aber es gab überhaupt wenig Beiträge dort. Wir waren ja nur eine kleine Gruppe.«

»Wurden die Namen und möglicherweise auch die Adressen dieser fünf Frauen, die sich Ihnen angeschlossen hatten, auf der Homepage genannt?«

»Nein. Das hätte ich nie getan. Niemand konnte herausfinden, wer zu uns gehörte.«

»Die Homepage gibt es nicht mehr?«

»Nein. Ich habe dann jemanden kennengelernt und bin zu ihm nach Hastings gezogen. Es gibt für mich jetzt keinen Grund mehr, eine Internetpräsenz am Laufen zu halten.«

»Wieso brach die Gruppe nach Ihrem Weggang zusammen?«

»Ja, das war schade«, sagte Ellen, »aber so ist das manchmal, nicht? Man macht sich das zunächst gar nicht wirklich klar, aber es gibt offenbar in den meisten Gruppen eine Person, die den Dreh- und Angelpunkt darstellt, und im vorliegenden Fall war das wohl ich. Nachdem ich weg war, brachten die anderen keine Verabredungen mehr zustande, konnten sich nicht mehr auf die Termine ihrer Treffen einigen, saßen dann oft nur noch zu zweit herum ... bis es ganz auseinanderlief. Eine der Teilnehmerinnen schrieb mir im September, dass sie einander alle irgendwie aus den Augen verloren hatten. Ich fand das sehr bedauerlich.«

»Wie oft traf man sich vorher?«

»Jeden Donnerstag. Bei mir.«

»Haben Sie den anderen jetzt zum Jahresbeginn auch geschrieben? Oder nur Carla Roberts?«

»Nur Carla.«

»Warum? Die Tochter meinte, der Brief klinge besorgt. Weshalb haben Sie sich Sorgen um Carla gemacht?«

»Ich hatte lange nichts mehr von ihr gehört«, sagte Ellen. »Von den anderen habe ich nach meinem Umzug noch ab und zu eine E-Mail bekommen, obwohl auch das inzwischen praktisch eingeschlafen ist. Von Carla kam gar nichts mehr, nicht ein einziges Mal, auch kein normaler Brief oder eine Karte. Ich wusste, dass sie ein trauriger Mensch war. Ich dachte, es kann nicht schaden, mal zu fragen, wie es ihr so geht.«

»Mrs. Curran«, sagte Fielder, »Carla Roberts ist auf eine Art und Weise umgebracht worden, die auf einen extrem großen Hass des Mörders schließen lässt. Es ging nicht um Raub. Es ging primär auch nicht um ein Sexualdelikt. Aber es muss sich eine ungeheure Aggression beim Täter angestaut haben. Wir wissen noch nicht, ob sich diese Aggression auf Frauen an sich richtete oder ob sie ganz konkret mit Carla zu tun hatte. Deshalb bitte ich Sie, sehr genau nachzudenken, ob Carla während der Treffen irgendetwas aus ihrem Leben erzählt hat, das damit zu tun haben könnte. Ob es etwas gab in ihrem Leben, ein Ereignis, einen Menschen, irgendetwas, das einen derartigen Hass erklären könnte.«

Ellen Curran schwieg sehr lange. Sie schien angestrengt nachzudenken.

Schließlich sagte sie: »Es tut mir leid, Inspector. Mir fällt nichts dazu ein. Carla redete sowieso nicht viel. Wenn sie etwas sagte, dann sprach sie von ihrem Mann. Er hatte sie jahrelang betrogen und darüber hinaus die Familie finanziell ruiniert und sich dann aus dem Staub gemacht. *Sie* hätte Grund gehabt, *ihn* zu hassen, nicht umgekehrt!«

»Ich bräuchte eine Liste der Teilnehmerinnen an Ihren Treffen«, sagte Fielder. »Wäre das möglich? Namen, Adressen, soweit Sie sie haben?«

»Irgendwo habe ich eine Liste. Ich könnte sie Ihnen mailen.«

»Da wäre ich Ihnen sehr dankbar.« Fielder diktierte seine E-Mail-Anschrift. Dann fügte er hinzu: »Gab es jemanden in der Gruppe, mit dem Carla befreundet war? Trotz ihrer offenbar übermäßigen Schüchternheit? Jemand, an den sie sich ein bisschen angeschlossen hatte? Dem sie vertraute?«

Ellen überlegte. »Befreundet kann man das wohl nicht nennen«, meinte sie dann, »aber mir schien es so, als sei sie tatsächlich einer der Frauen ein wenig nähergekommen. Liza Stanford. Die beiden saßen meist nebeneinander, flüsterten manchmal. Ob sie sich auch außerhalb unserer Treffen gesehen haben, weiß ich allerdings nicht.« Sie hielt inne.

»Liza war unser Anachronismus«, fuhr sie fort. »So sagten wir das alle immer. Sie war nämlich überhaupt nicht geschieden oder verwitwet oder aus irgendeinem anderen Grund allein, und am Anfang wollte ich sie gar nicht bei uns aufnehmen. Sie war verheiratet. Aber sie war unglücklich in ihrer Ehe, vernachlässigt. Sie dachte darüber nach, ob es für sie nicht besser wäre, einen neuen Anfang zu suchen. Es fehlten ihr Mut und Entschlusskraft, und sie hoffte, es vielleicht mit der Hilfe anderer zu schaffen. Schließlich entschied ich, dass sie doch irgendwie dazugehört. Deshalb durfte sie mitmachen. Sie war übrigens die, die als Letzte dazustieß, und sie war diejenige, die dann am häufigsten fehlte. Was mich etwas ärgerte.«

»Hat sie sich irgendwann von ihrem Mann getrennt?«

»Nicht in meiner Zeit, nein. Ob sie es inzwischen getan hat, weiß ich nicht.«

»Erzählte sie etwas Genaueres über die Probleme in ihrer Ehe?«

»Sie blieb sehr vage. Nein, so richtig rückte sie nicht mit der Sprache heraus. Ich hatte den Eindruck, dass sie eine sehr wohlhabende Frau war, die nichts mit ihrem Leben anzufangen wusste und darüber Depressionen bekam. Und der Ehemann war natürlich schuld, weil er sich nicht kümmerte. Aber wenn Sie mich fragen: Irgendetwas stimmte mit der Frau nicht. Ich dachte manchmal: Der arme Mann! Mit der möchte ich nicht verheiratet sein.«

»Was genau stimmte nicht?«

»Ich weiß es nicht. Es war einfach etwas in ihrer Ausstrahlung. Sie schien mir durch und durch neurotisch zu sein. Jemand, der Hilfe wollte, aber letztlich gar nicht annehmen konnte. Vielleicht bin ich ungerecht. Ich habe wenig Geduld mit diesen reichen, gelangweilten Gattinnen, die ihre Probleme kultivieren, damit sie überhaupt irgendetwas haben, womit sie sich beschäftigen können.«

Fielder machte sich ein paar Notizen. Dann schoss er eine letzte, hoffnungsvolle Frage ab. Es wäre zu schön...

»Sagen Ihnen die Namen *Anne Westley* und *Gillian Ward* etwas?«

»Nein«, sagte Ellen Curran.

I

Der Wohnwagen war knapp fünf Meter lang und drei Meter breit. Er wurde mit Propangas beheizt und war kuschelig warm, das musste Samson zugeben. Die Ausstattung war eher notdürftig, aber man konnte hier durchaus eine Zeit lang leben – wenn man seine Ansprüche entsprechend herunterschraubte. Es gab ein Sofa, das man zu einem Bett aufklappen konnte, einen Tisch, zwei Stühle. Eine Art Kochnische mit einem Gaskocher und einem Spülbecken, das seinen Wasservorrat aus einem Tank bezog. Es gab einen eingebauten Hängeschrank, in dem sich Plastikgeschirr und ein paar Lebensmittelvorräte befanden; Kaffeepulver und Tee, Trockenmilch, ein paar Pakete mit Nudeln und Gläser mit Tomatensoße. In einem winzigen Abteil befanden sich eine Dusche und eine Toilette. Samson hasste die Enge, die dort herrschte. So, wie er es hasste, den Auffangbehälter der Toilette zu reinigen. Den Tank nachzufüllen. Jeden Tag Spaghetti zu essen. In diesem kleinen Raum eingesperrt zu sein.

Aber er hatte keine Wahl, und er wusste, eigentlich musste er dem Schicksal dankbar sein. Eine Zelle in der Untersuchungshaft wäre noch schlimmer.

John Burton hatte ihn hierhergebracht. Ihn hasste Samson

im Grunde auch, aber auch ihm musste er dankbar sein. Er war der Einzige, der sich um ihn kümmerte. Der vielleicht sogar von seiner Unschuld überzeugt war. Was er allerdings nie zum Ausdruck brachte. Samson hatte ihn immer wieder gefragt, und John hatte immer nur geantwortet: »Solange nichts erwiesen ist, glaube ich überhaupt nichts.«

Mehr, das begriff Samson, konnte er zum gegenwärtigen Zeitpunkt kaum erhoffen.

In Johns Firma grassierte die Grippe, deshalb gab es Probleme, alle notwendigen Einsätze zu organisieren. Der Wohnwagen, von dem aus die Baustelle bewacht werden sollte, stand leer.

»Sie können dorthin«, hatte John gesagt, »solange es so kalt bleibt und so viel schneit, passiert dort gar nichts, und es wird sich niemand blicken lassen. Auf jeden Fall ist es sicherer als dieses *Bed & Breakfast* in Southend.«

Samson war voller Erleichterung aus der Pension ausgezogen, deren Tristesse ihn langsam um den Verstand gebracht hatte, aber nun war er seit drei Tagen hier und hatte das Gefühl, vom Regen in die Traufe geraten zu sein. Das schäbige Zimmer am Bahnhof war trostlos gewesen, aber wenigstens hatte man dort aus dem Fenster das Leben und Treiben auf der Straße beobachten können und nicht das Gefühl gehabt, von der normalen Welt vollkommen ausgeschlossen zu sein. Genau dieses Gefühl nämlich bekam man hier. Ein Baugelände irgendwo im Süden von London, auf dem Wohnblocks hochgezogen wurden, wo es aber ansonsten weit und breit überhaupt nichts gab, nicht einmal Ansätze einer Infrastruktur. Wenn Samson die schmuddelige, gelblich verfärbte Gardine beiseiteschob, die sein Wohnwagenfenster verhüllte, so blickte er auf eine Ansammlung von Rohbauten, die ruinenartig in den grauen Winterhimmel ragten. Er sah ein paar Kräne und eine Unmenge fest verschlossener Bauwagen. Diese, genauer gesagt: der in ihnen gebunkerte Inhalt an Maschinenersatzteilen und Werkzeugen, stellten die Objekte der Bewachung dar.

Wenigstens hatte es erneut so ausgiebig geschneit, dass alles unter einer weißen Decke lag. Regnerisches Schmuddelwetter wäre noch schlimmer gewesen, hätte alles in Schlamm und Dreck und schmutzig brauner Farbe versinken lassen. Aber auch so waren Verlassenheit und Leere dieses Ortes niederschmetternd und trübselig. Manchmal schrien Vögel. Menschen hatte Samson noch nicht ein einziges Mal gesehen, und es verkörperte für ihn den ganzen Irrsinn seiner Situation, dass er sich einerseits nach dem Erscheinen von Menschen sehnte, zugleich aber wusste, dass er genau darüber zu Tode erschrocken wäre: In seiner Lage bedeuteten Menschen Gefahr. Er musste froh sein, hier am Ende der Welt sitzen und sich halbwegs in Sicherheit wiegen zu dürfen.

Aber wie lange?

Wie lange würde es dauern?

Wie lange konnte er das ertragen?

An diesem Tag war er immerhin zu einem Spaziergang aufgebrochen, hatte die ganze große Baustelle umrundet und trockenes Brot, das er gesammelt hatte, den Vögeln hingeworfen, hatte die frische, kalte Luft tief eingeatmet und erkannt, dass er nicht mehr allzu lange durchhalten würde. Er steckte in einer tiefen seelischen Krise, wahrscheinlich bereits inmitten einer schweren Depression, und mit jeder Stunde, die verstrich, geriet er tiefer hinein, begann zu fühlen, dass vielleicht nicht die Polizei sein größter Feind war, sondern dass die eigentliche Gefahr von ihm selbst ausging, von seiner Schwermut, seiner Verzweiflung, seiner Hoffnungslosigkeit. Kein Ende absehen zu können, das war das Schlimme.

Ein paar Mal hatte er seit dem gestrigen Abend darüber nachgedacht, dass der Tod, bei allem Schrecken, der jedem Gedanken an ihn innewohnte, auch eine Erlösung darstellen konnte, und er verstand, dass in solchem Denken das Risiko lag: das Risiko, dass er irgendwann im Verlauf dieses kalten, schneereichen Januars oder eines folgenden ebenso kalten, ebenso dunklen und verschneiten Februars von der Decke seines Wohnwagens hängen würde, weil er die Schreie der Vögel in der Stille, weil er die Leere eines jeden Tages nicht mehr ertrug.

Als er zum Wohnwagen zurückkehrte, hörte er ein Motorengeräusch und sah Scheinwerfer den unbefestigten Feldweg, der zu der Baustelle führte, entlangkommen. Nach einer kurzen Sekunde des Schreckens entspannte er sich. Er kannte den Motor.

Es war John, der dort kam.

Gestern hatte er sich nicht blicken lassen, und heute hatte Samson den ganzen, endlosen Tag über auf sein Erscheinen gehofft. Es war absurd; er konnte den Mann nicht leiden und er wusste, dass dieser mit der Frau schlief, von der er selbst träumte. Aber Burton war der einzige Mensch, auf den er in seiner völligen Isolation hoffen konnte. Der Einzige, der mit ihm sprach, der seinen letzten Kontakt zur Welt darstellte. Er hasste ihn und sehnte ihn zugleich herbei, und allein für diese Sehnsucht verabscheute er dann auch noch sich selbst.

Er blieb an den Stufen zum Wohnwagen stehen und wartete. Burton parkte und stieg aus, kam auf ihn zu. Groß und breitschultrig in seiner schwarzen Lederjacke, einen grauen Schal lässig um den Hals geschlungen.

Klar, dass Gillian auf ihn abfuhr.

Der würgende Kloß in Samsons Kehle verstärkte sich.

»Sie waren spazieren?«, fragte John. Er hielt einen Stapel

Zeitungen und Zeitschriften unter dem Arm, den er Samson nun reichte. »Hier. Etwas zum Lesen. Sie langweilen sich zu Tode, stimmt's?«

»Es ist sehr still hier«, bestätigte Samson.

John machte ein paar Schritte zu seinem Auto zurück, öffnete den Kofferraum, zog zwei große Tüten hervor. »Lebensmittel. Und ein paar Flaschen Bier. Alkohol löst keine Probleme, aber manchmal hilft er, sie zu ertragen.«

»Ich trinke eigentlich keinen Alkohol«, sagte Samson steif und hätte sich gleich darauf ohrfeigen können: John hatte es gut gemeint.

John zuckte mit den Schultern. »Ich lasse die Flaschen hier. Vielleicht ist Ihnen ja doch noch einmal danach.«

»Ja. Danke.« Samson hatte inzwischen die Tür zum Wohnwagen aufgeschlossen. »Möchten Sie nicht hereinkommen?«

»Keine Zeit. Ich habe noch eine Verabredung.«

»Mit Gillian?«, entfuhr es Samson.

John schüttelte den Kopf. »Nein.«

»Wie … wie geht es Gillian?«

»Ich würde sagen, den Umständen entsprechend«, sagte John. »Sie wirkt auf mich noch immer ziemlich traumatisiert, aber sie sitzt nicht herum, sondern versucht, erste Schritte in eine neue Zukunft zu unternehmen. Sie kümmert sich um die Auszahlung der Lebensversicherung, hat mit der Bank wegen der Hypotheken auf dem Haus gesprochen und war wieder in ihrem Büro. Ach ja, und sie hat ihre Tochter zu ihren Eltern nach Norwich geschickt.«

»Sie hat Becky weggeschickt?«

»Wegschicken kann man es nicht nennen. Sie und Becky haben sich ständig gestritten, und sie meinte, es sei gut, wenn sie sich für eine Weile aus dem Weg gehen. Die Schule fängt übermorgen wieder an, aber Becky ist ohnehin noch nicht in der Lage, bereits wieder am normalen Leben teilzunehmen. Gillian hat sie für den ganzen Januar beurlaubt – und in Norwich einen Therapeuten organisiert, zu dem Becky nun regelmäßig gehen wird. Das Kind braucht professionelle Hilfe. Ich glaube, Gillian hat insgesamt ganz richtig entschieden.«

Ja klar, dachte Samson feindselig, Tom ist tot und Becky ist bei den Großeltern, und nun hast du so richtig freie Bahn. Läuft alles nach Plan, wie?

Aber natürlich sprach er derlei Gedanken nicht aus.

Stattdessen fragte er: »Und in dem Fall? Gibt es da etwas Neues? Tut sich irgendetwas? Haben die eine Spur?«

»Leider nicht dass ich wüsste«, bedauerte John. »Die suchen nach Ihnen und tappen ansonsten ziemlich im Dunkeln. Soweit mir bekannt ist.«

»Sie haben doch Kontakte bei der Polizei…«

»Bislang keine neuen Informationen«, sagte John. Er blickte auf seine Armbanduhr. »Ich muss los. Tut mir leid, Samson. Ich weiß, es ist verdammt einsam hier und Sie fühlen sich hundeelend, aber im Moment kann ich nicht mehr für Sie tun, als hin und wieder nach Ihnen zu sehen und Sie mit dem Nötigsten zu versorgen.«

»Und das ist schon viel«, murmelte Samson. »Danke, John.«

Er sah John nach, der zu seinem Auto zurückging und einstieg. Er fuhr ins Leben zurück. Zu einer Verabredung, zu einem Abendessen, zu Stimmen, Gelächter, Lichtern und Geselligkeit.

Der gut aussehende John Burton. Der eine Tatsache förmlich ausstrahlte: dass er immer, sein Leben lang, irgendwie auf die Füße fallen würde. Ganz gleich, was das Schicksal bereithielt. Ganz gleich, welche Fallen entlang des Weges lauerten.

Während ich immer verliere. Immer. Und wahrscheinlich merkt man mir das auch an. Und es gibt weniges, was einen Mann so unattraktiv erscheinen lässt wie dieses Schild auf der Stirn: *Ich bin ein Verlierer!*

Er nahm die Einkaufstüten hoch, die John in den Schnee gestellt hatte, und betrat seine düstere Behausung.

Vielleicht würde er doch ein Bier trinken heute Abend.

2

Auf dem Weg zurück in die Stadt dachte John über Samson Segal nach. Der Mann war psychisch am Ende, das war deutlich zu spüren gewesen, und er würde vermutlich nicht mehr lange durchhalten. John war sicher, dass Segal bereits mit dem Gedanken spielte, sich freiwillig der Polizei zu stellen; was ihn zurückhielt, war die Gewissheit, dass eine Gefängniszelle seine Situation nicht wirklich verbessern würde. Vielleicht wäre er dort nicht mehr allein, aber genau dieser Umstand barg für einen Menschen wie Segal neue Schrecken: Er kannte es nicht anders, als dass er immer untergebuttert wurde und als Blitzableiter für die Aggressionen der anderen diente. Samson mochte ein Spinner sein, aber er war nicht dumm. Darin war sich John sicher. Segal verfügte über eine ziemlich klare Selbsteinschätzung wie auch eine ungeschönte Einschätzung der Situationen, in die er geriet. Ihm war klar, dass das Gefängnis gerade für ihn eine Hölle ungeahnten Ausmaßes darstellen würde.

Auch über seine eigenen Motive dachte John nach, während er sich in den Stadtverkehr einfädelte. Indem er Samson versteckte, machte er sich strafbar. Die Polizei musste nur noch einmal jenen angstschlotternden Polen vernehmen, der Segals einziger Freund auf dieser Welt zu sein schien, und schon konnten sie erfahren, dass er, John, vor wenigen Tagen ebenfalls dort gewesen war und Segals damaligen Aufenthaltsort in Erfahrung gebracht hatte. Ein Wissen, mit dem er sofort hätte zur Polizei gehen müssen. Fielder wartete nur darauf, ihn zu kriegen, und er würde sich diese Gelegenheit nicht entgehen lassen.

Detective Inspector Peter Fielder.

Der war wahrscheinlich mit ein Grund, weshalb sich John in die Geschichte einmischte und wieder einmal höchst riskant am Rande des Abgrundes entlangspazierte. Er hatte damals nicht allzu viel mit Fielder zu tun gehabt, aber es hatte ausgereicht, dass beide Männer einander aus tiefster Seele nicht ausstehen konnten. Ohne dass es je ein echtes Zerwürfnis, einen Zusammenstoß, einen größeren Streit zwischen ihnen gegeben hatte. Sie waren einander einfach vollkommen unsympathisch. John hielt DI Fielder für einen erzkonservativen Spießer, für einen mittelmäßig begabten Ermittler, der aber Karriere machte und zweifellos weiterhin machen würde, weil er sich überkorrekt an alle Vorschriften hielt, höchst zuverlässig war und sich nie im Leben mit den Menschen anlegen würde, die für ihn und sein Fortkommen wichtig waren. Johns unmittelbare Mitarbeiterin war damals Sergeant Christy McMarrow gewesen, die Frau, in die Fielder hoffnungslos verknallt war. Jeder wusste das, aber Fielder glaubte wahrscheinlich immer noch, dass er seine leidenschaftlichen Gefühle überaus geschickt verbarg. Dabei war es schon damals das absolut angesagte Klatschthema auf allen Fluren gewesen, und jeder hatte über den schmachtenden Polizisten gegrinst, bis schließlich auch den hoffnungsvollsten Romantikern und den wildesten Tratschtanten der Stoff ausgegangen war: Die Geschichte entwickelte sich nicht. Es blieb beim Anhimmeln. John hätte das von Anfang an prophezeien können. Fielder war viel zu bieder, viel zu konventionell für einen handfesten Ehebruch.

Und selbst als er Christy durch Johns Fortgang gewissermaßen geerbt hatte, war die Romanze nicht in Bewegung gekommen.

John wusste, dass Fielder ihn verachtete, weil es nur wenige bürgerliche Tugenden gab, die er sich zu eigen gemacht hatte, dass er ihn aber zugleich auch beneidete, weil er auslebte, was sich Fielder selbst versagte. So war es allerdings vielen seiner Kollegen ergangen. John war ziemlich unbeliebt bei anderen Männern: Weil er gut aussah, weil er skrupellos und vollkommen unabhängig war und weil er fast jede Frau haben konnte, die es ihm angetan hatte. Die meisten hatten es ihm von Herzen gegönnt, als ihn die Praktikantin seinerzeit in die Enge getrieben hatte, aber es war ihm gelungen, den Spieß umzudrehen. Er hatte freiwillig den Dienst quittiert und war frohen Mutes in die Selbstständigkeit gegangen, und er wusste, dass er den zurückbleibenden Kollegen das Gefühl gegeben hatte, die eigentlichen Verlierer zu sein.

Er sah eine Parklücke und stellte seinen Wagen ab. Es war noch ein gutes Stück bis zu dem Restaurant, in dem er verabredet war, aber in dieser Gegend waren Parkplätze so rar wie Wasserquellen in der Wüste. Umso knapper, als die Schneeberge, die die Räumungsdienste seit Tagen an den Straßenrändern aufhäuften, auch noch jede Menge Platz wegnahmen.

Das italienische Restaurant empfing ihn mit Wärme, mit Kerzenschein, mit dem Duft nach Pasta und Kräutern, mit Stimmengewirr und Gläserklingen. Samstagabend. Es war ziemlich voll, aber John erkannte schon von der Tür aus, dass seine Verabredung bereits da war. Sie saß ziemlich weit hinten, an einem etwas abseits stehenden Tisch.

Kluges Mädchen.

Perfekt für das, was sie vorhatten.

Sie hatte ihn ebenfalls entdeckt und winkte ihm zu. Als er sich ihr durch die Tischreihen näherte, sah er, dass sie geradezu glühte vor Erwartungsfreude. Sie hatte etwas für ihn. Sie fieberte seiner Überraschung entgegen und dem Lob, das sie bekommen würde.

Detective Constable Kate Linville. Fünfunddreißig Jahre alt. Sah aber aus wie mindestens zweiundvierzig. Hellbraune Haare, blasses Gesicht. Züge, die man sich nur schwer merken konnte. Ihre kleinen Augen wirkten immer etwas verquollen, so als hätte sie die jeweils vergangene Nacht kräftig durchgesoffen und wenig geschlafen, was definitiv nicht der Fall war. Ihre Augen hatten einfach diese unglückliche Form. Kate wurde von Männern beharrlich übersehen, und auch ihre Karriere bei der Polizei kam nicht recht in Gang. Weshalb sie überhaupt unbedingt diesen Beruf hatte ergreifen müssen, war schon zu Johns Zeiten jedem in der Abteilung ein Rätsel gewesen.

Sie gehörte damals zu den Frauen im Yard, die in John Burton verliebt gewesen waren. Er hatte das jedoch lange Zeit nicht gewusst und nicht im Traum vermutet. Aber eines Tages, er stand am Kopierer, war sie neben ihn getreten, ebenfalls mit einer Akte in der Hand, die sie kopieren wollte, und hatte eine Weile schweigend gewartet, bevor sie plötzlich fragte: »Hätten Sie Lust, am Wochenende mal mit mir ins Kino zu gehen?«

Ihre Stimme hatte gezittert, und ihre Lippen waren bleich gewesen, und John, der sie überrascht angesehen hatte, begriff, dass sie auf eine Gelegenheit wie diese monatelang hingefiebert, dass sie diesen einen Satz bis zum Umfallen geübt haben musste. Und noch etwas hatte er erkannt, als er ihre Augen sah: dass sie sich verzehrte nach ihm, dass er der Held ihrer Tagträume war, dass in ihren Gedanken eine Welt existierte, in der er und sie die wunderbarsten Dinge zusammen erlebten. Er hatte die Monotonie ihres Lebens erkannt, die stillen Abende und die leeren Wochenenden. Er hatte die Verzweiflung gesehen, die in ihr den Mut hatte reifen lassen, ihm diese Frage zu stellen.

Hätten Sie Lust, am Wochenende mit mir ins Kino zu gehen?
Er hatte das mit dem Kino freundlich abgewimmelt, und erwartungsgemäß hatte sie nie wieder gewagt, mit irgendeiner Frage oder Bitte in dieser Art an ihn heranzutreten.

Aber als er nun, viele Jahre später, überlegt hatte, wen er um Informationen bitten konnte, war sie ihm eingefallen. Sie war keineswegs wagemutig, und sie riskierte eine Menge bei dem, was sie tat, ihren Job und ein Disziplinarverfahren, aber er hatte richtig kalkuliert: Sie war so mutterseelenallein, dass sie der Versuchung, auf diese Weise eine Verabredung zu bekommen, nicht würde widerstehen können. Am Ende ein zweites oder drittes Date. Noch dazu mit dem Mann, den sie jahrelang angeschmachtet hatte. Ihre Verzweiflung war größer als ihre Vorsicht, darauf hatte John jedenfalls spekuliert, und er hatte sich nicht getäuscht. Sie waren heute zum zweiten Mal verabredet. Und sie saß vermutlich schon seit mindestens einer halben Stunde hier und wartete auf ihn.

»Hallo, Kate«, sagte er, als er den Tisch erreicht hatte.

»Hallo, John«, erwiderte sie.

»Tut mir leid, wenn ich etwas zu spät bin. Ich musste in ziemlicher Entfernung parken. Ist ja nicht so leicht hier. Bist du mit dem Wagen da?«

Sie schüttelte den Kopf. »Mit der Bahn. Ich wollte einen Wein trinken können.«

Er seufzte, aber nur innerlich. Er wäre auch zu ihr hinaus nach Bexley gekommen, wo sie seit Ewigkeiten wohnte, aber sie hatte unter dem Hinweis, sowieso ein paar dringende Einkäufe erledigen zu müssen, auf der Innenstadt bestanden. Wenn es spät wurde – und er wusste vom letzten Mal, dass sie die Treffen mit ihm ins Unendliche auszudehnen versuchte –, konnte er sie nicht guten Gewissens mit der Bahn fahren lassen. Hoffte sie darauf? Dass er sie bringen würde? Oder dass er ihr gar anbot, bei ihm zu übernachten?

Er setzte sich, nahm die Karte entgegen, die der Kellner ihm reichte. Kate wartete, bis er sich etwas ausgesucht und sie beide bestellt hatten, dann neigte sie sich vor und flüsterte: »Es gibt Neuigkeiten!«

Er lächelte sie an. »Erzähl!«

»Also, wir haben etwas herausgefunden aus dem Leben von Carla Roberts. Und zwar war sie Mitglied so einer Art Selbsthilfegruppe. Allein lebende Frauen. Geschieden, verwitwet und so. Trafen sich einmal die Woche und versuchten … na ja, irgendwie gemeinsam mit der Situation zurechtzukommen. Die Gruppe gibt es seit einem Dreivierteljahr nicht mehr, aber die Initiatorin hat sich gemeldet und DI Fielder davon erzählt. In der Gruppe gab es eine Frau, mit der war Carla Roberts … nun, befreundet kann man wohl nicht sagen, aber näher bekannt. Liza Stanford. Nicht allein lebend, übrigens. Aber wohl nicht besonders glücklich verheiratet.«

»Verstehe«, sagte John. Im Geist notierte er sich den Namen. »Wie viele Mitglieder hatte die Gruppe?«

»Es waren sechs Frauen. Fielder hat alle Namen. Anne Westley gehört leider nicht dazu, das wäre auch zu schön gewesen. Aber die Stanford … das war ein Volltreffer!«

»Inwiefern?«

»Also, Christy hatte gestern die Idee. Unsere schlaue Christy McMarrow«, sagte Kate mit einiger Verbitterung in der Stimme. Sie hatte Christy noch nie leiden können. Christy lebte ebenfalls ohne feste Beziehung, aber freudig und aus Überzeugung, und hatte nie ein Problem, eine Verabredung für das Wochenende zu finden. Abgesehen davon, dass der Chef sie anhimmelte. »Also, Christy ging mit der Namensliste aus dieser Frauengruppe in die Praxis, in der Dr. Anne Westley gearbeitet hatte, und verglich sie mit Westleys Patientenkartei. Und welchen Namen entdeckte sie da?«

»Liza Stanford«, sagte John. »Da du ja von einem Volltreffer gesprochen hast.«

»Genau«, bestätigte Kate.

Sie schwieg einen Moment, weil der Kellner mit einer Weinkaraffe und einer Flasche Wasser an den Tisch getreten war. Er schenkte ihnen ein, entfernte sich dann wieder.

»Liza Stanford hat einen Sohn«, berichtete Kate. »Finley Stanford. Mit ihm war sie vier- oder fünfmal bei Dr. Westley. Der Chef ist natürlich absolut euphorisch. Denn er hat ja schon die ganze Zeit über verzweifelt nach einem Schnittpunkt zwischen Carla Roberts und Anne Westley gesucht. Er geht davon aus, dass es kein Zufall ist, dass sie beide diese Liza Stanford kannten.«

»Ist es vermutlich auch nicht«, sagte John. Er versuchte, die vielen verschiedenen Fragen und Gedanken zu sortieren, die ihm sofort durch den Kopf schossen.

»Gab es irgendetwas mit dem Sohn?«, fragte er. »In medizinischer Hinsicht, meine ich. Ein Problem, irgendetwas Ernstes?«

Kate verneinte. »Es ging bei dem Jungen nur um Kleinigkeiten. Eine Halsentzündung. Die Masern. Eine Sportverletzung. Nichts Spektakuläres. Nichts, woraus sich unter Umständen ein Tatmotiv gegenüber Westley ableiten ließe.«

»Wie steht es mit Gillian Ward? Kennt sie diese Frau auch?«

Kate verzog bedauernd das Gesicht. »Wurde natürlich auch sofort überprüft. Das hätte die Sache richtig rund gemacht. Nein. Sie hat den Namen nie gehört. Fielder versucht nun herauszufinden, ob ihr Mann vielleicht Kontakt zu ihr hatte. Eventuell beruflich oder über seinen Sport. Aber das ist naturgemäß viel schwieriger.«

»Habt ihr Liza Stanford aufgesucht?«, fragte John.

Kate sah aus, als habe sie auf diese Frage nur gewartet. »Jetzt kommt das Beste«, sagte sie, »Fielder hat sie natürlich *sofort* aufgesucht. Gestern am späten Nachmittag noch. Das heißt, er hat es versucht. Und erfahren, dass sie verschwunden ist. Seit fast zwei Monaten!«

»Verschwunden?«

»Er hat ihren Mann angetroffen. Und rate, wer das ist? *Stanford*. Dr. Logan Stanford!«

»Ach«, sagte John überrascht. »Charity-Stanford?«

»Genau. Dieser sagenhaft reiche Rechtsanwalt mit der Protzvilla in Hampstead und den freundschaftlichen Kontakten bis hin zum Premierminister, zur Queen, was weiß ich. Der ununterbrochen mit seinen Wohltätigkeitsveranstaltungen in der Regenbogenpresse steht. Genau der ist es. Und er hat Fielder erklärt, dass seine Frau seit Mitte November verschwunden ist.«

»Aha. Und das findet Stanford normal? Oder hat er irgendetwas in dieser Sache unternommen?«

»Soweit ich weiß, ist das alles schon etwas mysteriös«, sagte Kate. Ihrer Formulierung entnahm John, dass sie in diesem Punkt nicht zu hundert Prozent auf dem Laufenden war. »Stanford hat nichts unternommen, weil es offenbar nicht völlig ungewöhnlich für seine Frau ist. Gelegentlich unterzutauchen, meine ich. Er hat wohl Fielder gegenüber eingeräumt, dass seine Ehe nicht besonders glücklich ist. Das entspricht dem, was wir aus der Frauengruppe wissen. Liza Stanford trug sich mit Trennungsabsichten. Es ergibt sich das Bild einer zumindest zeitweise ziemlich depressiven, nervösen Frau, die sich immer wieder Auszeiten nimmt, um herauszufinden, wie ihre Zukunft aussehen soll. In diesen Zeiten hat sie keinerlei Kontakt zu ihrer Familie.«

»Worin genau bestehen die Probleme in dieser Ehe? Hat Fielder das erfragen können?«

»Das weiß ich leider nicht«, bekannte Kate. »Du weißt ja, wirklich intensiv bespricht er sich immer nur mit seiner Christy. Ich erfahre nur, was in den Gesamtkonferenzen abgeklärt wird, und zu dieser Entwicklung gab es nur ein ganz kurzes Gespräch gestern am späten Abend.«

»Der Sohn. Was ist mit ihm? War der zu Hause?«

»Ja. Finley ist zwölf Jahre alt und saß am Computer, als Fielder aufkreuzte. Er scheint nicht sehr gesprächig gewesen zu sein, aber das sind Jungs in dem Alter ja nie. Aber es schien wohl so weit alles in Ordnung mit ihm. Er kam Fielder nicht verstört vor. Auch eher so, als sei die Situation nicht ungewöhnlich für ihn.«

»Hm.« John überlegte. »Was meinst du?«, fragte er dann. »Wie siehst du die Sache?«

»Ich?«, fragte Kate überrascht. Sie schien es absolut nicht erwartet zu haben, von John ernsthaft um ihre Meinung gebeten zu werden. »Ja, also, ehrlich gesagt, ich kann das nicht so richtig einordnen. Eine Ehefrau und Mutter taucht wochenlang unter, und ihr Mann und ihr Sohn leben weiter, als sei nichts geschehen. Ich meine, gerade wenn sie depressiv ist, macht man sich doch eigentlich Sorgen, oder? Selbst wenn sie bislang immer wieder zurückgekehrt ist, würde ich mir doch vorstellen, dass der Moment kommen kann, an dem sie etwas Dummes tut. Sie könnte sich umgebracht haben, und ihre Familie wüsste es überhaupt nicht!«

»Hinzu kommt, dass sie Kontakt zu zwei Frauen hatte, die beide in kurzem zeitlichem Abstand voneinander ermordet wurden. Wie auch Fielder das offenbar sieht: Ein Zufall kann das eigentlich nicht sein«, meinte John nachdenklich.

Er spielte mit seinem Weinglas, zog dann die Hände zurück, als der Kellner an den Tisch trat und jedem einen großen Teller dampfende Pasta hinstellte. Einige Minuten lang aßen sie beide schweigend, was John sehr recht war; so konnte er seinen Gedanken nachhängen.

Ob Stanford glaubwürdig war, konnte er nicht beurteilen, dazu hätte er selbst mit ihm sprechen müssen. Seltsam mutete die Geschichte in jedem Fall an.

Wenn ich weiterhin mitmischen möchte, dachte er, muss ich mit ihm reden.

Als könne sie seine Gedanken lesen, blickte Kate in diesem Moment von ihren Nudeln auf und fragte: »John, ich weiß, das geht mich eigentlich nichts an, aber ... warum? Warum willst du das alles wissen? Warum lässt du Fielder nicht einfach seine Arbeit machen? Warum willst du auf eigene Faust Ermittlungen anstellen?«

Er hatte ihr zu Anfang gesagt, dass er Gillian Ward kannte, deren Mann ermordet worden war, und dass daher sein Interesse rührte. Er hatte unerwähnt gelassen, dass er ein Verhältnis mit ihr hatte – oder gehabt hatte? Genau wusste er das derzeit selbst nicht. Er hatte lediglich berichtet, dass er Gillians Tochter im Handball trainierte. Sein Instinkt sagte ihm, dass

Kate sich sonst verschlossen hätte wie eine Auster. Sie redete nur, weil sie sich Hoffnungen machte.

»Es macht mir Spaß«, sagte er. Zu seinem Erstaunen erkannte er gleichzeitig, dass diese Antwort absolut der Wahrheit entsprach. Neben allem anderen machte es ihm *einfach Spaß*. Die Verbindung zu Gillian hatte die Initialzündung dargestellt, aber inzwischen war auch sein Jagdinstinkt erwacht. Er war darin ausgebildet, das zu tun, was er gerade tat, und er merkte, dass ihm seine Arbeit tatsächlich gefehlt hatte. Nicht die Hierarchie der Beamtenlaufbahn, nicht die Intrigen, nicht das Lauern auf Beförderungen. Aber die Arbeit. Die einfache Arbeit an sich.

»Und du weißt«, fügte er hinzu, »ich kenne die Familie Ward. Ich mag die Tochter sehr gern. Das Mädchen ist völlig traumatisiert. Vielleicht steigert das meinen Zorn auf denjenigen, der das alles getan hat.«

Er sah Kate an, dass er sie überzeugt hatte.

»Zwei Dinge hatte ich noch nicht erwähnt«, sagte sie. »Sie wurden auch bislang aus der Presse herausgehalten. Wir wissen, dass sich Carla Roberts in den letzten beiden Wochen vor ihrem Tod auf eine sehr diffuse Weise bedroht fühlte. Sie hat das ihrer Tochter erzählt. Sie lebte ja im obersten Stockwerk eines Hochhauses, und ihr war aufgefallen, dass der Fahrstuhl immerzu hochgefahren kam. Ungewöhnlich oft. Und ohne dass jemand ausstieg. Sie hatte Angst deswegen.«

»Ich nehme an«, sagte John, »das Aufzugsystem wurde untersucht? Eine rein technische Störung ist ausgeschlossen?«

»So ist es. Und jetzt hatte Fielder die Idee, dass auch Anne Westley vielleicht bedroht wurde. Was dazu passen würde, dass sie plötzlich kurz vor Weihnachten ihr Haus verkaufen und so bald wie möglich in die Stadt ziehen wollte – nachdem sie es ja zunächst jahrelang dort ausgehalten hatte.«

»Auf welche Art, meint Fielder, wurde sie bedroht?«

»Also, er hat in ihrem Haus ein Bild gefunden. Anne Westley hatte ein Atelier unter dem Dach. Sie war Hobbymalerin. Aquarelle. Ihre bevorzugten Motive waren Blumen und Bäume, sonnige Landschaften. Positive, farbenfrohe Bilder. Aber eines war darunter, das passte überhaupt nicht.«

»Inwiefern?«

»Ich habe es selbst nicht gesehen, aber Fielder hat es beschrieben. Tiefschwarze Nacht. Zwei glühende Punkte darin. Autoscheinwerfer, so würde er es interpretieren. Er überlegt, ob sie die gesehen hat in der Zeit vor ihrer Ermordung. Die Lichter eines Autos, die dort draußen in der Abgeschiedenheit ihres Hauses auftauchten. Immer wieder. Ohne dass eine Person aufgekreuzt wäre. Einfach nur das Auto, das kam und verschwand. Wie der Fahrstuhl in Carla Roberts' Hochhaus.«

»Nicht schlecht kombiniert«, sagte John. Eine ziemlich kreative Gedankenführung für den fantasielosen Fielder, wie er zugeben musste. »Beiden Frauen wurde gezielt Angst eingejagt. Bei Carla Roberts ist auch ungefähr klar, seit wann. Wenn der Terror etwa zwei Wochen vor ihrem Tod begann, dann ...«

»...deckt sich das zeitlich zumindest grob mit dem Verschwinden von Liza Stanford«, vollendete Kate den Satz.

Die geheimnisvolle, nicht auffindbare Frau. Aber auch ein anderer Name sprang John in diesem Zusammenhang an, ganz unwillkürlich: Samson Segal. Der diversen Menschen hinterherspioniert hatte. War er mit dem Fahrstuhl immer wieder nach oben gefahren? Hatte er sich nachts in der Einöde um das Haus der alten Frau herumgetrieben?

»Beide Frauen wurden unter Umständen belästigt«, sagte John. »Aber du sprachst von zwei Dingen, die du noch nicht erwähnt hast?«

Sie lächelte plötzlich kokett. »Später«, sagte sie.

Nach zwei Gabeln mit Nudeln meinte sie: »Fielder hat das nie so konkret ausgesprochen, jedenfalls nicht in der Konferenz, aber die Dinge sickern ja durch: Du weißt schon, dass er auch mit dem Gedanken spielt, du... könntest irgendwie in die Sache verstrickt sein?«

»Ich weiß. Aber das ist absurd. Und meiner Ansicht nach kann er da beim besten Willen nichts konstruieren. Ich kenne die Wards. Aber nicht die beiden toten Frauen. Wie er es dreht und wendet, er wird kein Motiv finden«, sagte John.

»Ich riskiere ganz schön viel«, meinte Kate.

»Ich weiß.«

»Na ja, ich tu es gerne!«

Er schenkte ihr ein verhaltenes Lächeln. Er durfte ihr bloß nicht zu viel Hoffnung machen. Inzwischen war ihm sonnenklar, dass sie absichtlich nicht mit dem Auto gekommen war. Sie wollte in sein Auto. Und am liebsten in seine Wohnung.

»Manche würden auch dumm finden, was ich hier tue«, fuhr Kate fort.

»Ich finde es nicht dumm. Und du kannst dich absolut auf mich verlassen. Niemand wird je von unseren Treffen und Gesprächen erfahren«, versicherte John.

Mit einigem Geschick lenkte er auf ein neutrales Thema um. Er sah Kates Strategie: Indem sie betonte, wie weit sie sich in der ganzen Geschichte aus dem Fenster lehnte, hoffte sie, seine Bewunderung und Anerkennung zu finden. Zumindest aber seine Dankbarkeit. Er sollte sich ihr verpflichtet fühlen, und dieses Gefühl würde sie dann zu nutzen versuchen.

Er erzählte von der Firma, die er aufgebaut hatte, von den Objekten, die sie bewachten, Baustellen, Supermärkte, Tankstellen, manchmal auch Privathäuser.

»Außerdem habe ich vier Mitarbeiter für den Personenschutz. Sie sind dermaßen gefragt, dass ich eigentlich in dieser Richtung expandieren müsste, aber ich bin noch nicht ganz entschlossen.«

»Warum?«, fragte Kate.

»Ich lege mich so ungern fest«, sagte John. »Als ich die Firma gegründet habe, war das eher eine Übergangslösung. Die ich jederzeit wieder aufgeben kann. Je größer sie wird, umso unbeweglicher fühle ich mich.«

»Bist du deshalb auch noch alleine? Ich meine, ohne Frau und Kinder? Weil du dich auch darin nicht festlegen kannst?«

»Möglich«, sagte er vage. Unauffällig schielte er auf seine Uhr. Kate durfte keinesfalls die letzte Bahn verpassen.

»Ich hätte das gerne. Eine Familie«, sagte Kate verträumt.

»Nicht ganz einfach bei deinem Beruf.«

Sie zuckte mit den Schultern. »Andere schaffen das auch.«

»Sicher.« Irgendwie waren sie auf gefährliches Terrain abgeglitten. Er winkte dem Kellner, deutete an, dass er zahlen wollte. Ihm wurde der Hals eng, wenn er Kates begehrlichen Blick auf sich ruhen fühlte. Sie hatte ihm all die Informationen natürlich nicht umsonst geliefert, aber zum Glück hatten sie nie eine Gegenleistung vereinbart. Wenn sie nun nicht bekam, was sie sich erhofft hatte, so war das nicht seine Schuld.

Als er gezahlt hatte und sie beide in der Dunkelheit auf der Straße standen, sagte er: »Ich begleite dich noch zur Haltestelle.«

»Danke.« Sie klang frustriert.

Schweigend gingen sie nebeneinanderher. Schließlich sagte sie verzweifelt: »Ich muss nicht unbedingt nach Hause, John.«

Er blieb stehen. »Kate …«

»Morgen ist Sonntag. Ich habe keinen Dienst. Wir könnten zusammen frühstücken …«

»Es tut mir leid, Kate. Das geht nicht.«

»Warum nicht? Gibt es … hast du eine Freundin?«

»Nein. Aber im Moment passt keine Frau in mein Leben.«

»Ich will dich auf nichts festlegen, John. Man kann doch sehen, was sich entwickelt. Und wenn sich nichts entwickelt … dann ist es eben so.«

Leere Worte, dachte er. Wenn er auf eines gewettet hätte, dann darauf, dass er eine Frau wie Kate nie mehr loswerden würde, wenn er auch nur das mindeste Entgegenkommen signalisierte. Geschweige denn eine Nacht mit ihr verbrachte. Kate war eine Frau, die sich zur Stalkerin entwickeln konnte, wenn sie abgewiesen wurde.

»Es geht einfach nicht, Kate. Das hat nichts mit dir zu tun. Nur mit mir.«

»Ich dachte …«

»Was?«

»Ach, nichts.« Was hätte sie sagen sollen? Dass sie geglaubt hatte, sein Interesse an ihr gehe über das bloße Erlangen geheimer Informationen hinaus? Er konnte ihr förmlich ansehen, wie sie sich in diesem Moment fühlte: wie eine Idiotin.

Trotzdem riskierte er die Frage: »Du sagtest, du hättest noch etwas für mich?«

Sie blickte ihn aus stumpfen Augen an. Überlegte. Schließlich ging ihr wohl auf, dass es sich mit ihrer Selbstachtung noch weniger vereinbaren ließe, wenn sie nun, da sie klar zurückgewiesen worden war, herumzickte. Dann wurde vollends deutlich, worauf sie gelauert hatte und wie enttäuscht sie sich fühlte.

»Ja. Da ist noch etwas. Was die Morde an den beiden Frauen angeht, wurde ein wesentliches Detail nicht an die Medien gegeben. Auf welche Weise nämlich genau die Opfer getötet wurden.«

»Sie wurden also nicht erschossen?« Er hatte sich das schon gedacht, weil immer von besonders grausamen Taten die Rede gewesen war.

»Im Fall Westley hat der Täter ein Türschloss zerschossen, um in einen Raum einzudringen. Ansonsten diente die Waffe wohl nur dazu, sie gefügig zu machen. Der Täter konnte sie jedenfalls mit Paketklebeband an Händen und Füßen fesseln, ohne dass sie sich offenbar zur Wehr setzten.«

»Und dann?«

»Er stopfte ihnen ein Geschirrtuch in den Mund. Schob es ihnen ziemlich tief in den Rachen. Bei Carla Roberts bewirkte das, dass sie sich erbrechen musste. Sie ist daran erstickt.«

»Und Anne Westley?«

»Da musste er nachhelfen. Sie starb einfach nicht. Er hat ihr schließlich die Nase komplett mit Paketband zugeklebt. Daran erstickte dann auch sie.«

»Oh verdammt«, sagte John.

Hass, dachte er, ein unglaublicher, wahnsinniger Hass. Es ging nicht einfach darum, die Frauen zu töten. Sie sollten qualvoll sterben.

»Thomas Ward wurde jedoch erschossen?«, vergewisserte er sich. Obwohl er im Grunde sicher war, dass ihm Gillian, die ihren Mann ja gefunden hatte, erzählt hätte, wenn es anders gewesen wäre.

»Ja. Und das untermauert Fielders Theorie, dass Thomas

Ward gar nicht gemeint war. Der Täter hatte eine Frau erwartet. Stand aber plötzlich einem Mann gegenüber. Und zwar nicht irgendeinem. Thomas Ward war sehr groß. Sehr sportlich. Ungeheuer trainiert. Ward hätte sich bestimmt ganz anders gewehrt als die beiden älteren Frauen, wenn ihn der Täter nicht sofort erschossen hätte.«

»Und die Frauen wurden tatsächlich mit *Geschirrtüchern* erstickt?«

»Ja.«

»Gehörten sie den Opfern? Also waren sie einfach das Nächste, was der Täter greifen konnte? Oder hatte er sie mitgebracht?«

»Sie gehörten den Opfern. Bei Carla Roberts hat deren Tochter das Tuch identifiziert. Und im Fall Westley hat man identische Tücher in einer Schublade gefunden. Der Täter scheint sie sich also erst am Tatort zu besorgen.«

Sie kamen am Bahnhof von Charing Cross an, als die Bahn gerade einlief.

»Also dann«, sagte Kate. Ihre Gesichtsfarbe wirkte noch fahler als sonst.

»Komm gut nach Hause«, sagte John, »und – danke!«

Sie war verletzt und drehte sich nicht mehr um, während sie einstieg. Sie wählte einen Sitzplatz auf der gegenüberliegenden Seite.

Er vermutete, dass sie weinte.

Zum ersten Mal, seitdem Tom ermordet worden war, hatte sie das Haus allein betreten. Beim letzten Mal hatte John sie begleitet. Diesmal gab es niemanden an ihrer Seite.

Es roch zunehmend schlecht in den Räumen. Etliche Lebensmittel mussten dringend entsorgt werden.

Gillian brachte sofort ihren Koffer nach oben in das Schlafzimmer. Es sah genau so aus, wie sie es am Morgen des 29. Dezember verlassen hatte. Die ordentlich zurechtgezogene bunte Tagesdecke auf dem Bett. Auf ihrem Nachttisch ein umgeklapptes Buch, ein Kriminalroman, den sie zu lesen begonnen hatte, daneben die ziemlich zerknitterten Seiten der *Times*. Auf Toms Seite mehrere Sportzeitschriften. Ein Pullover von ihm lag auf dem Stuhl in der Ecke, eine Krawatte hing an der Schranktür.

Seine ganzen Sachen, dachte Gillian, es hat wahrscheinlich wenig Sinn, sie zu behalten.

Sie beschloss, ihren eigenen Koffer später auszupacken, öffnete nur die Seitentasche und nahm ihr Necessaire hinaus, brachte es ins Bad. Sie stellte ihre Zahnbürste in den Zahnputzbecher, legte ihren Kamm auf die Ablage vor dem Spiegel. Sie bemühte sich, den Anblick von Toms Sachen auszublenden. Den Rasierapparat, das Aftershave, sein Mundwasser, die Reinigungslösung für seine Kontaktlinsen. Aus dem großen geflochtenen Wäschekorb unter dem

Waschbecken hingen ein paar schwarze Socken von ihm heraus. Obwohl sie versucht hatte, sich darauf einzustellen, erfüllte es Gillian wie schon bei ihrem letzten kurzen Aufenthalt in ihrem Haus mit einer gewissen Fassungslosigkeit, einer solch unveränderten Normalität zu begegnen. Ein Sonntagmorgen im Januar. Draußen Schnee und tief hängende Wolken. Drinnen schmutzige Wäsche, beiseitegelegte Bücher und Zeitschriften, die aussahen, als warteten sie darauf, am Abend weitergelesen zu werden. Alltagsgegenstände überall. Das Haus sah nicht aus wie ein blutiger Tatort. Es sah aus wie ein ganz normales Zuhause.

Gillian spürte, dass es jetzt genau zwei Möglichkeiten für sie gab: Sie konnte sich setzen, die Wände anstarren, das unsichtbare Grauen auf sich wirken lassen und irgendwann zu schreien beginnen.

Oder sie konnte sich in die Aktivitäten stürzen, die das Haus nach ihrer langen Abwesenheit verlangte.

Sie entschied sich für die zweite Variante.

Die nächsten vier Stunden verbrachte sie damit, Ordnung zu schaffen. Sie wusch Berge von Wäsche, steckte sie dann in den Trockner oder hängte sie im Heizungskeller auf. Sie mistete den Kühlschrank aus, warf das meiste, das sie fand, weg und brachte zwei Säcke mit Müll hinaus zur Tonne. Sie schmückte den Weihnachtsbaum ab und trug das nadelnde Ungetüm auf die Terrasse, sie entfernte Sterne und Lichterketten aus den Fenstern, räumte alles in die dafür vorgesehenen Kartons und sodann hinauf auf den Dachboden. Sie entsorgte die Katzenstreu aus Chucks Toilette, denn der Kater war am Freitag mit Becky nach Norwich gereist und würde erst in einigen Wochen wiederkommen. Sie putzte Bäder und Küche, staubsaugte das ganze Haus, bezog die Betten neu, lüftete gründlich. Schließlich entfachte sie ein

Feuer im Kamin im Wohnzimmer, kochte sich eine große Kanne Kaffee und setzte sich tief durchatmend in einen bequemen Sessel. Das Haus roch gut, es war warm, die knisternden Scheite verbreiteten Gemütlichkeit. Der Kaffee war heiß und kräftig.

Drei Uhr.

Was sollte sie mit dem restlichen Tag anfangen?

Sie zündete sich eine Zigarette an, fand es dann selbst nicht schön, im Wohnzimmer zu rauchen, und drückte sie wieder aus.

Sie wusste, dass es gefährlich für sie war, einfach herumzusitzen. Sie hatte in Johns Armen geweint, aber sie hatte noch keinen wirklichen Zusammenbruch gehabt, seitdem sie Tom ermordet im Esszimmer gefunden hatte. Ein Instinkt sagte ihr, dass er kommen musste. Er lauerte, und er wartete nur auf eine sich bietende Gelegenheit. Bislang hatte sie ihn erfolgreich abwehren können, vor allem dadurch, dass sie kaum einen Moment allein gewesen war. Tara und Becky waren da gewesen, höchstens stundenweise für irgendwelche Unternehmungen, die Becky ein wenig ablenken sollten, verschwunden. In diesen Zeiten hatte sie dann häufig John um sich gehabt. Dazu waren die vielen Gespräche mit der Polizei gekommen.

Zum ersten Mal war sie jetzt völlig allein. In einem großen, leeren, stillen Haus.

Wahrscheinlich war die Rückkehr doch ein Fehler gewesen.

Sie trank ihre vierte Tasse Kaffee, als ihr Handy klingelte. Es war John.

»Hallo. Ich wollte wissen, wie es dir geht.«

»Ganz gut. Ich habe das Haus geputzt, tonnenweise Wäsche gewaschen und gönne mir gerade einen Kaffee.«

Sie klang so unecht munter, dass es ihr schon selbst weh tat. »Und wie geht es dir?«

»Das Haus geputzt? Welches *Haus*? Bist du bei dir zu Hause?«

»Ja.«

»Wieso das denn? Nur um zu putzen?«

»Ich bin hier wieder eingezogen. Heute Vormittag.«

»Weshalb denn?«

»Ich wohne hier. Jedenfalls so lange, bis ich mir etwas anderes gesucht habe. Ich kann ja nicht ewig einen Bogen um mein eigenes Zuhause machen.«

Er schwieg einen Moment. »Was ist passiert?«, fragte er dann leise.

Sie gab es auf, Versteck zu spielen. Weshalb sollte er es nicht wissen? »Ich hatte einen Streit mit Tara. Am Donnerstagabend, gleich nachdem du weg warst. Und seitdem… habe ich mich nicht mehr so richtig bei ihr wohlgefühlt.«

»Worüber habt ihr gestritten?«

»Wir sprachen über dich. Becky hatte eine unschöne Szene hingelegt, weil du und ich wieder einmal zusammen waren. Nachdem sie aus dem Zimmer gestürmt war und sich im Badezimmer eingeschlossen hatte, war ich aus irgendeinem Grund, den ich selbst nicht mehr verstehe, so dumm und habe… ich habe Tara erzählt, dass du früher bei der Polizei warst. Und wie es kommt, dass du dort jetzt nicht mehr bist.«

»Aha. Und sie hat es ziemlich negativ aufgenommen«, vermutete John.

»Na ja, sie fiel aus allen Wolken. Sexuelle Nötigung ist natürlich ein Begriff, der bei den meisten Frauen nicht besonders gut ankommt. Ich habe ihr die Zusammenhänge erklärt, aber sie konnte nicht fassen, dass ich dir deine Version der

Geschichte so vorbehaltlos glaube. Schon gar nicht kann sie es nachvollziehen, dass ich mich noch immer mit dir treffe.«

»Ich verstehe«, sagte John.

»Es war nicht so, dass sie davon nun ständig wieder angefangen hat«, fuhr Gillian fort. »Es war eher so, dass wir das Thema ganz gemieden haben. Aber ich fühlte mich seitdem nicht mehr so richtig wohl in ihrer Gegenwart. Ich wurde nervös, wenn du anriefst. Und ich habe meinerseits mit Anrufen bei dir gewartet, bis sie wegen irgendetwas aus dem Haus ging. Es war insgesamt ein anstrengender und wenig erfreulicher Zustand. Außerdem …«

»Ja?«, fragte John, als sie zögerte.

»Außerdem muss ich ins Leben zurückfinden. Ich kann nicht immerzu bei Tara auf dem Sofa sitzen und darauf warten, dass sich ein Weg vor mir auftut. Tara arbeitet schließlich. Ich bin bei ihr ohnehin meist alleine.«

»Aber bei dir zu Hause bist du auch allein. Und ich denke nicht, dass das gut ist für dich.«

»In meiner augenblicklichen Situation kann, glaube ich, gar nichts gut für mich sein.«

»Lass mich zu dir kommen. Oder komm du zu mir. Bitte.«

»Heute nicht, John. Ich muss meinen eigenen Weg finden.«

Er konnte sie verstehen, aber … »Hör zu, Gillian, da ist schließlich noch etwas anderes. Abgesehen von deiner schwierigen psychischen Situation – du weißt, es gibt die Theorie, dass dein Mann ein zufälliges Opfer war. Dass in Wahrheit du gemeint warst.«

»Ich weiß. Das ist nicht neu.«

»Gillian, der Täter hat nicht erreicht, was er wollte. Und wir wissen nicht, ob er sich damit zufriedengibt.«

»Ich mache niemandem die Haustür auf. Ich lasse die Gartentür nicht offen stehen. Das Haus ist gut gesichert, John. Wir haben sogar eine Alarmanlage. Ich kann sie nachts aktivieren.«

»Ich mag nicht, dass du allein bist.«

»Ich komme klar.«

»Ruf mich sofort an, wenn etwas ist, ja?«

Sie versprach es ihm.

Nachdem sie das Gespräch beendet hatten, starrte sie erneut an die Wand. Sie fragte sich, weshalb sich alles in ihr gegen Johns Nähe sträubte. Als sie noch bei Tara gewohnt hatte, in den ersten Tagen nach dem Unglück, hatte sie selbst den Kontakt zu ihm gesucht, ihn herbeigewünscht und gehofft, Trost und Unterstützung zu finden. Dann hatte sich etwas verändert. In ihr. Stundenlang hatte sie dagesessen und gegrübelt, wie das alles hatte passieren können, warum sie erst in Depressionen versunken war, sich dann in eine Affäre gestürzt hatte und weshalb Thomas am Ende tot war. Die schrecklichste Erkenntnis ihres andauernden Kreisens um diese Fragen war die gewesen, dass sie die Dinge dramatisiert und überbewertet und damit eine unheilvolle Abfolge von Ereignissen in Bewegung gesetzt hatte. Sie hatte unter Toms innerem Rückzug gelitten, dabei hätte sie nur einmal genau hinsehen müssen, um zu erkennen, dass er sie nie verlassen hatte. Sie hatte sich verrückt gemacht wegen Beckys Aggressionen und ihrem Trotz, dabei hätte sie die Entwicklung einfach abwarten können. In ihrem Leben war nichts passiert, was nicht im Leben tausend anderer Frauen auch geschah. Und wäre sie nicht immer noch – *immer noch* – das Mädchen, dem es an Selbstvertrauen fehlte, sie hätte das alles anders einordnen können. Vor langen Jahren war sie aus der Geborgenheit ihres Elternhauses viel zu schnell in die Ehe mit Thomas Ward gegangen. Er hatte von ihrer ersten Begegnung an stets hinter ihr gestanden, sie hatte sich immer sicher gefühlt. Vieles von dem, was sie voller Freude für eine Emanzipation von ihren Eltern gehalten hatte, war in Wahrheit eine Emanzipation unter dem Schutzschirm eines starken und selbstbewussten Mannes gewesen. Als Thomas dann in seiner beruflichen Überforderung, in der immer schlimmer werdenden Atemlosigkeit, mit der er durch sein Leben hetzte, für sie nicht mehr spürbar gewesen war, hatte sie wie ein verlassenes Kind reagiert und sich sofort in die Arme des nächsten Mannes geworfen: John war erschienen, hatte sie begehrt und bewundert und ihr damit Wärme gegeben und Selbstvertrauen. Aber so konnte ihr Leben nicht weitergehen, das hatte sie inmitten all dem Schmerz, der Trauer und der Schuldgefühle der letzten Tage verstanden. Sie musste lernen, sich selbst zu behaupten, so bitter und verzweifelt der Weg dorthin auch sein mochte.

Das Handy klingelte erneut. Diesmal war es Gillians Mutter, ausgerechnet, die berichtete, dass es Becky den Umständen entsprechend gut gehe, dass sie mit ihrem Großvater ins Hallenbad gefahren sei und dass sie am morgigen Montag zum ersten Mal zu ihrem Therapeuten gehen werde. Dann wollte sie wissen, wann Tom beerdigt würde.

Das kommt ja auch noch alles auf mich zu, dachte Gillian erschöpft.

»Ich weiß es noch nicht, Mummy. Er ist immer noch in der Rechtsmedizin. Ich sage dir rechtzeitig Bescheid.«

»Was für eine schreckliche Tragödie«, sagte ihre Mutter. »Ich bin ja nur froh, dass du diese Freundin hast, bei der du wohnen kannst! Ich hätte sonst nicht eine einzige ruhige Sekunde.«

Gillian beschloss, sie in dem Glauben zu lassen, sie sei noch immer bei Tara. Sie konnte sich das Lamento, das sonst einsetzen würde, nur zu gut vorstellen, und für den Moment fühlte sie nicht die Kraft, es durchzustehen.

»Sag Becky einen schönen Gruß von mir«, bat sie zum Abschied. »Sie soll mich anrufen, ja? Ich möchte ihre Stimme hören.«

Kurz nach halb vier. Der Nachmittag lag noch immer lang und schweigend vor ihr.

Sie stand auf, zog Stiefel, Jacke, Schal und Handschuhe an. Zum Glück hatte es ja kräftig geschneit in der vergangenen Woche.

Sie würde Schnee schippen. Danach wäre sie vielleicht einfach zu müde für einen Nervenzusammenbruch.

1

»Können Sie sich an Liza Stanford genauer erinnern?«, fragte Christy. Sie wusste, dass der Moment völlig ungünstig war, an dem sie die kinderärztliche Praxisgemeinschaft, der Anne Westley angehört hatte, nun bereits zum dritten Mal aufsuchte. Montagmorgen und für viele Schulen der erste Tag nach den Weihnachtsferien. Das Wartezimmer war rappelvoll. Zwei Ärztinnen hatten die Grippe, wie sie erfahren hatte, die zwei verbleibenden Mediziner, ein junger nervöser Arzt und eine Ärztin, die bereits so aussah, als wäre sie die Nächste, die sich mit Grippe würde ins Bett legen müssen, hatten alle Hände voll zu tun, des Patientenansturms Herr zu werden. In das Chaos hinein war sie nun geplatzt, um weitere dringende und detaillierte Fragen bezüglich des Patienten Finley Stanford beziehungsweise seiner Mutter zu stellen. Sie kam so ungelegen, dass man sie am liebsten mit ein paar mehr oder weniger höflichen Worten hinauskomplimentiert hätte, aber schließlich sah man ein, dass diese Frau auch nur ihren Job machte.

»Geht das nicht später?«, fragte die Dame am Empfang entnervt, und Christy schüttelte freundlich, aber sehr bestimmt den Kopf.

»Leider nein. Sie können mir glauben, ich würde Sie nicht belästigen, wenn ich eine andere Möglichkeit hätte.«

Immerhin hatte sich die Dame – ein Schild am Revers ihres weißen Kittels wies sie als *Tess Pritchard* aus – bereit erklärt, Christy erneut einige Fragen zu beantworten, und zog sich mit ihr in das für diesen Tag leer stehende Sprechzimmer einer der erkrankten Ärztinnen zurück, wo sie selbst hinter dem Schreibtisch Platz nahm und Christy einen der gegenüberstehenden Stühle zuwies. Auf die Frage nach Liza Stanford nickte sie.

»Oh ja. An die erinnere ich mich gut!«

»Weshalb? Was fiel Ihnen an ihr auf?«

Tess gab ein verächtliches Schnauben von sich. »Ihr Reichtum fiel auf. Und ihre Arroganz. Beides war im Übermaß vorhanden.«

»Sie meinen, man sah ihr an, dass sie Geld hatte?«

»Man hätte schon blind sein müssen, um das nicht zu sehen. Sie hängte das so was von raus … Immer die schicksten Kostüme. Schwerer Schmuck. Eine riesige Sonnenbrille von Gucci. Handtasche von Hermès. Und draußen der Bentley. Einmal parkte sie direkt vor der Praxis, da konnten wir ihn sehen.«

»Verstehe. Und sie verhielt sich … arrogant?«

»Wir Arzthelferinnen waren sowieso völlig unter ihrem Niveau«, sagte Tess. »Da bekam sie kaum die Lippen auseinander. Es war unter ihrer Würde, mit uns zu reden. Ich vermute, drinnen bei Dr. Westley war sie gesprächiger. Muss sie ja wohl gewesen sein, wenn sie erklären wollte, was ihrem Jungen fehlte.«

»Da waren Sie aber nie dabei? Im Sprechzimmer, meine ich?«

Tess schüttelte den Kopf. »Nein. Ich nicht und niemand

sonst. Ist eigentlich auch nicht üblich, es sei denn, man wird zum Assistieren gebraucht. Das war aber nicht der Fall. Dem Jungen fehlte ja auch nie etwas Besonderes.«

»Wie haben Sie Finley erlebt?«

Tess überlegte. »Ein netter Junge. Ich fand ihn sympathisch. Er war recht still, aber nicht auf diese hochnäsige Art wie seine Mutter, sondern eher schüchtern. Ein zurückhaltendes Kind.«

»Ungewöhnlich schüchtern? Ungewöhnlich zurückhaltend?«

»Nein. Wir erleben hier alles, wissen Sie. Manche Kinder rasen wie aufgezogene Kreisel durch die Räume, und die Eltern kriegen sie keinen Moment zur Ruhe. Andere, die nicht so gern zum Arzt gehen und die auch der ganze Betrieb hier verunsichert, verstummen völlig und ziehen sich in sich selbst zurück. Finley gehörte eben zu denen, die eher ruhig reagierten. Aber insgesamt absolut normal.«

»Er ist aber relativ spät erst in Ihre Praxis gekommen? Und wenn ich das den Unterlagen, die ich am Freitag einsehen konnte, richtig entnommen habe, ist er auch nur fünf Mal hier gewesen. Bis zu seinem neunten Lebensjahr. Als kleines Kind wurde er hier nicht betreut?«

»Nein. Er war bereits sieben Jahre alt, als er zum ersten Mal hier erschien. Soweit ich mich entsinne, ging es um eine Bronchitis, die sich aus einer Erkältung entwickelt hatte und einfach nicht besser werden wollte. Also auch nichts Spektakuläres.«

»Finley war insgesamt recht gesund?«

»Ja. Alles, weswegen seine Mutter mit ihm hierherkam, waren harmlose Erkrankungen. Und oft war er sowieso nicht krank.«

»Hat sich Dr. Westley über Liza Stanford geäußert? Irgendetwas über sie erzählt? Etwas erwähnt? Irgendetwas?«

»Nein«, sagte Tess, »in diesen Dingen war sie sehr strikt. Zumindest uns, also den Angestellten, gegenüber. Da hätte sie nie über Patienten und deren Eltern ein Wort verloren. Bei der Stanford schon gar nicht. Ihr war sicher nicht entgangen, wie wir über sie herzogen, und sie hätte sich gehütet, sich daran zu beteiligen. Oder gar noch Öl in die Flammen zu gießen.«

»Kann es sein, dass sie mit ihren Arztkollegen über sie gesprochen hat?«

»Das wäre eher möglich«, meinte Tess zögernd. »Allerdings, die beiden Ärzte, die heute hier sind, haben noch nicht bei uns gearbeitet, als Dr. Westley noch hier war. Häufiger ausgetauscht hat sie sich mit Dr. Phyllis Skinner.«

»Eine der Damen, die Grippe hat«, vermutete Christy seufzend.

»Genau. Also, wenn sie mit jemandem hier über Patienten und deren jeweiligen medizinischen Fall gesprochen hat, dann mit ihr.«

»Kann ich ihre Adresse haben? Ich müsste Dr. Skinner dringend dazu befragen.«

»Sicher«, sagte Tess bereitwillig. Sie schaute auf ihre Uhr. Von draußen hörten sie beständig das Telefon und die Türklingel läuten. »Sergeant, ich will nicht unhöflich sein …«

»Ich bin gleich am Ende«, versprach Christy, »nur zwei Dinge noch. Damit ich richtig informiert bin: Finley war zwischen seinem siebten und seinem neunten Lebensjahr hier. Fünf Mal. Er ist heute zwölf. Das heißt, seit drei Jahren ist er nicht mehr hier gewesen?«

»Seit etwa dreieinhalb Jahren sogar. Das ist richtig.«

»Er und seine Mutter blieben demnach weg, als auch Dr. Westley in den Ruhestand ging?«

»Ja.«

»Und zum Zweiten: Uns liegt eine Aussage vor, wonach Liza Stanford unter Depressionen leiden soll. Depressionen, die sie dazu bringen, zeitweise vollkommen unterzutauchen, sich von ihrer Familie zu entfernen, nicht mehr auffindbar zu sein. Wissen Sie etwas davon?«

»Nein«, sagte Tess verblüfft.

»Sie haben auch nichts von Depressionen gemerkt?«

»Also«, sagte Tess, »wenn die Depressionen hatte, dann fresse ich, ehrlich gesagt, einen Besen. Die hat mit ihrer Art andere in Depressionen gestürzt, so war es höchstens. Sie selbst... na ja, man schaut in Menschen nicht hinein, besonders dann, wenn sie sich einer näheren Kontaktaufnahme völlig verweigern. Aber ich kann es mir bei ihr nicht vorstellen. So wie ich Liza Stanford erlebt habe, würde ich das für ausgeschlossen halten.«

»Danke, dass Sie Zeit für mich hatten«, sagte Christy.

2

Es verblieben drei Frauen auf Christys Liste, die sie hatte aufsuchen wollen: die drei Teilnehmerinnen an Ellen Currans Frauengruppe, die neben der ermordeten Carla Roberts und der verschwundenen Liza Stanford nun noch übrig waren.

Ellen Curran hatte Namen und Adressen aller Gruppenmitglieder gemailt, aber Christy hatte schon herausgefunden, dass sie nur mit einer der Frauen würde sprechen können. Die beiden anderen waren schon im Dezember gemeinsam zu einer Rundreise durch Neuseeland aufgebrochen und würden erst im Februar nach England zurückkehren.

Blieb Nancy Cox, die am Telefon sehr nett geklungen

hatte. »Kommen Sie einfach am Vormittag zu mir«, hatte sie zu Christy gesagt, »ich genieße seit einem Jahr meinen Ruhestand. Ich habe Zeit.«

Während sie ihren Wagen durch die Stadt und den langsam verebbenden starken Berufsverkehr des frühen Morgens steuerte, musste Christy an ihr Gespräch mit Fielder vom Samstag denken. Sie hatte wissen wollen, was Logan Stanford, den sie bislang nur aus der Presse kannte, für ein Typ sei, und Fielder hatte eine ganze Weile gezögert.

»Ich will ehrlich sein, ich mag ihn nicht«, hatte er schließlich gesagt. »Aber dieser Umstand sollte natürlich nicht den geringsten Einfluss auf die Ermittlungen haben. Er hat einfach furchtbar viel Geld und lässt das auch richtig raushängen, und solche Menschen waren mir noch nie sympathisch. Außerdem ist er der klassische Staranwalt, von dem man den Eindruck hat, er geht über Leichen, nimmt es mit der Wahrheit nicht allzu genau, schafft unversteuertes Geld beiseite und erwirkt eine einstweilige Verfügung nach der anderen, wann immer ihm jemand auch nur einen Schritt zu nahe kommt. Wissen Sie, was ich meine?«

Sie hatte gelacht. »Ja. Ich verstehe schon. Aber seien Sie vorsichtig mit Ihren Aussagen. Besonders, was die Steuerhinterziehung betrifft!«

»Ich sage das ja nur zu Ihnen, Christy. Keine Ahnung, ob es stimmt. Aber man kann es sich bei ihm einfach vorstellen.«

»Das Verschwinden seiner Frau beunruhigt ihn tatsächlich nicht?«

»Er ist es gewohnt, wie er behauptet. Ebenso ist er es gewohnt, dass sie irgendwann wieder auftaucht. Deshalb halten sich seine Sorgen in Grenzen.«

»Finden Sie das normal? Ich meine, selbst wenn man

es gewohnt ist… Ein Mensch, der so depressiv ist, dass er immer wieder für Wochen verschwindet… Das ist doch kein Zustand! Er kann das doch nicht auf sich beruhen lassen. Er müsste versuchen, ihr zu helfen.«

»Er kommt mir ziemlich emotionslos vor. Und sehr auf seine Karriere und sein Ansehen konzentriert. Allerdings wissen wir nicht, wie sehr er vielleicht in der Vergangenheit schon versucht hat, irgendetwas gegen ihr Problem zu tun. An depressiven Menschen können Partner auch scheitern. Irgendwann haben sie keine Kraft mehr, lassen den Dingen ihren Lauf und hoffen, dass alles am Ende halbwegs gut ausgeht.«

Jetzt, auf dem Weg durch die Stadt, kam Christy ein weiterer Gedanke. Die Sprechstundenhilfe in Anne Westleys Praxis hatte es für nahezu ausgeschlossen gehalten, dass Liza Stanford unter Depressionen gelitten haben sollte. Dazu kam der Umstand, dass die Familie offenbar richtig im Geld schwamm.

Anwaltsgattin, dachte Christy, und klotzig reich. Teurer Schmuck, Designerklamotten. Bentley. Zu einer solchen Frau würde es auch passen, dass sie aus ganz anderen Gründen für eine Weile abtaucht, zum Beispiel, um sich irgendwo generalüberholen zu lassen. Hochburg Brasilien. Vielleicht sitzt sie in einer Klinik in São Paulo, bekommt Fett abgesaugt, die Augenlider gestrafft, das Dekolleté glatt gezogen und die Lippen aufgepolstert. Über so etwas redet niemand gern. Ihrem Mann hat sie bei Todesstrafe verboten, irgendetwas über ihr extravagantes Hobby verlauten zu lassen, und alles, was ihm einfiel, waren Depressionen. Man darf die harmlosen Möglichkeiten nicht außer Acht lassen.

Allerdings verstand sie durchaus Peter Fielders Argumentation. »Wir haben zwei ermordete Frauen, und die Frau, die mit beiden zu tun hatte, ist spurlos verschwunden. Da stinkt etwas gewaltig, Christy! Ich weiß, dass es die verrücktesten Zufälle gibt, aber an dieser Stelle müsste man mir den Zufall schon beweisen. Und vergessen Sie nicht: Die Ehe der Stanfords war offenbar alles andere als harmonisch. Wenn eine Ehefrau sich einer Selbsthilfegruppe *alleinstehender Frauen* anschließt, um Anregungen für ihren eigenen endgültigen Schritt zu sammeln, dann lässt das auf ein ziemlich hohes Maß an Zerrüttung schließen. Was wissen wir denn? Vielleicht hat Carla Roberts ihrer Freundin intensiv zugeraten, den eiskalten Anwalt endlich zu verlassen, und vielleicht hat das Stanford so richtig gestunken. Eine Scheidung könnte ihn eine Menge Geld kosten. Geld, das er vielleicht gar nicht hat. Die Leute leben in einem protzigen Haus, fahren protzige Autos und sind protzig eingerichtet, aber wie oft hat man schon erlebt, dass genau derartige Lebensgebäude auf absolut tönernen Füßen stehen. Vielleicht ist die imposante Villa bis unters Dach beliehen. Die tollen Autos geleast, und die Leasingraten werden mit Ach und Krach abgestottert. Eine Scheidung wäre der alles entscheidende Genickbruch. Stanford könnte diese Gruppe, zu der seine Frau ging, gehasst haben, und am meisten Carla Roberts.«

»Und was ist mit Anne Westley? Und Thomas Ward? Oder Gillian Ward?«

Darauf hatte Fielder keine Antwort gewusst. Christy auch nicht.

Bei Nancy Cox erwartete sie ein Frühstückstisch mit Toastbrot, verschiedenen Marmeladensorten, Rühreiern mit Speck und frisch gebackenen Scones. Dazu gab es eine große Kanne Kaffee, der herrlich duftete. Nancy hatte im Wohnzimmer ihres kleinen Reihenhäuschens in Fulham gedeckt. Sie war eine zierliche Frau mit freundlichen Augen, kurz geschnittenen grauen Haaren und einer sehr warmherzigen Ausstrahlung. Auf ihrem Sofa lagen zwei schlafende Katzen. Im Garten stand ein Schneemann.

»Meine Enkel waren am Wochenende da«, erklärte sie, als sie Christys erstaunten Blick bemerkte.

Christy, die am frühen Morgen wieder einmal nur im Stehen einen Kaffee hinuntergekippt und später einen Schokoriegel verschlungen hatte, ließ sich nicht ungern bewirten. Sie verdrückte zwei Portionen Rührei, aß eine Scheibe Toast dazu und trank drei Tassen Kaffee. Wieder einmal stellte sie fest, wie sehr ein ordentliches Frühstück die Lebensgeister zu wecken und die Laune zu heben vermochte. Allerdings war für die nächsten Tage nun erst einmal eine Diät angesagt. Christy stand stets im Kampf mit den Pfunden.

Was Nancy über Liza berichtete, deckte sich mit dem, was Ellen Curran bereits gesagt hatte. Und nur zum Teil ließen sich die Schilderungen der Sprechstundenhilfe wiederfinden.

»Arrogant? So habe ich sie eigentlich nicht empfunden. Ja, sie war immer furchtbar teuer angezogen, und der Schmuck, den sie an einer Hand trug, war wahrscheinlich mehr wert als das, was ich in fünf Jahren an Rente bekomme. Aber diese Dinge machen Menschen nicht glücklich, oder? Mir kam sie traurig vor. Niedergeschlagen.«

»Was berichtete sie über ihre Ehe? Sie wollte sich ja trennen.«

»Ach, wissen Sie, ich habe immer gedacht, die trennt sich nie. Die will sich nur manchmal vergewissern, dass sie die Möglichkeit dazu hätte. Schwer zu sagen, was sie ihrem Mann eigentlich vorwarf. Sie redete so wenig. Sie und Carla Roberts waren immer ziemlich stumm. Während wir vier anderen ohne Punkt und Komma durcheinanderschnatterten.«

»Carla Roberts ...«

Nancy machte ein bekümmertes Gesicht. »Weiß man jetzt, wer sie umgebracht hat? Ich wollte es ja nicht glauben, als ich es in der Zeitung las. Man denkt nie, dass so etwas Menschen geschieht, die man *kennt*. Ich war fassungslos!«

»Auch wenn Carla und Liza wenig redeten – irgendetwas müssen sie ja mal gesagt haben?«

Nancy überlegte. »Ja, also Liza sagte schon ein paar Mal, dass sie sehr unglücklich sei in ihrer Ehe. Ihrem Mann gehe es nur noch um Geld, um Prestige, um sein Ansehen. Er steht ja oft in der Zeitung, weil er so viele Wohltätigkeitsgalas veranstaltet. Aber das heißt nicht, dass er sich auch um seine Frau genügend kümmert, nicht? Ich glaube, sie fühlte sich zutiefst allein, selbst wenn er da war.«

»Wissen Sie, ob er einverstanden war, dass sie zu dieser Gruppe ging?«

»Ich glaube, er wusste das gar nicht. Sie hatte ihm wohl ziemlich pauschal etwas von einer Selbstfindungsgruppe erzählt. Er fand das wahrscheinlich ziemlich blöd, hielt es aber wohl nicht für gefährlich.«

»Riet Carla ihr zur Scheidung?«

»Ich weiß es nicht. Die beiden haben sich manchmal leise miteinander unterhalten, aber ich weiß nicht, worüber.« Nancy machte ein schuldbewusstes Gesicht. »Ehrlich gesagt, ich fand die beiden ziemlich langweilig. Wir anderen hatten richtig Spaß miteinander, und diese beiden verschlossenen Trauerklöße ... Ich habe irgendwann gar nicht mehr so auf sie geachtet. Liza fehlte sowieso recht häufig.«

»Gab sie dafür Gründe an?«

»Gesellschaftliche Verpflichtungen. Na ja, das leuchtete schon ein bei der Stellung ihres Mannes. Ellen war trotzdem etwas verärgert deshalb.«

»Dass ihr Mann sie zeitweise auch daran gehindert haben könnte zu kommen, ist ausgeschlossen?«

»Nein, natürlich nicht. Aber ich kann nur wiedergeben, was sie sagte. Wir haben da nicht groß nachgehakt.«

»Hat Liza einmal die Ärztin ihres Sohnes erwähnt? Die Kinderärztin Dr. Anne Westley?«

»Nein. Nie. Wieso?«

Christy ging auf die Frage nicht ein. »Und worüber sprach Carla Roberts?«, fragte sie. »Wenn sie sprach, meine ich.«

»Also, Carla hatte riesige Probleme«, sagte Nancy. »Sie war eine gebrochene Frau. Der Mann mit der Sekretärin weg, die Firma im Konkurs. Carla hatte über Nacht alles verloren. Das Haus kam unter den Hammer... Sie fand sich plötzlich in einer Drogerie wieder, wo sie Kisten auspackte und Regale einsortierte, um sich irgendwie über Wasser zu halten – jedenfalls bevor sie schließlich in Rente ging, um dann vollends zu vereinsamen. Sie konnte das alles einfach nicht fassen. Und ihre Tochter, der einzige Mensch, der ihr geblieben war, führte zunehmend ein eigenes Leben.«

»Ja, die Tochter kümmerte sich wohl sehr wenig um ihre Mutter.«

»Na ja«, Nancy zuckte mit den Schultern, »so sind die jungen Leute heute. Denen geht es um sich, um ihr Leben, ihre Zukunft. Als mein Mann plötzlich mit einer anderen Frau daherkam und mich um die Scheidung bat, fiel ich auch in ein schwarzes Loch, das können Sie mir glauben. Und meine Kinder habe ich wenig gesehen in der Zeit. Die hatten ihr Studium, ihre Freunde... Wochenenden mit der heulenden Mutter standen da nicht allzu hoch im Kurs.«

Christy dachte wieder einmal, dass sie klug beraten gewesen war, als sie sich gegen ein klassisches Familienleben und gegen Kinder entschieden hatte. Sie gewann oft den Eindruck, dass man heutzutage nur noch ausgemachte Egoisten großzog.

Sie trank den letzten Schluck Kaffee, nahm ihre Karte aus der Tasche und schob sie Nancy über den Tisch zu.

»Hier. Bitte rufen Sie mich an, wenn Ihnen irgendetwas einfällt. Irgendetwas, das Carla oder Liza gesagt oder auch nur beiläufig erwähnt haben. Alles kann von Bedeutung sein.«

»Ich denke auf jeden Fall nach«, versprach Nancy.

3

Das Grundstück war ungewöhnlich groß, selbst für Hampstead, und da John ungefähr über die Quadratmeterpreise in den verschiedenen Londoner Stadtteilen Bescheid wusste, konnte er ermessen, was die Stanfords für ihr Anwesen hingeblättert haben mussten. Das Haus lag ein gutes Stück von der Straße zurück und war zwischen den alten, hohen Bäumen, die dicht beieinanderstanden und selbst zu dieser Jahreszeit, ohne Laub, eine ziemlich hermetische Wand bildeten, nur unvollkommen zu erkennen. John prüfte kurz, in welcher Richtung Süden lag, und stellte fest, dass die Bäume vor allem im Sommer Licht und Sonne fast vollkommen schlucken mussten. Das Haus konnte nur im ständigen Schatten liegen. John fragte sich, wie jemand ein gigantisches Vermögen für eine Villa mit parkähnlichem Grundstück hinlegen konnte, um dann in einer Düsternis zu leben, die er in jeder Hinterhofwohnung billiger hätte bekommen können. Dass Liza Stanford unter Depressionen leiden sollte, wunderte ihn auf einmal nicht mehr allzu sehr.

Er wollte gerade die Klingel, die zusammen mit einer Überwachungskamera gleich neben dem schmiedeeisernen Tor angebracht war, betätigen, als er einen Jungen sah, der durch den verschneiten Garten kam. Er lief nicht über die penibel geräumte Auffahrt, sondern stapfte mitten durch den Schnee. Er zog einen Schlitten hinter sich her, eine Art rote Plastikuntertasse mit einem kleinen geformten Sitz. John musste an die Holzschlitten seiner Kindheit denken.

Es hatte sich viel verändert seitdem.

Der Junge öffnete das Tor und entdeckte in diesem Moment erst den Mann, der dort stand und wartete. Er zuckte zusammen.

»Hallo«, sagte er unsicher.

»Hallo«, sagte John, »ich heiße John Burton. Du bist ...?«

»Finley. Finley Stanford.«

»Hallo, Finley. Ich wollte zu deiner Mutter. Ist sie da?«

»Nein.«

»Weißt du, wann sie wiederkommt?«

»Nein.«

»Wo ist sie denn?«

»Ich weiß es nicht.«

»Du weißt es nicht?«

»Sie ist verschwunden«, sagte Finley.

John blickte ihn mit gespieltem Erstaunen an. »Verschwunden? Seit wann ist sie verschwunden?«

»Seit Mitte November. Am 15. November ist sie verschwunden. Das war ein Sonntag.«

»Aha. Sie packte ihre Sachen und ging aus dem Haus und kam nicht wieder? Oder wie?«

»Nein. Wir haben am Sonntagnachmittag zusammen ferngesehen, Mum und ich. Sie hat Tee getrunken und ich einen Kakao. Und wir haben Plätzchen gegessen.«

»Nur deine Mum und du? Dein Vater war nicht dabei?«

»Der war in seinem Arbeitszimmer. Er hatte noch zu tun.«

»Ich verstehe. Und dann?«

»Dad ist weggegangen, weil er zum Abendessen verabredet war. Mit einem Mandanten. Mein Dad ist ein Rechtsanwalt.«

»Ich weiß.«

»Mum und ich haben nicht zu Abend gegessen, weil wir so satt waren. Von den vielen Plätzchen. Ich habe noch ein bisschen am Computer gespielt. Um neun musste ich ins Bett.« Finley unterbrach sich plötzlich und sah John misstrauisch an. »Wieso wollen Sie das alles wissen?«

»Ich bin ein guter Bekannter deiner Mutter. Ich müsste sie in einer ziemlich dringenden Angelegenheit sprechen. Es wäre wichtig für mich, herauszufinden, was passiert ist.«

»Ja«, sagte Finley bekümmert, »das weiß ich eben auch nicht. Am nächsten Morgen hat mich Dad geweckt und gesagt, dass Mum in der Nacht weggegangen ist, aber dass sie bestimmt wiederkommt. Ich bin dann ganz normal in die Schule gegangen. Ich habe so gehofft, dass sie wieder da ist, wenn ich nachmittags nach Hause komme, aber…« Er zuckte mit den Schultern. John musterte ihn aufmerksam. Der Junge war blass und feingliedrig, sah aber gesund aus. Er machte sich deutlich Sorgen um seine Mutter, wirkte jedoch keineswegs psychisch instabil. Er schien in sich zu ruhen. John fragte sich, ob er vielleicht sogar ein wenig zu sehr in sich ruhte. In seiner Tätigkeit als Jugendhandballtrainer hatte er mit vielen Kindern aus ausgesprochen problematischen Familienverhältnissen zu tun, und ihm war schon manchmal aufgefallen, dass Kinder aus besonders desolaten Lebensumständen manchmal diese etwas eigentümliche Ruhe ausstrahlten, von der man irgendwann merkte, dass sie Ausdruck einer völligen Zurückgezogenheit des Kindes in sich selbst war. Es gab Kinder aus intakten Verhältnissen, die sich wesentlich verhaltensauffälliger gaben als solche, bei denen man irgendwann erfuhr, dass die Mutter trank und der Stiefvater gewalttätig war. John hatte auffallend verhaltensunauffällige Kinder erlebt, deren Zuhause ein einziges Desaster darstellte.

Er überlegte, ob er, wäre er völlig unvoreingenommen, auch Finley so charakterisiert hätte: auffallend unauffällig.

»In welche Schule gehst du?«, fragte er.

»William Ellis School. In Highgate.«

»Gehst du gern zur Schule? Hast du viele Freunde?«

Der Junge überlegte kurz. »Ja, es ist schon okay dort. Freunde habe ich nicht so viele. Aber ich bin gerne allein.«

»Verstehe«, sagte John. Dann kehrte er zu seinem eigentlichen Anliegen zurück: »Ist das früher schon mal passiert? Dass deine Mutter einfach verschwunden ist und niemand wusste, wohin?«

»Einmal. Vor zwei Jahren ungefähr. Da kam sie aber nach zehn Tagen wieder.«

So ganz normal, wie Stanford es gegenüber Fielder dargestellt hat, ist das Abtauchen von Mrs. Stanford nun auch nicht, dachte John. Einmal bereits war sie verschwunden, jedoch über einen absolut überschaubaren Zeitraum hinweg. Jetzt hingegen fehlte seit dem fünfzehnten November jede Spur von ihr. Sie hatten den elften Januar. Fast zwei Monate waren verstrichen.

»Die Polizei hat auch schon nach ihr gefragt«, sagte Finley. »Am Freitag. Da war ein Inspector von Scotland Yard hier. Sie sind aber nicht von der Polizei?«

»Nein, Finley. Ich bin nicht von der Polizei.«

»Und weshalb dann alle diese Fragen?«, sagte eine scharfe

Stimme hinter ihm. John drehte sich um. Unbemerkt war ein Mann vom Haus herübergekommen. Jeans, Pullover, sorgfältig gekämmtes silbergraues Haar. Logan Stanford.

»Dr. Stanford?«, fragte John.

»Was wollen Sie hier?«, fragte Stanford zurück, ohne sich vorzustellen. »Was haben Sie mit meinem Sohn zu bereden?«

»Er ist ein Bekannter von Mum«, sagte Finley. »Er muss sie sprechen.«

»Ach ja? In welcher Angelegenheit?«

»Das ist sehr persönlich«, antwortete John.

»Wer sind Sie?«, fragte Stanford. Seine Stimme klang ruhig.

»John Burton.«

Stanford blickte ihn an. John konnte sich den Mann im Gerichtssaal vorstellen. Er sah weder besonders freundlich noch unfreundlich aus. Sehr sachlich. Sehr beherrscht. Es war nicht auszumachen, was in ihm vorging. Er wirkte vollkommen undurchsichtig.

John beschloss, den direkten Weg zu gehen. »Dr. Stanford, die Polizei war am Freitag bei Ihnen. Wegen Ihrer Frau. Sie wissen daher, worum es geht.«

»Wer sind Sie?«, wiederholte Stanford.

»Zwei Frauen wurden ermordet. Und ein Mann. Der Tod des Mannes war aller Wahrscheinlichkeit nach nicht geplant. Eigentliches Ziel des Täters war seine Frau. Ein Zufall hat sie gerettet, aber es ist durchaus möglich, dass sie in großer Gefahr schwebt. Sie wollen wissen, wer ich bin? Ich bin ein sehr enger Freund dieser Frau. Sie liegt mir am Herzen. Ihre Sicherheit liegt mir am Herzen.«

»Verständlich. Aber ich kann Ihnen da nicht helfen.«

»Ich nehme an, Detective Inspector Fielder hat Ihnen die Zusammenhänge erklärt. Sie wissen, auf welche Weise die

Polizei auf Ihre Frau kam. Sie ist das einzige bislang bekannte Bindeglied zwischen den beiden toten Frauen. Es wäre wirklich wichtig, mit ihr zu sprechen.«

»Ich weiß nicht, wo sie ist.«

»Und das halten Sie für einen normalen Zustand? Seit zwei Monaten nichts über den Verbleib Ihrer Frau zu wissen?«

Stanford zuckte mit den Schultern. »Was ich für normal halte, müssen Sie schon mir überlassen, Mr. Burton.«

»Ihre Frau leidet unter schweren Depressionen?«

»Mr. Burton...«

»So haben Sie sich jedenfalls gegenüber der Polizei geäußert.«

»Sie bringen es auf den Punkt, Mr. Burton: Ich äußere mich der Polizei gegenüber. Nicht aber gegenüber einem wildfremden Mann, der meinen Sohn am Gartentor abfängt und ausfragt und der zur Begründung lediglich auf seine private Bekanntschaft mit der Familie eines Mordopfers verweisen kann. Ich sehe unser Gespräch als beendet an.«

Die beiden Männer musterten sich einen Moment lang schweigend. John begriff, dass er im Augenblick nichts ausrichten konnte. Stanford war nicht zu fassen. Nicht zu erschüttern, wahrscheinlich nicht zu provozieren, schon überhaupt nicht zu einer unvorsichtigen Bemerkung hinzureißen. Aus ihm war nicht das Mindeste herauszuholen.

»Auf Wiedersehen, Dr. Stanford«, sagte er.

»Auf Wiedersehen«, erwiderte Stanford. Er legte den Arm um die Schultern seines Sohnes.

John drehte sich um, überquerte die Straße und stieg in sein Auto, das er auf der gegenüberliegenden Seite geparkt hatte. Er war überzeugt, dass Stanford sich die Nummer notierte und nun als Nächstes überprüfen würde, ob Johns

Namensangabe stimmte. Wahrscheinlich würde er sogar weitere Erkundigungen einziehen.

Und wenn schon.

Er hatte nicht vor, aufzugeben. Es gab noch eine Möglichkeit, und das war der Junge. Er musste in die Schule, Stanford konnte ihn keinesfalls rund um die Uhr bewachen. William Ellis School, Highgate. Es würde nicht schwer sein, Finley dort abzufangen.

Der Junge war Logan Stanfords Schwachpunkt. Nicht nur, weil er zu greifen war. Sondern auch, weil er eine Menge wusste. Er hatte gelernt, die Dinge mit sich selbst abzumachen, sie in sich zu verschließen und das Spiel seiner Eltern mitzuspielen: Wir sind eine intakte, glückliche, wohlhabende, erfolgreiche Familie.

Vielleicht das verlogenste Schmierentheater, das in der Stadt je gespielt worden war.

I

Gillian hatte den Eindruck, dass sie seit dem Tag, da sie Thomas tot im Esszimmer gefunden hatte, nicht ein Mal stehen geblieben war. Fast buchstäblich, wenn man von den Nächten absah, in denen sie ein starkes Schlafmittel nahm, umfiel wie ein gefällter Baum und zum Glück ohne die geringste Erinnerung an bedrückende Träume am nächsten Morgen wie aus der Tiefe einer Narkose erwachte. Ihre Nächte waren dunkel, vollkommen schwarz und vollkommen leer. Wenn sie aufstand, kam sie sich vor wie ein Hamster, der in sein Laufrad springt und darin rennt bis zur völligen Erschöpfung. Das Tier im Käfig rannte vor der Langeweile und Einsamkeit seines Gefängnisses davon. Gillian lief vor dem Moment des endgültigen Begreifens fort.

Irgendwann würde sie nicht weiterkönnen.

Sie mistete das Haus aus. In zahllose Tüten verpackt, hatte sie Toms Kleidungsstücke zur Altkleidersammlung gebracht. Kinderklamotten von Becky aussortiert, eigene, lange nicht getragene Sachen beiseitegeräumt. Sie holte alte Zeitungen und leere Pappkartons vom Dachboden und füllte die Papiertonne, sie rief den Sperrmüll an und bestellte ihn für den Anfang der nächsten Woche. Im Keller standen noch Möbel aus der ersten Zeit ihrer Ehe, Erinnerungsstücke, die stets zu viele nostalgische Gefühle ausgelöst hatten, als dass Gillian sich von ihnen hätte trennen können. Jetzt kamen sie auf die Liste der Gegenstände, die sie würde abholen lassen.

Im Keller hatte sie sogar noch etliche zusammengefaltete Umzugskartons gefunden, die von ihrem und Toms Umzug in dieses Haus übrig geblieben waren. Sie schleppte sie nach oben, baute sie zusammen und begann mit ersten Packarbeiten. Bücher, Porzellan, gerahmte Fotografien, Kerzenständer.

Jetzt, am Dienstagmittag, sah das Haus bereits aus, als stehe der Umzug unmittelbar bevor.

Sie merkte, dass sie hungrig war, nahm eine Pizza aus dem Tiefkühlschrank und schob sie in den Backofen. Während sie auf ihr Essen wartete, fuhr sie ihren Computer hoch und fahndete über Google nach einem Makler in Southend oder London. Sie kannte niemanden aus der Branche und hätte im Grunde den Erstbesten nehmen können, aber dann fiel ihr Blick auf den Namen Luke Palm und ein Erinnerungsglöckchen schlug an. Der Name war in ein oder zwei Zeitungen genannt worden. Palm war der Mann, der die ermordete Anne Westley gefunden hatte. Sie überlegte, dass er für sie vielleicht die günstigste Möglichkeit wäre. Sie konnte ihm offen erzählen, weshalb sie das Haus verkaufen wollte, ohne dass er gleich in Ohnmacht fiele oder entweder verständnislos oder sensationsheischend reagierte. In gewisser Weise war er Teil der ganzen Geschichte. Gillian, die sich, seitdem brutalste Gewalt in ihr Leben eingedrungen war, manchmal wie auf einer Eisscholle treibend fühlte, losgelöst von der Normalität und von den Menschen, in deren Dasein derartige Übergriffe nicht stattfanden, stellte sich Luke Palm als einen Menschen vor, der ebenfalls auf einer Eisscholle saß. Er flößte ihr mehr Vertrauen ein als alle anderen.

Sie wählte die Nummer seines Büros und wurde von der Sekretärin sogleich durchgestellt.

»Palm.«

»Hier ist Gillian Ward.« Sie machte eine kurze Pause und wartete, ob eine Reaktion kam, aber offensichtlich war Palm der Name nicht präsent. Sicher hatte er in der Zeitung von Toms Ermordung gelesen, allerdings hatte nur ein Blatt dabei auch Toms vollen Namen genannt.

»Ich möchte mein Haus verkaufen«, fuhr sie fort. »Hier draußen in Southend, Stadtteil Thorpe Bay. Ich würde mich gern beraten lassen, wie hoch ich etwa den Preis ansetzen kann. Ich habe keine Ahnung, wie die Lage auf dem Markt im Augenblick ist.«

»Kein Problem. Ich kann mir Ihr Haus jederzeit anschauen. Wann hätten Sie Zeit?«

»Würde es bei Ihnen morgen passen? Morgen Nachmittag?«

»Ich habe morgen leider schon ein paar Termine. Wäre Ihnen halb sechs zu spät?«

»Nein, das wäre perfekt.«

Sie nannte ihm ihre Adresse und Telefonnummer. Als sie sich verabschiedet hatten, blieb sie noch ein paar Minuten am Esstisch sitzen, blickte hinaus in den tief verschneiten Garten. Voraussichtlich war das ihr letzter Winter hier.

Ich tue es, dachte sie, ich tue es wirklich. Ich breche alle Brücken hinter mir ab.

Ein paar hungrige Vögel flatterten um das Vogelhäuschen herum, das gleich neben dem Kirschbaum stand. Sie drehten enttäuscht ab, als sie merkten, dass es leer war. Gillian konnte das Bild nicht abwehren, das vor ihrem inneren Auge entstand: Beckys Geburtstag zwei Jahre zuvor. Der 22. November. Sie hatte sich das Vogelhaus sehnlichst gewünscht und es auch bekommen. Gillian hatte am Fenster gestanden und zugeschaut, als sie und Tom es noch am Nachmittag draußen aufbauten. Beckys Wangen glühten vor Freude. Tom hatte es genossen, etwas mit seiner Tochter zusammen zu unternehmen. Die beiden hatten so glücklich gewirkt, so harmonisch. Das Zuschauen hatte Gillian mit Wärme erfüllt. Etwas von dieser Wärme konnte sie selbst jetzt noch spüren, und das war gefährlich. Viel zu gefährlich.

Sie verscheuchte das Bild.

Der Garten lag wieder leer vor ihr, vergraben unter einer Decke unberührten Schnees. Kein Mann mehr dort, der zusammen mit einem Kind lachte und redete. Nur die hungrigen Vögel.

Nachher muss ich Vogelfutter kaufen, dachte Gillian.

2

Samson verschloss sorgfältig die Tür des Wohnwagens hinter sich und verstaute den Schlüssel in seiner Anoraktasche. Er schauderte vor der Kälte, die ihn draußen empfing. Ein strahlend blauer Himmel, Sonne, hoher Schnee, dessen Oberfläche blitzte und funkelte. Mindestens zehn Grad unter dem Gefrierpunkt, schätzte Samson. Er konnte sich nicht erinnern, jemals einen so kalten, so schneereichen Winter erlebt zu haben. Im Gegenteil. In den letzten Jahren hatte fast immer nur trostloses Schmuddelwetter geherrscht, und niemand hätte mehr geglaubt, je wieder eine weiße Weihnacht in England zu feiern. Oder Kinder zu sehen, die Schlitten hinter sich herzogen und zu den nächsten Hügeln stapften, um dort Nachmittage lang zu rodeln. Aus seiner frühen Kindheit entsann sich Samson solcher Freuden.

Aber das war lange her.

Er hatte eine Tüte mit getrockneten Brotresten bei sich, wedelte nun den Schnee von einem halb fertigen Mauerstück und schüttete das Brot auf die Steine. Er wusste, kaum wäre er ein Stück weit gegangen, würden sich die Vögel in einer schwarzen Wolke auf der Mauer niederlassen. In den letzten Tagen hatte er sie regelmäßig gefüttert. Sie stellten seine einzige Gesellschaft in der Einöde dar, und ihre hungrigen Schreie brachen ihm fast das Herz.

»Von jetzt an müsst ihr alleine klarkommen«, sagte er leise, »ich schaffe es hier nicht mehr.«

Sein Plan war, sich über die Felder bis zu den ersten Ausläufern Londons durchzuschlagen, dort eine Telefonzelle oder ein Postamt zu suchen und entweder über ein Telefonbuch oder einen Anruf bei der Auskunft die Adresse von John Burton ausfindig zu machen. Er brauchte eine neue Unterkunft, und Burton war der Einzige, der ihm helfen konnte. Sollte es nicht möglich sein, ihn zu finden, bliebe nur Bartek, von dem er sich aber vorstellen konnte, dass er bei seinem Auftauchen in Ohnmacht fallen oder ihn gleich davonjagen würde. Gavin, sein Bruder, wäre die äußerste Alternative. Wegen Millie. Aber ehe er verhungerte oder erfror, würde er sich in die Höhle der Löwin begeben müssen. Letzten Endes würde er sowieso bei der Polizei und im Untersuchungsgefängnis landen, da machte er sich nichts vor. Es war nur die Frage, wie lange er diesen Moment würde hinauszögern können. Und er hatte längst den Punkt erreicht, an dem er den Aufenthalt in einer Gefängniszelle nicht mehr als das größte aller vorstellbaren Übel ansah. Das Alleinsein hatte ihn fast zerbrochen. Wenn er sich jetzt auf den Weg machte, John zu suchen, so geschah das, um sein Leben zu retten. Noch ein paar Tage in dem Wohnwagen auf der verlassenen Baustelle, und er würde zum Selbstmörder werden.

Es war halb zwei am Mittag. Schemenhaft konnte er am Horizont die ersten Häuser des Stadtrandes erkennen, ohne zu wissen, um welchen Teil der Stadt es sich handelte. Er schätzte, dass er gut eineinhalb Stunden Fußmarsch vor sich hatte, bis er eine bewohnte Gegend erreichte, aber das schreckte ihn nicht. Er war immer gern gelaufen, und er war warm angezogen, hatte sich vor seinem Aufbruch noch eine stärkende Mahlzeit aus einer Konservendose einverleibt. Zunächst konnte ihm nicht viel geschehen. Er brauchte nur dringend eine Unterkunft, ehe die Nacht anbrach. Das Thermometer fiel derzeit in den Nächten auf fast fünfzehn Grad unter den Gefrierpunkt.

Er ging los. Es war anstrengend zu laufen, weil er bei jedem Schritt tief im Schnee versank.

Ich werde morgen einen ganz schönen Muskelkater haben, dachte er.

Einmal drehte er sich um. Die unfertigen Außenwände der Hochhäuser und die Kräne ragten hoch hinauf in den überirdisch blauen Himmel. Sein Wohnwagen sah klein und unscheinbar, fast verloren aus.

Die Vögel hingen über der Mauer und kämpften um das Brot.

Seit drei Uhr parkte John gegenüber der Schule und behielt
alle Ausgänge scharf im Auge. Ein paar Schüler hatten das
rote Backsteingebäude mit den weiß gerahmten Fenstern verlassen, andere waren hineingegangen, aber Finley war nicht
dabei gewesen. An die Schule schlossen sich die Wiesen und
Felder von Hampstead Heath an, darin eingebettet Tennis-
plätze, andere Sportanlagen und verschiedene Gebäude, die
zur Schule gehörten. Selbst wenn Finley dort gerade Unter-
richt hatte, vermutete John, dass er auf seinem Heimweg
irgendwann hier vorn herauskommen oder zumindest vorbeigehen müsste. In einiger Entfernung befand sich eine
Bushaltestelle. Es war anzunehmen, dass Finley von dort aus
seinen Heimweg antreten würde.

John war guter Hoffnung.

Weniger zuversichtlich war er, wenn er an seine Firma
dachte. Die Recherchearbeit der letzten Tage wirkte sich
ausgesprochen negativ auf seine Präsenz im Büro aus. Er
hatte fähige Angestellte, aber es war wichtig, dass der Chef
die Fäden in der Hand behielt, und daran mangelte es im
Moment. Außerdem spürte er ein Schuldgefühl wegen Samson Segal. Er hätte sich längst wieder bei ihm blicken lassen
müssen. Der arme Kerl war wirklich mutterseelenallein da
draußen und vermutlich der Verzweiflung nahe. John fühlte
sich für ihn verantwortlich, aber anstatt sich um ihn zu kümmern, spielte er mittlerweile die Rolle eines privaten Ermitt-
lers, der sich auf die Fährte einer verschollenen Frau gesetzt
hatte und nun stundenlang auf Gelegenheiten warten musste,
die ihn weiterbringen würden. Der Unterschied war, dass ein
richtiger privater Ermittler im Regelfall für seine Arbeit be-

zahlt wurde. Während er, John, die Arbeit, mit der er seinen Lebensunterhalt verdiente, gewaltig vernachlässigte.

Egal. Er hatte damit angefangen. Er würde es zu Ende bringen.

Um vier Uhr kam Bewegung auf. Erste Schüler kamen aus der Schule, bald drängten größere Mengen hinterher. Die ruhige, verschneite Straße war plötzlich kaum mehr wiederzuerkennen. Rufen, Lachen und Schreien erfüllte sie, es wimmelte von Kindern und Jugendlichen. John stieg aus seinem Auto und sah sich konzentriert um. Er hoffte, dass ihm Finley in dieser Menschenmenge nicht entwischen würde.

Zugleich behielt er die Straße und andere parkende Autos sehr genau im Blick. Nicht auszuschließen, dass Dr. Stanford persönlich aufkreuzen würde, um seinen Sohn abzuholen. John scheute nicht die Konfrontation mit ihm, aber ihm war bewusst, dass seine Chancen, Finley noch einmal allein zu erwischen, gegen null tendierten, sollte Stanford ihn hier vor der Schule ertappen. Vermutlich ließ er den Jungen dann keinen Moment mehr unbeaufsichtigt, und wenn er einen Bodyguard engagieren musste.

Allerdings konnte John ihn weit und breit nicht entdecken. Gut so. Irgendwann musste der Mann für sein vieles Geld ja auch einmal arbeiten.

Finley tauchte so plötzlich vor ihm auf, dass John fast erschrocken zusammengezuckt wäre. Er kam nicht wie die meisten anderen in einer großen, lärmenden Traube daher, sondern ging völlig alleine. Er erkannte John und trat auf ihn zu. Er sah ihn einfach nur an, aus ruhigen, sanften Augen.

»Hallo, Finley«, sagte John und überflog noch einmal rasch die Umgebung aus den Augenwinkeln. Immer noch kein Dr. Stanford in Sicht.

»Hallo, Mr. Burton«, sagte Finley. »Mein Vater hat gesagt, ich soll nicht mit Ihnen sprechen.«

»Ja, das habe ich vermutet. Und ich weiß, dass ich viel von dir verlange, wenn ich dich bitte, dich darüber hinwegzusetzen. Aber es ist wichtig. Es geht um deine Mutter.«

Finley wirkte hin- und hergerissen. Er wollte nicht tun, was sein Vater ausdrücklich verboten hatte, aber er war auch ein Kind, das sich nach seiner Mutter sehnte.

»Sie kennen meine Mutter aber nicht?«, fragte er.

»Nein«, gab John zu. »Ich kenne sie nicht. Aber es wäre wichtig, mit ihr zu reden. Es wäre wichtig für jemand anderen, den ich gut kenne.«

Finley hob beide Schultern. »Ich weiß nicht, wo sie ist.«

»Hast du ein Bild von ihr?«, fragte John.

Finley nickte. Er ließ seinen Schulranzen vom Rücken rutschen, stellte ihn vor sich in den Schnee und suchte darin herum. Aus einem Geldbeutel zog er schließlich ein Foto hervor. »Das ist sie.«

John betrachtete das Bild. Eine schöne Frau, wie er sogleich feststellte. Lange blonde Haare, auffallend große Augen. Ein fein geschnittenes Gesicht. Aber er gewahrte auch den gehetzten Ausdruck, die Angst in den Augen. Zeichen einer Depression? Oder gab es ganz konkrete Ängste, die das Leben von Liza Stanford vergifteten?

Er gab das Bild zurück. »Sie ist sehr schön«, sagte er.

Finley nickte. »Ja.«

»Dein Vater ist im Büro?«

»Ja. Er kommt erst heute Abend wieder.«

»Du würdest jetzt mit dem Bus heimfahren, oder?«

»Ja.«

»Wenn du möchtest, bringe ich dich nach Hause. Und wir könnten unterwegs ein bisschen reden.«

Finley schüttelte energisch den Kopf. »Ich steige nicht zu einem Fremden ins Auto.«

»Okay. Du hast absolut recht. Aber opferst du mir hier auf der Straße fünf Minuten? Für ein Gespräch?«

»Mein Bus geht erst in zehn Minuten«, sagte Finley.

»Gut. Finley, verstehst du, der Gedanke ist kaum nachvollziehbar, dass ein Mensch *ohne Grund* verschwindet. Schon gar nicht eine Mutter. Sie musste zurücklassen, was ihr mit Sicherheit das Liebste auf der Welt ist, nämlich dich. Das tut eine Frau nur, wenn sie unter sehr großem Druck steht.«

»Ja«, sagte Finley.

»Dein Vater hat der Polizei gesagt, deine Mutter habe immer unter Depressionen gelitten. Weißt du, was Depressionen sind?«

»Man ist dann immer sehr traurig.«

»Genau. Könnte man das über deine Mutter sagen? Dass sie immer sehr traurig ist?«

»Ja«, sagte Finley ernst.

John versuchte es von einer anderen Seite. »Bei depressiven Menschen ist der Grund für ihre Traurigkeit oft nicht zu erkennen. Sie selbst fühlen unter Umständen schon einen Grund, aber für uns von außen scheint es keinen zu geben. So als sei diese Traurigkeit einfach da, wie ein Schnupfen oder eine Halsentzündung. Eine Art Krankheit. Auch dann, wenn im Leben dieses Menschen eigentlich alles in Ordnung ist und man sich fragt: *Warum bloß ist er oder sie immer so traurig?* Ist das so bei deiner Mutter?«

Ein Ausdruck der Unsicherheit huschte über Finleys Gesicht.

»Sie meinen, dass man nicht weiß, warum sie traurig ist?«

»Ja, das meine ich.«

»So ist es eigentlich nicht«, sagte Finley leise. Er sah John jetzt nicht mehr an.

»Du kanntest also immer den Grund für ihre Traurigkeit?«, insistierte John.

Finley nickte.

»Und du weißt auch, warum sie weggegangen ist?«

Von Finley kam keine Reaktion. Er betrachtete eindringlich seine Stiefel. John konnte erkennen, dass die Adern unter der sehr weißen Haut an den Schläfen leicht zuckten.

»Willst du es mir sagen?«

Finley schüttelte den Kopf.

»Aber vielleicht würde es mir helfen, sie zu finden.«

Finleys Augen irrten nun umher. Er schien auf irgendeine Hilfe zu hoffen, von der er selbst nicht wusste, wie sie aussehen sollte.

»Gab es oft Streit zwischen deinen Eltern?«, fragte John.

Finley sah aus, als wollte er am liebsten weglaufen. John begriff, dass er den Jungen kaum noch eine Minute würde halten können.

Ihm war ein Gedanke gekommen, der Schatten einer Möglichkeit, wie er Liza würde finden können, und dafür brauchte er eine Information, die er nicht bekommen würde, wenn er weiter in den Jungen drang.

Abrupt wechselte er das Thema. »Machst du eigentlich noch etwas außerhalb der Schule?«, fragte er leichthin. »Nachmittags, meine ich. Hast du ein Hobby? Rugby? Ein Instrument vielleicht? Irgendetwas?«

Finley schien überrascht und auch erleichtert. »Am Mittwoch spiele ich Handball. Und am Donnerstag habe ich Klavierstunde.«

»Du spielst Handball? Das finde ich gut. In meiner Freizeit unterrichte ich selbst Kinder im Handball.«

»Echt?« Finley sah ihn bewundernd an.

»Ja. Echt. Bist du gut?«

»Es geht.«

»Ihr spielt hier in der Schule?«

»Ja.«

»Und der Klavierunterricht ... findet der auch hier statt?«

»Nein. Bei einer Privatlehrerin. In der Nähe der Hampstead-Tube-Station.«

»Verstehe. Ich nehme an, dass dich früher deine Mutter dorthin gebracht hat, stimmt's? Und jetzt gehst du allein?«

»Ja. Mein Vater hat wenig Zeit.«

»Alles klar. Finley – danke, dass du mit mir gesprochen hast. Ich hoffe, du erreichst deinen Bus noch.«

»Es ist noch Zeit«, sagte Finley. Er wandte sich zum Gehen.

»Auf Wiedersehen«, murmelte er unsicher.

»Auf Wiedersehen«, sagte John. Er schaute dem Jungen nach. Beim Laufen zog er die Schultern ein wenig nach vorne. Er sah aus wie jemand, der eine unsichtbare Last trägt.

Keinesfalls ein glückliches Kind. Ein gut versorgtes Kind zweifellos, gefördert und unterstützt, und daheim wartete wahrscheinlich ein riesiges, gut bestücktes Spielzimmer auf ihn. Aber er war ein trauriges Kind, das Verlassenheit ausstrahlte.

Es war ein winziger Strohhalm, aber es war die einzige Chance, die John sah: Wenn sich Liza Stanford noch irgendwo in der Nähe aufhielt, würde sie versuchen, wenigstens gelegentlich zu überprüfen, wie es ihrem Sohn ging. Oder sie würde ihn auch einfach nur sehen wollen, um selber die Trennung von ihm auf irgendeine Weise durchhalten zu können. Er hegte die kleine Hoffnung, dass Liza gelegentlich Orte aufsuchen würde, von denen sie wusste, dass Finley dort zu bestimmten Zeiten aufkreuzte, dass sie sich irgendwo dort herumtrieb, um einen Blick auf ihn zu erhaschen. Wenn er Glück hatte, gelang es ihm, sie zu erkennen. Sie entweder ansprechen oder ihr folgen zu können.

Es war eine Chance, mehr nicht. Und es bedeutete, dass er sich abermals ganze Nachmittage würde um die Ohren schlagen müssen. Er hatte Finley nicht nach den Uhrzeiten für seine Hobbys gefragt, um nicht zu auffällig zu werden. Das hieß, er musste jeweils ab dem frühen Nachmittag Stellung beziehen. Zeitraubend – und bei der Kälte alles andere als angenehm.

Er schaute auf seine Uhr. Er überlegte, ob es sich noch lohnte, ins Büro zu fahren und nach dem Rechten zu sehen, entschied dann aber, die Dinge telefonisch zu regeln. Und stattdessen Gillian zu besuchen.

4

Christy McMarrow saß in DI Fielders Büro. Sie hatte ihren Chef noch am Vortag über ihre Gespräche mit Nancy Cox und mit der Sprechstundenhilfe aus Anne Westleys einstiger Praxis informiert, und Fielder selbst hatte daraufhin versuchen wollen, Dr. Westleys Vertraute Phyllis Skinner zu erreichen.

Was ihm gelungen war.

»Ich habe mit Dr. Skinner telefoniert«, sagte er. »Ich hätte sie lieber direkt aufgesucht, aber sie liegt mit einer wirklich heftigen Grippe im Bett und kann niemanden empfangen. Sie erinnert sich an Liza Stanford. Sie beschreibt sie auf ähnliche Weise, wie es die Sprechstundenhilfe Ihnen gegenüber getan hat: protzig, arrogant. Völlig unnahbar. Sie sagt, Anne Westley habe zunächst nie Näheres über sie erzählt, jedoch kurz nach ihrer Pensionierung vor dreieinhalb Jahren einmal abends bei ihr, bei Dr. Skinner, angerufen und gesagt, sie habe ein Problem mit der Mutter eines Patienten. Eines ehemaligen Patienten, genau genommen, da Dr. Westley zu diesem Zeitpunkt bereits seit zwei oder drei Wochen nicht mehr arbeitete. Mit Liza Stanford.«

»Ach!«, sagte Christy und setzte sich aufrechter hin.

Fielder wiegelte mit einer Handbewegung ab. »Führt leider auch nicht sehr weit. Dr. Skinner war an jenem Abend dabei, für ihre Urlaubsreise am nächsten Tag zu packen, und hatte überhaupt keine Zeit. Sie wirkte offenbar so gehetzt, dass Anne Westley das merkte und, noch ehe sie etwaige Einzelheiten auch nur angedeutet hätte, meinte, man könne sich vielleicht nach Skinners Urlaub einmal deswegen treffen. Aber wenige Tage, nachdem Skinner aus dem Urlaub zurückkam, sollte die Einweihung des Hauses in Tunbridge stattfinden, das sich Westley und ihr Mann ausgebaut hatten. Einen Tag vor dem Fest fiel der Mann vom Dach, bekam dann im Krankenhaus die Lungenentzündung und starb. Kurzum: Was immer Anne Westley ihrer Kollegin anvertrauen wollte, es ging völlig unter in den sich überschlagenden und zudem tragischen Ereignissen. Keine der beiden Frauen dachte wohl mehr daran.«

»Das Gespräch wurde auch später nie geführt?«

»Nein. Leider.«

»Verdammter Mist«, sagte Christy inbrünstig.

»Stimmt«, pflichtete Fielder bei. »Aber Jammern hilft uns jetzt nichts. Was sich durch mein Telefonat noch einmal deutlicher für uns darstellt, ist die Tatsache, dass Liza Stanford eine wesentliche Rolle inmitten der ganzen Geschichte zukommt. Die Frau kannte zwei der Mordopfer, und eines der Opfer hatte irgendein Problem mit ihr. Und jetzt ist sie verschwunden. Sie ist in die Fälle verstrickt. Wir wissen nicht genau, weshalb und wie, aber ich wette, sie ist der Schlüssel. Oder zumindest die entscheidende Etappe auf dem Weg, den Schlüssel in die Hände zu bekommen.«

»Das heißt, wir müssen sie unbedingt finden.«

»Ja.«

»Was tun wir? Ihren Mann noch einmal richtig in die Mangel nehmen?«

Fielder nickte langsam. »Der Kerl ist ein verdammt harter Brocken. Gibt sich freundlich und durchaus kooperativ, aber wenn er nichts sagen will, sagt er nichts. Zudem hat er beste Beziehungen.«

»Die er mit Sicherheit nutzen wird.«

»Mit absoluter Sicherheit. Wir müssen vorsichtig sein. Der kommt uns im Handumdrehen mit einer Dienstaufsichtsbeschwerde oder etwas in der Art, und zwar gleich auf höchster Ebene.«

»Trotzdem«, sagte Christy, »ist er im Moment unsere einzige Möglichkeit.«

»Zudem könnten wir nach Liza Stanford offiziell fahnden lassen.«

»Das wird er nicht unwidersprochen hinnehmen.«

»Wohl nicht«, räumte Fielder ein, »zumal wir ja nur ziemlich vage Mutmaßungen anstellen können. Die Grundlage, auf der wir uns bewegen, ist reichlich dünn. Seine Version lautet, dass sich seine Frau wegen ihrer Depressionen von aller Welt zurückgezogen hat, dass sie das öfter tut und dass kein Grund zur Beunruhigung besteht. Das rechtfertigt keine Fahndung.«

Beide schwiegen deprimiert. Schließlich sagte Fielder:

»Was ist mit Samson Segal? Gibt es von ihm inzwischen eine Spur?«

»Der ist weiter untergetaucht«, sagte Christy. »Er war ja mein absoluter Lieblingsverdächtiger, aber mittlerweile schwanke ich. Vielleicht ist er wirklich nur ein harmloser Spinner, der im Moment von der Panik getrieben wird, ihm könnte etwas angehängt werden. Er ist ja sozusagen das leibhaftige Gegenstück zu einem Mann wie unserem geschätzten Dr. Stanford: einer, der sich im Zweifelsfall nie zu helfen weiß.«

»Interessant wäre es zu wissen, ob er die Stanford kannte.«

»Er erwähnt sie nicht in seinen Aufzeichnungen.«

»Man kann es dennoch nicht ausschließen. Auch ihn müssten wir dringend ausfindig machen.«

»Und John Burton?«

»Im Auge behalten«, sagte Fielder. Er fügte hinzu: »Ich habe die Ermittlungsakte von damals anfordern lassen.«

»Sir, es kam nicht zu einem Gerichtsverfahren«, wandte Christy ein. Sie hatte den Eindruck gewonnen, dass man ihrem Chef diese Tatsache nicht oft genug in Erinnerung rufen konnte. »Die Anschuldigung war unhaltbar!«

»Trotzdem. Ich will das noch mal durchgehen.«

»Und ich …«

»Und Sie versuchen Ihr Glück bei Stanford. Vielleicht sind Sie ja erfolgreicher bei ihm als ich«, sagte Fielder.

Sie verdrehte die Augen. Sie hatte geahnt, dass Fielder sie auf Stanford hetzen würde – auf den Typen, aus dem nichts herauszubringen war.

»Wird gemacht, Sir«, sagte sie resigniert.

5

Das Erste, was er sah, als er den Weg zum Haus entlangging, war die weit offen stehende Haustür. Angesichts all dessen, was in den letzten Wochen geschehen war, durchfuhr ihn sofort ein eisiges Erschrecken, witterte er eine schreckliche Gefahr und blieb kurz stehen, um sich darüber klar zu werden, wie er nun am besten reagieren sollte. Aber im selben Moment sah er Gillian um die Ecke aus dem nach hinten gelegenen Garten kommen. Sie war offensichtlich nur kurz draußen gewesen, denn sie trug weder Mantel noch Schal, hatte lediglich ihre gefütterten Stiefel übergezogen, um durch den hohen Schnee stapfen zu können. In der Hand hielt sie einen Plastikeimer. Sie zuckte zusammen, als sie den Besucher sah, entspannte sich aber sofort, als sie erkannte, wer er war.

Allerdings wirkte sie nicht besonders erfreut, wie John registrieren musste.

»Hallo, Gillian«, sagte er.

Sie lächelte, eher höflich als herzlich. »Hallo, John.«

Er trat auf sie zu und gab ihr einen Kuss, aber sie drehte den Kopf so, dass er mit seinen Lippen nur ihre Wange streifen konnte.

»Es ist wahrscheinlich unhöflich, einfach ohne Voranmeldung vorbeizukommen«, sagte er, »aber ich war gerade in der Nähe …«

Das stimmte nicht. Dienstags hatte er kein Training, und es hatte absolut keinen Grund gegeben, nach Thorpe Bay hinauszufahren. Keinen – außer den, Gillian zu sehen. Aber zum Glück hakte sie nicht nach.

»Komm doch rein.« Sie trat vor ihm ins Haus und stellte den Eimer neben die Tür. »Ich habe die Vögel gefüttert.«

»Aha.« Er sah sich um. An den Wänden entlang des Flurs stapelten sich Kisten. Zudem waren offenbar Bilder im Eingangsbereich abgehängt worden, denn an den Wänden zeichneten sich deutlich die Ränder ab.

»Was ist denn hier los?«, fragte er.

»Ich habe schon ein paar Sachen verpackt«, sagte Gillian. Sie verschwand in der Küche. »Möchtest du einen Kaffee?«

»Gerne.« Er sah sich noch immer kopfschüttelnd um. Die Anzeichen waren kaum verkennbar: Gillian bereitete ihren Auszug vor.

Er trat in die Küche. Draußen war es schon fast dunkel, trotzdem konnte er durch die Scheibe der Gartentür gerade noch das auf einer hohen Stange befestigte Vogelhäuschen erkennen. Er wandte sich an Gillian, die gerade mit der Kaffeemaschine hantierte. »Warum gehst du nicht zur Küche hinaus, wenn du in den Garten willst?«

Sie hielt inne. »Keine Ahnung«, erwiderte sie, aber dann fügte sie hinzu: »Ich habe ein Problem, die Gartentür offen zu lassen. Selbst wenn es nur ein paar Momente sind ... Dort ist der ... Mörder hineingekommen. Es ist einfach ... es geht einfach nicht.«

»Die Haustür solltest du dann aber auch nicht offen stehen lassen. Das ist etwas irrational!«

Sie schaltete die Kaffeemaschine ein. »Etwas? *Alles* in meinem Leben ist seit einiger Zeit *völlig* irrational.«

John trat näher an sie heran. »Gillian! Was ist los? Was bedeutet das ... du packst hier alles? Willst du ausziehen?«

»Ja. Ich verkaufe das Haus. Morgen kommt ein Makler.«

»Ist das nicht ein bisschen überstürzt?«

»Soll ich in einem Haus leben und mein Kind großziehen, in dem mein Mann ermordet wurde?«

»Wo willst du denn hinziehen? Wirst du eine Wohnung hier irgendwo mieten?«

»Ich bleibe nicht hier. Ich gehe nach Norwich zurück.«

Völlig entsetzt sah er sie an. »Nach Norwich? Wieso das denn?«

»Dort komme ich her. Dort leben meine Eltern. Als alleinerziehende Mutter, die arbeiten muss, werde ich leider meine Tochter häufig in die Obhut anderer geben müssen. Da sind mir ihre Großeltern lieber als Fremde. Ich brauche in dieser Situation meine Angehörigen, und die sind nun einmal nicht hier.«

»Aber dein Haus ist hier. Becky geht hier zur Schule. Sie hat hier ihre Freunde. Du hast in London eine Firma, von der ihr lebt. Das ist alles *hier*!«

»Die Firma werde ich verkaufen. Sie steht gut da, also wird das nicht zu schwierig werden. Zusammen mit dem Geld aus dem Hausverkauf habe ich ein gutes Startkapital. Das gibt mir Zeit, eine Arbeit für mich zu finden. Wird schon irgendwie funktionieren.«

»Du hast alles bereits perfekt geplant«, sagte John fassungslos.

Der Kaffee strömte zischend in die beiden Tassen, die Gillian in der Maschine platziert hatte. Sie füllte sie mit geschäumter Milch auf und stellte sie auf den Tisch. Vorsichtig nahm John den ersten Schluck. Er verbrannte sich trotzdem die Lippen, merkte es aber kaum. Er betrachtete Gillian, die ihm gegenüberlehnte und ihre Tasse musterte, als berge der Cappuccino darin ein faszinierendes Geheimnis. Er hätte geschworen, dass sie noch immer unter Schock stand und dass dies der Grund war für ihre fast geisterhaft bleiche Gesichtsfarbe, die etwas mechanische Art zu sprechen, die unnatürliche Ruhe, die von ihr ausging. Sie hatte ihre Haare nicht gekämmt und wirkte wie jemand, der gerade erst aus dem Bett gekommen war. Völlig ungeschminkt sah sie jünger aus als sonst. Und so verletzlich, dass er sie am liebsten in die Arme genommen und festgehalten hätte, aber er spürte, dass dies das Letzte war, was sie wollte.

»Es muss ja weitergehen«, sagte sie.

»Ja, aber musst du alle Weichen umstellen? Und musst du das vor allem in einer Zeit entscheiden, in der du das kaum mit klarem Kopf tun kannst? Gillian, es sind erst zwei Wochen vergangen, seit du deinen Mann hier gefunden hast. Zwei Wochen! Du kannst das noch nicht verarbeitet haben, du kannst nicht einmal ansatzweise damit begonnen haben. Und schon wirfst du dein ganzes Leben um!«

»Es ist meine Art, mit der Verarbeitung zu beginnen.«

Er kannte sie so nicht. So starr und spröde. Er fühlte sich zunehmend verzweifelt, weil er plötzlich merkte, dass er sie nicht wirklich erreichte. Er konnte sagen, was er wollte, er würde Gillian im Innersten nicht berühren.

Er versuchte es trotzdem. »Ich verstehe, dass du in diesem Haus nicht mehr wohnen möchtest. Da hast du absolut recht. Es birgt zu schlimme Erinnerungen für dich. Aber du kannst doch innerhalb dieser Stadt umziehen. Such dir eine hübsche Wohnung für Becky und dich, aber entwurzel euch beide doch nicht gleich vollständig!«

Sie wirkte plötzlich müde. »John – bitte. Ich möchte nicht diskutieren. Es steht alles fest.«

Er hätte sie am liebsten an den Schultern gepackt und geschüttelt. Es wunderte ihn, dass er sich auf einmal mit so starken Emotionen konfrontiert sah, mit seinen *eigenen* starken Emotionen. Er kannte das nicht an sich. Er kannte die ganze Situation nicht. Er hatte es kaum je erlebt, dass sich ihm eine Frau entzog, höchstens dann, wenn sie von ihm und vom Verlauf ihrer beider Beziehung enttäuscht war. In diesen Fällen war aber er selbst innerlich bereits auf Abstand gegangen und hatte damit überhaupt erst die Voraussetzung für die Frustration seiner Partnerin geschaffen. Diesmal war es anders. Diesmal hätte er betteln mögen, dass sie nicht fortging.

»Und wenn du zu mir ziehst«, platzte er heraus und verbesserte sich sofort: »Wenn *ihr* zu mir zieht? Du und Becky? Und natürlich euer Kater?«

Sie blickte überrascht auf. Zumindest das hatte er erreicht – sie war erstaunt.

»Zu dir?«

»Warum nicht? Es ist eine andere Stadt, eine andere Umgebung, also das, wonach du suchst. Und du hättest Unterstützung in der Betreuung von Becky.«

Sie lachte fast. »John! Du bringst es nicht einmal fertig, Möbel in deine Wohnung zu stellen, solche Angst hast du vor jeder Art der Festlegung. Glaubst du im Ernst, du kommst damit zurecht, dass eine Frau, ein Kind und ein Kater bei dir einziehen?«

Er wusste, dass ihre Frage berechtigt war. Und doch wusste er auch, dass seine Antwort vollkommen der Wahrheit entsprach. »Ja. Ich komme mit allem zurecht, wenn *du* bei mir einziehst.«

Sie schüttelte den Kopf. »John…«

»Bitte. Überleg es dir.«

»Wir kennen einander kaum. Wir sind einmal miteinander ins Bett gegangen. Mehr war nicht.«

Er sah sie geradezu verzweifelt an. Er wusste, dass er mit seinem Vorschlag, sie könne zu ihm ziehen, viel zu schnell, zu überfallartig gewesen war. Ihr Mann war ermordet worden. Gillian konnte das noch kaum richtig begriffen haben. Und er schmiedete gemeinsame Zukunftspläne! Er benahm sich wie ein Trampel, aber er hatte plötzlich Angst … furchtbare Angst, er könnte sie für immer verlieren.

»Wenn du es so siehst«, sagte er, »dann ja – mehr war nicht. Aber seitdem liebe ich dich, Gillian.«

Sie wirkte völlig überfordert. »John, es geht einfach nicht. Versteh das bitte. Als ich Tom mit dir betrogen habe, da habe ich mich doch in Wahrheit einfach nur benommen wie ein kleines Kind. Ein Kind, das um Aufmerksamkeit und Zuwendung und Geborgenheit bettelt, weil es glaubt, anders nicht leben zu können. Und damit habe ich eine furchtbare Tragödie angerichtet. Ich kann doch jetzt nicht einfach weitermachen, als ob nichts geschehen wäre. Verstehst du?«

»Ja. Es ist furchtbar, was mit deinem Mann passiert ist, und ich kann verstehen, dass du dich mit den schrecklichsten Schuldgefühlen herumschlägst. Dass du deine Motive, die dich zu mir geführt haben, analysierst. Vielleicht ziehst du auch durchaus die richtigen Schlüsse, aber … ich glaube trotzdem, dass wir zusammengehören. Und ich weiß, dass ich dich liebe.«

»Ich kann nicht …«, setzte sie an, aber er unterbrach sie: »Es ist das erste Mal, dass ich das zu einer Frau sage. Es ist das erste Mal, dass ich das für eine Frau empfinde. Bitte, egal was dir jetzt durch den Kopf geht, schlag mir meine Gefühle nicht einfach um die Ohren.«

Sie sahen einander an.

Nach einer Weile sagte Gillian: »Ich will dir nicht wehtun. Aber ich gehe nach Norwich. Zu meiner Familie. Zu dem Rest meiner Familie.«

Scheiße. Verdammt. Okay. Er würde nicht vor ihr auf den Knien herumrutschen.

Überwältigt und völlig frappiert von dem Schmerz, der plötzlich in ihm anschwoll und sich anfühlte, als wolle er sich zur Unerträglichkeit steigern, fragte er dennoch noch einmal: »Gibt es irgendetwas, womit ich dich für mich gewinnen kann?«

Sie wandte den Blick von ihm ab.

»Nein«, sagte sie.

I

Das schöne Wetter war schon wieder vorbei. Es schneite seit dem frühen Morgen. In großen, dichten Flocken, die manchmal wie eine fast undurchdringliche Wand vom Himmel kamen.

John war den Vormittag über in der Firma gewesen, hatte wenigstens ein paar liegengebliebene Schreibtischarbeiten erledigen können. Sein Kopf schmerzte, obwohl er inzwischen drei Aspirin genommen hatte. Nach seinem Besuch bei Gillian war er im *Halfway House* abgetaucht und hatte sich hemmungslos mit Alkohol zugeknallt. Er hatte Schutz vor den Gedankenspiralen gesucht, die ihn bedrängten.

Was, zum Teufel, war eigentlich in ihn gefahren?

Ihm hatte noch nie eine Frau wehgetan. Ihm hatte vor allem noch nie *die Trennung* von einer Frau wehgetan. Sein ganzes bisheriges Leben lang hatte er es nur andersherum erlebt: Er hatte sich halbherzig auf Beziehungen eingelassen, irgendwann hatten die Frauen mehr verlangt, als er bereit war zu geben, Zusammenleben, Heirat, Kinder, und dann hatte er sich verabschiedet, jedes Mal mit dem unguten Gefühl, einen Menschen zu verletzen, der ihm schließlich nichts getan hatte, und doch erleichtert, dass er der

Gefahr entgangen war, festgehalten, eingeengt, angebunden zu werden. Er hatte seine Freiheit genossen, gelegentliche Affären als sehr erfrischend empfunden und sich darüber hinaus mit seinem eigenen Wesen arrangiert: Er war wahrscheinlich bindungsunfähig, weshalb auch immer. Er war nicht der Typ, der seine eigene Kindheit und Jugend nun vorwärts und rückwärts reflektiert hätte, schon überhaupt nicht mit Hilfe eines Psychologen, um herauszufinden, worin die Gründe für seine Wesensstruktur liegen mochten. Seiner Ansicht nach war es völlig gleichgültig, ob sein Vater oder seine Mutter vor langen Jahren irgendetwas mit ihm falsch gemacht hatten oder ob während seiner Pubertät die Dinge aus geheimnisvollen Gründen aus dem Ruder gelaufen waren. Wirklich ändern konnte man nichts. Es war, wie es war.

Zum ersten Mal sah er sich plötzlich mit der Möglichkeit konfrontiert, dass es doch nicht war, wie es war. Dass alles ganz anders sein konnte.

John Burton stand vor einer erschütternden Erkenntnis: Er hatte sich in eine Frau verliebt. Er hatte sich so sehr verliebt, dass ihm der Gedanke, diese Frau zu verlieren, fast unerträglich schien. Er hatte sie angefleht, bei ihm zu bleiben, und war abgeblitzt. Fassungslos stand er der unglaublichen Tatsache gegenüber, dass seine Gefühle nicht erwidert, zumindest offenbar nicht *mehr* erwidert wurden. Es sah so aus, als werde er diese Frau nicht für sich gewinnen können. Als würde es abermals eine Trennung in seinem Leben geben, und diesmal eine, die nicht von ihm ausging. Und bei der er es sein würde, der litt wie ein Hund.

Er hatte absolut keine Erfahrung im Umgang mit einer solchen Situation, und so reagierte er zunächst, indem er sich ihr entzog: Er ließ sich volllaufen, um den quälenden Gedanken, die ihn bedrängten, wenigstens die äußerste Schärfe zu nehmen.

Gegen halb zehn hatte er sich auf den Heimweg gemacht, mit dem Auto und eigentlich vollkommen fahruntüchtig. Er wusste, es grenzte an ein Wunder, dass er nicht von einer Streife angehalten worden war, zumal er besonders aggressiv und geradezu herausfordernd rücksichtslos gefahren war; er hatte die ganze Wut, die er plötzlich gegen Gillian hegte, in seine Fahrweise gelegt. Weil er mehr Glück als Verstand hatte, wie er sich später sagte, war er tatsächlich unbehelligt vor seiner Haustür gelandet, war die Treppe hinaufgeschwankt und hatte sich auf seine Matratze geworfen, ohne überhaupt seine Kleidung auszuziehen. Dass er nicht den halben darauffolgenden Tag verschlafen hatte, war seinem Wecker zu verdanken, dessen nervtötendes und ziemlich lautes Piepen pünktlich um halb sieben selbst in Johns alkoholumnebelte Träume drang und ihn zwang, sich trotz stechender Kopfschmerzen und einem völlig ausgetrockneten Mund zu erheben. Seine Kleidung und das ganze Bett stanken nach Kneipe, nach Bratfett und Alkohol. Angewidert von sich selbst, war er ins Bad geschlichen und hatte eine lange Dusche genommen, sich sodann mit drei Tassen starkem Kaffee und mehreren Aspirintabletten in einen halbwegs arbeitsfähigen Zustand versetzt. Als er im Büro saß, ging es ihm schon besser. Er hatte noch nie so viel Alkohol getrunken wie am Vorabend, und er schwor sich, das auch nie mehr zu tun. Er könnte jetzt seinen Führerschein los sein und ein Strafverfahren am Hals haben, und das alles wegen Gillian. Weil sie ihn abgewiesen hatte.

Nie wieder. Nie wieder würde er sich wegen einer Frau so sehr zum Idioten machen.

Um die Mittagszeit wurde er unruhig. Es gab genug

Arbeit, um den ganzen Tag am Schreibtisch zu verbringen, aber sein eigentliches Vorhaben war gewesen, ab drei Uhr Position vor der William Ellis School in Highgate zu beziehen in der Hoffnung, Finley Stanfords Mutter treibe sich vielleicht dort herum, um heimlich einen Blick auf ihren Sohn zu werfen, wenn er zu seinem Sportkurs ging. Die Frage war, ob er, John, an der ganzen Geschichte überhaupt noch dranbleiben wollte. Sein Motiv war Gillian gewesen, die Tatsache, dass sie Teil der mysteriösen Geschehnisse war und womöglich in Gefahr schwebte. Sollte er sich angesichts der Entwicklung der Ereignisse ausgerechnet wegen Gillian noch für etwas engagieren, das ihn kaum etwas anging?

Schließlich entschied er jedoch, es trotzdem zu tun. Es passte nicht zu ihm, sich beleidigt zurückzuziehen, wie er fand.

Er rief im Handballclub an, behauptete, eine schwere Erkältung zu haben und daher sowohl am heutigen Tag als auch für die ganze Woche seine Trainerstunden nicht wahrnehmen zu können. Dann zog er seine Jacke an, griff sich den Autoschlüssel und verließ das Büro. Das Schneetreiben raubte ihm fast die Sicht.

Dennoch parkte er pünktlich um drei Uhr vor Finleys Schule.

Und wartete. Spähte. Der dichte Schneefall machte die Sache nicht leichter.

Irgendwann, irgendwo musste Finleys Mutter auftauchen.

2

»Ja, also«, sagte Luke Palm, »das Haus ist in einem wirklich guten Zustand. Gepflegt und freundlich … Ich sehe da keine allzu großen Probleme.«

Sie standen im Esszimmer. Draußen brach die Dunkelheit herein. Es schneite. Ohne Unterlass, seit dem frühen Morgen.

Palm hatte sich alles angesehen, einige Notizen gemacht. Nun nickte er zufrieden. »Kein Problem«, wiederholte er.

Gillian merkte, wie angespannt sie war. Palms positive Bemerkungen vermochten daran nichts zu ändern. Sie hatte das Entscheidende noch nicht gesagt und war nicht sicher, ob Palm es bereits wusste. Er hatte nichts durchblicken lassen.

»Es gibt da noch etwas«, sagte sie zögernd.

»Ja?«

»Sie wollten wissen, weshalb ich verkaufe, und mögliche Käufer werden das auch fragen. Ich sagte Ihnen ja, dass mein Mann gestorben ist und ich daher in die Nähe meiner Eltern ziehen will. Die Wahrheit ist – er ist nicht einfach gestorben. Er …« Sie sprach nicht weiter.

Palm nickte. »Ich weiß. Ich hatte das bei Ihrem Anruf nicht sofort begriffen, aber es wurde mir klar, als ich überlegte, weshalb mir Ihr Name bekannt vorkommt. Es stand in irgendeiner Zeitung. Ich weiß, Ihr Mann …«

»Er wurde ermordet. Ich habe ihn hier, in diesem Zimmer, gefunden.«

Palm sah sich beklommen um. »Verstehe.«

»Es wird manchen möglichen Käufer sicher abschrecken.«

»Wir müssen es nicht sagen«, meinte Palm, »und wenn es jemand von selbst herausfindet und dann abspringt, können wir es nicht ändern. Keinesfalls müssen wir es gleich erwähnen.«

Gillian nickte. »Danke. Das war der Grund, weshalb ich Sie als Makler wollte. Ich dachte, Sie verstehen das alles besser. Weil Sie ja irgendwie auch ... ein gebranntes Kind sind.«

Beide schwiegen sie, hingen ihren Gedanken nach, die sich um die absurden Konstellationen drehten, in die Menschen in ihrem Leben geraten konnten. Palm sagte sich, dass es schon seltsam war, auf welchem Weg er plötzlich zu einem Makler geworden war, der auf Häuser, in denen Gewaltverbrechen verübt wurden, spezialisiert zu sein schien. Und Gillian dachte, dass sie jeden für verrückt erklärt hätte, der ihr noch vor wenigen Wochen diese Situation prophezeit hätte: Dass sie ihr Haus verkaufen und nach East Anglia zurückgehen würde und dass sie für all dies einen Makler aussuchen würde, dem sie ihre spezielle Situation nicht erklären musste, da er bereits selber ein Mordopfer gefunden hatte und durch das gesamte sich anschließende seelische Chaos gegangen war.

Sie begleitete ihn zur Tür, sie verabschiedeten sich voneinander, und sie sah Palm nach, der noch bevor er die Straße erreicht hatte, wo sein Wagen parkte, vom Schneetreiben verschluckt wurde.

Wie ein Vorhang, dachte sie schaudernd.

Ihr Blick fiel auf den Eimer mit Vogelfutter, der neben der Tür stand. Sie hatte heute völlig vergessen, das Vogelhaus aufzufüllen, und sie wusste auch nicht, ob die Vögel nach Einbruch der Dunkelheit überhaupt noch zum Essen kommen würden, aber die Chance, etwas zu finden, wollte sie ihnen jedenfalls geben. Seufzend schlüpfte sie in ihre Stiefel, zog ihre Jacke über, nahm den Eimer und stapfte um das Haus herum. Es war inzwischen völlig dunkel.

Es war nicht einfach, sich vorwärtszukämpfen. Gillian sank bis über die Knie in den Schnee. Die Stiefel nützten praktisch nichts, ihre Hose war schnell patschnass, und sie würde sie später wechseln müssen. Außerdem sah sie fast nichts. Als sie das Vogelhaus erreicht hatte und sich umdrehte, konnte sie kaum mehr ihr eigenes Haus erkennen. Diffus nahm sie nur den Lichtschein aus der Küche wahr.

Sie schaufelte mehrere Hände voller Futter unter die Überdachung und war froh, dass sie sich überwunden hatte: Der gestrige Vorrat war völlig aufgebraucht, es gab kein einziges übrig gebliebenes Korn mehr.

Den Griff des Eimers in den klammen Fingern trat sie den Rückweg an. Schnee taute in ihren Haaren und lief ihr über das Gesicht. Der wilde Tanz der Flocken ließ sie fast schwindelig werden. Sie tastete sich den Weg am Haus entlang und atmete erleichtert auf, als sie die Tür erreichte, aus der ein freundlicher Lichtschein nach draußen fiel. Helligkeit, Wärme, Trockenheit. Sie kam sich vor wie nach einer Wanderung durch die Arktis, dabei war sie nur in ihrem Garten gewesen. Sie schloss die Tür, sperrte den Schnee, die Kälte, die einfallende Nacht aus.

Im Spiegel, der hier im Eingang hing, konnte sie ihren seltsamen Aufzug bewundern: eine Schneemütze auf dem Kopf, klatschnasse Haare darunter, Schnee auf ihren Armen und Schultern, durchweichte Jeans. Sie schälte sich aus ihrer Jacke, bückte sich dann und zog sich die Stiefel von den Beinen. Alles war nass. Als sie sich wieder aufrichtete und dabei mit ihrem Blick den Spiegel erneut streifte, meinte sie, im Hintergrund eine Bewegung wahrzunehmen.

In der Küche.

Ein paar Sekunden lang verharrte sie völlig reglos. Es war wie ein Schatten gewesen, der im Bruchteil eines Moments vorüberglitt, und sie war nicht sicher, ob sie sich nicht getäuscht hatte. Es war so schnell gegangen. Vielleicht hatte sie aus ihrer eigenen Bewegung heraus gemeint, etwas anderes habe sich bewegt.

Ihr Herz schlug plötzlich hart und schnell und so, dass sie es überdeutlich wahrnehmen konnte.

Wie lange war sie draußen gewesen? Es konnten nicht mehr als fünf Minuten gewesen sein. Die Haustür hatte weit offen gestanden in dieser Zeit. Sollte sich jemand dort draußen herumgedrückt und auf eine Gelegenheit gewartet haben, so hätte er sie zweifellos gefunden: Fünf Minuten reichten, in ein Haus mit einladend geöffneter Tür zu huschen und sich dort zu verstecken. Und auf die Frau zu warten, die dort lebte.

Auf einmal war sie sicher, dass jemand da war. Sie spürte es. Sie war nicht allein.

Ihr erster Impuls war, die Polizei anzurufen, aber als sie sich hastig umblickte, sah sie, dass das Telefon nicht in der Ladestation im Flur steckte. Es lag wahrscheinlich in der Küche, und wenn sich dort jemand versteckt hielt, war es wahnsinnig, sich hineinzuwagen. Sollte sie zu den Nachbarn laufen? *Hallo, kann ich bitte von euch aus die Polizei anrufen? Ich habe einen Schatten in meiner Küche gesehen.*

Sie wäre bis auf die Knochen blamiert, wenn sich nachher herausstellte, dass überhaupt niemand hier gewesen war.

Aber es ist jemand hier! Ich höre ihn atmen!

Sie konnte kaum ein hysterisches Aufschluchzen unterdrücken, als ihr aufging, dass es ihr eigenes Atmen war, was sie hörte.

Ich drehe komplett durch. Und, verdammt noch mal, ich traue mich nicht, in meine Küche zu gehen!

Sie verharrte, paralysiert fast und vollkommen unschlüssig,

was sie tun sollte. Sie hatte nichts, um sich im Notfall zu verteidigen.

Auf keinen Fall durfte sie von der Haustür weg, von ihrem Fluchtweg ins Freie. Aber sollte sie die ganze Nacht über hier stehen? Was, wenn der andere eiserne Nerven hatte und ebenfalls wartete – so lange, bis sie einen Fehler machte?

Vielleicht spinne ich einfach, dachte sie.

Und genau in diesem Moment erlosch das Licht. Überall. Im ganzen Haus. Es war von einer Sekunde zur nächsten stockdunkel.

Gillian schrie auf, und nun hielt sie nichts mehr. Sie riss die Haustür auf und jagte ins Freie, hinein in die Dunkelheit und den Schneefall, obwohl sie auf Strümpfen war und keinen Mantel trug. Sie wäre auch barfuß losgerannt. Nur weg. Fort aus der tödlichen Falle, in die sich ihr Haus während weniger Minuten verwandelt hatte.

Sie hatte fast das Ende des Gartenweges erreicht, als ein Schatten vor ihr auftauchte. Er schien aus dem Nichts zu kommen, so als habe er auf sie gewartet. Er versperrte ihr den Weg, sie prallte gegen ihn und begann zu schreien, begann mit erhobenen Fäusten auf das Wesen einzuschlagen. Die Angst machte sie fast wahnsinnig. Sie hörte ihr eigenes Blut in den Ohren rauschen, hörte sich nach Luft ringen und schreien. Auf einmal wurden ihre Handgelenke mit eisernem Griff festgehalten und nach unten gedrückt.

»Was ist denn los, Herrgott noch mal?« Es war eine Männerstimme.

»Lass mich los!«, keuchte sie.

»Ich bin es. Luke Palm. Was ist denn passiert?«

Sie hörte auf, sich zu wehren.

»Luke Palm?« Sie schrie den Namen mit hoher, schriller Stimme. Er schien aus einer anderen Zeit zu stammen.

»Ich glaube, ich habe mein Notizbuch bei Ihnen liegen gelassen. Deshalb bin ich zurückgekommen. Sie zittern ja am ganzen Körper!«

Ihre Arme fühlten sich weich wie Pudding an. »Bitte lassen Sie mich los.«

Vorsichtig ließ er ihre Handgelenke los, abwartend, ob sie erneut nach ihm schlagen würde. Aber sie konnte sich überhaupt nicht mehr bewegen. Den winzigen Rest an Energie, über den sie noch verfügte, brauchte sie, um nicht einfach in den Schnee zu sinken und liegen zu bleiben.

»Bei mir im Haus ist jemand«, flüsterte sie. Sie fühlte sich plötzlich sogar zu kraftlos, um laut zu sprechen.

»In Ihrem Haus? Wer?«

»Ich weiß nicht. Da ist jemand. Und das Licht ist plötzlich ausgegangen.«

»Wir sind doch gerade noch in jedem einzelnen Raum gewesen. Da war niemand.«

»Ich habe die Vögel gefüttert. Und die Tür war offen. Als ich zurückkam … war da ein Schatten in der Küche …« Sie merkte selbst, dass sie sich ziemlich überspannt anhörte. Ganz allmählich beruhigten sich ihr Herzschlag und ihr Atem. Sie nahm die bittere Kälte wahr, spürte, dass ihre Füße wie zwei nasse Eisklumpen tief im Schnee steckten. Dass sie am ganzen Körper bebte vor Kälte.

Auch Palm erkannte das offenbar. »Sie haben ja fast nichts an. Kommen Sie, Sie müssen ins Haus zurück.«

»Aber da ist jemand«, beharrte sie.

»Ich komme mit«, sagte Palm kühn.

Sie stolperte neben ihm her zur Haustür. Der Flur lag in vollkommener Dunkelheit. Palm tastete nach dem Lichtschalter, aber es tat sich nichts. »Wahrscheinlich eine Sicherung. Haben Sie hier irgendwo eine Taschenlampe?«

Nachdem sie aufgehört hatte, vor Angst zu schlottern, begannen nun ihre Zähne vor Kälte zu klappern. »Ja … in der … Kommodenschublade … unter dem Spiegel … ganz oben …«

Ihrer beider Augen hatten sich einigermaßen an die Dunkelheit gewöhnt, und selbst durch den Flockenwirbel hindurch fiel ein wenig Licht von den Straßenlaternen herein. Luke Palm zog die Schublade auf, fand die Taschenlampe und schaltete sie an.

»Wo haben Sie den Schatten gesehen?«

»In der Küche.«

Palm schien plötzlich selbst nicht mehr erpicht darauf zu sein, sich in den dunklen Raum zu wagen. »Der Sicherungskasten ist im Keller?«

»Ja – aber wollen Sie jetzt wirklich in den Keller gehen?«

»Das Ganze wird einfacher, wenn wir Licht haben.«

Sie stiegen hintereinander die Kellertreppe hinunter. Am Sicherungskasten stellten sie fest, dass tatsächlich der Hauptschalter herausgesprungen war. Palm legte ihn um. Sofort drang helles Licht vom oberen Flur hinunter in den Keller.

»Wie konnte das passieren?«, fragte Gillian verwirrt.

»Keine Ahnung. Irgendetwas hat das System überlastet. Kommen Sie, wir gehen wieder nach oben.«

Oben empfing sie Lampenschein in allen Räumen. Sie spähten in die Küche. Der Raum war leer.

»Ich glaube, hier ist niemand«, sagte Palm. Probeweise rüttelte er an der Tür, die in den Garten führte, und gab einen überraschten Laut von sich, als sie aufschwang. »Die Tür ist nicht verschlossen! Wissen Sie, ob Sie sie vorhin verschlossen hatten?«

»Ich weiß es nicht«, bekannte Gillian. »Ich meine, ich schließe sie immer ab, aber ich könnte es nicht beschwören.«

Palm schaute hinaus. Es gab etliche Fußspuren auf der

Terrasse, die allerdings bereits wieder zuschneiten. Das war jedoch kein Wunder: Im Zuge der Hausbesichtigung waren er und Gillian auch draußen gewesen.

Er war jetzt mutiger geworden. Gillian kam sich plötzlich ziemlich albern vor. Sie schauten in das Esszimmer und in das Wohnzimmer, durchsuchten dann den ersten Stock und den Speicher, aber sie stießen auf keine Menschenseele.

»Ich glaube, ich habe mich völlig idiotisch aufgeführt«, sagte Gillian, als sie schließlich wieder im Wohnzimmer ankamen. »Ich dachte wirklich, eine Bewegung gesehen zu haben, aber das war offenbar reine Einbildung. Ich fürchte, meine Nerven sind ziemlich angespannt.«

»Das ist doch kein Wunder. Bei allem, was in diesem Haus passiert ist. Was Sie erleben mussten … Jeder würde da gelegentlich durchdrehen. Machen Sie sich bloß keine Vorwürfe.«

Sie standen einander gegenüber. Gillian musterte Luke Palms aufgeplatzte Lippe. »War ich das?«, fragte sie schuldbewusst.

Palm strich sich mit dem Zeigefinger über den Mund, zuckte kurz zusammen und grinste dann. »Sie sind nicht schlecht im Boxen.«

»Es tut mir sehr leid.«

»Kein Problem, ich werde es überleben. Hören Sie, finden Sie nicht doch, dass Sie die Polizei verständigen sollten? Die könnten jemand vorbeischicken, der sich noch einmal genau umsieht.«

Gillian schüttelte den Kopf. »Ich mache mich ja lächerlich. Es reicht, dass ich mich vor Ihnen blamiert habe.«

Er sah sie sehr ernst an. »Ich glaube, das ist die falsche Denkweise. Sie sind nicht einfach eine Frau, die aus unerfindlichen Gründen plötzlich hysterisch geworden ist. Es gibt hier einen Killer, den die Polizei noch immer nicht gefasst hat, und er ist bereits einmal in diesem Haus gewesen. Weiß man bei der Polizei überhaupt, dass Sie hier völlig allein sind?«

»Nein. Das wissen sie dort noch nicht.«

»Mir gefällt das nicht besonders.«

»Mr. Palm …«

Er unterbrach sie. »Sie meinen wahrscheinlich, mich geht das nichts an, aber nachdem ich hier gerade als eine Art Retter in der Not aufkreuzen und mit Ihnen das Haus nach einem Schatten absuchen durfte, fühle ich mich auch verantwortlich. Mir ist nicht wohl bei dem Gedanken, jetzt nach Hause zu fahren und Sie hier sich selbst zu überlassen.«

»Ich verriegele alle Türen.«

»Sie haben offensichtlich auch die Küchentür unverschlossen gelassen. Das macht mir Sorgen. Sie sollten nicht allein sein.«

Sie wusste, dass er recht hatte. Ob der *Schatten*, den sie gesehen hatte, ein Mensch aus Fleisch und Blut gewesen war oder nicht – es war nicht gut, wenn sie allein war. Sie ahnte, wie ihre Nacht aussehen würde und alle folgenden Nächte: Sie würde nicht schlafen können. Das Licht brennen lassen. Mit angehaltenem Atem auf jedes Geräusch im Haus lauschen. Bei jedem Knarren aufrecht im Bett sitzen.

Sie hatte es gerade erlebt: Ihre Nerven hielten die Situation nicht aus.

»Ich überlege mir etwas«, versprach sie.

Er war völlig durchfroren, als er nach Hause kam, obwohl er während der Rückfahrt die Heizung im Auto in voller Stärke hatte laufen lassen. Er war zu lange durch den Schnee gestapft, hatte sich zu lange bei eisiger Kälte im Freien herumgetrieben. Nichts schien mehr gegen den Zustand der völligen Auskühlung helfen zu können. Eine lange, heiße Dusche vielleicht. Er hoffte es.

Liza Stanford war nicht zu sehen gewesen. John hatte die Schule und die ihr angeschlossene Sporthalle zunächst im Auto sitzend beobachtet, aber schließlich war ihm der Radius, den er damit abdecken konnte, zu klein erschienen. Er war ausgestiegen, hatte sich den Nachmittag über auf dem gesamten Schulgelände und vor allem um die Sportanlagen herumgetrieben, ständig natürlich auf der Hut, nicht übermäßig dabei aufzufallen. Ein erwachsener Mann, der scheinbar ziellos in der Nähe minderjähriger Schüler herumlungerte, konnte in schlimmsten Verdacht geraten. Das bedeutete, dass er ständig seinen Beobachtungsposten wechseln musste, was ihm immerhin ein wenig Bewegung brachte. Dennoch waren schließlich Kälte und Feuchtigkeit die Stiefel hindurch seine Beine hinaufgekrochen, hatten sich über den ganzen Körper ausgebreitet und sich in seinen Knochen eingenistet, und irgendwann hatte er es nur noch satt gehabt. Er begann, seinem eigenen Plan zutiefst zu misstrauen – wer sagte ihm denn, dass Liza überhaupt irgendein Interesse an ihrem Sohn hatte? Und wenn ja, dass sie es auf diese Weise befriedigen würde, indem sie versuchte, im Zusammenhang mit seinen außerschulischen Aktivitäten einen Blick auf ihn zu werfen? Wer sagte ihm, dass sie noch lebte? Vielleicht wartete er auf ein Phantom, während er wie ein pädophiler Triebtäter um eine Schule herumschlich und vor Kälte schlotterte.

Nachdem er irgendwann zu fortgeschrittener Stunde Finley Stanford aus der Turnhalle hatte kommen und in Richtung Bushaltestelle verschwinden sehen, ohne dass auch nur ein Schatten seiner Mutter irgendwo zu erspähen gewesen wäre, beschloss er, aufzugeben. Für immer. Das Ganze war nicht seine Angelegenheit. Sollte die Polizei die Geschichte aufklären. Für ihn war mit dem heutigen Nachmittag Schluss.

Er fühlte sich fast von einer Last befreit, als er daheim die Haustür aufschloss und die Treppen zu seiner Wohnung hinauflief. Immer zwei Stufen auf einmal nehmend, um warm zu werden. Sich von dem Fall zu verabschieden hieß auch, sich von Gillian zu lösen. Was ihm unbedingt gelingen musste. Er war nicht der Mann, der über Jahre von einer unerreichbaren Frau träumte, so wie Peter Fielder, der sich mit seiner Sehnsucht nach Christy McMarrow lächerlich machte.

Aus. Schluss. Vorbei.

Er blieb abrupt stehen, als er eine Gestalt bemerkte, die auf dem Treppenabsatz vor seiner Wohnung kauerte. Samson Segal blickte ihn aus weit aufgerissenen, angsterfüllten Augen an.

»Endlich«, sagte er.

Er war der Letzte, den John hier anzutreffen erwartet hätte, im Grunde auch der Letzte, den er jetzt am Hals haben wollte. Wobei er eigentlich niemanden an diesem Abend um sich haben mochte. Er sehnte sich nach einer heißen Dusche, einem doppelten Whisky und nach völliger Ruhe.

»Samson!«, sagte er überrascht. »Wie sind Sie hier reingekommen?«

Samson erhob sich unsicher. John fiel auf, wie ausgemergelt seine Gestalt wirkte. Er hatte seit ihrer ersten Begegnung in jener Pension, die noch nicht lange zurücklag, rapide an Gewicht verloren. Es schien ihm richtig dreckig zu gehen.

»Ein Nachbar von Ihnen hier aus dem Haus hat mich reingelassen. Ich saß im Hauseingang unten und habe mich fast zu Tode gezittert, und er hatte Mitleid. Ich habe gesagt, ich sei einer Ihrer Mitarbeiter und müsse mit Ihnen reden.«

»Verstehe.« John begriff, dass ihm nichts anderes übrig blieb, als Segal in die Wohnung zu bitten. »Kommen Sie. Das Treppenhaus ist ja auch ganz schön kalt. Sie müssen fast erfroren sein.«

Samson nickte. »Es … geht mir nicht gut«, brachte er mühsam heraus.

John schloss die Tür auf und führte Samson in sein Wohnzimmer, wo er ihn auf den einzigen Sessel drückte, der ziemlich verloren mitten in dem großen Raum auf dem glänzenden Parkettboden stand. Immerhin war das Zimmer gut geheizt. »Möchten Sie etwas trinken?«

»Am liebsten einen heißen Tee«, bat Samson.

John verschwand in der Küche, setzte Wasser auf, suchte in den Schränken herum. Er trank selten Tee und war daher nicht gerade gut bestückt, aber schließlich fand er zwei Beutel Pfefferminztee und hängte sie in die Kanne. Er stellte zwei Becher und eine Zuckerdose auf ein Tablett, wartete, bis das Wasser kochte, und überlegte währenddessen. Was hatte Segal bewogen, sein sicheres Versteck auf der Baustelle aufzugeben und sich hierherzuwagen? Im Grunde kannte er die Antwort: Samson hatte sich schon neulich in einem psychisch desolaten Zustand befunden, und vermutlich war sein Gefühl völliger Verlorenheit schlimmer geworden. Er hatte es nicht mehr ausgehalten.

Ich hätte öfter nach ihm sehen sollen. Aber ich kann mich nicht zerreißen.

Er ahnte plötzlich, dass sich sein Wunsch, mit der ganzen Geschichte abzuschließen und in das normale Leben zurückzukehren, nicht so einfach würde bewerkstelligen lassen. Er hatte Segal an sich kleben, und indem er ihn, einen Mann, nach dem die Polizei seit zwei Wochen fahndete, versteckt hatte, hing er tief in allem mit drin.

Er fluchte, während er das kochende Wasser in die Kanne goss. Wie hatte er nur so blöd sein können! Einem Mann Unterschlupf zu bieten, der im Zusammenhang mit drei Mordfällen gesucht wurde und sich mit seinem Verhalten hochgradig verdächtig gemacht hatte.

Du wirst es nie lernen, Schwierigkeiten aus dem Weg zu gehen, Burton!

Mit dem Tablett kehrte er ins Wohnzimmer zurück. Samson saß genau so da, wie er ihn zurückgelassen hatte. John stellte das Tablett in Ermangelung eines Tisches auf den Boden, setzte sich selbst mit dem Rücken an die Wand gelehnt auf das Parkett. Die heiße Dusche schien warten zu müssen.

»Warum sind Sie hier, Samson?«

Samson sah unglücklich und schuldbewusst aus. »Ich habe es nicht mehr ausgehalten. Gestern Mittag bin ich los. Ich habe den Wohnwagen gut abgeschlossen. Hier sind die Schlüssel.« Er holte die Schlüssel aus seiner Jackentasche, legte sie ebenfalls auf den Fußboden.

»Gestern Mittag? Wo haben Sie denn die letzte Nacht verbracht?«

»Ich war gestern Abend hier. Ihre Adresse habe ich aus einem Telefonbuch. Ich habe eine Irrfahrt mit verschiedenen Bussen hinter mich gebracht, bis ich endlich hier war. Dann habe ich ewig vor dem Haus gewartet. Aber… Sie kamen nicht…«

Klar. Gestern Abend hatte er sich stundenlang in einer

Kneipe zulaufen lassen, um mit dem Frust zurechtzukommen, von der Frau seines Herzens abgewiesen worden zu sein.

»Schließlich habe ich die Kälte nicht mehr ausgehalten«, fuhr Samson fort. »Ich bin zum Bahnhof gegangen. Dort habe ich mich die ganze Nacht über herumgedrückt, ständig meine Plätze gewechselt, um nicht zu sehr aufzufallen. Ich hatte furchtbare Angst, von der Polizei aufgegriffen zu werden.«

»Das war verdammt riskant, Segal. Sie haben wirklich Glück gehabt.«

»Ich weiß, aber was hätte ich tun sollen? In Ihrem Hauseingang erfrieren?«

»Sie hätten in dem Wohnwagen bleiben müssen.«

»Ich kann das nicht mehr. Bitte, verstehen Sie mich doch. Ich sitze dort und werde verrückt. Ich weiß ja auch gar nicht, was geschieht. Bin ich immer noch verdächtig? Oder haben die jemand anderen inzwischen? Muss ich mich Jahre verstecken, oder ist alles absehbar? Das macht einen Menschen wahnsinnig, John, ehrlich!«

»Kann ich schon verstehen.«

»Ich bin dann heute Vormittag wieder hierhergekommen«, sagte Samson. »Sie waren immer noch nicht da. Aber zum Glück hat mich der ältere Herr dann ziemlich bald reingelassen.«

»Dann sitzen Sie seit sechs oder sieben Stunden vor meiner Tür?«

Samson nickte.

John überlegte. »Wo wollen Sie jetzt hin?«

Auf Samsons Gesicht malte sich helles Erschrecken. »Kann ich nicht hierbleiben?«

»Ein ganz schön hohes Risiko für mich.«

»Ich weiß. Aber ich habe sonst niemanden.«

»Ich setze Sie nicht einfach vor die Tür, keine Angst. Irgendetwas wird uns einfallen.« John trank von seinem Tee, während er überlegte. Das heiße Getränk tat ihm gut, obwohl er den Pfefferminzgeschmack hasste. Das Problem war, dass ihm, egal wie lange er nachdachte, vermutlich nichts anderes einfallen würde, als Samson bei sich zu behalten und zu hoffen, dass man bei der Polizei nicht auf die Idee kam, ihm einen Besuch abzustatten. Samson konnte nicht nach Hause zu Bruder und Schwägerin zurück, und in den Wohnwagen würden ihn keine zehn Pferde mehr bringen, das war spürbar.

Er klebt an mir, bis die den Täter haben.

Er fragte sich, ob das irgendwann der Fall sein würde. Wie er von Kate Linville wusste, waren Fielder und sein Team ebenfalls an Liza Stanford dran – aber würde es ihnen gelingen, sie aufzustöbern? Und wie lange würde es dauern?

Sein Entschluss, sich aus der ganzen Geschichte herauszuziehen, geriet schon wieder ins Wanken. Vielleicht litt er an maßloser Selbstüberschätzung, vielleicht hing es auch mit seiner Abneigung gegenüber Inspector Fielder zusammen, aber er hatte das Gefühl, dass es ihm eher gelingen würde, das hoffnungslos wuchernde Dickicht dieses Falls zu durchdringen als der Polizei. Die Frage war nur, ob er Lust dazu hatte.

Vielleicht spielte seine Lust aber auch schon gar keine Rolle mehr. Vielleicht zwang ihn einfach die Tatsache, dass er sich auf Samson Segal eingelassen hatte, zum nächsten Zug.

»Ich habe schon überlegt, ob ich mich der Polizei stelle«, sagte Samson. »Dann wäre wenigstens alles vorbei. Es ist furchtbar, auf der Flucht zu sein. Sich verstecken zu müssen. Ohne dass ein Ende in Sicht wäre. Manchmal möchte ich nur noch aufgeben.«

»Bitte tun Sie das vorerst nicht. Ich hänge mit drin, vergessen Sie das nicht!«

»Ich würde niemandem sagen, dass Sie mir geholfen haben«, beteuerte Samson sofort.

John schüttelte den Kopf. Samson Segal hatte keinen blassen Schimmer von der Raffinesse und Hartnäckigkeit, mit der Verhöre geführt wurden, wenn der Beamte einigermaßen geschickt und erfahren war. Samson würde sich in Windeseile in Widersprüche verwickeln und letztlich alles haarklein und genau erzählen.

»Ich bin unter Umständen an etwas dran ...«, begann John.

Sofort erwachte ein Ausdruck der Hoffnung in Samsons Augen. »Ja?«

John winkte ab. »Freuen Sie sich nicht zu früh. Keine Ahnung, wohin das führt. Auf jeden Fall ist Bewegung in die ganze Geschichte gekommen. Auch auf Seiten der Polizei. Man hat sich dort längst nicht mehr nur auf Sie als einzig möglichen Täter eingeschossen.«

»Aber dann ...«

»Ich würde an Ihrer Stelle noch nicht aus der Deckung kommen. Wie gesagt, jene neue Spur kann sich als völlig irrelevant erweisen. Außerdem haben Sie sich so oder so strafbar gemacht, indem Sie sich einer Vernehmung durch die Polizei entzogen haben.«

»Aber das ist nicht dasselbe, als wenn man wegen dreifachen Mordes angeklagt wird«, sagte Samson.

Dem konnte John nicht widersprechen. »Stimmt.«

Ihm wurde klar, dass er morgen nun doch noch einen Versuch starten würde. Finley Stanford hatte Klavierstunde. Irgendwo in der Nähe der Hampstead-Tube-Station. Die Gegend würde zumindest leichter und unauffälliger zu bewachen sein als das weitläufige und unübersichtliche Schulgelände.

»Also, heute Nacht bleiben Sie jedenfalls hier«, sagte er. »Irgendwo muss ich noch einen Schlafsack haben, den können Sie bekommen. Und dann sehen wir, wie sich die Dinge entwickeln.«

Intensiver denn je sagte ihm seine Intuition, dass die gesuchte Liza Stanford der Schlüssel sein würde. Dass ein Zusammentreffen mit ihr Licht ins Dunkel bringen und alles verändern würde. Auch für den unglückseligen Samson Segal.

John trank den letzten Schluck Tee. Es ging ihm besser. Er fror nicht mehr so entsetzlich. Es war erstaunlich, wie viel das ausmachte.

»Ich weiß nicht, wie es Ihnen geht«, sagte er, »aber ich habe fürchterlichen Hunger. Da wir die Öffentlichkeit meiden sollten, scheidet mein Stammlokal am Ende der Straße aus. Ich werde jedem von uns eine Pizza bestellen. Einverstanden?«

»Ich habe auch furchtbaren Hunger«, bekannte Samson. »Ich habe seit gestern Mittag nichts mehr gegessen.«

»Dann wird es Zeit.« John sprang auf die Füße. »Welche Pizza mögen Sie am liebsten?«

Zum ersten Mal, seit er Samson kennengelernt hatte, lächelte dieser freudig.

»Hawaii«, sagte er.

4

Als der Pizzabote klingelte, war es nach elf Uhr. Er brachte Kälte und den Geruch von Schnee ins Treppenhaus. Tara nahm die beiden heißen Pappschachteln in Empfang, zahlte und kehrte ins Wohnzimmer zurück, wo Gillian auf dem

Sofa saß, in Schlafanzug und Bademantel und mit dicken Wollsocken an den Füßen. Ihre Haare waren noch nass, sie hatte eine halbe Stunde lang in der Badewanne gelegen, um sich zu entspannen und wieder warm zu werden. Tara hatte eine Essenz in das Wasser gegeben, die nach Eukalyptus roch und vorbeugend gegen Erkältungen helfen sollte. Nachdem sie gehört hatte, dass ihre Freundin auf Strümpfen im Tiefschnee herumgelaufen war, hatte sie darauf bestanden.

»Kalte Füße sind gefährlich. Und eine Erkältung kannst du jetzt überhaupt nicht brauchen!«

Sie hatte geradezu erleichtert auf Gillians Anruf reagiert. Gillian hatte eine ganze Weile mit sich gerungen, aber ihr war niemand sonst eingefallen, zu dem sie flüchten konnte – außer John, und das würde neue Probleme mit sich bringen. Sie hatte noch stundenlang mit Luke Palm in ihrer Küche gesessen, verängstigt, fast panisch, zugleich vollkommen unsicher, ob sie nicht hysterisch auf etwas reagierte, das es nur in ihrer Einbildung gegeben hatte. Gegen neun Uhr hatte Palm schließlich gesagt, dass er nach Hause müsse, dass er aber nur gehen könne, wenn sich Gillian endlich entschließe, die Nacht nicht allein zu verbringen. Sie hatte begriffen, wie groß ihre Angst war und dass sie keine Minute mehr in ihrem Haus aushalten würde. Daher hatte sie Tara angerufen. Luke Palm hatte sie im Auto mit nach London genommen und direkt vor Taras Haustür abgesetzt. Seine Erleichterung war spürbar gewesen, aber gerade das verschärfte Gillians Angst. Hätte er sie behandelt wie eine überspannte Neurotikerin, die sich in verrückte Fantasien hineinsteigerte, wäre ihr leichter zumute gewesen. Aber Palm nahm die Geschehnisse des Abends ernst.

Vielleicht aber, dachte sie, ist das normal bei einem Mann, der eine grausam ermordete Frau in einem abgelegenen Haus im Wald aufgefunden hat. Luke Palms Blick auf die Realität war sicher inzwischen eine andere als in der Zeit, die vor all den Schrecken lag.

Tara hatte ihr Vorwürfe gemacht, weil sie nicht sofort die Polizei gerufen hatte. »Das wäre das einzig Richtige gewesen! Die müssen doch wissen, wenn so etwas passiert!«

»Tara, ich bin mir doch überhaupt nicht sicher, ob irgendetwas passiert ist. Ich dachte, ich hätte einen Schatten in der Küche gesehen. Aber ich kann mich auch getäuscht haben. Dieser Makler und ich haben das ganze Haus abgesucht. Da war niemand.«

»Und bei eurer Suche habt ihr vermutlich noch alle Spuren, die ein Experte von der Polizei vielleicht hätte finden können, gründlich zertrampelt. Das war nicht besonders schlau von dir, Gillian.«

»Ich kam mir so lächerlich vor«, sagte Gillian leise.

Gillian hatte auch abgewehrt, zumindest nachträglich die Polizei zu verständigen, wie es Tara vorschlug. »Nein. Die machen mir dann noch dieselben Vorwürfe wie du, Tara. Ich bin todmüde und total kaputt. Ich will mich jetzt nicht mit einem Beamten unterhalten und mir Vorhaltungen machen lassen. Ich kann einfach nicht mehr.«

Tara hatte nachgegeben. Sie hatte das Wasser in die Wanne gelassen und ihre Freundin hineinverfrachtet, dann Pizza bestellt und zwei Flaschen Bier aus dem Kühlschrank geholt. Gillian war ihr dankbar, dass sie so unkompliziert reagierte. Es hatte kein echtes Zerwürfnis zwischen ihnen gegeben, aber ihre Affäre mit John hatte einen Missklang erzeugt, den sie beide noch nicht aus dem Weg geräumt hatten. Als sie nun im Wohnzimmer saßen und ihre Pizzas verzehrten, sagte Tara unvermittelt: »Gillian, ich wollte dir das die ganze Zeit schon sagen: Es tut mir leid, wie ich reagiert habe.

Es war zu heftig, und ich habe mich viel zu sehr in deine Angelegenheiten gemischt. Ich war einfach erschrocken. Sexuelle Nötigung... das ist so ein Begriff, da zuckt man zusammen, und ich habe in dem Moment nicht verstanden, wieso du... egal. Ich habe dich damit vertrieben, und die ganze Zeit schon wollte ich dich anrufen und dir sagen, dass ich das wirklich bereue!«

»Na ja, jetzt hast du mich ja schon wieder bei dir«, sagte Gillian. »Du siehst, wirklich losgeworden bist du mich nicht.«

»Gott sei Dank. Meine Wohnung steht dir immer offen.«

»Ich hatte solche Angst plötzlich. Ich meine, einerseits komme ich mir albern vor. Andererseits hat mich auch die Polizei gewarnt. Wer immer Tom ermordet hat – er könnte mich gemeint haben und es wieder versuchen. Hältst du das für absurd?«

Tara ließ das Pizzastück, in das sie gerade beißen wollte, sinken. »Nein. Ich wünschte, ich hielte es für absurd. Mir wäre dann wesentlich wohler.«

»Aber...«

Tara schob ihren Pizzakarton zur Seite, neigte sich vor. Sie wirkte sehr ernst – beängstigend ernst, wie Gillian fand.

»Gillian, ich bin Staatsanwältin, und ich komme mit dieser Welt, die dir im Augenblick so *absurd* erscheint, wesentlich häufiger in Berührung als du. Du bist zum ersten Mal mit Gewalt und Irrsinn und Schrecken konfrontiert, und ich habe den Eindruck, du bemühst dich, damit fertigzuwerden, indem du das alles in den Bereich der Hirngespinste abzuschieben versuchst. Was, wie du im Grunde weißt, nicht funktionieren kann, denn dein Mann, den du erschossen in eurem Haus gefunden hast, war höchst real. Spiel die ganze Sache nicht herunter, auch wenn ich gut nachvollziehen kann, dass du meinst, sie nur so überhaupt aushalten zu können. Aber wenn du die Gefahr leugnest, wirst du leichtsinnig. Es war schon nicht in Ordnung, dass du in euer Haus zurückgekehrt bist, und es tut mir bitter leid, dass mich daran eine Mitschuld trifft. Noch einmal lasse ich so etwas nicht zu.«

»Ich bin ja jetzt in Sicherheit.«

Tara verzog das Gesicht. »Ich weiß nicht. Ich weiß nicht, ob du hier sicher bist.«

»Wieso denn nicht?«

»Gillian, wir wissen nicht, wer hinter dir her ist. Aber noch immer gibt es diese Figur des Samson Segal, und er ist noch nicht gefasst. Genauer gesagt: Die Polizei scheint keinen Schimmer zu haben, wohin er abgetaucht sein könnte. Er hat offensichtlich monatelang hinter dir herspioniert. Glaubst du ernsthaft, dass er mich nicht kennt? Als deine Freundin? Und dass er sich in diesem Fall nicht relativ schnell ausrechnen könnte, wo du dich versteckt hältst?«

»Wir haben keine Ahnung, ob er etwas mit all dem zu tun hat«, sagte Gillian, aber sie merkte selbst, dass sie nicht allzu überzeugend klang. Denn es ging um das Risiko. Und das blieb bestehen, gerade weil niemand von irgendetwas *eine Ahnung hatte.*

»Damals, Ende Dezember und Anfang Januar, als du mit Becky hier warst, konnte ich mir ziemlich einfach frei nehmen«, sagte Tara, »aber jetzt im Moment geht das nicht. Du bist hier den ganzen Tag allein, während ich im Büro bin. Und dieser Gedanke stimmt mich nicht besonders glücklich.«

»Ich mache niemandem die Tür auf.«

»Und wie lange hältst du das durch? Hier von morgens bis abends herumzusitzen, ohne eine Menschenseele zu treffen, und eigentlich auch nicht hinausgehen zu dürfen, weil auch das eine Gefahr birgt?«

»Das klingt sehr anstrengend«, gab Gillian zu. Sie hatte plötzlich keinen Hunger mehr, schob ihren Pizzakarton ebenfalls zur Seite. Sie spürte, dass Tara sie loswerden wollte, und sie glaubte auch den Grund zu kennen: Tara hatte selber Angst. Wenn ein Verbrecher hinter Gillian her war, geriet die Person, die sie vor ihm zu verstecken suchte, zwangsläufig ebenfalls in sein Fadenkreuz.

Sie konnte die Freundin verstehen. Aber sie fühlte sich auf einmal sehr verlassen.

»Was schlägst du vor?«, fragte sie.

»Du bist mir hier absolut willkommen«, sagte Tara, »und zwar solange du willst. Aber du bist hier nicht sicher. Du hast Becky zu deinen Eltern geschickt, und ich finde, das war eine sehr vernünftige Entscheidung. Es wäre vielleicht gut, wenn du auch …«

»Nein!«, sagte Gillian. Sie sah, dass Tara zusammenzuckte, und begriff, wie heftig ihr *Nein* geklungen haben musste.

»Nein«, wiederholte sie ruhiger, »nicht nach Norwich. Nicht zu meinen Eltern. Wenn sich deine Befürchtungen als richtig erweisen und der Täter vermutet mich bei dir, weil er dich als meine Freundin kennt, dann weiß er auch, dass ich Eltern habe. Er weiß vielleicht sogar, dass Becky dort ist. Ich kann sie nicht in Gefahr bringen, Tara. Indem ich mich dorthin flüchte und ihn damit in ihre Nähe locke. Das ist viel zu riskant.«

»Da hast du recht«, meinte Tara resigniert.

»Ich finde schon etwas«, versicherte Gillian, aber tatsächlich hatte sie keine Ahnung, an wen sie sich wenden könnte. Natürlich hatte sie Freunde und Bekannte in der Stadt. Aber es war eine Sache, sich hin und wieder auf einen Kaffee zu treffen oder abends gemeinsam essen zu gehen. Etwas anderes war es, sich bei einer anderen Familie über Wochen einzuquartieren, weil man auf der Flucht vor einem Killer war.

Keine Ahnung, wie man mit einer solchen Situation umgeht, dachte sie mutlos.

Tara schien hin und her zu überlegen. »Ein Hotel?«, schlug sie zögernd vor. »Irgendwo weiter im Norden. Oder auch im Süden. Auf dem Land. Ein Bed & Breakfast vielleicht.«

»Hm. Was mache ich da den ganzen Tag?«

»Na ja, zunächst einmal wärest du einfach in Sicherheit. Das ist die Hauptsache.«

Gillian dachte nach. Ein Hotel, eine Pension... irgendwo in der Abgeschiedenheit. In Cornwall vielleicht oder in Devon. Sie sah sich über verschneite Klippen wandern, das Gesicht gerötet vom eisigen Wind. Tara hatte recht: Zunächst einmal wäre sie einfach in Sicherheit.

»Ich weiß nicht... Vernünftig wäre es bestimmt...«

Vernünftig. Aber nicht allzu verlockend. Gillian fragte sich jedoch, ob sie überhaupt die Wahl hatte.

Auf jeden Fall durfte es nur eine kurzfristige Lösung sein. Sie wollte nicht monatelang untertauchen. Aber vielleicht konnte sie von dort aus ihr neues Leben in Norwich vorbereiten. Einen Laptop mitnehmen und Stellenangebote durchsuchen. Den Immobilienmarkt erkunden. Das würde ihr das Gefühl nehmen, völlig auf der Stelle zu treten.

»Wir dürften zu niemandem ein Sterbenswort sagen«, sagte sie.

»Nein«, sagte Tara.

Was für ein Albtraum, dachte Gillian.

I

Er hatte das dunkelrote Backsteingebäude der Hampstead-Tube-Station seit einer Stunde fest im Blick. Ebenso die Hampstead High Street und die Heathstreet, an deren Gabelung sich der Bahnhof befand. Trotz Kälte und Schnee herrschte reges Leben zwischen den Häusern mit ihren Geschäften, Pubs und Cafés. Es würde nicht einfach sein, zwischen all den hin und her eilenden Passanten den Menschen ausfindig zu machen, den er suchte: eine blonde Frau, die Ausschau nach ihrem Sohn hielt.

Natürlich war er darauf gefasst, dass sie sich tarnte. Wenn sie aus irgendeinem Grund unerkannt bleiben wollte, trug sie wahrscheinlich eine Perücke. Insofern war das Attribut *blond* nicht das, was er unbedingt erwartete. Auch eine schwarz- oder rothaarige Frau, die hier suchend herumstand, hätte sein Interesse geweckt. Aber er sah überhaupt keine Frau, die *herumstand*. Die Menschen, die aus dem Bahnhof strömten, und die, die sich die Straßen entlang bewegten, verharrten nicht. Es war kalt und feucht. Jeder blieb in Bewegung.

Wichtig war es nun, Finley auszumachen, wenn er aufkreuzte, und herauszufinden, in welchem Haus er schließlich verschwand. John würde bessere Chancen haben, wenn er nicht länger zwei belebte Straßen im Auge behalten musste, sondern sich auf ein einzelnes Gebäude und dessen Umgebung konzentrieren konnte.

Vielleicht hatte er Glück.

Seinem Logierbesuch, Samson, hatte er nicht erzählt, was er vorhatte. Er hatte ihm morgens erklärt, er werde den ganzen Tag über im Büro bleiben. Samson solle bitte die Wohnung nicht verlassen und niemandem öffnen. Samson hatte ihm das versprochen. Er hatte auf dem Sessel in dem leeren Wohnzimmer gesessen und hinter John hergeblickt.

Lange hält er das bei mir auch nicht aus, hatte John gedacht.

Er trat von einem Fuß auf den anderen, hauchte zwischendurch warmen Atem in seine kalten Hände. Er hatte seine Handschuhe vergessen. Die ganze Geschichte würde wahrscheinlich so ausgehen, dass er zwar Liza Stanford nicht fand, sich dafür aber eine Lungenentzündung zuzog.

Gegen halb fünf, als er bereits überzeugt war, nichts mehr zu entdecken, was ihn weiterbrachte, gewahrte er plötzlich Finley Stanford, der die High Street entlangkam. Er musste weiter vorne aus dem Bus gestiegen sein. Er trug einen Rucksack auf dem Rücken, in dem sich vermutlich die Klaviernoten befanden. Er bewegte sich gemächlich und schien es nicht ausgesprochen eilig zu haben. Das Klavierspielen gehörte ganz offensichtlich nicht gerade zu seinen Leidenschaften.

John war mit einem Schlag hellwach. Frustration, Müdigkeit, Kälte verflogen im Bruchteil einer Sekunde. Jetzt war der Moment gekommen. Wenn Liza Stanford einen Blick auf ihren Sohn werfen wollte, dann wäre es jetzt der günstigste Zeitpunkt. Innerhalb der nächsten ein oder zwei Minuten wäre er in dem Haus seiner Klavierlehrerin verschwunden, und dann bliebe nur noch der Augenblick, wenn er das Haus wieder verließ. Bis dahin würde es aber bereits dunkel sein.

Er sah sich um. Die Straße hoch, die Straße hinunter, hinter sich, über sich. Gab es irgendwo eine Gestalt, die ihm verdächtig vorkam?

Die Frau schien aus dem Nichts aufzutauchen. Das allein machte sie bereits auffällig. John hatte eine Sekunde zuvor genau dorthin geschaut, wo sie jetzt stand, und sie war nicht da gewesen, nicht einmal in der Nähe. Jetzt stand sie dort. Gut hundert Meter entfernt von ihm die Straße hinauf. Sie war dick vermummt, was allerdings bei den meisten Menschen an diesem Tag der Fall war. Etwas seltsam schien nur, dass nicht eine einzige Strähne ihrer Haare zu sehen war. Sie trug eine unförmig wirkende Strickmütze tief ins Gesicht und weit über die Ohren gezogen. Ihre Haare hatte sie vollkommen darunter versteckt.

Am merkwürdigsten aber erschien angesichts der herrschenden Witterung ihre riesige Sonnenbrille. Ein Ungetüm, das fast ihr ganzes Gesicht bedeckte. Dazu der hochgeschlagene Mantelkragen, der über das Kinn hinaufgezogene Schal ... Eine Frau, die keinesfalls erkannt werden wollte.

Sie starrte ein Haus an, das auf der ihr gegenüberliegenden Straßenseite lag. Ein Haus mit einer blau gestrichenen Fassade, in dessen Erdgeschoss sich ein Antiquitätenladen befand. Es gab eine schmale Hofeinfahrt direkt neben der Ladentür, und genau in dieser Einfahrt verschwand soeben der kleine Finley Stanford.

Sie schien sich an seiner Gestalt förmlich festzusaugen.

John war sich sicher. Er war sich vollkommen sicher. Er hatte sie. Sein Plan war gut gewesen. Die Sehnsucht einer Mutter. Und die Klavierstunde. Die sicher eine ganz eigene

Sache zwischen Mutter und Sohn gewesen war, Lizas Wunsch und Finleys Bereitwilligkeit, ihn ihr zu erfüllen. Die Donnerstagnachmittage hatten ihnen beiden gehört. Sie hatte ihn abgeliefert, hatte ein paar Einkäufe erledigt, war etwas früher zurückgekehrt, um die letzten zehn Minuten zuzuhören. War dann mit ihm vielleicht noch einen Kakao trinken gegangen, oder sie hatten im Sommer ein Eis zusammen gegessen.

John konnte das spüren. Er konnte das an der Haltung der Frau sehen und an der Trauer in ihrem Gesicht, die sich selbst hinter Brille, Schal und Mütze nicht vollständig verstecken ließ.

Er setzte sich in Bewegung.

Entweder war er zu hastig gewesen, zu abrupt, oder Liza Stanford hatte wie alle Fluchttiere einen sechsten Sinn für drohende Gefahren entwickelt. Sie schrak zusammen, schaute sich um und trat dann blitzartig den Rückzug an. Sie war so schnell verschwunden, dass es den Anschein hatte, als sei sie nie da gewesen.

John rannte jetzt. Er war zu unvorsichtig gewesen, zu ruckartig. Diese Frau lebte in der Angst, erkannt und entdeckt zu werden. Sie hielt tausend unsichtbare Antennen in jede Himmelsrichtung um sich herum aufgerichtet. Sie hatte sofort gewusst, dass jemand sie ins Visier genommen hatte.

Er blieb stehen, weil er sie nicht mehr sehen konnte. Es war zum Verrücktwerden. Sie war fast zum Greifen nahe gewesen. Hätte er es ein bisschen geschickter angestellt... Er unterdrückte einen Fluch und den Wunsch, mit dem Fuß gegen die nächste Hauswand zu treten. Er war wütend, vor allem auf sich. Sie war ihm entwischt, und was das Schlimmste daran war: Sie würde sich über Wochen nicht mehr in der Nähe ihres Sohnes blicken lassen. Und wenn sie fast starb vor Sehnsucht. Sie würde das Risiko so rasch nicht mehr eingehen.

Es half ihm nicht, wenn er sich seinem Ärger und seiner Enttäuschung hingab, er musste ruhig bleiben und überlegen. Es gab die Möglichkeit, dass sie mit dem Auto hierhergekommen war, und dann hatte sie es wahrscheinlich in einer der Seitenstraßen geparkt. Was bedeutete, dass sie auf die High Street hinausfahren musste, denn ringsum gab es fast nur Einbahnstraßen. Wenn er sie dabei erkannte, konnte er sich vielleicht an ihre Stoßstange heften.

Es war die einzige kleine Chance, die er noch hatte. Sie konnte genauso gut für einige Stunden in der Vielzahl von Läden und Cafés untertauchen und später von irgendeiner entfernt liegenden Bushaltestelle aus den Heimweg antreten. Falls sie nicht ohnehin zu Fuß ging.

Er lief zu seinem Auto zurück, das er ebenfalls in einer Seitenstraße und noch dazu im Parkverbot abgestellt hatte. Er stieg ein und fuhr, so weit er konnte, nach vorne, um die Straße vor sich genau überblicken zu können. Wenn Liza hier vorbeikam, würde er sofort aufschließen können. Er hoffte nur, dass nicht ausgerechnet jetzt ein anderes Fahrzeug hinter ihm auftauchen würde und abbiegen wollte, denn dann hätte er weiterfahren müssen und nicht länger warten können. Er erntete jede Menge empörter Blicke von Passanten, die die Straße entlangkamen und einen Bogen um ihn herum laufen mussten, was sie gefährlich weit auf die Fahrbahn zwang. Ein Mann schlug wütend auf die Kühlerhaube seines Autos. John zeigte ihm den Mittelfinger.

Angespannt schaute er jedem Auto entgegen, das sich ihm von der linken Seite näherte. Wenigstens schneite es nicht, ein fast schon seltener Moment in diesem Winter. Er lehnte sich weit nach vorn über das Lenkrad, kroch mit den Blicken fast hinein in jedes Auto. Es war die nachmittägliche Hauptverkehrszeit, ein Wagen klebte am anderen. Hektisches Hupen, Bremsen. John wusste, es konnte sich nur noch um Minuten handeln, bis er von seiner Position vertrieben wurde, und dann hatte er ein echtes Problem, weil es nicht möglich war, auf dieser Seite der Straße auch nur anzuhalten.

In diesem Moment sah er sie kommen. Ein kleiner blauer Fiesta, am Steuer die Frau mit der Sonnenbrille und der tief in die Stirn gezogenen Mütze. Sie wirkte völlig auf die Straße und den Verkehr konzentriert. Sehr dicht hinter ihr fuhr ein anderes Auto. Es würde ziemlich waghalsig sein, sich dazwischenzuschieben, und John konnte nur hoffen, dass er nun nicht auch noch einen Unfall verursachte, aber es blieb ihm nichts übrig, er musste alles riskieren. Als die Frau direkt auf seiner Höhe angelangt war, schob er sich bereits so weit nach vorne, dass er die halbe Fahrbahn blockierte, und kaum war das Auto knapp an ihm vorbei, schoss er hinaus. Der Fahrer des nachfolgenden Wagens trat mit aller Kraft in die Bremsen, sodass sein Fahrzeug heftig schlitterte und schleuderte. Der Fahrer hupte wie ein Verrückter, fuchtelte mit den Armen und schrie vermutlich eine ganze Kaskade übler Schimpfworte hinter ihm her. Aber John war auf der Straße, und es hatte keinen Zusammenstoß gegeben. Er konnte beobachten, dass Liza in den Rückspiegel schaute, aufgeschreckt von dem Hupen und den quietschenden Reifen hinter ihr. Er hoffte, dass sie ihn nicht als den Mann erkannte, der sich vorhin plötzlich auf sie zubewegt hatte. Allerdings hätte ihr das nicht viel genutzt, sie hätte kaum irgendwohin flüchten können, eingeklemmt in die sich zäh bewegende Kolonne von Autos im winterlichen Feierabendverkehr.

Er hatte sie. Nach menschlichem Ermessen konnte es ihr nun nicht mehr gelingen, ihn abzuhängen. Dennoch notierte er, während sie an einer Ampel warteten, ihr Autokennzeichen in seinem Notizbuch. Damit hatte er in jedem Fall einen Anhaltspunkt, sollte doch etwas Unvorhergesehenes geschehen.

Er fühlte ein fast kindliches Glück über seinen Erfolg.

Und einen Jagdinstinkt, von dem er gar nicht gewusst hatte, dass es ihn noch in ihm gab.

2

Es schien so, als bemerke Liza Stanford tatsächlich nicht, dass sie verfolgt wurde. Jedenfalls unternahm sie nicht einen einzigen Versuch, Johns Wagen abzuhängen. Kein rasantes Brettern über eine fast schon rote Ampel, kein unvermutetes Abbiegen, ohne zu blinken. Sie schien völlig ruhig zu sein. John vermutete, dass sie ihn zuvor auf der Straße eher instinktiv als bewusst wahrgenommen hatte und dass sie sich inzwischen wegen ihrer überstürzten Flucht ärgerte. Wahrscheinlich fieberte sie den Donnerstagen und dem Blickkontakt mit ihrem Sohn die ganze Woche lang entgegen, und heute hatte sie den Aufenthalt in seiner Nähe radikal abgebrochen. Normalerweise hätte sie vermutlich gewartet, bis er wieder herauskam. Stattdessen befand sie sich auf dem Heimweg und fragte sich, ob das richtig gewesen war.

Sie bewegten sich in Richtung Londoner Süden. Damit in die völlig entgegengesetzte Richtung zu Hampstead, wo Liza Stanfords eigentliches Zuhause lag. Er fragte sich, ob sie wohl ihr Auto auf ihre frühere Adresse zugelassen hatte, vermutete fast, dass es so war. Ein schlauer Schachzug: Sollte sie wegen irgendetwas auffällig werden, das polizeiliche Ermittlungen nach sich zog, würde jeder Beamte wieder nur vor der Haustür ihres Ehemannes landen, der nichts anderes sagen konnte, als dass seine Frau spurlos verschwunden sei. Tatsächlich hatte es den Anschein, als habe sich Liza ein Leben in größtmöglicher Anonymität aufgebaut.

Warum nur? Warum tat eine verheiratete Frau und Mutter eines Kindes so etwas?

Sie erreichten Croydon im Südosten. Hier waren in den vergangenen zwanzig Jahren etliche Hochhaussiedlungen aus dem Boden geschossen, seelenlose Bauten, die natürlich optimale Möglichkeiten zum Verstecken boten. Liza kurvte zwischen einigen Wohnsilos herum, steuerte dann ihren Wagen in eine Parklücke am Straßenrand, die sich urplötzlich zwischen endlosen Reihen parkender Autos aufgetan hatte. John hatte es schwerer. Er musste noch ein ziemliches Stück fahren, ehe er eine Möglichkeit fand, sein Auto abzustellen. So schnell er konnte, hastete er zurück. Zum Glück traf er Liza noch an, als sie vor der gläsernen Eingangstür eines der Hochhäuser stand und in ihrer Handtasche nach dem Schlüssel suchte.

Er trat direkt neben sie.

»Liza Stanford?«

Sie erschrak so sehr, dass ihr die Tasche aus den Händen in den Schnee fiel. Entsetzt blickte sie John an. Er konnte ihre zitternden Lippen sehen und schwach ihre weit aufgerissenen Augen hinter den riesigen Gläsern ihrer Sonnenbrille erkennen.

Er bückte sich, hob die Tasche auf und reichte sie ihr.

»Sie sind doch Liza Stanford?«, fragte er, obwohl er längst wusste, dass sie vor ihm stand. Sie hatte zu deutlich auf den Namen reagiert.

»Wer sind Sie?«, fragte sie zurück. Ihre Stimme klang ein wenig heiser.

»John Burton.«

»Mein Mann hat Sie auf mich angesetzt?«

Er schüttelte den Kopf. »Nein. Mit Ihrem Mann hat das nichts zu tun.«

Sie wirkte verwirrt und verängstigt und vollkommen unschlüssig, was sie nun tun sollte.

»Ich muss mit Ihnen sprechen«, sagte John. »Es ist wichtig. Es liegt mir überhaupt nicht daran, Sie und Ihren Aufenthaltsort irgendjemandem preiszugeben. Aber ich brauche ein paar Informationen.«

Er konnte spüren, dass sie ihm nicht traute, dass sie aber Angst hatte, ihn einfach zum Teufel zu jagen, weil sie damit möglicherweise alles schlimmer gemacht hätte. Sie sah aus, als wolle sie am liebsten davonlaufen, aber sie schien sich der Sinnlosigkeit eines solchen Versuches bewusst zu sein.

»Bitte«, sagte John, »ich brauche wahrscheinlich gar nicht viel Zeit. Es ist wichtig.«

Sie schlug sich offensichtlich noch immer mit der Frage herum, wie er sie hatte finden können.

»Sie waren vorhin auf der Straße«, sagte sie. »Als ich …«

»Ja«, sagte John, »als Sie Ihren Sohn beobachteten. Ich habe mir gedacht, dass Sie kommen würden, deshalb habe ich dort gewartet.«

Sie war kreideweiß im Gesicht. »Haben Sie mit Finley gesprochen?«, fragte sie.

»Ja.«

»Wie geht es ihm?«

»Gut. Aber er vermisst Sie natürlich. Und irgendetwas bedrückt ihn – über die Tatsache hinaus, dass seine Mutter plötzlich verschwunden ist. Dennoch ist er gut versorgt.«

»Gut versorgt«, wiederholte sie. »Ja, das wusste ich. Dass er *gut versorgt* sein würde.«

Sie rang mit sich, das konnte John sehen. Sie hätte ihm am liebsten ein Loch in den Bauch gefragt, jede kleinste Information über ihren Sohn aus ihm herausgeholt. Aber das hieße, sich auf ihn einzulassen. Und noch immer war sie voller Argwohn, voller Furcht.

Er wagte einen direkten Angriff. »Kennen Sie Dr. Anne Westley? Und Carla Roberts?«

Zum zweiten Mal innerhalb weniger Minuten zuckte sie zusammen. Dann sagte sie: »Kommen Sie. Wir reden miteinander.«

Sie fand ihren Schlüssel und schloss die Haustür auf. Er folgte ihr zum Aufzug und fuhr mit ihr nach oben.

Die Wohnung war mit einfachen, hellen Holzmöbeln eingerichtet und sah ein wenig aus wie eine freundliche, saubere Studentenbehausung. Nichts Besonderes, aber ein Ort, an dem man sich nicht unwohl fühlte. Dennoch gab es Anzeichen dafür, dass die Frau, die hier wohnte, erst vor Kurzem eingezogen war: Der Krimskrams, der sich im Laufe der Zeit in einem Zuhause anzusammeln pflegt, fehlte völlig, und alle Gegenstände sahen zu neu, kaum benutzt oder gar abgewohnt aus. Eine persönliche Note bekam das Wohnzimmer nur durch etwa zwei Dutzend gerahmte Fotografien von Finley. Sie zierten Fensterbänke und Regale. Finley als Baby, Finley als kleiner Junge, Finley, wie er heute aussah. Am Strand, beim Skifahren, im Ruderboot, im Zoo, mit Freunden im Garten. Ganz normale Bilder einer ganz normalen Kindheit.

Und doch war irgendetwas in dieser Familie nicht normal. Ganz und gar nicht.

John wandte sich um, als Liza den Raum betrat. Sie trug ein Tablett mit zwei Kaffeetassen und einem Milchkännchen.

Ihrer Maskierung hatte sie sich entledigt. Keine Sonnenbrille mehr, keine Mütze, die alle Haare unter sich verbarg. John sah die schöne Frau, die er von dem Bild in Finleys Geldbeutel her kannte. Große Augen, volle Lippen. Langes, blondes, gewelltes Haar. Sie war noch attraktiver, als er sie sich vorgestellt hatte. Und sie sah noch trauriger aus, als er geahnt hatte.

»Warum?«, fragte er und deutete auf eines der Bilder ihres Sohnes. »Warum tun Sie sich das an? Die Trennung von Ihrem Kind?«

Sie stellte das Tablett auf den hölzernen Esstisch.

»Sie hatten mich nach Anne Westley und Carla Roberts gefragt«, sagte sie. »Nach den beiden ermordeten Frauen. Um die geht es, oder?«

»Ja.«

»Sie sind aber nicht von der Polizei?«

»Nein. Ich bin eine Art ... privater Ermittler. In meinem persönlichen Umfeld ist ein Verbrechen geschehen, das mit den Morden an Mrs. Westley und Mrs. Roberts zu tun haben könnte, und nur deshalb mische ich mich in diese ganze Geschichte ein.«

»Ich verstehe«, sagte Liza, obwohl sie eher verwirrt wirkte.

»Kennen Sie eine Familie Ward?«, fragte John. »Thomas und Gillian Ward?«

Sie überlegte. »Nein.«

»Thomas Ward wurde ebenfalls ermordet.«

»Das ist mir entgangen«, sagte sie. »Von Carla und von Dr. Westley habe ich in der Zeitung gelesen. «

»Anne Westley war die Kinderärztin Ihres Sohnes.«

»Ja.«

»Mochten Sie sie? Oder gab es Probleme?«

»Ich mochte sie. Fin mochte sie auch. Sie hatte eine sehr nette Art mit Kindern.«

Er beobachtete sie genau. »Wie war Ihr Verhältnis zu Carla Roberts?«

Sie setzte sich an den Tisch, zog eine der Tassen zu sich heran und bedeutete ihrem Gast mit einem Kopfnicken, ebenfalls Platz zu nehmen.

»Es war kein besonders enges Verhältnis. Ich kann nicht mal sagen, dass wir wirklich befreundet waren. Wir lernten uns in dieser Frauengruppe kennen, über die Sie vermutlich Bescheid wissen?«

Er nickte, setzte sich nun ebenfalls, nahm einen Schluck Kaffee. »Ja.«

»Wir waren beide so etwas wie Außenseiter. Die anderen Frauen plapperten, was das Zeug hielt, redeten über ihre gescheiterten Beziehungen, ihre Zukunft, ihre Pläne, Hoffnungen, Ängste ... was weiß ich. Ich bin nicht so ein Mensch. Ich kann nicht gut aus mir herausgehen. Und Carla war ähnlich. Wir saßen eher schweigsam herum.«

»Ist das nicht etwas widersprüchlich? Geht man nicht in solche Gruppen, gerade weil man sich mitteilen möchte?«

»Vielleicht. Ich ging jedenfalls hin, weil ich Hilfe suchte, und dann merkte ich, dass ich sie dort eigentlich nicht finde. Es war einfach ein Versuch. Die meisten Treffen habe ich sowieso ausfallen lassen. Deswegen war man dort etwas ärgerlich. Aber das war mir ziemlich egal.«

»Die Polizei sucht nach Ihnen«, sagte John unvermittelt.

»Die werden mich nicht finden. Es sei denn, Sie verpfeifen mich.«

»*Ich* habe Sie gefunden. Die könnten auf denselben Gedanken kommen: sich an Ihren Sohn zu heften.«

»Ich werde ihn lange Zeit nicht mehr sehen. Ich bin jetzt gewarnt.«

»Liza«, sagte John eindringlich, »die Polizei ermittelt unter

Hochdruck in mittlerweile drei Mordfällen, die mit einer ziemlich hohen Wahrscheinlichkeit demselben Täter zugeordnet werden können. Das größte Problem bestand die ganze Zeit über darin, dass es zwischen allen drei Opfern absolut keine Verbindung zu geben schien. Das führt zu einer völligen Unklarheit über das Motiv des Killers. Sie nun sind der erste Lichtblick seit Wochen: Zwei der Opfer waren mit Ihnen bekannt. Die Polizei wird nicht ruhen, bis sie Sie hat.«

Sie sah ihn ernst an. »Ich habe niemanden umgebracht. Weder Carla Roberts noch Dr. Westley noch sonst jemanden. Ich hatte überhaupt keinen Grund, das zu tun.«

»Die Polizei könnte das anders sehen. Sie kennen zwei Frauen, die auf wirklich grausame Weise umgebracht wurden, persönlich und sind wie vom Erdboden verschluckt. Ihr Mann erzählt etwas von Depressionen, deretwegen Sie angeblich öfters untertauchen. Das nimmt ihm keiner ab. Man hat das Gefühl, dass irgendetwas mit Ihnen nicht stimmt, und das rückt Sie im Zusammenhang mit einer Mordermittlung doch sehr ins Zwielicht.«

»Kann sein. Ich habe trotzdem niemandem ein Haar gekrümmt. Dr. Westley habe ich vier- oder fünfmal gesehen, als ich mit meinem Sohn in der Praxis war. Ich kenne sie überhaupt nicht näher. Und Carla Roberts war eine total neurotische ältere Frau, die einem auf die Nerven gehen konnte, aber das war auch alles. Ich bringe niemanden um, weil er mich nervt, Mr. Burton.«

»Weswegen bringen Sie dann jemanden um?«

»Überhaupt nicht.«

»Weshalb ging Ihnen Carla Roberts auf die Nerven?«

»Ach, sie lamentierte immer so viel wegen ihrer Vergangenheit herum. Ihr Mann hat sie über Jahre betrogen und außerdem die Familie in den wirtschaftlichen Ruin geführt. Sie hatte wohl die Anzeichen dafür nicht bemerkt und erklärte nun ständig, sie könne ihrer eigenen Wahrnehmung nicht mehr trauen. Das war zu einer richtig fixen Idee bei ihr geworden.«

»Mit dem Mann hatte sie aber überhaupt keinen Kontakt mehr?«

»Nein. Der hatte sich komplett abgeseilt. War irgendwo im Ausland untergetaucht. Soweit ich weiß, kann er keinesfalls nach England zurückkommen, weil dann seine Gläubiger über ihn herfallen würden.«

»Carla Roberts hat aber nie erwähnt, dass sie selbst von seinen Gläubigern bedroht wurde?«

»Nein. Bei ihr wäre ja auch wirklich nichts zu holen gewesen.«

John seufzte. Er hatte Liza Stanford gefunden, *the missing link,* wie er geglaubt hatte. Und nun schien er bereits wieder vor einer Wand zu stehen. Am Ende des Weges, der sich als Sackgasse entpuppte.

»Und Sie selbst? Sie hegten absolut keinen Groll gegen die beiden Frauen? Gegen Westley und Roberts? Aus irgendwelchen Gründen?«

»Nein«, sagte Liza, aber es lag ein winziger, kaum spürbarer Hauch von Unsicherheit für eine Sekunde in ihrem Gesicht und in ihrer Stimme.

John hatte ihn bemerkt.

Da ist etwas. Verdammt, irgendetwas ist da!

»Reiner Zufall das alles? Dass die beiden Frauen ermordet werden und Sie gleichzeitig untertauchen? Ihren Mann verlassen? Ihr Kind alleinlassen? Aber gerade nur bis an das andere Ende von London ziehen? Rein räumlich gesehen waren die Opfer noch durchaus in Ihrer Reichweite.«

Liza bekam schmale Augen. »Fantasieren Sie immer so wild?«

»Von Carla Roberts weiß die Polizei, dass sie ihrem Mörder offenbar arglos auf sein Klingeln hin geöffnet hat. Eine alleinstehende Frau, die im völlig verlassenen oberen Stockwerk eines Hochhauses lebt, reißt sicher nicht für jeden bereitwillig die Tür auf. Aber wenn eine gute Bekannte davor steht, ist das natürlich etwas anderes.«

Liza erhob sich. Sie setzte an, etwas zu sagen, schluckte die Worte aber im letzten Moment hinunter. John wusste trotzdem, was sie hatte sagen wollen: Sie hatte ihn auffordern wollen, sofort zu verschwinden. Und hatte sich gerade noch besonnen. Sie konnte es sich nicht leisten, ihn zu verärgern, er hatte sie in der Hand.

Er konnte die Wut in ihrem Gesicht sehen.

Er stand ebenfalls auf. Ein paar Sekunden lang musterten sie einander schweigend. Dann sagte er: »Warum werfen Sie mich nicht hinaus? Warum haben Sie so entsetzliche Angst, dass ich dann sofort zur Polizei marschiere und Ihr Versteck verrate? Warum, zum Teufel, wenn Sie nichts verbrochen haben, fürchten Sie nichts so sehr wie eine mögliche Entdeckung? Was ist los, Liza? Was ist mit Ihrem Leben los?«

Sie antwortete nicht.

Er versuchte es erneut. »Sie nahmen an einer Selbsthilfegruppe teil, zu der sich alleinstehende Frauen zusammengeschlossen hatten. Frauen, die plötzlich verlassen wurden oder geschieden waren und versuchten, mit der neuen Situation irgendwie umzugehen. Sie haben dort erklärt, zwar noch verheiratet zu sein, sich aber mit Trennungsabsichten zu tragen. Weshalb, Liza? Weshalb wollen Sie so dringend und so unbedingt von Ihrem Mann fort, dass Sie sich jetzt sogar verstecken und offenbar völlig inkognito in einer winzigen Wohnung hier in Croydon hausen?«

Sie schwieg wieder, und er dachte schon, sie werde ihm überhaupt nicht mehr antworten und er müsse gehen, ohne noch ein einziges Wort von ihr gehört zu haben.

Doch gerade als er aufgeben, seinen Autoschlüssel nehmen und sich anschicken wollte, die Wohnung zu verlassen, begann sie zu reden.

»Sie wollen es wirklich wissen? Was mit meinem Leben los ist?« Sie schloss für einen Moment die Augen. »Ich fasse es nicht! Nach all den Jahren *will es wirklich jemand wissen!*«

3

Die Villa lag völlig im Dunkeln.

Nicht einmal am Tor brannte eine Lampe oder an dem gewundenen Weg, der zum Haus hinführte. Nur der Schnee machte den Abend ein wenig heller. Die Zweige der Bäume bogen sich unter der Last.

Christy schaute auf ihre Armbanduhr. Es war sechs Uhr. Sie hatte gehofft, entweder Dr. Stanford selbst oder zumindest seinen Sohn daheim anzutreffen, aber niemand hatte auf ihr Läuten reagiert. Die Dunkelheit hinter den Bäumen, die das Haus so hermetisch zur Straße hin abschirmten, wies ebenfalls darauf hin, dass niemand zu Hause war.

Christy überlegte, ob sie zu Stanford in die Kanzlei fahren sollte. Sie fürchtete jedoch, ihn genau damit zu verfehlen.

Aber hier warten? Bei der fürchterlichen Kälte?

Wo war der Junge?

Sie überquerte langsam und unschlüssig die stille, verschneite Straße zu ihrem Auto hin. Als sie gerade aufschließen wollte, wurde sie plötzlich angesprochen.

»Wollten Sie zu den Stanfords?«

Christy drehte sich um. Am Gartentor des Hauses, das dem der Stanfords schräg gegenüberlag, stand eine Frau. Christy schätzte sie auf Anfang siebzig. Sie hatte sich einen Mantel um die Schultern geworfen, den sie an der Brust mit beiden Händen zusammenhielt. Christy trat auf sie zu.

»Ja. Ich müsste dringend mit einem von ihnen sprechen – mit Dr. Stanford oder mit seiner Frau. Aber es scheint niemand da zu sein.«

Die Frau sprach mit gesenkter Stimme. »Mrs. Stanford hat seit vielen Wochen niemand mehr gesehen.«

»Ach nein?« Christy tat überrascht. Vielleicht gewann sie ein paar Informationen. Sie behielt den Umstand, dass sie Polizistin war, für sich, um ihr Gegenüber nicht zu verschrecken. »Seit Wochen, sagen Sie?«

»Seit … warten Sie … Mitte November, würde ich meinen. Da habe ich sie zuletzt gesehen. Sie hat ihren Sohn von der Schule abgeholt. Sie verließ nicht oft das Haus, wissen Sie, aber sie fuhr den Sohn mal dahin und dorthin. Ich habe das von meinem Wohnzimmer aus beobachtet.«

»Vielleicht ist Mrs. Stanford krank und liegt im Bett?«, mutmaßte Christy rasch.

»Ich bitte Sie – krank! Zwei Monate lang? Und ohne dass ein Mal ein Arzt auftaucht und sie besucht? Nein, das glaube ich nicht. Das glaubt auch hier von den Nachbarn niemand.«

»Was glauben Sie denn? Und was glauben die Nachbarn?«, fragte Christy.

Die Frau sprach nun noch etwas leiser. »Das ist ein *Drama* da drüben!«, zischte sie.

»Tatsächlich?«

»Sie sagen nicht, dass Sie das von mir haben, ja? Ich habe nämlich Angst vor ihm. Alle haben sie hier Angst vor ihm!«

»Sie sprechen von Dr. Stanford?«

»Dem würden Sie ja nichts anmerken. Sehr korrekt, sehr höflich. Sehr ruhig. Man könnte sich im Grunde absolut nicht über ihn beschweren, aber ...«

»Ja?«

»Als Nachbar sieht und beobachtet man manches. Niemand hier ist neugierig, aber man kann ja auch nicht immer wegschauen, oder?«

»Natürlich nicht«, stimmte Christy zu.

»Also, Liza Stanford, die war manchmal grauenhaft zugerichtet. Sie trug ja praktisch immer eine riesige Sonnenbrille, auch bei Regen und Dunkelheit, aber ich habe sie manchmal auch gesehen, wenn sie ohne Brille rasch ans Tor kam, um die Post aus dem Briefkasten zu holen. Die hatte oft ein ganz zerschlagenes Gesicht. Zugeschwollene Augen, geplatzte Lippe, blaue Flecken. Aber auch Blutergüsse am Hals oder eine blutverschmierte Nase. Sie sah aus wie nach einem Boxkampf. Und zwar einem, den sie verloren hat.«

Christy hielt den Atem an. »Und Sie meinen ...?«

»Ich will über niemanden böse Gerüchte in die Welt setzen«, sagte die Frau. »Aber man kann schließlich eins und eins zusammenzählen, oder? Wer sollte wohl diese Frau regelmäßig so furchtbar zurichten? Es wohnen nur drei Menschen in dieser unheimlichen, dunklen Villa dort drüben: Liza, ihr Sohn und ihr Mann.«

»Ich verstehe«, sagte Christy. »Es sieht tatsächlich so aus, als ob ... Aber ich frage mich, weshalb sie dann nie zur Polizei gegangen ist.«

Sie stellte diese Frage mit absichtlich vorgeschobener Naivität. Sie war schon lange in ihrem Job. Sie wusste, dass es tausend Gründe gab, weshalb Frauen in der Situation von Liza Stanford nicht zur Polizei gingen. Oder zu einer Beratungsstelle. Es war sogar so, dass die wenigsten das taten.

»Er hat viel Einfluss, ihr Mann«, sagte die Frau. »Viel Geld, großes Ansehen. Duzt sich mit den meisten wichtigen Politikern hier im Land. Kennt Gott und die Welt. Ist wahrscheinlich auch ein enger Kumpel vom Polizeichef, zumindest würde mich das nicht wundern. Vielleicht sieht Liza ohnehin keine Chance für sich. Und fürchtet, dass sie damit alles noch schlimmer macht.«

»Als Sie sie zuletzt gesehen haben«, sagte Christy, »war sie da auch verletzt?«

Die Frau schüttelte den Kopf. »Zumindest konnte ich es nicht erkennen. Diese Sonnenbrille … die bedeckte ja fast das ganze Gesicht.«

Die riesige Sonnenbrille von Gucci… Christy musste an ihr Gespräch mit der Arzthelferin aus Anne Westleys Praxis denken. Die dunkle Brille, die Liza offenbar auch in geschlossenen Räumen aufbehielt, hatte sie so besonders unnahbar und arrogant erscheinen lassen und ihr die Abneigung anderer Menschen eingebracht. Dabei hatte sie nicht anders gekonnt. An den meisten Tagen ihrer Ehe mit dem hoch angesehenen Dr. Stanford hatte sie ihr Gesicht wahrscheinlich so gut es ging verstecken müssen.

»Und Sie sagen, alle hier haben Angst vor Dr. Stanford?«, vergewisserte sie sich.

Die Frau nickte. »Ist ja kein Wunder. Wirklich, Sie hätten die Frau manchmal sehen müssen. Ein Mann, der so etwas tut, der kann nicht ganz normal sein. Der ist gefährlich. Ich meine, das waren nicht einfach ein paar Ohrfeigen, verstehen Sie? Er muss voller Hass und Brutalität auf sie losgegangen sein. Bei dem Mann stimmt etwas nicht. Er hat auch so starre

Augen. Auf mich wirkt er eiskalt, und ich konnte ihn nie leiden, obwohl er mich immer sehr höflich gegrüßt hat.«

»Aber niemand aus der Nachbarschaft hat je versucht, einzugreifen?«

»Wie denn? Sie hätte alles abgestritten, wenn man sie gefragt hätte. Sie hat die Spuren ja immer zu verbergen versucht. Und die Polizei rufen ... den Mut hatte niemand. Man hat auch die Situation selbst nie direkt mitbekommen. Das Haus liegt weit zurück, hat den riesigen Garten, ist völlig umstellt von Bäumen. Man hat nichts gehört und gesehen. Wären da Schreie gewesen, Hilferufe, dann hätte man gewusst, die Polizei ertappt ihn jetzt auf frischer Tat. Aber so ... Am Schluss hätten sie gar nichts gegen ihn machen können, aber er hätte bestimmt herausgefunden, wer ihn angezeigt hat, und dann ...«

»Und dann ...?«, fragte Christy, als die Frau nicht weitersprach.

Die andere schien zu fürchten, sich lächerlich zu machen oder überspannt zu wirken. »Sie kennen ihn nicht. Ich hatte einfach Angst.«

»Dem Sohn war nichts anzumerken?«

»Ein stilles und sehr blasses Kind. Zu still und zu blass, meiner Ansicht nach. Ganz sicher kein glückliches Kind.«

»Aber es gab keine Anzeichen dafür, dass er auch misshandelt wurde?«

»Nein. Nie. Irgendwie glaube ich, dass Stanford kein Problem mit Kindern hat. Er hat ein Problem mit Frauen.«

»Auch mit anderen Frauen als mit seiner eigenen?«

»Es ist nur so ein Gefühl ... ja. Aber ich kann das nicht begründen.«

Christy dankte für das Gespräch und verabschiedete sich, prägte sich aber den Namen der Frau, der auf einem Klingelschild am Tor stand, und die Hausnummer ein. Vielleicht würden sie noch einmal auf sie zurückkommen müssen.

»Von mir wissen Sie nichts!«, rief die andere ihr noch nach.

Christy stieg ins Auto, wendete und fuhr zurück Richtung Innenstadt. Über die Freisprechanlage rief sie Inspector Fielder an. Wie sie erwartet hatte, saß er noch im Büro.

Sie schilderte ihm ihren vergeblichen Besuch bei der Familie Stanford und das Gespräch mit der Nachbarin.

Von Fielder kam zunächst entgeistertes Schweigen.

»Das ist ja ein Ding«, sagte er schließlich und fügte dann hinzu: »Erschien Ihnen die Nachbarin glaubwürdig? Oder kann es sein, dass sie einfach ziemlich heftig herumspekulierte?«

»So kam sie mir nicht vor. Sie scheint zudem wirklich Angst vor ihm zu haben. Und es passt ja auch irgendwie zusammen. Uns war klar, dass mit dieser Familie etwas nicht stimmt, und die Geschichte mit Lizas Depressionen und ihrem routinemäßigen Untertauchen erschien uns mehr als suspekt. Das Ganze gewinnt plötzlich Konturen.«

»Ja«, sagte Fielder. Er klang besorgt. »Sie meinen …«

»Ich meine, dass sich Liza Stanford entweder vor ihrem Mann irgendwo versteckt hält, weil sie sich in echter Lebensgefahr fühlt. Oder dass sie schon gar nicht mehr lebt. Dass er es ist, der sie hat verschwinden lassen.«

»Wissen Sie, was Sie da sagen?«

»Natürlich weiß ich das. Sir, die Sache stinkt zum Himmel. Ich habe ein Scheißgefühl. Stanford ist ein Mann, den seine ganze Nachbarschaft fürchtet. Der seine Frau regelmäßig übel zurichtet. Die Nachbarin beschrieb im Grunde einen Psychopathen, und sie kam mir keineswegs wie eine Spinnerin vor.«

»Trotzdem sind das alles nur Vermutungen, Christy. Und auch die Behauptung, dass er seine Frau misshandelt, können Sie nur durch das Gespräch mit einer Nachbarin am Gartenzaun stützen. Das ist bislang recht dünn.«

»Was ist daran dünn? Liza ist verschwunden. Zwei Frauen, die sie kannte, sind von einem offensichtlichen Psychopathen ermordet worden!«

»Sie meinen, Stanford … *Charity*-Stanford, der Mann, der regelmäßig Hunderttausende Pfund für die Ärmsten dieser Erde sammelt … dieser Mann ist dafür verantwortlich?«

»Ich würde das nicht ausschließen. Der Mann tickt nicht richtig. Der hat ein Machtproblem, deswegen peinigt er seine Frau immer wieder auf brutale Weise. Vielleicht hat er in Carla Roberts eine Gefahr gewittert. Vielleicht hat Liza Carla das Desaster ihrer Ehe anvertraut und Carla hat sie bearbeitet: *Geh zur Polizei! Zeig ihn an! Wenn du es nicht tust, dann tu ich es!* In der Art. Ihm ist das zu Ohren gekommen, und er ist durchgedreht. So, wie er bei seiner Frau offenbar auch regelmäßig durchdreht!«

»Und Dr. Westley?«

»Dr. Westley hat, wie wir wissen, den Versuch unternommen, mit einer Kollegin über Liza Stanford zu sprechen. Weil es ein Problem gab, wie sie es ausdrückte. Sie mag Spuren der Misshandlungen entdeckt haben. Sie war Ärztin, sie hatte einen Blick für so etwas. Oder Liza hat ihr gegenüber etwas angedeutet. Anne Westley wusste nicht genau, was sie tun sollte, und wollte deshalb mit jemandem reden. Der Tod ihres Mannes hat dann alles verdrängt.«

»Aber das war vor über drei Jahren. Sie wurde jetzt erst umgebracht.«

»Weil Stanford vielleicht erst jetzt davon erfahren hat. Liza mag es ihm im Streit an den Kopf geworfen haben. *Meine*

Freundin weiß Bescheid! Und die ehemalige Kinderärztin un-
seres Sohnes auch! Sie hatte Angst. Er sollte wissen, dass es
Menschen gab, denen das Drama bekannt war und die Nachforschungen anstellen würden, wenn ihr etwas Ernsthaftes
zustieße. Sie hat sich in dem Moment nicht klargemacht, in
welche Gefahr sie die beiden Frauen bringt.«

»Und wie bringen wir Thomas Ward in dieser Theorie unter? Oder Gillian Ward, falls sie gemeint war?«

»Das weiß ich nicht«, musste Christy zugeben, »aber ich
bin fast sicher, dass es eine Verbindung gibt. Nur kennen wir
sie noch nicht.«

»Wir müssen Liza Stanford finden, es hilft alles nichts«,
sagte Fielder nach ein paar Sekunden des Schweigens. »Nach
allem, was wir wissen, könnte es Sinn machen, sämtliche
Frauenhäuser im ganzen Umkreis abzuklappern. Gut möglich, dass sie in eines geflüchtet ist.«

»Sie kann tot sein. Oder sich in höchster Gefahr befinden.
Oder jemand, der ihr hilft, kann in Gefahr schweben!«

Sie konnte Fielder seufzen hören. »Ich weiß, worauf Sie
hinauswollen, Christy. Aber nach Lage der Dinge … Das
alles reicht nicht für einen Haftbefehl gegen Stanford. Wir
haben nichts als Vermutungen und vage Aussagen.«

»Die Aussage der Nachbarin war keineswegs vage«, widersprach Christy und bremste gerade noch vor einer roten
Ampel, die sie um ein Haar überfahren hätte. Sie merkte, wie
sich eine riesengroße Wut in ihr zusammenzuballen begann,
deshalb war sie plötzlich zu schnell und unaufmerksam gefahren. Detective Inspector Fielder wand sich wie ein Läm-
merschwanz vor Unbehagen, und sie wusste genau, warum
er das tat. Stanfords Einfluss. Seine Beziehungen und Seil-
schaften. Erfolgreicher Anwalt, guter Freund der Politiker.
Mitglied in den einflussreichsten Clubs der Stadt. Und was

hatte die Nachbarin gesagt? *Ist wahrscheinlich ein enger Kumpel des Polizeichefs.* Genau das fürchtete Fielder auch, darauf hätte Christy gewettet. Er sah seine Karriere und jede weitere Beförderung in der Ferne am Horizont verschwinden, wenn er jetzt einen Schritt tat, unter dem das Eis später nicht halten würde.

Verdammt! Sie hätte am liebsten mit der Faust auf das Lenkrad geschlagen. Sie hasste diese Typen. Die sich eine Position schufen, die sie scheinbar unangreifbar für Recht, Gesetz und Ordnung machte. Die sich hinter ihrem vielen Geld, ihrem Erfolg und ihren einflussreichen Kontakten verbarrikadierten und munter ihre ganze widerliche Perversion auslebten. In der Gewissheit, dass ihnen nichts und niemand etwas anhaben konnte.

Damit kommst du bei mir nicht durch, Stanford, verlass dich drauf!

»Wir werden unsere Bemühungen, Mrs. Stanford zu finden, verstärken«, sagte Fielder förmlich. »Bevor ich nicht ihre Aussage habe, unternehme ich nichts gegen ihren Mann.«

»Und wenn er sie vor uns findet?«

»Er sucht sie doch gar nicht.«

»Sagt er. Glauben Sie dem denn irgendein Wort? Der hat Geld genug, fünf Killerkommandos auf sie anzusetzen. Sie ist eine Gefahr für ihn. Er muss sie finden!«

»Steigern Sie sich in nichts hinein, Sergeant. Wir wissen nicht, ob er seine Frau sucht oder nach ihr suchen lässt. Wir wissen nicht, ob er für die Ermordung von Roberts und Westley verantwortlich ist, ganz zu schweigen von dem Tod Thomas Wards. Wir wissen nicht einmal sicher, ob er seine Frau misshandelt hat. Wir wissen nichts! Für eine derart nebulöse Geschichte lehne ich mich nicht so weit aus dem Fenster, tut mir leid.«

Christy tat etwas, was sie sich ihrem Chef gegenüber noch nie erlaubt hatte: Ohne einen Kommentar oder einen Gruß schaltete sie das Handy aus. Schaltete es komplett aus, sodass er sie auch nicht hätte zurückrufen können. Was er, wie sie vermutete, allerdings auch kaum versuchen würde: Er war sicherlich heilfroh, sie erst einmal los zu sein.

Mit quietschenden Reifen wendete sie ihr Auto. Eigentlich hatte sie noch einmal ins Büro gewollt. Jetzt beschloss sie, heimzufahren und sich in die Badewanne zu legen.

Und eine schöne Flasche Rotwein zu öffnen.

I

Es war fast halb eins in der Nacht, als er sich verabschiedete. Sie stand am Fenster, blickte hinunter und sah ihn im Schein der Laternen die Straße entlanggehen. Sie hätte sich gewünscht, er wäre noch geblieben, aber sie hatte nicht gewagt, ihn darum zu bitten. Sie hatte sich sicherer gefühlt in seiner Nähe. John Burton war jemand, der sich nicht einschüchtern oder verunsichern ließ, und er war in der Lage, sich seiner Haut zu wehren.

Trotzdem wusste sie nicht, ob sie ihm trauen konnte. Bis zuletzt hatte sie seine Rolle in dem ganzen Spiel nicht völlig begriffen – in diesem Spiel, das alles andere als ein *Spiel* war. Er hatte sich einen *privaten Ermittler* genannt, aber sie hatte gespürt, dass sie über diese Information hinaus nichts aus ihm würde herausbekommen können. Er sagte genau so viel, wie er sagen wollte. Mit Sicherheit nicht einen halben Satz mehr.

Vielleicht ging er schnurstracks zur Polizei und verriet ihren Aufenthaltsort. Vielleicht glaubte er sogar, ihr damit zu helfen.

Obwohl er eigentlich nicht naiv wirkte.

Er war verschwunden, und sie wandte sich vom Fenster ab, zog die Vorhänge zu. Die Wohnung kam ihr nicht mehr wie ein Versteck vor, das Gefühl, einen Rückzugsort gefunden zu haben, der sie vor der Welt schützte, hatte sich von einem Augenblick zum anderen aufgelöst. John Burton hatte sie gefunden. Das bedeutete, jeder konnte sie finden.

Sie musste sich so rasch wie möglich eine andere Bleibe suchen.

Sie setzte sich an ihren Esstisch, schenkte sich noch einen Kaffee ein. Sie hatte mehrere Kannen gekocht, den ganzen langen Abend über, während sie John Burton, diesem wildfremden Mann, die Geschichte ihres Martyriums erzählt hatte. Die psychischen Erniedrigungen, mit denen es angefangen hatte. Die Zwanghaftigkeit, mit der er sie kontrolliert hatte. Die Jahre, in denen es noch nicht zu Tätlichkeiten gekommen war, in denen sie aber zunehmend das Gefühl gehabt hatte, nicht mehr atmen zu können. In denen sie über jeden Schritt, jeden Handgriff, geradezu über jeden Gedanken hatte Rechenschaft ablegen müssen.

»Es gab nichts, was ich entscheiden durfte. Nicht unsere Möbel, nicht unsere Vorhänge, nicht unsere Teppiche oder die Bilder an den Wänden. Nicht das Geschirr, von dem wir aßen, nicht die Blumen, die wir im Garten pflanzten. Nicht die Bücher, die in den Regalen standen. Nicht die Kleider, die ich trug, nicht meine Unterwäsche, nicht meine Kosmetik, nicht meinen Schmuck. Nicht unsere Autos. Nichts. Absolut nichts. Er ist perfektionistisch, krankhaft, und alles, wirklich alles, muss in sein Bild des perfekten Hauses, des perfekten Gartens, der perfekten Ehefrau, des perfekten Lebens passen.«

Er hatte ihr die Frage gestellt, die zwangsläufig kommen musste: »Weshalb haben Sie ihn nicht verlassen?«

Und sie hatte leise geantwortet: »Männer wie er tun vor allem eines, noch vor allem anderen, und sie tun es fast unmerklich: Sie rauben ihren Opfern jedes Selbstvertrauen. Sie zerstören die Seelen. Plötzlich hat man nicht mehr die Kraft zu gehen. Man glaubt nicht mehr an sich. Man glaubt nicht mehr, dass man irgendetwas im Leben bewältigen kann. Man hält sich an seinem eigenen Peiniger fest, weil er einen zunächst zerstört und einem danach überzeugend eingeredet hat, dass man ohne ihn nicht existieren kann.«

John hatte genickt. Sie war dankbar, dass er nicht mit irgendeiner Plattitüde reagierte in der Art: Aber eine attraktive Frau wie Sie hätte doch sofort wieder jemanden gefunden.

Sie hatte den Eindruck, dass er verstand, was ihr Mann aus ihrer Seele gemacht hatte.

»Wann«, fragte John schließlich, »fing er an, Sie zu schlagen?« Er schien zu wissen, dass es irgendwann dazu gekommen war. Er kannte die Abläufe.

Sie wusste es noch genau. »Nachdem Fin auf der Welt war. Er kam nicht damit zurecht, dass es nun noch einen anderen Menschen für mich gab. Mein Kind. Ein Kind zu haben gibt Kraft. Ich fühlte mich stärker, als Finley geboren wurde. Ich denke nicht, dass ich mich in meinem Verhalten verändert habe, aber vielleicht strahlte ich es aus … etwas mehr innere Ruhe, Glück. Die Liebe zu diesem kleinen Geschöpf. Er konnte mich mit seiner sadistischen Art, mit seinen Kontrollen, seinen Angriffen, seinen Kränkungen nicht mehr bis in die Tiefe meiner Seele hinein treffen. Mit Fin baute ich eine Art inneren Schutzschirm um mich herum. Das muss meinen Mann rasend gemacht haben. Er hatte nicht mehr die totale Kontrolle über mich. Für ihn war das unerträglich.«

Sie schilderte, wie schwierig es geworden war, ihre Verletzungen zu verbergen. Immer die große Sonnenbrille, wenn sie wieder einmal ein violett unterlaufenes Auge hatte. Eine aufgeplatzte Lippe bedeutete, tagelang das Haus nicht verlassen zu können. Manchmal hatte sie über Wochen verbarrikadiert gelebt.

Sie konnte spüren, dass John Burton wütend war. Nicht auf sie. Aber auf Männer wie ihren. Auf psychologische Abläufe und Gesetzmäßigkeiten, die Frauen wie sie in eine Situation völliger Hilflosigkeit brachten.

Sie hatte das Bedürfnis, ihm die ganze Komplexität des Phänomens zu schildern – zu erklären, weshalb sie wie paralysiert in diesem Albtraum verharrt hatte.

»Ich hatte Angst. Am allermeisten davor, Fin zu verlieren. Mein Mann ist mächtig und einflussreich. Ich habe es immer für möglich gehalten, dass ich am Ende den Kürzeren ziehe, auch dann, wenn ich schwer verletzt zur Polizei schwanke und ihn anzeige. Er hätte sich da herausgewunden. Wissen Sie, ich war früher wegen Depressionen in Behandlung. Er hätte es hinbekommen, dass man mich für verrückt erklärt. Dass irgendjemand den Nachweis erbracht hätte, dass ich mir alle Wunden selbst zugefügt habe. Ich wäre in der geschlossenen Psychiatrie gelandet. Ich hätte mein Kind nie wiedergesehen.«

»Das ist nicht so einfach«, meinte John. »Man kann nachweisen, ob sich jemand selbst verletzt hat oder ob das durch eine andere Person passiert ist. Ich glaube nicht, dass er Sie in die Psychiatrie hätte bringen können.«

Sie zuckte mit den Schultern. »Er hat es immer angedroht. Er hat mich angebrüllt. *Du bist wahnsinnig! Ich bringe dich in die Anstalt! Und du kommst nie wieder raus!* Ich hätte es nicht riskiert. Ich hatte nur noch Angst.«

Um ihre Angst zu beweisen, hatte sie schließlich vor ihm, diesem Fremden, ihren Pullover ausgezogen. Sie trug ein tief ausgeschnittenes Top darunter. Sie hatte gehört, wie er nach Luft schnappte, als er die schlecht vernarbten Schnittwunden unterhalb ihres Halses sah, an ihren Armen, an den Schultern.

»Er fing an, mit einem Messer auf mich loszugehen«, flüsterte sie.

»Großer Gott, Liza!« Burton stand auf und ging auf sie zu, zog sie in seine Arme, und sie blieben minutenlang so stehen. Sie war sich seiner Kraft, seiner Ruhe bewusst – so als habe sie Sicherheit gefunden, einen Hafen, einen Ort zum Ausruhen.

Bis sie sich selbst zur Ordnung rief: *Trau keinem Mann!*

Sie hatte sich von ihm gelöst und sich wieder angezogen, und er hatte versprochen: »Ich helfe Ihnen, Liza. Glauben Sie mir, ich werde Ihnen helfen.«

»Sie können mir nicht helfen. Sie können gegen ihn nichts ausrichten.«

»Er hat es geschafft, dass Sie ihn für allmächtig halten, und ich kann das nachvollziehen. Aber er ist es nicht. Er ist ein ganz normaler Mensch. Und auch für ihn gelten Gesetze.«

»Er bringt mich um, wenn er mich noch einmal in die Finger bekommt.«

»Das wird er nicht. Er wird ins Gefängnis wandern.«

Sie hatte höhnisch gelacht. »Und Sie glauben, von dort aus kann er niemanden organisieren, der es mir heimzahlt?«

»Wollen Sie ihn ungeschoren davonkommen lassen? Und sich für den Rest Ihres Lebens verstecken?«

»Vielleicht bleibt mir keine andere Wahl.«

»Ihr Sohn …«

Zorn funkelte in ihren Augen, weil sie einen Vorwurf in seiner Stimme zu hören glaubte. »Jetzt sagen Sie mir nicht, ich hätte ihn nicht verlassen dürfen! Sagen Sie mir das nicht! Sie haben absolut keine Ahnung von meiner Situation! Wie hätte ich Fin mitnehmen sollen? Ein Kind, das in die Schule gehen, ein halbwegs normales Leben führen muss? Logan hätte mich doch sofort wieder gehabt. Ich kann mit einem zwölfjährigen Jungen nicht komplett untertauchen, das ist einfach unmöglich. Ich weiß, dass Fin es bei ihm gut hat. Er würde ihm nie ein Haar krümmen. Er hat das auch nie getan. Er ist, so verrückt das klingt, ein liebevoller Vater. Mehr als das: Er vergöttert den Jungen. Ich konnte nichts anderes tun. Fin hat sein gewohntes Umfeld, sein Zuhause, seine Schule, seine Freunde. Das ist besser für ihn, als wenn er mit mir auf der Flucht leben müsste. Glauben Sie mir, die Trennung von ihm macht mich fast wahnsinnig. Ich stehe das nur durch, weil ich sicher weiß, dass es für ihn das Beste ist. Und weil ich versuche, ihn ab und zu zu sehen. So wie heute. Wie riskant das war, weiß ich jetzt. Es hätte auch mein Mann sein können, der dort auf mich lauert.«

»Finley vermisst Sie.«

Krampfhaft drängte sie die Tränen zurück. »Ja. Ja, denken Sie, das weiß ich nicht? Denken Sie, es quält mich nicht? Ich könnte sterben darüber. Aber ich weiß trotzdem, dass es ihm besser geht als früher. Und anders als wenn mein Mann die Trennung herbeigeführt und mich in eine geschlossene Anstalt gebracht hätte, fühle ich die Freiheit, die Situation jederzeit zu beenden. Wenn ich es nicht mehr aushalte, ohne Fin zu leben, dann gehe ich zurück. Trotz allem, was mich erwartet.«

»Ihr Mann hat nie gefürchtet, dass sich Finley jemandem anvertraut? Einem Lehrer? Einem Klassenkameraden oder dessen Eltern?«

»Mein Mann weiß nicht, was Furcht ist. Zumindest weiß er nicht, wie sie sich anfühlt. Er weiß nur, wie man sie verbreitet. Er hat Fin genauso paralysiert wie mich. Wir wussten beide immer, dass alles schlimmer wird, wenn wir irgendjemandem etwas sagen. Mein Mann musste uns nicht einmal ausdrücklich verbieten, mit jemandem über all das zu sprechen. Wir hätten es nie getan. Für uns ging es nur darum, das alles irgendwie auszuhalten. Und zu überleben.«

Sie trank ihren Kaffee, starrte an die gegenüberliegende Wand, wo Finleys große Augen aus vielen gerahmten Bildern zu ihr hinüberblickten. Sie fragte sich, ob Burton wirklich begriffen hatte. Mit einem gefährlichen Psychopathen zu leben veränderte alles, den gesamten Blick auf die Welt, aber auch das Gefühl für Sicherheit und Stabilität, das es einmal gegeben haben mochte. Irgendwann vor langen Jahren, in einem anderen Leben, an das sie sich nur noch schwer zu erinnern vermochte, hatte auch sie an diese Garanten des beschützten Daseins geglaubt: Recht und Gesetz, Gerechtigkeit, Solidarität. Der Boden unter ihren Füßen schien stabil gewesen zu sein, und sie hatte sich in der Gesellschaft, in der sie aufgewachsen war, sicher gefühlt.

Dann hatte sie gelernt, dass all dies ein Trugschluss war. Es gab keine Sicherheit. Es gab keinen Schutz, keine Gerechtigkeit, keine Solidarität. Es gab das Recht des Stärkeren, mehr nicht. Die Welt war ein Ort des Grauens, nur oberflächlich in der Balance gehalten durch ein dünn gewobenes Netz fadenscheiniger Sicherheitssysteme. Wer durch die Maschen rutschte, fiel ins Bodenlose, und das taten weit mehr Menschen, als sie es je geahnt hatte. Verstanden hatte sie es erst, nachdem sie selbst im freien Fall abgestürzt war. Als nichts und niemand da war, sie zu halten.

Burton hatte noch einmal nach Carla und Anne gefragt.

Carla Roberts und Anne Westley.

Noch jetzt, allein in der Wohnung, im flackernden Schein der Kerzen an den Wänden und in der Angst, diesen Zufluchtsort, der ihr trotz allem vertraut geworden war in den letzten acht Wochen, wieder zu verlieren, musste sie lächeln, bitter und resigniert.

Carla und Anne waren ihre beiden Versuche gewesen, Hilfe zu finden. Beide Versuche waren gescheitert. Beide Frauen hatten versagt.

»Ihren Mann störte es nicht, dass Sie zu dieser Frauengruppe gingen?«, hatte Burton wissen wollen.

Sie hatte den Kopf geschüttelt. »Er wusste nicht, dass sich dort Frauen trafen, die geschieden waren oder getrennt lebten. Ich hatte ihm etwas von Esoterik erzählt, was er idiotisch fand, was ihn aber nicht beunruhigte. Das Ganze war natürlich höchst riskant. Er hätte jederzeit Nachforschungen anstellen können. Er tat es nicht. Er war beruflich sehr überlastet in der Zeit. Er wurde nachlässig, was meine Überwachung anging.«

»Sie vertrauten sich Carla Roberts an?«

»Nicht in allen Details. Sie redete sowieso ständig nur über sich und ihr Schicksal und sah in mir die geduldige Zuhörerin. Aber eines Tages trafen wir uns außerhalb der Gruppe bei ihr zu Hause. Ich trug wieder einmal meine Sonnenbrille, und nachdem Carla eine halbe Stunde lang gejammert und geklagt hatte, hielt sie plötzlich inne, sah mich an und fragte: *Wieso trägst du eigentlich ständig diese Sonnenbrille?*

Es war ein regnerischer, trüber, dunkler Tag. Normalerweise erzählte ich in derlei Situationen immer etwas von meinen überempfindlichen Augen, meinen Allergien oder einer Bindehautentzündung. Aber auf einmal… ich weiß gar nicht, warum… Ich nahm jedenfalls einfach die Brille ab und sagte: *Darum!*

Ich sah übel aus. Das rechte Auge war fast völlig zugeschwollen und dunkelviolett unterlaufen. Kein schöner Anblick.«

»Wie reagierte Carla?«, fragte John.

»Total entgeistert. Die brave Carla, die dachte, das Äußerste, was ein Mann einer Frau antun könnte, bestünde darin, ein Verhältnis mit der Sekretärin anzufangen und anschließend den Familienbetrieb in die Pleite zu reiten. Nun bekam sie einen Eindruck davon, was sonst noch so in der Welt geschah. Sie war ziemlich fassungslos.«

»Stellte sie Fragen? Riet sie Ihnen, Ihren Mann anzuzeigen?«

»Sie stellte Fragen, ja. Ich habe ihr nicht das ganze Ausmaß meines Martyriums erzählt, aber ich sagte, dass mein Mann jähzornig sei und seine Probleme mit mir vorzugsweise mit den Fäusten löse. Sie war entsetzt, aber … was soll ich sagen? Etwa eine Viertelstunde später kreiste sie bereits wieder um ihre eigenen Themen. Ihr treuloser Mann. Die Tochter, die sich nicht genügend kümmert. Die Firmenpleite. Ihre Einsamkeit. Sie war so. Kein schlechter Mensch, aber sie vermochte niemanden außer sich selbst zu sehen. Im Grunde konnte sie kaum eine Sekunde lang von sich abstrahieren. Wahrscheinlich kam sie dagegen einfach nicht an.«

»Hat sie Sie je wieder darauf angesprochen? Oder irgendeine Art von Hilfe angeboten?«

»Nein. Wir sahen uns aber auch kaum noch. Die Gruppe löste sich auf, und meine persönliche Lage spitzte sich zu. Ich konnte kaum mehr soziale Kontakte wahrnehmen. Ich hatte Angst zu sterben. Ich mochte mich nicht mehr mit Carla treffen und mir ihr Gequengel anhören.«

»Und an Dr. Westley hatten Sie sich schon früher gewandt?«

Sie hatte ihm die Situation Westley geschildert, und er hatte begriffen, weshalb ihre Antwort auf seine Frage, ob sie einen Groll gegen Carla und Anne hegte, unsicher geklungen hatte. Nein, Groll hätte sie es nicht genannt. Aber beide Frauen hatten sie im Stich gelassen. Dessen war sie sich sehr wohl bewusst.

Dann fragte er: »Ahnte Ihr Mann, dass es außerhalb der Familie zwei Menschen gab, die ihm gefährlich werden konnten? Weil sie wussten, was sich bei Ihnen daheim abspielte?«

Sie überlegte. »Ich habe es ihm nicht gesagt. Aber natürlich könnte er es herausgefunden haben.«

»Wie?«

»Keine Ahnung. Aber ich traue ihm eine Menge zu, verstehen Sie? Es mag sein, dass er es wusste.«

»Und der Name *Ward* sagt Ihnen wirklich gar nichts? Thomas und Gillian Ward.«

»Nein. Tut mir leid. Nie gehört.«

Dann hatte er sich verabschiedet. Er hatte noch einmal versprochen, er werde ihr helfen. Sie fragte sich, wie er das anstellen wollte.

»Gibt es noch irgendetwas, das ich wissen müsste?«, hatte er in der Wohnungstür gefragt, und als sie verneinte, nachgehakt:

»Sicher? Sie haben mir alles gesagt, was in dieser Geschichte erheblich sein könnte?«

»Ja.«

Er hatte ihr seine Karte dagelassen. Falls ihr noch etwas einfiele. Oder sie Hilfe bräuchte. Er wusste nicht, dass sie längst beschlossen hatte, kein Risiko einzugehen. Vielleicht zählte John Burton zu den Guten, aber sie hatte gelernt, Männer als potenzielle Feinde zu sehen, als Täter. Es erschien ihr sicherer, keine Ausnahmen zu machen.

Sie würde untertauchen. Weiter fort gehen. Für Monate auf jeden Kontakt mit Finley verzichten, auch wenn ihr darüber das Herz brach.

Sie hatte Burton nicht alles gesagt. Aber konnte er das erwarten? Sie kannte ihn nicht. Er war ein völlig Fremder für sie.

Außerdem hatte er nach allem gefragt, was *in dieser Geschichte erheblich sein könnte.*

Sie wusste nicht, ob das, was sie für sich behielt, erheblich war.

Wahrscheinlich nicht.

2

Er konnte die Situation vor sich sehen. Liza hatte sie geschildert, mit ruhiger Stimme. Fast emotionslos.

Die mütterlich wirkende, kompetente, freundliche Kinderärztin. Dr. Anne Westley. Die Frau, die so gut mit Kindern umzugehen verstand. Die aber auch wusste, wie man Eltern beruhigte und ihnen die Angst nahm.

Und Liza Stanford. Sie hatte eine tiefe Platzwunde an der Schläfe, Folge des Faustschlags, den sie am Vorabend kassiert und der sie gegen die Kante eines Schrankes geschleudert hatte. Das Abendessen hatte ihrem Mann nicht geschmeckt. Irish Stew ohne Karotten. Sie hatte keine Karotten im Haus gehabt, und es war keine Zeit mehr gewesen, welche zu kaufen. Er hatte aber ausdrücklich Irish Stew verlangt, und zu Irish Stew gehörten nun einmal Karotten. Sie hatte gehofft, er werde es nicht merken.

Natürlich hatte er es gemerkt.

Eigentlich hätte sie am darauffolgenden Tag nicht freiwillig das Haus verlassen. Die Wunde blutete immer wieder, wollte sich nicht stillen lassen. Aber dann kam Finley aus der Schule und erzählte, dass er im Sportunterricht unglücklich gestürzt sei. Er hatte sich mit seiner rechten Hand abgefangen und zunächst kaum Schmerzen gespürt. Im Laufe des Nachmittags schwoll die Hand jedoch an, die Schmerzen wurden schlimmer. Liza hoffte, die ganze Geschichte werde irgendwie von selbst in Ordnung kommen, aber Finley jammerte immer mehr und schließlich sah sie keine andere Möglichkeit, als einen Arzt aufzusuchen. Sie klebte ein großes Pflaster über ihre Wunde, kämmte ihre Haare so weit es ging nach vorn, um das Malheur notdürftig zu verdecken, und setzte ihre Sonnenbrille auf. Sie wäre lieber in irgendeine Unfallklinik gegangen, in der man sie nicht kannte, aber Finley, inzwischen sehr verstört, verlangte nach seiner vertrauten Kinderärztin und war den Tränen nahe.

So landeten sie bei Dr. Anne Westley, am späten Nachmittag, und wurden trotz des vollen Wartezimmers gleich drangenommen, da es sich um einen Notfall zu handeln schien.

Die Hand war tatsächlich schwer verstaucht. Finley bekam einen Stützverband, dann setzte sich Anne Westley hinter ihren Schreibtisch, um ihm ein Rezept für ein Schmerzmittel auszustellen. Liza saß ihr gegenüber, Finley hatte sich in eine Ecke zurückgezogen und spielte mit ein paar Plastikfiguren aus der Sesamstraße, die ihn immer sehr faszinierten.

Anne riss das Rezept von ihrem Block und wollte es über den Tisch reichen, hielt aber inne. »Was haben Sie denn da?«, fragte sie.

Instinktiv zupfte Liza sofort ihre Haare nach vorne. Dabei berührte sie eine warme Flüssigkeit an ihrer Schläfe und an ihren Wangen.

Oh nein, dachte sie entsetzt.

»Sie bluten«, sagte Anne, »warten Sie, lassen Sie mich mal sehen!«

Sie kam um ihren Schreibtisch herum, obwohl Liza protestierte. »Es ist nichts... schon gut... kein Problem...«

Das Pflaster war völlig durchweicht. Bevor sie zu Hause weggegangen waren, schien die Wunde gerade einigermaßen zur Ruhe gekommen zu sein. Aus irgendeinem Grund war sie erneut aufgebrochen.

Anne beugte sich über Liza, nahm ihr vorsichtig die Sonnenbrille ab. Das linke Auge hatte auch etwas abbekommen, war aber noch nicht so schillernd verfärbt, wie es das bereits einen Tag später sein würde. Dennoch war das Lid gerötet und geschwollen und die zarte, sich langsam ausbreitende grüne Verfärbung nicht zu übersehen und kaum mit einem ungeschickt aufgetragenen Lidschatten zu verwechseln. Liza hörte, wie Anne scharf die Luft einzog. Dann entfernte sie mit einem geschickten Griff das Pflaster.

»Liebe Güte«, sagte sie, »das sieht aber böse aus! Waren Sie damit beim Arzt?«

»Nein«, sagte Liza. »Es hatte vorhin aufgehört zu bluten, und da dachte ich, das kommt von allein in Ordnung.«

»Die Wunde sieht aus, als habe sie sich entzündet. Ich würde Ihnen gern eine antibiotische Salbe verschreiben. Außerdem muss das besser verbunden werden. Ein Pflaster wird nicht halten. Ich habe ein Spray, das die Blutung stoppt.«

»Ja, gut«, sagte Liza steif. Sie wagte nicht, die Ärztin anzuschauen.

Anne lehnte sich gegen die Schreibtischkante.

»Wie ist das denn geschehen?«, fragte sie. Sie klang gleichmütig – betont gleichmütig.

Liza wusste, dass sie mit dem abgegriffensten aller Klischees reagierte, aber tatsächlich fiel ihr in dieser Sekunde nichts anderes ein.

»Die Treppe in unserem Haus. Das ist mir schon ein paar

Mal passiert. Die Stufen sind sehr steil, und ich bin oft so ein Tollpatsch.« Sie lachte künstlich. Ihre Verletzung tat schrecklich weh, sobald sie das Gesicht verzog. »Ich bin ziemlich ungeschickt. Und an dem Geländer unten ist so eine holzgeschnitzte Verzierung, da bin ich mit dem Gesicht draufgeknallt. Ich kann von Glück sagen, dass ich nicht ein Auge dabei verloren habe. Blöd, so etwas. Ich muss wirklich lernen, vorsichtiger zu sein, aber schon früher in der Schule im Sportunterricht war ich immer…«

Sie verstummte.

Ich rede zu viel, dachte sie.

»Mrs. Stanford«, sagte Anne, die noch immer vor ihr an den Tisch gelehnt stand, »schauen Sie mich bitte an.«

Zögernd hob Liza den Blick. Sie fühlte sich nackt und schutzlos ohne die vertraute riesige, tiefdunkle Brille. Sie musste grauenhaft aussehen.

»Mrs. Stanford, ich will mich in nichts einmischen, was mich nichts angeht. Aber ich möchte Ihnen sagen, dass Sie… man kann in jeder Situation Hilfe finden. Manchmal glaubt man, die eigene Lage sei völlig aussichtslos. Aber das ist sie nicht. Es gibt immer einen Weg.«

Liza sah der grauhaarigen Frau direkt in die Augen. Sie erkannte ihre Betroffenheit und ihr Erschrecken.

Sie weiß es. Sie weiß ganz genau, was passiert ist.

Sie schwieg, blickte dann wieder zur Seite.

»Ich werde mich jetzt um Ihre Verletzung kümmern«, sagte Anne nach einer Weile. Sie klang resigniert. »Ist das in Ordnung für Sie?«

Liza nickte.

Sie ließ sich verarzten, während Finley weiter in seiner Ecke spielte, ohne ein einziges Mal aufzuschauen. Es entging ihr nicht, dass Anne auch dem Kind immer wieder besorgte Blicke zuwarf. Sie war offensichtlich irritiert, dass Finley nicht reagierte, als seiner Mutter das Blut vom Gesicht gewaschen und ein Kopfverband angelegt wurde. Liza fragte sich, ob Anne Westley die Schlüsse daraus zog, die sich unweigerlich aufdrängten: Dass Finley seine Mutter in verletztem Zustand nur zu gut kannte und dass er gelernt hatte, sich innerlich völlig abzuschotten, weil er es sonst nicht ertragen hätte.

Anne Westley hatte nichts mehr gesagt. Aber als Liza schließlich die Praxis verließ, dachte sie: Vielleicht meldet sie sich noch mal. Vielleicht bietet sie mir ihre Unterstützung an. Sie weiß es jetzt, und sie war ziemlich entsetzt.

Sie wusste nicht, ob sie die Vorstellung einer nun hartnäckig insistierenden Kinderärztin erschreckte oder hoffnungsvoll stimmte. Wahrscheinlich war beides der Fall. Sie hatte Angst, alles könnte schlimmer werden, wenn sich irgendjemand einmischte. Doch zugleich war da auch die Gewissheit, dass es nicht ewig so weitergehen konnte, dass sie aber aus eigener Kraft die entscheidenden Schritte nicht würde gehen können. Ab und zu in den folgenden Tagen gab sie sich der Vorstellung hin, ein anderer würde sich ihres Falles annehmen und *die Dinge* – bei denen es sich im Grunde nur darum handeln konnte, dass irgendjemand, aber keinesfalls sie selbst, Anzeige gegen ihren Mann erstattete – ins Laufen bringen. Der Gedanke erfüllte sie abwechselnd mit Hoffnung und mit Panik. Sie durchlief eine Achterbahn der Gefühle, bis sie irgendwann begriff, dass nichts geschehen würde. Sie hörte nichts mehr von Dr. Westley.

»Und dann war das abgehakt«, hatte sie zu John gesagt, »innerlich abgehakt. Von Anne Westley würde keine Hilfe kommen.«

John gingen tausend Gedanken durch den Kopf, während er durch die nächtliche Stadt fuhr und sich immer wieder vergewissern musste, dass er keine Geschwindigkeitsbeschränkung überschritt. Er war aufgewühlt, und es drängten sich ihm, während er nachdachte, viel zu viele bestürzende Möglichkeiten auf.

Eine war die: Er hatte Dr. Stanford im Verdacht gehabt. Aber konnte es auch sein, dass er Liza selbst in Erwägung ziehen musste?

Diese Frau war durch die Hölle gegangen. Der Dreckskerl, mit dem sie verheiratet war, hatte einen Sadismus an ihr ausgetobt, der John erschütterte, und er war als ehemaliger Polizist viel gewohnt und nicht leicht aus der Fassung zu bringen. Der Mann war krank, keine Frage. Aber war er ein Mörder?

Wie sehr hatte es Liza verbittert, von den beiden Frauen, die Bescheid wussten, keinerlei Hilfe zu erhalten? Hatte sie gerade von Geschlechtsgenossinnen erhöhte Solidarität erwartet und nicht verstehen können, warum ihr diese verweigert wurde? Sie hatte ohne Gefühlsregung davon erzählt. Sie hatte sogar abgestritten, auch nur einen Groll gegen die Frauen zu hegen. Ihre Stimme war gleichförmig ruhig gewesen, als sie davon sprach, ohne Höhen und Tiefen. John Burton erinnerte sich an Verhöre, da hatte sein Gegenüber genauso geklungen. Und sich später als Mörder oder skrupelloser Betrüger entpuppt.

Eines stand fest: Sowohl Carla Roberts als auch Anne Westley hätten Liza bereitwillig die Tür geöffnet und sie eingelassen.

War Liza untergetaucht, um einen Rachefeldzug zu starten?

Er schlug auf das Lenkrad. Verflucht, er verstrickte sich immer tiefer in den Fall. Erst Samson. Nun Liza. Beide wurden von der Polizei gesucht. Beide waren verdächtig. Von beiden kannte er den Aufenthaltsort.

Längst hätte er mit allem, was er wusste, zur Polizei gehen müssen. Er machte sich strafbar. Er lief sehenden Auges in eine Katastrophe.

Er war todmüde und zugleich vibrierend vor Adrenalin. Er kannte diese Mischung von früher, hatte sich ihr vor allem während langwieriger Observationen ausgesetzt gesehen. Erschlagen vor Erschöpfung, gequält von der Anstrengung, die brennenden Augen viel zu lange offen halten zu müssen. Und zugleich die Gefahr witternd, die jede Sekunde akut werden konnte und die jede Faser im Körper wach und angespannt sein ließ. So ähnlich, stellte er sich vor, musste es sein, wenn man auf Drogen war.

Er bog in die Straße, in der er wohnte, schaute sofort zu den Fenstern seiner Wohnung hinauf. Erleichtert registrierte er die Dunkelheit, die dahinter herrschte. Samson Segal hatte sich offenbar schlafen gelegt, Gott sei Dank. Er hatte nicht die geringste Lust auf ein nächtliches Gespräch mit ihm.

Er parkte das Auto, stapfte durch den Schnee, schloss die Haustür auf, schlich schwankend vor Müdigkeit nach oben. Als er in der Wohnung angekommen war, spähte er in das Wohnzimmer. Schattenhaft konnte er die Umrisse von Samsons Körper erkennen. Er lag zusammengerollt in seinem Schlafsack auf der Isomatte und atmete ruhig. Zum Glück war er nicht aufgewacht.

John verschwand in sein Schlafzimmer, streifte seine Kleider vom Leib und ließ sie einfach auf dem Fußboden liegen. Als er auf seine Matratze fiel, überkam ihn die Erinnerung an Gillian jäh und schmerzhaft. Er hatte die Bettwäsche nicht gewechselt, seitdem sie bei ihm gewesen war, und er bildete sich ein, sie noch immer riechen zu können.

Er grub das Gesicht in das Kissen. Er musste sich diese Frau aus dem Herzen reißen, unter allen Umständen. Er wollte nicht leiden und trauern und hoffnungslosen Gedanken hinterherhängen.

Gleich morgen würde er das Bett neu beziehen.

Er hatte kaum diesen Plan gefasst, da schlief er auch schon ein.

3

»Ich mache es«, sagte Gillian. Sie und Tara saßen einander gegenüber in der Küche und frühstückten. Jenseits der Fenster herrschte noch tiefste Dunkelheit. »Ich werde mir irgendwo ein Zimmer nehmen und erst einmal untertauchen.«

Sie hatte die ganze Nacht wach gelegen und nachgedacht. Sie fühlte sich in Taras Wohnung sicher, aber ihr war klar, dass dieses Gefühl täuschen konnte, und vor allen Dingen begriff sie, dass sie die Freundin nicht in Gefahr bringen durfte. Es war rücksichtslos, sich in ihrer Lage bei irgendjemandem einzuquartieren und darauf zu vertrauen, es werde schon nichts passieren. Ebenso fatal konnte es sein, in ihr eigenes Haus zurückzukehren. Noch immer wusste sie nicht, ob tatsächlich jemand dort gewesen war. Tara hatte recht, es war idiotisch von ihr gewesen, nicht sofort die Polizei zu rufen. Wenigstens wäre dann vermutlich geklärt worden, ob sie sich etwas eingebildet hatte oder nicht. So tappte sie völlig im Dunkeln.

Nicht mehr zu ändern, hatte sie irgendwann gedacht, während sie sich schlaflos auf der Couch herumwälzte, aber wenigstens von jetzt an sollte ich vernünftig agieren.

»Bist du sicher?«, fragte Tara zurück. Sie sah noch sehr schläfrig aus. Es war halb sieben in der Frühe.

»Ich bin sicher. Solange wir nicht wissen, ob es nicht wirklich jemand auf mich abgesehen hat, und solange wir auch den Grund für das alles nicht kennen, sollten wir nichts riskieren. Nicht mein Leben und auch nicht deines. Es ist einfach besser, wenn ich von der Bildfläche verschwinde.«

»Ich denke, dass du bald zurückkommen kannst. Die Polizei ermittelt unter Hochdruck. Sie werden den Typen finden.«

»Ich werde mich mit meiner Zukunft beschäftigen«, sagte Gillian. »Ich nehme meinen Laptop mit. Über das Internet werde ich mich auf Job- und Wohnungssuche in Norwich machen. Hier wird alles seinen Gang gehen. Dem Makler schicke ich einen Haustürschlüssel, dann kann er schon mit den Besichtigungen anfangen. Sollte ich plötzlich nach Norwich müssen, wegen eines Vorstellungsgespräches etwa, fahre ich einfach schnell hinüber. Kein Problem.«

»Das klingt gut«, sagte Tara. »Hör zu, ich muss jetzt leider ins Büro, aber es ist Freitag, ich kann heute früher Schluss machen. Ich würde vorschlagen, dass ich dich heute Nachmittag nach Thorpe Bay fahre, damit du alles einpacken kannst, was du brauchst. Von dort startest du dann mit deinem Auto.«

Gillian protestierte. »Das kann ich nicht annehmen, Tara. Du hast so viel zu tun. Lass mich die Bahn nehmen.«

Tara schüttelte den Kopf. »Dann bist du eine halbe Ewigkeit unterwegs. Ich kann dich wirklich fahren. Es ist kein Problem.«

Sie trank den letzten Schluck Kaffee und stand auf. »Du wartest hier auf mich?«

»Alles klar. Danke«, sagte Gillian.

Sie hoffte, dass sie die richtige Entscheidung getroffen hatte.

John wachte auf, weil er bis in den Schlaf hinein gespürt hatte, dass sich plötzlich jemand in seinem Zimmer befand. Er schreckte hoch, setzte sich auf und blickte in das lächelnde Gesicht von Samson Segal.

»Habe ich Sie geweckt?«, fragte Samson besorgt.

John verkniff sich die gereizte Antwort, dass genau dies ja wohl seine Absicht gewesen sei, denn weshalb sonst sollte er in seinem Schlafzimmer herumschleichen?

»Schon in Ordnung. Wie spät ist es denn?«, fragte er.

»Gleich acht Uhr.«

»Oh verdammt«, sagte John, »ich müsste schon im Büro sein.« Er betrachtete seine Weckuhr, die neben der Matratze auf dem Fußboden stand. Vor lauter Müdigkeit musste er in der Nacht vergessen haben, sie einzuschalten. Das war ihm tatsächlich noch nie vorher passiert.

»Ist ganz schön spät gestern bei Ihnen geworden«, sagte Samson. »Bis halb zehn habe ich gewartet, aber dann…«

»Es war ein langer Abend«, sagte John. Er stand auf, blickte zum Fenster. Der Tag war angebrochen. Die Wohnung roch nach frischem Kaffee.

»Ich habe Frühstück gemacht«, erklärte Samson. »Ich war sogar schon weg und habe ein Päckchen Toastbrot gekauft.«

»Sie sollen doch in der Wohnung bleiben!«

»Aber dann hätten wir absolut nichts zum Essen gehabt. Schon gestern Abend…« Er schwieg verlegen.

John fuhr sich mit den Händen durch seine wirren Haare. »Tut mir leid. Daran hätte ich denken sollen. Ich komme gleich zum Frühstück.«

Er verschwand im Bad, duschte heiß und ausgiebig, entschied, dass er aufs Rasieren verzichten konnte, zog Jeans und Pullover an und ging in die Küche. Samson hatte, da es auch hier keinen Tisch gab, Teller, Tassen, Brotkorb und den Toaster auf die Arbeitsfläche gestellt und einen alten Barhocker herangeschoben. Er schenkte Kaffee ein und wies auf den Hocker. »Setzen Sie sich. Ich frühstücke im Stehen.«

»Ich auch«, sagte John, »also können Sie sich setzen.«

Samson blieb stehen, stellte aber seine Kaffeetasse auf dem Barhocker ab.

Letztlich wäre ein Tisch irgendwann einmal keine schlechte Investition, dachte John.

Er zerbrach sich den Kopf, ob und inwieweit er Samson informieren wollte. Grundsätzlich sprach er nie gern mit anderen über seine Gedankengänge, ehe er nicht für sich selbst zu einem befriedigenden Ergebnis gekommen war, das war schon so gewesen, als er noch bei der Polizei gearbeitet hatte. Andererseits hielt er Samson nicht für dumm, und zudem hatte er über Monate die Familie Ward beobachtet. Es konnte sein, dass ihm noch ein entscheidendes Detail einfiel, wenn John ihn einweihte.

»Sagt Ihnen der Name Stanford etwas?«, fragte er. »Dr. Logan Stanford?«

Samson überlegte. »Stanford… ist das nicht dieser Anwalt? Der so unglaublich viel Geld hat und andauernd irgendwelche Wohltätigkeitsveranstaltungen organisiert? Er steht ziemlich oft in der Zeitung. Kurz vor Weihnachten hat er bei uns draußen in Thorpe Bay auch irgendetwas angeleiert… im Golfclub, ich glaube, eine Tombola oder so etwas.«

Interessant. Immerhin schon eine Verbindung: Stanford hatte sich in Thorpe Bay aufgehalten. In nächster Nähe von Gillians Haus.

»Persönlich kennen Sie ihn aber nicht?«

Samson lachte. »Nein. Einer wie der würde mich doch gar nicht wahrnehmen! In diesen Kreisen verkehre ich nicht.«

John beschloss, zumindest einige Details seines Ermittlungsstandes weiterzugeben. »Seine Frau, Liza Stanford, hatte Kontakt zu den beiden ermordeten Frauen. Zu Carla Roberts und Anne Westley.«

»Ja? Woher wissen Sie das?«

»Egal. Ich weiß es. Und es wäre wichtig zu wissen, ob sie oder auch ihr Mann ebenfalls Kontakt zu Gillian Ward hatten.«

»Fragen Sie sie doch!«

»Ich habe Liza Stanford gefragt. Sie behauptet, den Namen Ward noch nie gehört zu haben. Sie wissen da nicht zufällig etwas?«

»Leider nein«, sagte Samson verwirrt, »ich nehme an, Sie möchten wissen, ob ich Dr. Stanford einmal bei den Wards gesehen habe? Nein, habe ich nicht. Ich meine, ich kenne sein Gesicht nur aus der Zeitung, aber er wäre mir nicht entgangen, denke ich. Und wie seine Frau aussieht, weiß ich überhaupt nicht.«

»Sehr attraktiv. Groß, schlank. Lange blonde Haare. Trägt immer eine große Sonnenbrille. Sie ist eine Frau, die auffällt.«

»Nein«, sagte Samson. »Tut mir leid. Gillian bekam überhaupt selten Besuch. Eigentlich nur von ihrer besten Freundin. Und gelegentlich kamen Mütter, die Klassenkameradinnen von Becky vorbeibrachten oder abholten. Sonst niemand.«

»Verstehe«, sagte John resigniert. Das deckte sich mit dem, was Kate ihm berichtet hatte: Gillian hatte der Polizei gegenüber erklärt, Liza Stanford nicht zu kennen. Fielder und seine Leute durchforsteten nun das berufliche Umfeld Thomas Wards und nahmen sich seinen Tennisclub vor. Er glaubte nicht, dass die Lösung so einfach sein würde, Stanford im selben Tennisclub oder in Wards Klientenkartei zu finden. Das wäre so schnell gegangen, dass Kate es bei ihrem Gespräch bereits gewusst hätte. Eine Verbindung würde viel komplizierter herzustellen sein – wenn es sie überhaupt gab.

Charity-Stanford ein brutaler Mörder. Es fiel John nicht allzu schwer, sich das vorzustellen, nachdem er nun wusste, wie der vornehme Herr seine Gattin zuzurichten pflegte, wenn ihm etwas gegen den Strich ging, aber trotzdem blieben jede Menge Ungereimtheiten. Kate hatte berichtet, dass sowohl Carla als auch Anne möglicherweise wochenlang auf subtile Weise terrorisiert und eingeschüchtert worden waren. Carla hatte offen von seltsamen Vorkommnissen berichtet, bei Anne legte die Interpretation ihres letzten Bildes eine derartige Vermutung nahe. Dass Stanford über einen längeren Zeitraum hinweg jeden Tag ein Hochhaus aufsuchte und dort im Fahrstuhl auf und ab fuhr, um einer alleinstehenden Frau Angst einzujagen, war fast nicht vorstellbar. Es passte nicht zu ihm, und er hätte auch kaum die Zeit dafür aufbringen können. Ebenso wenig würde er nachts im Wald herumkurven, um die Kinderärztin seines Sohnes zu erschrecken. Wenn Stanford die beiden Frauen ermordet hatte, dann hatte er dafür ein einziges Motiv: Sie wussten zu viel, und deshalb mussten sie zum Schweigen gebracht werden. Das ließ sich schnell erledigen – ohne das ganze Brimborium, das sich offenbar ringsum abgespielt hatte. Auch erschien John die besonders grausame Methode, mit der die Frauen qualvoll erstickt worden waren, äußerst seltsam. Dieser Hass … Tat das ein Mann, dem es nur darum ging, eine Gefahr auszuschalten? Andererseits war Stanford ein Sadist. Krank und perfide.

Liza … Sie hatte zweifellos Gründe, Carla und Anne zu

hassen und die Rache auszukosten. Er konnte sich diese geschundene, verängstigte und verzweifelte Frau allerdings nur schwer in dieser Rolle vorstellen, aber er wusste, dass er die Möglichkeit nicht ausklammern durfte. Gerade weil Liza sehr schön war und weil sie, wie er deutlich spürte, in besonderem Maße seinen Beschützerinstinkt weckte, musste er aufpassen, sich davon nicht beeinflussen zu lassen.

»Hat Mrs. Stanford etwas mit den Verbrechen zu tun?«, fragte Samson.

»Ich weiß es nicht.« John spielte mit der Toastscheibe, die auf seinem Teller lag. Auch er hatte seit gestern Mittag nichts mehr gegessen, aber das erste Gefühl von Hunger, das er noch beim Aufstehen gespürt hatte, war schon wieder verflogen. Die Sache schlug ihm zunehmend auf den Magen.

Zudem kam ihm ein weiterer Gedanke, während er das Frühstück betrachtete, das Samson gemacht hatte: Wovon lebte Liza eigentlich? Sie musste die Wohnungsmiete bezahlen, sie musste essen und trinken. Das Auto schluckte Benzin. Abgesehen davon musste die Wohnung auch auf einen überprüfbaren Namen gemietet worden sein, und ihren eigenen konnte sie kaum verwendet haben. Vermieter ließen sich Papiere zeigen. Wie hatte sie dieses Problem gelöst?

Es war am Vorabend so viel auf ihn eingestürmt, dass er nicht auf diese naheliegenden Fragen gekommen war. Wenn er Stanford richtig einschätzte, hatte der seine Konten längst sperren lassen. Unwahrscheinlich also, dass sich Liza mit ihrer EC-Karte bedienen konnte, ganz abgesehen davon, dass auch das gefährlich gewesen wäre und Rückschlüsse auf ihren Aufenthaltsort zugelassen hätte.

Und das führte zu der nächsten Frage: *Wer unterstützte Liza Stanford?*

Verflixt noch mal, daran hätte er einfach früher denken müssen.

»Sie sind völlig in Gedanken versunken«, sagte Samson.

Er nickte zerstreut. Lag hier die völlig verrückte, aber denkbare Verbindung? Steckten Gillian oder ihr Mann dahinter? Gillian hätte das der Polizei gegenüber nicht preisgegeben, da sie damit Liza in Gefahr brachte. Waren die Wards darüber in das Visier des Mörders geraten – der dann wieder nur Logan Stanford heißen konnte?

Und warum erst jetzt? Anne Westley stellte seit drei Jahren eine Gefahr dar. Vielleicht hatte Stanford erst vor Kurzem von ihr erfahren, auf welchen Wegen auch immer. Und *erst jetzt* hatte sich die Situation schließlich zugespitzt. Liza war untergetaucht. Stanford könnte das Gefühl bekommen haben, dass die Dinge außer Kontrolle gerieten.

Er hatte zu dem Mittel gegriffen, das er kannte: Gewalt.

»Glauben Sie, dass Sie der Lösung des Falles näher gerückt sind?«, fragte Samson schüchtern.

John antwortete wahrheitsgemäß: »Das kann ich nicht sagen. In gewisser Weise ja, aber noch scheint alles nur immer verworrener zu werden. Ich durchdringe die Sache noch nicht.«

»Sie sind meine einzige Hoffnung«, sagte Samson rasch. Er bekam rote Flecken auf den Wangen vor Aufregung. »Bitte, bleiben Sie dran. Sie sind vielleicht der Einzige, der mich entlasten kann.«

»Die Polizei macht es sich auch nicht leicht, Samson. Die wollen auch nicht den Falschen verhaften.«

»Aber denen traue ich nicht. Bitte«, er sah John beschwörend an, »helfen Sie mir. Ich halte das alles nicht mehr aus. Ich bin entwurzelt und verzweifelt. Ich möchte in mein Leben zurück. Nur das. Einfach in mein Leben zurück.«

John verbiss es sich zu sagen, dass Samsons Leben in seinen Augen wenig Anreiz darstellte, unbedingt dorthin zurückkehren zu wollen. Er kannte keine Details, aber was er wusste, klang nicht verlockend: ein Mann, der bei seinem Bruder und der Schwägerin wohnte, arbeitslos war und dem höchst eigenwilligen Hobby nachging, das Leben anderer Menschen auszuspionieren und sich eine gewisse Befriedigung offenbar über die Identifikation mit fremden Lebensläufen zu verschaffen. Die eigene Schwägerin hatte in seinem PC gestöbert und seine Aufzeichnungen eigenhändig zur Polizei gebracht, um ihn ans Messer zu liefern. Allzu harmonisch schien es in der Familie Segal nicht zuzugehen.

Dennoch: Es war Samsons Leben. Und selbst wenn er unglücklich war darin, so war es das Leben, das er kannte. Mit dem er gelernt hatte, umzugehen. In dem er sich irgendwie zurechtfand und das ihm vertraut war.

Verglichen mit dem Dasein eines Mannes, der auf der Flucht vor der Polizei lebte und keine Ahnung hatte, wann dieser Zustand enden würde, erschien es als Paradies.

»Ich tue, was ich kann, Samson«, versprach er. »Sie können sicher sein, dass ...«

In diesem Moment klingelte das Telefon.

John entschuldigte sich, verließ die Küche. Das tragbare Gerät lag im Wohnzimmer auf einem Bücherstapel. Die Nummer im Display kam ihm bekannt vor, aber er vermochte sie nicht sofort zuzuordnen.

»Hier ist Kate Linville«, sagte eine weibliche Stimme am anderen Ende.

»Oh ... hallo, Kate.« Deshalb war ihm die Nummer vertraut erschienen. Er wunderte sich, dass sie anrief. An jenem Abend an der Haltestelle Charing Cross hatte er geglaubt, er werde nie wieder etwas von ihr hören.

»Wie geht es dir?«, fragte sie förmlich.

»Danke. Gut. Und dir?« *Was will sie?*, fragte er sich.

»Auch gut. John, ich hatte mir eigentlich vorgenommen, mich für dich keineswegs mehr auf Abwege zu begeben. Das Ganze ist zu riskant, und letztlich kann ich dabei nur verlieren.«

»Ich habe dir versprochen, dass ich dich niemals und unter keinen Umständen als Informantin preisgeben werde. Darauf kannst du dich verlassen. Ich weiß, dass ich einen schlechten Ruf habe, aber ich habe noch nie mein Wort gebrochen.«

»Das wollte ich auch nicht unterstellen. Dennoch, ein Risiko ist immer dabei.«

»Klar. Bei allem, was wir tun im Leben.«

Kate zögerte, dann fuhr sie fort: »Ich weiß auch nicht, warum ich es für nötig halte, dich zu warnen, aber … na ja, du bist mir nicht völlig gleichgültig.«

»Mich warnen?«

»Vielleicht steckt nicht viel dahinter. Aber Fielder hat sich deine Ermittlungsakte geben lassen. Ich weiß das, weil ich sie bei der Staatsanwaltschaft für ihn anfordern musste.«

»Die Akte von damals?«

»Wie viele Akten hast du? Ich meine die wegen Vergewaltigung«, sagte Kate süffisant.

»Verstehe. Er klammert mich also noch immer nicht ganz aus.« Es war nicht so, dass John diese Information vollkommen überrascht hätte. Fielder konnte ihn nicht leiden, und überdies war er in dem Fall, den er gerade bearbeitete, ziemlich ins Schwimmen geraten. Wie er wusste, war Stanford längst auf dem Radar der Ermittler, aber da er Fielder kannte, war ihm klar, dass genau dieser Umstand den Detective Inspector gewaltig in die Bredouille brachte: Wenn er sich mit Stanford anlegte und am Ende stellte sich heraus, dass dies ein Fehler gewesen war, hatte er von da an mit Störungen im Verlauf seiner weiteren Karriere zu rechnen. Wenn er eine Karriere dann überhaupt noch anpeilen konnte. Fielder war alles andere als risikofreudig. Ihm ging der Arsch auf Grundeis, und er hätte sicher etwas dafür gegeben, nun in aller Schnelle einen anderen Täter präsentieren zu können – ehe er in Sachen Stanford aktiv werden musste.

»Alles klar«, sagte er, »danke, Kate, dass du mir das sagst. Fielder rudert – von mir aus. Die Sache damals kam nicht vor Gericht. Er wird daraus nichts konstruieren können.«

»Ja«, sagte Kate, »ich wollte dich nur auf dem Laufenden halten. Übrigens konnte ich auf dem Aktendeckel sehen, dass du im Moment offenbar sehr begehrt bist. Fielder ist innerhalb kürzester Zeit schon der Zweite, der sie haben wollte.«

Auf dem Deckel einer Ermittlungsakte wurde jeweils notiert, wer sie zur Einsicht angefordert hatte und an welchem Datum sie ausgehändigt worden war.

»Ehrlich? Wer denn noch?«

»Es gab noch eine Anforderung von ... warte mal, wie war der Name ...?«

Er hörte es rascheln, Kate blätterte in irgendwelchen Notizen herum. Er überlegte. Stanford vermutlich, er hätte es sich denken können. Er hatte sich natürlich sein Autokennzeichen notiert, wusste über seine Identität Bescheid, hatte sofort Nachforschungen anstellen lassen und war auf jene leidige Geschichte gestoßen. Als Anwalt mit hervorragenden Kontakten konnte er sicher eine Möglichkeit konstruieren, die ihm Akteneinsicht erlaubte.

Er musste äußerst schnell gehandelt haben.

»Lass mich raten. Rechtsanwalt Dr. Logan Stanford.«

»Nein«, sagte Kate, »es war eine Frau. Und zwar selbst eine

von der Staatsanwaltschaft. Moment, hier habe ich es ... Tara Caine. Staatsanwältin.«

»Tara ...!« Nun schnappte er nach Luft. Gillians beste Freundin.

»Das gibt's doch nicht!«, rief er.

Ein paar Puzzleteile fügten sich zusammen. Gillians plötzliche völlige Ablehnung seiner Person. Ihr Wunsch, nach Norwich zurückzugehen. Der komplette Rückzug von ihm. Sie hatte sich mit Tara gestritten, nachdem sie der Freundin Details über seine Vergangenheit anvertraut hatte. Sie war sogar bei ihr ausgezogen. Aber offenbar hatte dies Tara nicht entmutigt. Sie hatte weiter gegen ihn gehetzt. Hatte sich seine Ermittlungsakte beschafft, hatte sie akribisch studiert, hatte versucht, belastende Momente zu finden, die sie ihrer Freundin mit Sicherheit genüsslich schilderte. Und war damit am Ende erfolgreich gewesen. Gillian hatte die Nerven verloren. Hatte die beginnende Beziehung hingeschmissen und sich abgeseilt, so weit sie konnte. John vermochte sich Taras Argumentation nur zu gut vorzustellen: *Du hast ein Kind! Du hast eine Tochter an der Schwelle zur Pubertät. Willst du dich mit einem Mann zusammentun, gegen den wegen Vergewaltigung ermittelt wurde? Ist dir klar, dass du unter Umständen dein Kind in Gefahr bringst? Einstellung des Verfahrens hin oder her, wo Rauch ist, ist auch Feuer. Sie hatten einfach nicht genug Beweise gegen ihn, um ein Gerichtsverfahren zu eröffnen. Das heißt noch nicht, dass er tatsächlich unschuldig ist!*

Er konnte ein Stöhnen nicht unterdrücken.

Sie war eine Schlange. Eine verdammte Schlange.

»John?«, fragte Kate. »Bist du noch dran?«

Er riss sich zusammen. »Ja. Ja, ich bin noch da. Danke, Kate. Ich weiß es sehr zu schätzen, dass du mir das alles gesagt hast. Und Tara hatte die Akte also schon wieder zurückgegeben?«

»Ja. Vor Weihnachten schon.«

»Okay.« Etwas störte ihn an dieser Auskunft, aber er kam nicht sofort dahinter, was es war.

»Caine«, sagte Kate, »irgendwo ist der Name doch in diesem Fall schon mal bei uns aufgetaucht?«

»Ja. Sie ist eine Freundin von Gillian Ward. Der Frau des dritten Mordopfers. Was wohl der Grund dafür ist, dass sie sich in die Geschichte hineinhängt und mich nun auch gern unter den Verdächtigen einordnen würde.«

Dann fiel ihm noch etwas anderes ein. »Kate, könntest du mir einen weiteren Gefallen tun? Ich habe hier ein Autokennzeichen. Es kostet dich nur einen Anruf – ich muss wissen, auf welchen Namen der Wagen zugelassen ist.«

»Kann ich machen«, sagte Kate nach einer kurzen Pause.

Er zog den Zettel aus der Hosentasche, auf dem er das Kennzeichen von Lizas Auto notiert hatte, und diktierte es ihr.

»Ja, gut«, sagte Kate. Sie wartete noch einen Moment – John hatte den Eindruck, sie wartete auf *ihn*, auf etwas, das ihr Hoffnung geben würde. Das Angebot einer Verabredung am Wochenende oder auch nur auf eine Wärme in seiner Stimme, an der sie sich würde festhalten können.

»Also, bis dann«, sagte er.

»Bis dann«, erwiderte sie. Sie knallte den Hörer auf.

Er konnte nur hoffen, dass sie ihm wegen des Autokennzeichens noch helfen würde.

5

Das Handy klingelte. Gillian erkannte die Mobilnummer von John auf dem Display und zögerte kurz. Dann beschloss sie, den Anruf entgegenzunehmen. John hatte ihr nichts getan.

»Hallo, John«, sagte sie.

»Hallo, Gillian.« Er klang erleichtert. Wahrscheinlich hatte er genau das gefürchtet: Dass sie seine Nummer sehen und daraufhin nicht reagieren würde. »Wie geht es dir?«

»Alles in Ordnung.«

»Wirklich?«

»Ja. Oder«, sie korrigierte sich: »*Alles in Ordnung* ist vielleicht nicht der richtige Ausdruck nach allem, was geschehen ist. Aber ich fange mich. Das Leben wird weitergehen.«

»Bist du immer noch mit dem Ausräumen des Hauses beschäftigt?«

»Im Augenblick nicht.« Sie überlegte, aber dann dachte sie, dass sie ihm zumindest weitgehend reinen Wein einschenken konnte. »Ich bin nicht daheim. Ich bin wieder bei Tara.«

Von der anderen Seite kam Schweigen.

»Dann habe ich natürlich schlechte Karten«, sagte John schließlich.

»John ...«

»Sie ist komplett gegen mich. Und inzwischen dürfte sie dich mit all ihren Vorbehalten ja auch überzeugt haben.«

»Wir haben überhaupt nicht mehr über dich gesprochen. Ich bin wieder zu ihr gezogen, weil ich mich allein in dem großen Haus nicht mehr wohl gefühlt habe.« Sie unterschlug die Vorkommnisse jenes Abends. Schließlich wusste sie immer noch nicht, ob sie nicht einer Einbildung erlegen war.

»Ich muss einfach sehen, wie ich am besten zurechtkomme. In deinen Augen verfolge ich wahrscheinlich einen sinnlosen Zickzackkurs. Vielleicht ist das ja auch wirklich so. Aber ich habe den geraden Weg noch nicht gefunden. In meinem Leben ist nichts mehr, wie es war.«

»Können wir uns sehen?« Er klang fast flehentlich.

»Nein. Es ist…«

»Bitte, Gillian. Nur sehen. Einen Kaffee zusammen trinken. Über Belanglosigkeiten reden. Ich verspreche dir, dich nicht mehr wegen einer gemeinsamen Zukunft zu bedrängen. Ich will dich nur *sehen*.«

»Es geht nicht, John. Ich verlasse heute die Stadt. In wenigen Stunden.«

»Du reist schon nach Norwich ab?«

»Nein, noch nicht.« Sie trat an die Balkontür, schaute über die schneebedeckte Brüstung draußen in den anthrazitgrauen Himmel über London. Sie fragte sich nicht zum ersten Mal in ihrem Leben, wie man es nur Jahr für Jahr schaffte, den Januar zu überstehen. »Ich werde eine Weile untertauchen. Mich in irgendein Hotel auf dem Land zurückziehen. Hoffen, dass sich alles aufklärt und ich dann versuchen kann, mir wieder ein halbwegs normales Leben aufzubauen.«

Damit weiß er ja noch nicht, wo ich hingehen werde, beruhigte sie sich. Ich weiß es ja selbst nicht einmal.

Er wirkte völlig perplex. »In ein Hotel? Warum das denn? Auf dem Land? Wo? In welches Hotel?«

»Das spielt doch keine Rolle. Ich bleibe dort eine Zeit lang, ordne mein Leben neu und versuche dann wieder, Boden unter den Füßen zu finden.«

»Warum bleibst du nicht bei Tara?«

»Es ist einfach besser so.«

»Gillian«, sagte er beschwörend, »da stimmt doch irgendetwas nicht! Wovor versteckst du dich? Oder – vor wem? Warum bist du aus eurem Haus wieder ausgezogen, obwohl du dort wegen deiner Umzugspläne genug zu tun hättest? Warum ziehst du jetzt bei Tara wieder aus? In die Anonymität eines Hotels? Warum, Gillian? Du wirkst auf mich wie ein Mensch, der auf der Flucht ist!«

»Ich bin ein Mensch, der herausfinden muss, wie es weitergeht, John. Das ist alles.«

»Aber du findest das doch nicht heraus, indem du ständig deinen Aufenthaltsort wechselst. Steckt Detective Inspector Fielder dahinter? Will er dich an einem unbekannten Ort in Sicherheit bringen?«

»Die Polizei hat keine Ahnung davon.«

Er schwieg eine Weile. Dann fragte er leise: »Versteckst du dich vor mir?«

»Warum sollte ich mich vor dir verstecken?«

»Weil sie gegen mich hetzt. Tara. Keine Ahnung, was sie dir erzählt hat. Aber ich habe heute erfahren, dass sie sich meine Ermittlungsakte von damals hat geben lassen. Und das wird sie nicht ohne Grund getan haben.«

Gillian war ehrlich überrascht. »Deine Ermittlungsakte? Davon hat sie mir nichts erzählt.«

»Wahrscheinlich solltest du nicht wissen, dass sie mir hinterherspioniert. Aber sie hat die Akte definitiv in den Händen gehabt. Und mit Sicherheit akribisch studiert.«

Gillian wandte sich vom Fenster ab.

Sie ist meine Freundin. Es passt zu ihr, so etwas zu tun.

Sie sprach es laut aus. »Sie ist meine Freundin, John. Sie hat sich vermutlich ernsthaft Sorgen gemacht. Deshalb wollte sie selbst noch einmal nachlesen, was damals geschehen ist. Durch ihren Beruf hat sie kein Problem, an eine solche Akte heranzukommen. Ist es nicht normal, dass sie so etwas tut? Ich hätte es wahrscheinlich genauso gemacht. Aber du musst mir glauben: Sie hat mir nichts davon gesagt. Also wahrscheinlich nichts darin gefunden, was sie nicht schon wusste.«

»Kann sie auch nicht. Die haben damals nichts, absolut nichts gehabt, woraus sie eine Anklage hätten zimmern können. Weil es nichts gab. «

»Ich habe in dieser Hinsicht keine Zweifel an dir, John.«

»In welcher Hinsicht dann?«

»In gar keiner. Ich habe dir mein Problem genannt. Ich muss auf eigenen Beinen stehen. Ich muss mein eigenes Gleichgewicht finden.«

Sie schwiegen beide.

»Also dann«, sagte John schließlich, »pass auf dich auf.«

Er klang resigniert.

»Mach ich«, versprach Gillian. Sie klappte ihr Handy ohne weitere Verabschiedung zu.

Unruhig blickte sie auf die Uhr. Es war gleich neun. Noch viele Stunden bis zum frühen Nachmittag, wenn Tara zurückkehren würde. Sie hatte alles gepackt.

Sie konnte nur noch warten.

6

John war schließlich ins Büro gegangen, obwohl er zunächst gefürchtet hatte, sich auf nichts dort konzentrieren und keinen einzigen vernünftigen Gedanken fassen zu können. Aber die Arbeit musste getan werden, er hatte genug Zeit verloren während der letzten Tage, und die Alternative hätte auch nur darin bestanden, mit dem trübsinnigen Samson daheim in der Wohnung zu sitzen und nicht recht zu wissen, wie es weitergehen sollte.

Für einige Stunden gelang es ihm, in seine vertraute, alltägliche Welt einzusteigen; ein Umstand, der seine Nerven beruhigte. Er musste die Dienstpläne für die nächsten Wochen erstellen, Anfragen beantworten, Rechnungen schreiben, die Kündigung eines Mitarbeiters entgegennehmen. Er merkte kaum, wie die Zeit verging. Als er irgendwann aufstand, um sich einen Kaffee zu machen, stellte er fest, dass es schon halb vier war. Außer ihm war nur noch die Telefonbereitschaft da. Freitagnachmittag. Da ging jeder so früh wie möglich ins Wochenende.

Er hatte seit den paar Bissen Brot am Morgen nichts mehr gegessen und merkte, dass er hungrig war. Vielleicht sollte er sich statt eines Kaffees irgendwo einen Hamburger besorgen. Er überlegte und beschloss dann, nach Hause zu fahren. Er hatte einiges geschafft. Samson versank wahrscheinlich schon wieder in Depressionen. Es war besser, ihn nicht zu lange allein zu lassen. John hegte durchaus die Befürchtung, dieser seltsame Mann könnte irgendwann einmal auf dumme Gedanken kommen.

Kaum hatte John sein Büro verlassen, legte sich die Beklemmung, der er für einige Stunden hatte entfliehen können, wieder über ihn. Da waren die beiden großen Probleme Samson und Liza. Da war Gillian, um die er sich Sorgen machte, weil er den Eindruck hatte, etwas stimmte nicht mit ihr; er hatte ihre Angst gewittert, und die Tatsache, dass sie ganz offenkundig eine Flucht antrat, beunruhigte ihn. Sein Gefühl, auf der Stelle zu treten und nicht weiterzuwissen, verstärkte sich. Er hatte Liza gefunden und mit ihr gesprochen, aber der erhoffte Durchbruch war ausgeblieben. Er war eigentlich nicht weiter als zuvor.

Irgendetwas sehe ich noch nicht, dachte er. Aus seiner Zeit als Ermittler bei der Polizei wusste er, dass Dinge direkt vor einem liegen und trotzdem unsichtbar bleiben konnten, weil es nicht gelang, ihre Umrisse aus der Umgebung zu schälen und sie dadurch in ihrer Bedeutung erkennbar zu machen.

Vielleicht war genau das seine Situation. Vielleicht lag die Lösung vor ihm, und er vermochte sie nicht wahrzunehmen.

Er fuhr bei einem McDonald's vorbei, steuerte durch den Drive-in und kaufte Cheeseburger und Pommes frites für sich und Samson. Als er daheim ankam und die Treppe hinaufflief, stellte er fest, dass sich die Tüte mit dem Essen bereits kalt anfühlte.

Samson saß in dem Sessel im Wohnzimmer und las in einem Buch. John konnte sofort sehen, dass es ihm schlecht ging. Er hatte eine ungesunde Gesichtsfarbe und gerötete Augen, einen gequälten Ausdruck in den Zügen. Er stand kurz davor, seelisch zu zerbrechen.

Es muss jetzt endlich etwas geschehen, dachte John.

»Hier«, er reichte ihm die Tüte, »ich habe das Mittagessen verschwitzt, und Sie haben in meinem armselig bestückten Kühlschrank vermutlich nichts gefunden. Es wird Ihnen besser gehen, wenn Sie etwas essen!«

»Danke«, sagte Samson leise, und er klang nicht so, als glaube er das.

Gerade als sie zu essen begannen, klingelte das Telefon. John meldete sich sofort. Es war Kate.

»Entschuldige, John. Ich bin nicht eher dazu gekommen, deine Bitte zu erfüllen. Es war ein furchtbar stressiger Tag.«

»Kein Problem. Hast du den Fahrzeughalter ermitteln können?«

»Ja. Und das ist nun wirklich merkwürdig.«

»Merkwürdig? Inwiefern?«

»Weil wir genau über diese Person heute schon einmal geredet haben. Der Wagen ist auf Staatsanwältin Tara Caine zugelassen. Ein Zufall?«

»Das ist…. unglaublich«, sagte John langsam.

»Gibt es etwas, das ich wissen sollte?«, fragte Kate. »Ich war dir gegenüber auch sehr offen!«

»Ich weiß. Bloß kann ich im Moment nichts sagen. Mir ist das alles noch nicht klar. Ich muss mich erst sortieren.«
Tara Caine!

Wenn er alles erwartet hätte…

»Also, wenn du dich sortiert hast, dann denk mal an mich«, sagte Kate etwas spitz, ehe sie den Hörer auflegte. John hätte wetten mögen, dass sie als Nächstes versuchen würde, an die Personalakte von Tara Caine zu gelangen und deren Leben, zumindest den beruflichen Teil, zu durchforsten. Sie würde nicht weit kommen: Die Verbindung zu Liza Stanford konnte sie ohne weitere Informationen nicht herstellen.

Samson hatte aufgehört zu essen. »Was ist los?«

John schob seinen angebissenen Burger in die Pappschachtel zurück. Er hatte keinen Hunger mehr. Tara Caine. Liza Stanford fuhr ein Auto, das auf die Staatsanwältin zugelassen war. Und John hätte darauf wetten können, dass auch ihr Mietvertrag auf Tara lief. War es Tara, die hier die Fäden zog? Die Liza mit einer Wohnung und einem Auto versorgt hatte, die sie mit Geld unterstützte und ihr ganzes Untertauchen überhaupt erst ermöglicht hatte?

Er überlegte fieberhaft. Welche Schlüsse ließen sich daraus ziehen?

»Was wissen Sie über Tara Caine?«, fragte er. »Die beste Freundin von Gillian Ward?«

Samson dachte nach. »Die sie öfter in Thorpe Bay besucht hat? Nicht viel, leider. Ich war ja nur ein Beobachter von außen. Die beiden schienen recht eng befreundet zu sein. Gillian freute sich, wenn sie kam. Sie umarmten einander. Worüber sie dann natürlich sprachen … keine Ahnung!«

»Gillian wohnt im Moment bei ihr.«

»Das wundert mich nicht. Es ist verständlich, dass sie es in dem Haus nicht aushält, in dem ihr Mann ermordet wurde, oder?«

»Klar. Die Frage ist – stellt nicht Liza das Bindeglied dar, nach dem immer gesucht wurde? Sondern Tara?«

Samson blickte vollkommen verwirrt drein. »Sie sprechen jetzt von Liza Stanford? Der Frau des Anwalts? Nach der Sie mich heute Morgen gefragt haben?«

»Ja. Ich kann Ihnen das jetzt nicht im Einzelnen erklären, Samson, aber irgendwie bin ich ein wenig beunruhigt.« John griff wieder nach dem Telefon und wählte Gillians Handynummer. Gillian meldete sich nicht, nur die Mailbox sprang nach einer Weile an. Nach kurzem Zögern hinterließ er ihr eine Nachricht.

»Gillian, hier ist John. Ich würde dich gern sprechen, es ist wichtig. Ruf mich doch bitte schnell zurück, ja? Danke!«

»Ist Gillian in Gefahr?«, fragte Samson mit großen Augen. Er schob sein Essen ebenfalls von sich. Offenbar war auch ihm der Appetit vergangen.

»Ich weiß es nicht. Ehrlich. Keine Ahnung. Das ist alles sehr rätselhaft.«

»Aber Tara stellt keine Gefahr für sie dar? Ihre beste Freundin?«

»Ich hoffe nicht«, sagte John. Er griff nach seiner Jacke, die er auf die Fensterbank geworfen hatte. »Ich muss noch mal los. Ich muss ein Gespräch führen.«

»Geht das nicht per Telefon?«

»Ich habe keine Nummer von der betreffenden Person.

Außerdem ist es besser ...« Er ließ den Satz unvollendet stehen. Erklärungen hätten zu lange gedauert, zudem hätten sie Samson vermutlich eher verwirrt als erleuchtet. Denn es stimmte, was John gesagt hatte: Noch gelang es ihm nicht, die Zusammenhänge zu erkennen. Aber er hatte ein ungutes Gefühl. Eher sogar ein richtig schlechtes.

Er würde jetzt sofort zu Liza Stanford fahren. Sie war die einzige Person, die ihm ein paar dringende Fragen beantworten konnte.

7

Es war vier Uhr, als Tara in ihre Wohnung zurückkehrte. Sie hatte Sandwiches gekauft, die in Plastikfolie eingeschweißt waren, und ein paar Flaschen Mineralwasser.

»Ich weiß ja nicht, wie weit du heute noch fährst«, sagte sie, »aber damit verhungerst und verdurstest du wenigstens unterwegs nicht!«

»Du bist fantastisch, Tara«, sagte Gillian dankbar. Sie war erleichtert, die Freundin endlich zu sehen. Es hatte sie zunehmend entnervt, Stunde um Stunde in einer Wohnung zu sitzen, in der sie nicht zu Hause war, und untätig zu warten. Sie hatte jede Zeitschrift gelesen, die sie fand, etliche Bücher durchgeblättert und schließlich das Bad geputzt, das es bitter nötig hatte. Dann war ihr nichts mehr eingefallen und sie hatte nur noch aus dem Fenster geschaut. In das Schneegeriesel, das irgendwann einsetzte.

»Das ist doch ganz selbstverständlich«, sagte Tara. Sie blickte an sich hinunter. Sie trug einen hellgrauen Hosenanzug und hochhackige Stiefel. Wie sie es darin schaffte, über die Schneeberge zu turnen, die sich überall entlang den Straßen türmten, war Gillian ein Rätsel. »Ich ziehe mich noch schnell um.«

Zehn Minuten später saßen die beiden Frauen in Taras Auto. Tara jetzt in Jeans und dicker Jacke und mit wasserdichten Boots an den Füßen. Auf den Rücksitz hatte Gillian ihre Reisetasche und die Provianttüte gestellt.

Hoffentlich tue ich das Richtige, dachte sie.

Sie kamen nur langsam voran. Der Freitagnachmittagsverkehr stürzte die Stadt in das übliche Chaos. Erst als sie die Autobahn erreichten, ging es endlich etwas schneller.

»Jetzt sind wir bald in Thorpe Bay«, sagte Tara, »und bis du dich auf den Weg machst, ist das Allerschlimmste vorbei. Weißt du schon, wohin du fahren wirst?«

»Ehrlich gesagt, habe ich immer noch keine Ahnung«, bekannte Gillian. »Ich frage mich einfach nur ständig, ob es wirklich nötig ist.« Sie drückte ihr Gesicht gegen die Fensterscheibe. Sie fühlte sich angenehm kühl an. Sie verstand nicht, weshalb ihre Wangen brannten. Die Aufregung vielleicht. Das Grübeln.

»Diese Flucht. Direkt nachdem ich dieses … Erlebnis daheim hatte, wollte ich nur noch weg. Zu dir. Und bis heute früh dachte ich auch noch, dass es besser sei, London zu verlassen. Aber jetzt bin ich unsicher, ob ich nicht doch etwas überstürze. Mich einfach nur verrückt mache. Wegen … nichts!«

»Thomas, der ermordet in eurem Haus lag, ist nicht *nichts*«, erinnerte Tara, »und das, was neulich passiert ist, musst du …«

»Ich weiß ja gar nicht, *ob* etwas passiert ist«, unterbrach Gillian. »Das ist es ja. Ich weiß es einfach nicht! Inzwischen erscheint es mir immer wahrscheinlicher, dass da gar nichts war. Ein Schatten! Wenn ich versuche, mir die Situation ins Gedächtnis zu rufen, kann ich mir *diesen Schatten* schon gar nicht mehr vorstellen. Es geschah im Bruchteil einer Sekunde, und vermutlich war es reine Einbildung.«

»Vielleicht aber auch nicht. Vielleicht wäre dir etwas zugestoßen. Möglicherweise hattest du nur riesiges Glück, weil dieser Luke Palm noch einmal zurückkam«, gab Tara zu bedenken.

Das Glas unter Gillians Wange schien plötzlich kälter zu werden.

... weil dieser Luke Palm noch einmal zurückkam ...

Ich habe ihr doch den Namen des Maklers gar nicht genannt, dachte Gillian, aber dies war der erste, fast intuitive Gedanke, und gleich darauf setzte ihr Verstand ein: Oder habe ich ihn ihr doch genannt? Irgendwann während der letzten beiden Tage? Während unserer Gespräche?

Sie konnte das nicht vollkommen ausschließen, aber sie war fast sicher, dass sie es nicht getan hatte. Sie hatte Tara gegenüber nicht zugeben wollen, dass sie sich an den Makler gewandt hatte, der die tote Anne Westley gefunden hatte, und da sein Name mehrfach in der Presse aufgetaucht war, hätte Tara ihn möglicherweise erkannt. Ihr war die Erklärung peinlich erschienen – das mit der Eisscholle, auf der sie trieb, abgespalten von den Menschen, in deren Leben nie Gewalt und Verbrechen eingedrungen waren. Und dann Luke Palm, auf dessen Leben derselbe Schatten lag. Es war etwas, das sie für sich behalten wollte, ohne dass sie genau hätte erklären können, woher ihre Scheu rührte. Vielleicht hatte es etwas mit der verheerenden Verletzung tief in ihrem Inneren zu tun, die ihr zugefügt worden war, als sie an jenem Abend Tom fand und dann durch das Haus irrte und in panischer Angst nach ihrem Kind suchte. Niemandem, nicht einmal ihrer besten Freundin, mochte sie zeigen, wie zerstört sie sich fühlte.

Egal, es ist auch nicht wichtig, dachte sie, aber sie konnte nicht verhindern, dass der Gedanke wie ein kleiner, hartnäckiger Wurm an ihr nagte.

Wenn ich ihr den Namen nicht genannt habe, woher weiß sie ihn dann?

Sie entsann sich des Abends, der erst zwei Tage zurücklag. Sie sah sich in Panik aus dem Haus stürzen, nachdem sie gemeint hatte, den Schatten in der Küche gesehen zu haben, und nachdem plötzlich der Strom ausgefallen war. Auf Strümpfen war sie durch den Schnee gelaufen und am Gartentor mit einer großen Gestalt zusammengeprallt, auf die sie voller Angst und in blindem Entsetzen eingeschlagen hatte. Der vermeintliche Gegner hatte sie schließlich an den Handgelenken gepackt und festgehalten.

»Ich bin es. Luke Palm!«

Und sie hatte geschrien. »Luke Palm?« Laut und schrill in ihrer Angst.

Wenn jemand im Haus oder im Garten gewesen war, hätte er es hören können.

Das ist absurd, dachte sie.

Sie musterte Tara von der Seite. Die gerade Nase, die vollen Lippen. Die hohe Stirn. Sie war eine so schöne Frau. Seltsam eigentlich, dass es offenbar nie einen Mann in ihrem Leben gegeben hatte.

Woher, verdammt, kennt sie den Namen?

In Gedanken ging sie alle Gespräche durch, die sie mit der Freundin geführt hatte, seitdem Palm sie in jener Nacht zu ihr gebracht hatte. Sie war sich so gut wie sicher, dass sie ihr gegenüber nur von *dem Makler* gesprochen hatte. Sie hatte ihn auch nur kurz erwähnt.

Der Makler, der das Haus für mich verkaufen soll, war gerade gegangen. Zum Glück kam er noch einmal zurück, weil er etwas vergessen hatte. Er ist dann mit mir hineingegangen. Er hat die Sicherung wieder umgelegt unten im Keller, und er hat alles mit mir abgesucht. Aber es war niemand zu sehen.

»Was ist los?«, fragte Tara. Sie hatte zur Seite geblickt. »Du bist ja ganz blass. Geht es dir nicht gut?«

»Doch. Alles in Ordnung.« Gillian versuchte ein Lächeln, das offenbar nicht sehr überzeugend ausfiel, denn Tara hakte nach. »Wirklich? Du wirkst so verstört!«

»Ich bin mir einfach nicht sicher, ob ich das Richtige tue«, sagte Gillian. »Es erscheint mir auf einmal so verrückt, mich irgendwo an einem fremden Ort zu verkriechen. Das ist ein so dramatischer Schritt.«

»Hierzubleiben könnte sich als der dramatischere Schritt entpuppen«, sagte Tara. »Falls der Täter es noch einmal versucht.«

Sie hatten Thorpe Bay erreicht. Stille Straßen. Stille Häuser. Gärten, die im Schnee versanken. Auf einem Hügel in einer kleinen Parkanlage fuhren Kinder Schlitten. Bis vor Kurzem war dies alles der normale Rahmen für Gillians normales Leben gewesen.

Jetzt war nichts mehr normal. Jetzt stand sie dicht davor, die Flucht anzutreten.

Und sie spürte dieses Kribbeln in ihrem Hinterkopf. Eine untergründige Nervosität, ein Argwohn, der sich, so verrückt er ihr erschien, nicht zum Schweigen bringen lassen wollte.

Es gab eine Stimme in ihr, die sie leise, aber unaufhörlich und eindringlich beschwor: *Mach, dass du wegkommst! Hier stimmt etwas nicht! Sieh zu, dass du aus dem Auto deiner Freundin hinauskommst. Sieh zu, dass du sie loswirst!*

Vielleicht habe ich den Namen doch in irgendeinem

Moment gesagt, dachte Gillian verzweifelt, ich kann es einfach nicht beschwören!

Vielleicht war sie inzwischen so durcheinander und verängstigt, dass sie überall Gespenster witterte.

Tara bog in die Einfahrt von Gillians Haus. Die Räder ihres Autos gruben sich in den Schnee.

»Da sind wir«, sagte sie.

Sie blickte Gillian an. Und Gillian sah es. Sah es in ihren Augen.

Einen fremden Blick. Unnatürlich vergrößerte Pupillen.

Die Augen waren völlig starr.

Plötzlich hatte Gillian Angst. Und wusste dabei eines genau: Tara durfte es nicht merken. Sie durfte Gillians Misstrauen, ihre Furcht, ihre Irritation nicht bemerken.

»Okay«, sagte sie so leichthin wie möglich, »dann gehe ich schnell hinein, packe noch ein paar Sachen zusammen, und dann fahre ich los. Du solltest dich schon auf den Rückweg machen, Tara. Dann bist du vor Einbruch der Dunkelheit zu Hause.«

»Ich habe es gar nicht so eilig«, sagte Tara. Sie öffnete die Tür und stieg aus. »Ich komme mit.«

Gillian stieg ebenfalls aus. Sie hielt den Haustürschlüssel in der Hand. Die Hand zitterte, und sie hoffte, dass Tara das nicht sah.

Tara ging um das Auto herum. Sie bewegte sich völlig normal.

Und wenn ich einfach nur spinne?, dachte Gillian. *Wahrscheinlich stehe ich kurz vor einem Nervenzusammenbruch und bilde mir nur noch Verrücktheiten ein.*

In diesem Moment hörte sie ihr Handy klingeln. Es befand sich in ihrer Handtasche, die noch im Fußraum des Beifahrersitzes von Taras Auto lag.

Gillian drehte sich sofort um, aber Tara hielt sie zurück. »Lass doch. Du rufst dann einfach zurück. Du solltest jetzt keine Zeit verlieren.« Sie hatte wieder den starren Blick bekommen.

Gillian spürte Schweiß auf ihrer Stirn. »In Ordnung«, meinte sie. Sie fand, dass sich ihre Stimme seltsam anhörte, aber Tara schien das nicht zu merken.

Sie stapften langsam zum Haus. Gillian schloss auf, trat sich den Schnee von den Füßen. Sie hörte, dass Tara dicht hinter ihr das Gleiche tat.

Sie spürte ihr Herz laut und schnell schlagen. Der Schweiß auf ihrer Stirn verdichtete sich. Sie wusste nicht, ob es Zufall war, dass Tara fast wie eine zweite Haut unmittelbar an ihr klebte. Undenkbar, dass sie allein irgendwohin gehen, vielleicht telefonieren konnte. Und was sollte sie dem Teilnehmer am anderen Ende der Leitung auch sagen? *Ich bin hier mit meiner Freundin in meinem Haus. Ich habe plötzlich ein richtig dummes Gefühl. Irgendetwas stimmt nicht mit ihr. Natürlich kann es sein, dass ich mir das nur einbilde, aber mir ist fast schlecht vor Angst, und ich glaube, dass ich Hilfe brauche.*

Es gab eigentlich nur einen, den sie anrufen konnte. Der sie nicht für verrückt halten und der einfach herbeieilen würde: John. Sie musste nur sagen: *Bitte komm her!* Und er würde kommen.

Aber es war ausgeschlossen, heimlich zu telefonieren. Tara war wie ein Schatten hinter ihr.

Auf die Toilette, dachte Gillian, kann sie nicht mit.

Es gab eine Gästetoilette im Erdgeschoss. Mit einem Fenster, das ins Freie führte. Sie konnte versuchen, hinauszuklettern, auf die Straße zu laufen. Bei einem Nachbarn klingeln und bitten, telefonieren zu dürfen.

Tara konnte kaum etwas dagegen tun.

»Was ist?«, fragte Tara. »Wolltest du nicht hinaufgehen und deine Sachen packen?«

Sie wandte sich zu ihr um. Hoffte, dass sie nicht so schlecht aussah, wie sie sich fühlte.

»Ich muss erst einmal dringend auf die Toilette«, sagte sie entschuldigend. »Wartest du einen Moment?«

Tara starrte sie an.

In diesem Augenblick klingelte das Telefon. Beide Frauen fuhren zusammen. Dann streckte Gillian den Arm aus.

Tara hielt sie zurück. »Lass es einfach klingeln. Das hält uns nur auf!«

Nach dem sechsten Läuten sprang der Anrufbeantworter, der ebenfalls im Flur stand, an.

8

Samson war weit davon entfernt, wirklich zu verstehen, in welche Richtung sich die Dinge entwickelten, und John hatte so schnell die Wohnung verlassen, dass er ihm auch keine einzige Frage mehr stellen konnte. Verwirrt und beunruhigt blieb er in den kahlen Räumen zurück.

Er ließ sich die letzten Gesprächsminuten noch einmal genau durch den Kopf gehen.

Gillian ist doch nicht in Gefahr?, hatte er gefragt, und die wenig beruhigende Antwort von John lautete: *Ich weiß es nicht.*

Und dann hatte er gefragt, ob ihr Gefahr von Tara drohe, von ihrer besten Freundin, und diesmal hatte John geantwortet: *Ich hoffe nicht.*

Was auch nicht besser war.

Tara.

Samson war aus Johns Andeutungen nicht einmal ansatzweise schlau geworden. Er hatte telefoniert, und dann war der Name *Tara Caine* gefallen, und John war wie elektrisiert gewesen. Er sprach von einem Bindeglied, nach dem alle ewig gesucht hatten. Irgendwie hing das alles auch noch mit der Frau von Charity-Stanford zusammen, aber diesen Gedankengang vermochte Samson schon überhaupt nicht einzuordnen.

Er versuchte, sich die Bilder ins Gedächtnis zu rufen, die er von Tara Caine hatte.

Er hatte sie etliche Male beobachtet, wenn sie Gillian besuchte. Ihm war sofort klar gewesen, dass eine enge Freundschaft die beiden Frauen miteinander verband. Sie hatten einander nicht überschwänglich begrüßt, aber mit der innigen Vertrautheit, die jedes laute Getue überflüssig macht. Ihm hatte Tara gefallen. Eifersüchtig und misstrauisch hatte er über das Bild gewacht, das er sich von Gillian und ihrer Familie gemalt hatte und dessen Unzerstörbarkeit ihm heilig war, und es war für ihn von großer Bedeutung gewesen, wie sich die Freundin einfügte. Tara Caine hatte ihn beruhigt. Sie war ihm sympathisch gewesen, und, was noch weit mehr zählte, sie passte zu Gillian. Eine sehr normal wirkende Frau, intelligent, elegant, aber nie allzu auffällig zurechtgemacht, nie schrill oder laut. Manchmal war sie ganz offensichtlich direkt vom Büro gekommen und hatte schicke Hosenanzüge getragen; manchmal aber war sie auch einfach nur in Jeans, Sweatshirt und Turnschuhen erschienen.

Passt, hatte er gedacht, alles in Ordnung. Die perfekte Freundin der perfekten Frau in der perfekten Familie.

Offensichtlich hatte er sich noch weitreichender geirrt, als er bereits wusste. Thomas Ward war überhaupt kein netter

Mensch gewesen, und die Ehe der Wards hatte auf der Kippe gestanden. Gillian hatte sich in ein außereheliches Verhältnis verstrickt, mit der Tochter gab es massive Probleme. Und nun schien auch mit der besten Freundin etwas nicht zu stimmen – Samson wusste bloß nicht, was es war.

Stellt Tara eine Gefahr für Gillian dar?

Ich hoffe nicht.

Er ging zwischen dem Fenster und dem Stuhl in der Mitte des Zimmers hin und her. Der ganze Raum roch nach kalten Pommes frites. Angewidert betrachtete Samson seinen angebissenen Burger, der auf dem Deckel der Pappschachtel lag. Er konnte nicht verstehen, dass er noch kurz zuvor solchen Hunger gehabt hatte, dass ihm das Wasser im Mund zusammengelaufen war. Jetzt krampfte sich sein Magen allein bei dem Gedanken an Essen zusammen.

John hatte gesagt, dass sich Gillian bei Tara aufhielt. Verständlich. Es musste ein Albtraum für sie gewesen sein, in das Haus zurückzukommen, in dem ihr Mann ermordet worden war. Und insgeheim war Samson von Erleichterung erfüllt, für die er sich schämte, denn schließlich war John der einzige Mensch, der ihm half und der dafür eine Menge riskierte, aber trotzdem: Gillian war nicht zu John geflüchtet. Sondern zu ihrer besten Freundin.

Die Beziehung konnte also nicht allzu eng sein, das war eindeutig daraus zu schließen.

John hatte versucht, Gillian anzurufen, aber sie war nicht an ihr Handy gegangen. Wenn sie in Gefahr schwebte, so hatte sie möglicherweise nach wie vor keine Ahnung davon.

Samson hatte oft gelesen, dass sich jemand *die Haare raufte*, und bislang war das für ihn ein symbolischer Ausdruck dafür gewesen, dass jemand in Ärger, Ungewissheit oder Ratlosigkeit schier verrückt wurde. Zum ersten Mal stellte er fest, dass man es tatsächlich tun konnte: Denn jetzt raufte er sich die Haare, fuhr wieder und wieder mit allen zehn gespreizten Fingern hindurch, als könne er damit seinen Verstand dazu bewegen, einen guten, schlüssigen, hilfreichen Gedanken zu finden. Der ihn aus der Situation befreite, immer nur zu warten. Entweder in ungeheizten Pensionen oder in einem Wohnwagen auf einer verlassenen Baustelle oder in einer leeren Altbauwohnung zu sitzen und auf etwas zu warten, wovon er nicht einmal wusste, was es war.

Er wollte endlich etwas tun. Endlich seinen Beitrag leisten, endlich etwas bewirken. Nützlich sein. Nicht für sich in erster Linie. Sondern für alle, die sich innerhalb dieses verworrenen Falles aufrieben.

Vor allem für Gillian.

Seine Haare standen wie ein Wischmopp zu Berge, aber immerhin war ihm ein Gedanke gekommen. John hatte mit seinem ins Leere gelaufenen Anruf offenkundig versucht, Gillian zu warnen. Warum sollte nicht er, Samson, dasselbe probieren?

Er könnte sich Tara Caines Telefonnummer von der Auskunft besorgen und dann dort anrufen. Allerdings bereitete ihm diese Vorstellung einige Sorgen. Es war später Freitagnachmittag. Mit einer ziemlich hohen Wahrscheinlichkeit war Tara zu diesem Zeitpunkt nicht mehr im Büro, sondern längst daheim. Vermutlich würde sie den Telefonhörer abnehmen. Im Display konnte sie John Burtons Nummer sehen. Und er, Samson? Was sollte er sagen?

Hallo, hier ist Samson Segal, der Mann, der wegen Mordverdachts gesucht wird. Wie Sie unschwer erkennen können, sitze ich gerade in der Wohnung von John Burton, dem Exbullen. Kann ich bitte mal Gillian sprechen?

Vielleicht gelang es ihm, die Anruferkennung aus Johns

Apparat herauszunehmen, obwohl er keine Ahnung hatte, wie das ging. Vielleicht hatte er auch die Nerven, sich mit einem anderen Namen vorzustellen, und *vielleicht* verband ihn Tara daraufhin mit Gillian.

Und dann?

Würde sie eine Warnung unauffällig entgegennehmen, während die Person, vor der sie gewarnt wurde, direkt neben ihr stand?

Trotzdem, dachte er, ich probiere es.

Er spürte, wie ihm heiß wurde.

Er hätte sich all seine Gedanken nicht machen müssen: Bei der Auskunft erfuhr er, dass Tara Caines Telefonnummer nicht weitergegeben wurde. Die Staatsanwältin hatte ihre Privatnummer sperren lassen.

Eigentlich kein Wunder bei ihrem Beruf, dachte Samson, von wie vielen Knackis würde sie sonst nach deren Entlassung wohl terrorisiert werden!

Er konnte sich nicht einfach wieder in den Sessel setzen und Däumchen drehen. Nicht, nachdem er sich zumindest gedanklich schon einmal so weit nach vorn gewagt hatte.

Ein Mal wollte er das Entscheidende tun.

Ein Mal der Held sein.

Er brachte die Reste des unappetitlichen Mittagessens in die Küche, warf sie in den Abfalleimer, und seltsamerweise kam ihm genau bei dieser Tätigkeit plötzlich ein Geistesblitz.

Gillian wohnte zurzeit bei Tara, aber mit einiger Wahrscheinlichkeit kam sie ab und zu in ihr Haus zurück. Um Blumen zu gießen, nach der Post zu schauen, irgendwelche Dinge zu holen, die sie brauchte. Ihre Telefonnummer kannte er auswendig. Und sie hatte einen Anrufbeantworter. Oft genug hatte er bei den Wards angerufen, wenn er wusste, dass niemand daheim war, und dann hatte er ihrer Stimme gelauscht. *Wir können gerade nicht ans Telefon kommen, aber hinterlassen Sie uns doch bitte eine Nachricht.*

Er hatte dann immer wieder aufgelegt, ohne etwas zu sagen. Aber diesmal würde er reden. Und auch wenn diese Aktion keine Garantie auf Erfolg versprach, weil nicht absehbar war, wann Gillian das Gerät tatsächlich abhören würde, so war es doch eine Chance. Eine nicht allzu geringe Chance, wie er fand. Und es war besser, als nichts zu tun.

Er kehrte ins Wohnzimmer zurück. Mit zittrigen Fingern tippte er die vertraute Nummer ein und räusperte sich mehrmals.

Nicht, dass ihm dann noch die Stimme versagte!

9

Wie gebannt blickten Gillian und Tara auf den Anrufbeantworter.

Laut und deutlich klang Gillians eigene Stimme durch den Raum. »Hinterlassen Sie uns doch bitte eine Nachricht.«

Der Apparat piepte.

Als Erstes war ein kräftiges Räuspern zu hören. Ein Mann, dachte Gillian. Vielleicht John. Vielleicht Luke Palm, der noch Fragen wegen des Hausverkaufs hatte. Luke Palm, dessen Namen Tara nicht hätte kennen dürfen.

»Ja, also, hallo, Mrs. Ward«, sagte jetzt eine Stimme. Eindeutig ein Mann. Irgendwoher meinte Gillian die Stimme zu kennen, aber sie konnte sie nicht sofort einordnen.

»Ich bin es. Samson. Samson Segal.«

Gillian sperrte Mund und Nase auf. Samson Segal. Dieser seltsame Mann, der sich vor der Polizei versteckt hielt. Er rief an und traute sich sogar, auf ihren Anrufbeantworter zu sprechen.

»Mrs. Ward, wir machen uns Sorgen um Sie.« Samson klang nun etwas weniger holprig. »Es kommt Ihnen vielleicht eigenartig vor, und ich kann es Ihnen auch nicht näher erklären, aber … Sie sollten vorsichtig sein mit Ihrer Freundin. Mit Tara Caine. Da stimmt etwas nicht. Ziehen Sie sich zurück. Bitte.« Er machte eine Pause. »Ich hoffe, Sie hören dieses Band in der nächsten Zeit ab«, fügte er dann hinzu. »Es ist wichtig. Bitte.«

Mit einem Klicken beendete er das Gespräch.

Gillian bewegte sich nicht. Sie hatte sogar den Eindruck, dass sie nicht einmal mehr atmete.

Sie wusste nicht, warum ausgerechnet Samson Segal bei ihr anrief. Sie hatte keine Ahnung, von wem er sprach, wenn er *uns* sagte. Es war ihr völlig unklar, wie und auf welchem Weg er darauf gekommen war, in Tara eine Gefahr zu sehen. Aber eines begriff sie: Er hatte recht. Er redete nicht irgendwelchen Blödsinn daher. Und auch sie selbst sah keineswegs Gespenster.

»Du hast aber treue Freunde«, sagte Tara hinter ihr. Ihre Sprechweise klang verändert. Seltsam emotionslos. Ohne Höhen und Tiefen. »Nette und besorgte Freunde. Wie schön für dich.«

Gillian fuhr sich mit der Zunge über die Lippen, die plötzlich völlig ausgetrocknet schienen. Sie drehte sich zu Tara um, versuchte zu lächeln und hoffte, dass sie mehr hinbekam als eine zittrige Grimasse. »Segal ist kein Freund. Ein völlig gestörter Typ. Wie du weißt, sucht die Polizei nach ihm. Ich nehme an, er will von sich ablenken. Er meint wohl, seine Lage verbessert sich, wenn er wilde Gerüchte streut.«

»Interessante Gerüchte«, sagte Tara.

Gillian zuckte mit den Schultern. »Der Mann ist nicht ganz dicht. Ich gebe nichts auf sein Gerede. Hör mal, ich sollte mich jetzt beeilen. Ich gehe rasch auf die Toilette, und dann...«

»Was hast du vor?«, fragte Tara. In ihrer Haltung, in ihrer Stimme lag etwas Lauerndes. »Dich durch das Klofenster auf und davon zu machen?«

Gillian versuchte gleichmütig zu erscheinen, spürte aber, dass sie vor allem unnatürlich klang. »Natürlich nicht, wie kommst du denn darauf? Ich will nur...«

»Vergiss es«, unterbrach Tara sie, »versuch nicht, mich für blöd zu verkaufen! Du willst dich abseilen, das ist alles. Du schlotterst vor Angst, Gillian. Und nicht erst, seit dieser Trottel da«, sie machte eine Kopfbewegung in Richtung Anrufbeantworter, »dumm genug war, seine Warnung lautstark durch das ganze Haus zu schmettern!«

»Das stimmt nicht. Ich...«

»Du hast dich schon im Auto verändert. Aber da war ich mir noch nicht hundertprozentig sicher. War nur so ein Gefühl... Hättest du es jetzt geschickt angestellt, du wärest noch damit durchgekommen. Aber so... nach dieser unzweideutigen Warnung... Glaubst du ernsthaft, ich lasse dich jetzt noch einen Moment lang aus den Augen?«

Gillian sah ein Flimmern und hatte plötzlich ein Rauschen in den Ohren, riss sich aber mit aller Gewalt zusammen. Sie durfte jetzt nicht schlappmachen. Sie musste die Nerven behalten.

»Warum, Tara?«, fragte sie. »Was ist los? Habe ich dir irgendetwas getan?«

Tara betrachtete sie interessiert. Gillian erwiderte ihren Blick voller Beklommenheit. Da war das vertraute Gesicht der Freundin. Ein Gesicht, das sie seit Jahren kannte. Und doch war es vollkommen verändert. Mit einem anderen Ausdruck, mit einer fremden Mimik. Dazu diese Stimme, die nicht Taras Stimme war. Tara hatte Gefühle in ihrer Stimme gehabt. Lachen oder Kummer, Freude oder Ärger. Jetzt war davon nichts zu hören. Es war eine eigenartig seelenlose, eine unmenschliche Stimme.

»Mir persönlich hast du gar nichts getan«, sagte Tara. »Mir persönlich haben auch Carla und Anne nichts getan.«

In ihrer Stimme war Hass. Gillian zuckte zurück.

»Carla und Anne ...«, wiederholte sie fassungslos. »Du hast sie ...?«

Tara zuckte mit den Schultern. »Die Welt ist nicht ärmer ohne die beiden.«

»Und Tom ...?«

»Tom war nicht geplant.«

»Tara, ich verstehe nicht, was los ist«, sagte Gillian beschwörend, »bitte erkläre mir doch ...«

Tara lachte. Es war kein freundliches Lachen. »Nein, mein Schatz. Ich weiß genau, was du vorhast. Du willst mich hier in ein schönes, langes Gespräch verwickeln und hoffst, dass in der Zwischenzeit jemand vorbeikommt und dir aus der Klemme hilft. Vergiss es! Wir müssen überlegen, was wir jetzt tun. Weißt du, was tragisch ist? Ich hatte wirklich beschlossen, dich laufen zu lassen. Keine Ahnung, warum. Vielleicht liegt es an der gemeinsamen Zeit. Vielleicht daran, dass ich zweimal gescheitert bin bei dir.«

Sie war der Schatten, dachte Gillian voller Grauen. *Und daher kannte sie auch Lukes Namen. Sie hat zweimal versucht, mich umzubringen.*

Warum nur? Warum?

»Ich wollte dich aus meiner Nähe haben. Ich kann dich nicht mehr ertragen, Gillian. Da du Angst hattest, hier allein zu wohnen, hätte ich ein kleines Hotel genial gefunden. Irgendwo. Von dort wärest du direkt nach Norwich gezogen, und wir hätten einander in diesem Leben hoffentlich nicht wiedergesehen. Aber nun kann ich dich nicht gehen lassen. Das verstehst du sicher.«

»Bitte, Tara! Warum?«

Tara griff in die Tasche ihrer Winterjacke und hatte in der nächsten Sekunde eine Pistole in der Hand. Sie richtete sie auf Gillian.

»Wir müssen erst einmal irgendwohin, wo wir in Sicherheit sind. Der Typ, der da gerade auf deinen Anrufbeantworter gesprochen hat, ruft womöglich als Nächstes die Polizei. Also nichts wie weg hier. Und dann muss ich überlegen, was ich mit dir mache.« Sie wies mit der Waffe Richtung Haustür. »Wir gehen jetzt hinüber in die Garage. Du gehst vor mir her. Wenn du eine unbedachte Bewegung machst oder versuchst abzuhauen oder irgendetwas in der Art, dann hast du eine Kugel im Kopf. Kapiert? Ich zögere da keine Sekunde.«

Gillian schluckte. Sie kam sich vor wie in einem seltsamen, völlig irrealen Theaterstück. Jeden Moment musste Tara lachen, nicht auf diese böse, fremde Art, sondern freundlich und unbefangen, wie es Gillian von ihr kannte, sie musste die Hand mit der Waffe sinken lassen und sagen: *Gillian, nun schau doch nicht so entsetzt drein! Das war ein Witz! Ich wollte dich mal richtig erschrecken! Lieber Himmel, du hast das doch nicht etwa ernst genommen?*

Aber sie wusste, dass das nicht passieren würde. Das Ganze war kein Witz. Tara hatte nie eine Vorliebe für makabre Scherze gehabt. Sie war überhaupt ein eher ernster Mensch.

Sie meinte, was sie sagte.

Langsam setzte sich Gillian in Richtung Haustür in Bewegung. Tara trat zur Seite, um sie vorbeizulassen. Sie griff sich eine Rolle Paketklebeband, die auf einem Stapel von Umzugskartons gleich neben der Tür lag.

Als sie draußen stand, sagte Gillian flehend: »Tara, ich weiß nicht, was du gegen mich hast. Aber was es auch ist – denk doch bitte an Becky. Sie hat nur noch mich.«

Tara lachte erneut. Es war wieder dieses unheimliche Lachen, in dem keinerlei Emotionen lagen.

»Du wirst es mir nicht glauben, Gillian«, sagte sie, »aber genau an sie denke ich. An sie habe ich die ganze Zeit gedacht. Becky war der Grund. Weißt du was? Für manche Kinder ist es besser, sie wachsen ohne Mutter und Vater auf. Für manche Kinder ist jedes Waisenhaus besser. Glaub mir, ich weiß, wovon ich spreche.«

»Aber…«

»Halt bitte den Mund und geh endlich weiter«, befahl Tara. Sie presste die Pistole tief in die Falten von Gillians Wintermantel. Falls jemand vorbeikam, hätte er sie nicht sehen können. Allerdings ließ sich ohnehin niemand blicken. Die Straße lag wie ausgestorben in der einfallenden Dämmerung. »Wir haben sicher noch Zeit, miteinander zu reden. Später.« Sie machte eine Kopfbewegung in Richtung Garage.

Langsam ging Gillian den Gartenweg entlang.

10

»Ich wusste, dass Sie wiederkommen würden«, sagte Liza Stanford resigniert. Sie hatte zunächst auf Johns Klingeln nicht geöffnet, sodass er schließlich unten auf dem gepflasterten Platz vor dem Hochhauskomplex auf und ab gegangen war in der Hoffnung, dass sie aus dem Fenster spähte und sah, dass nur er es war, der sie besuchte, nicht ihr Mann oder die Polizei oder wen immer sie fürchtete. Dann hatte er wieder geklingelt, und endlich war der Summton erklungen, mit dem sie die Tür öffnete, und oben hatte sie gestanden, die Wohnungstür einen Spalt breit geöffnet, und auf ihn gewartet.

»Möchten Sie einen Tee?«, fragte sie, nachdem er eingetreten war.

»Nein. Danke. Liza – kennen Sie eine Tara Caine?« Er beobachtete sie genau, während er die Frage stellte.

Sie erschrak. Ihre Pupillen wurden größer. »Tara Caine. Ja. Ja, ich kenne sie.«

»Ich hatte Sie gestern gebeten, mir alles zu sagen«, sagte John.

»Nach ihr hatten Sie nicht gefragt«, entgegnete Liza leise. Sie ging ins Wohnzimmer, ließ sich auf einen Stuhl am Esstisch fallen. John folgte ihr, blieb aber mitten im Zimmer stehen.

»Ihr Auto ist auf sie zugelassen. Und ich nehme an, sie hat auch die Wohnung gemietet?«

Liza nickte.

»Sie versorgt Sie mit Geld? Denn Ihr Mann dürfte seine Konten gesperrt haben, wie ich ihn einschätze.«

»Sie hat ein Konto auf ihren Namen eingerichtet und mir die EC-Karte überlassen. Damit hebe ich Geld ab, wenn ich etwas brauche.«

»Recht großzügig. Sie zahlt die Miete, sie zahlt Ihren Lebensunterhalt. Das ist nicht selbstverständlich, oder?«

»Ich werde ihr alles zurückzahlen. Das haben wir vereinbart.«

»Aha. Und wann soll das sein? Und wie?«

»Das weiß ich noch nicht. Es musste alles so schnell gehen … Wir konnten die Dinge nicht bis zum Ende planen.«

»Was musste so schnell gehen?«

»Ich musste weg. Ich musste untertauchen!« Sie hatte die ganze Zeit auf die Tischplatte vor sich gestarrt, nun hob sie den Blick. John sah die Tränen in ihren Augen und den Ausdruck von Wut. »Sie können sich das nicht vorstellen. Niemand kann sich das vorstellen, der es nicht erlebt hat. Ich habe über Jahre in Todesangst gelebt. Ich habe über Jahre in Verzweiflung, Erniedrigung, in ständigen körperlichen Schmerzen und seelischen Qualen gelebt. Ich wusste, dass er mich irgendwann umbringen würde. Ich wusste es einfach.«

»So weit wäre er nicht gegangen«, sagte John. »Ihr Mann ist, ehrlich gesagt, ein Stück Scheiße, Liza, aber er ist nicht dumm. Er hätte es nicht riskiert, ins Gefängnis zu kommen.«

»Er wäre nicht ins Gefängnis gekommen, glauben Sie mir. Er hätte die ganze Sache nach einem Unfall aussehen lassen, er hätte ein Schlupfloch gefunden, er hätte sich irgendwie unbeschadet herausgezogen. So ist er. Ich kenne ihn lange genug.«

Da war er abermals. Der Mantel der Allmächtigkeit, den Liza ihrem Mann bereitwillig immer wieder umhängte. Er stand über allem, vor allem über Recht und Gesetz, war nicht zu greifen und nicht zur Rechenschaft zu ziehen, ganz gleich, was er tat. Vielleicht, dachte John, bestand die eigentliche Perfidie von Männern wie Logan Stanford vor allem darin: Sie traten ihre Frauen in den Staub und hoben sich selbst in den Himmel. Schlimmer noch als die körperliche Gewalt wog die seelische, wog das, was sie mit dem Verstand ihrer Frau anstellten. Liza war eine intelligente Person. Dennoch hatte Stanford sie so weit gebracht, dass sie es glaubte und verinnerlicht hatte: Sie war ein Nichts. Er war Gott. Den Kampf gegen ihn brauchte sie nicht aufzunehmen, da sie ihn bereits in dem Moment, da sie sich auch nur mit dem Gedanken daran trug, schon verloren hatte.

Er schüttelte den Kopf. Es war nicht der Zeitpunkt, zu philosophieren. Er wusste nicht genau, woran das lag, aber er wurde das Gefühl nicht los, dass die Zeit drängte. Dass Gefahr im Verzug war.

»Wie auch immer«, sagte er. Für den Augenblick würde es Liza sowieso nicht zu vermitteln sein, dass ihr Mann ebenso gut ins Gefängnis wandern konnte wie jeder andere Kriminelle auch. »Woher kennen Sie Tara Caine?«

»Ich kenne sie seit Oktober letzten Jahres«, sagte Liza. »Seit dem 31. Oktober.«

»Also noch nicht lange?«

»Nein. Zweieinhalb Monate etwa.«

Er trat an den Tisch heran, setzte sich Liza gegenüber. Er vibrierte, hätte alle Informationen gern schneller bekommen, beherrschte sich aber. Liza anzufahren barg die Gefahr, dass sie überhaupt nichts mehr sagte.

»Wie haben Sie sie kennengelernt?«

Liza lächelte. »Zufall. Wir waren eingeladen, mein Mann und ich. Fünfundsiebzigster Geburtstag eines ehemaligen Kollegen meines Mannes. Große Feier im Kensington-Hotel. Mein Mann bestand darauf, dass ich mitkomme, obwohl es mir schlecht ging. Ich war nervlich ziemlich am Ende, und außerdem hatte ich mal wieder ein hübsches Veilchen im Gesicht. Das linke Auge. Es war abgeschwollen, aber noch blau umrandet. Man fühlt sich nicht besonders sicher, wenn man so unter die Menschen gehen muss.«

»Nur zu verständlich«, sagte John, »aber Ihr Mann schien das Risiko, dass über Sie und womöglich auch über ihn getuschelt wird, nicht zu scheuen?«

»Er wusste, ich würde die Verletzung irgendwie unkenntlich machen. Wir hatten diese Situation ja nicht zum ersten Mal. Ich besitze ein extrem deckendes Camouflage-Make-up. Wichtigstes Utensil für misshandelte Ehefrauen, wissen Sie. Damit konnte ich das Problem einigermaßen vertuschen.«

»Sie gingen also auf dieses Fest...«

Sie nickte. »Es waren viele Menschen dort. Vor allem natürlich Juristen. Anwälte. Staatsanwälte. Richter. Mein Mann war wie immer der Mittelpunkt, schwang große Reden. Brüstete sich mit seinen Wohltaten. Er hatte im Sommer ein Tennisturnier organisiert, bei dem um Geld für Aidswaisen in Afrika gespielt wurde, und er war damit enorm erfolgreich gewesen, hatte eine hübsche Summe zusammengebracht, und dafür ließ er sich nun feiern. Alle klopften ihm auf die Schulter und betonten, was für ein toller Mensch er doch sei... und ich stand daneben und hätte kotzen können. Wirklich, ich hätte am liebsten mitten in den Raum gekotzt, mitten in die Menge dieser aufgetakelten Leute, die alle glaubten, Gutes zu tun, und in Wahrheit immer nur sich selbst zelebrierten und die überhaupt nicht merkten, wenn unter ihnen jemand war, dem es richtig schlecht ging.«

Er ahnte, was kam. »Staatsanwältin Caine befand sich auch unter den Gästen. Und im Unterschied zu den anderen merkte sie etwas?«

»Es ging mir wirklich nicht gut an dem Abend«, sagte Liza. »Ich fand es unerträglich heiß in dem Raum, und ich hatte plötzlich das Gefühl, dass ich im Gesicht stark schwitzte. Ich bekam Angst um mein Make-up. Verrückt, oder? Eigentlich wäre es doch für meinen Mann peinlich gewesen, wenn plötzlich alle mein blaues Auge gesehen hätten. Aber ich empfand es immer nur als eine Schande für mich.«

»Nach allem, was ich weiß«, sagte John, »geht das vielen Frauen in Ihrer Situation so.«

»Ich flüchtete in die Damentoilette. Zum Glück war dort gerade niemand. Während ich vor dem Spiegel versuchte, mein Make-up zu erneuern, fing ich plötzlich an zu weinen. Es wurde ein richtiger Weinkrampf. Ich war vollkommen entsetzt. Meine Schminke floss an mir hinunter, meine Augen quollen zu … und ich wusste, ich muss gleich wieder zu der Feier zurück. Aber ich konnte nicht aufhören. Ich konnte einfach nicht mehr aufhören.«

Sie schwieg. Ihrem Gesicht war anzusehen, dass sie den Moment wieder vor sich sah – den Moment, der offensichtlich zu einer Veränderung ihres Lebens geführt hatte.

»Dann ging plötzlich die Tür auf«, fuhr sie fort, »und ich erschrak fast zu Tode. Es war Tara, die hereinkam. Ich kannte sie damals noch nicht, aber ich vermutete, dass sie auch zu den Gästen des Geburtstagsfestes gehörte. Es gelang mir nicht mehr, rechtzeitig in eine der Kabinen zu flüchten. Ich hantierte wild mit einem Haufen Kleenextüchern herum und versuchte so zu tun, als hätte ich nur eine Erkältung oder eine Allergie oder irgendetwas … Und dann stand Tara auf einmal hinter mir und fragte, ob sie mir helfen könne. Ich ließ die Kleenextücher sinken. Ich weinte. Wir sahen einander im Spiegel an. Inzwischen war praktisch keine Farbe mehr in meinem völlig verheulten Gesicht. Die Haut um das Auge herum schillerte in allen Tönen. Ich glaube, eine Minute lang sprach niemand, und dann sagte Tara einfach nur: *Ihr Mann?* Es war Frage und Feststellung in einem. Und zum ersten Mal suchte ich nicht nach einer Ausrede. Nichts von einem Treppensturz, einem Fahrradunfall, einer ungeschickten Kollision mit dem Tennisschläger. Ich hatte nicht die Kraft. Und so nickte ich einfach nur. Und Tara fragte: *Sie sind doch die Frau von Logan Stanford?* Und ich nickte wieder.«

»Darauf entstand der Plan, dass Sie sich verstecken?«, fragte John.

»Noch nicht«, sagte Liza. »Ich erklärte, ich könne keinesfalls zu der Feier zurück. Tara half mir. Sie schleuste mich ungesehen aus dem Hotel, organisierte ein Taxi und fuhr mit mir nach Hause. Sie bezahlte die Frau, die auf Finley aufgepasst hatte, und komplimentierte sie hinaus, während ich noch im Wagen wartete. Sie machte mir heißen Tee. Und die ganze Zeit über weinte ich.«

»Sie haben ihr dann alles erzählt?«

»Ja. Absolut alles. Es strömte nur so aus mir heraus.«

»Sie ist Staatsanwältin. Theoretisch hätte sie danach ein Verfahren einleiten müssen, ob Sie nun zustimmen oder nicht.«

»Das sagte sie auch. Ich flehte sie an, es nicht zu tun. Schließlich versprach sie, es zu unterlassen. Aber bevor sie ging, sah sie mich an und sagte: *Liza, ich werde nicht aufgeben, bis Sie von selbst zur Polizei gehen und ihn anzeigen. Sie müssen diesen Schritt tun. Er ist wichtig. Es geht um Ihr Leben und um Ihre Selbstachtung. Bringen Sie diesen Verbrecher hinter Gitter!* So sagte sie wörtlich.«

»Und dann«, vermutete John, »blieb sie an Ihnen dran?«

»Ja. Sie rief mich fast täglich an. Bedrängte mich, ermutigte mich. Manchmal war ich froh, ihre Stimme zu hören. Manchmal fühlte ich mich in die Enge getrieben. Insgesamt … bedeutete es einen Trost für mich, endlich auf einen Menschen gestoßen zu sein, dem es nicht egal war, was aus mir wurde. Auch wenn mir das oft zu intensiv wurde.«

»Sie steigerte sich in die Situation hinein?«

»Ja«, sagte Liza, »und zwar mit einer Heftigkeit, die mich überraschte. Manchmal kam es mir vor, als hasste sie Logan beinahe mehr als ich. Es muss ihr entsetzlich schwergefallen sein, nicht sofort mit Ermittlungen gegen ihn zu beginnen. Andererseits brauchte sie meine Kooperation. Es gab keine Zeugen für unser Gespräch im Waschraum, und die Sache war wackelig, solange ich nicht sicher war, ob ich gegen ihn aussagen würde. Außerdem schien es ihr immens wichtig zu sein, dass der entscheidende Schritt von mir ausging. Sie betonte immer wieder, dass ich mich wehren müsse. Zurückschlagen. Ihn fertig machen. Ich sollte nicht mit dem Gefühl zurückbleiben, von ihr oder der Polizei gerettet worden zu sein. Ich sollte mich selbst retten. *Das ist für später ganz, ganz wichtig, Liza,* sagte sie immer wieder.«

»Der Gedanke ist sicher nicht verkehrt«, meinte John, »aber insgesamt kommt sie mir Ihrer Beschreibung nach ungewöhnlich emotional vor. Fast scheint es …« Er sprach nicht weiter. Er lenkte Liza nur ab, wenn er spekulierte.

»Was meinen Sie?«, fragte Liza.

»Ich habe überlegt, weshalb sich Tara Caine mit solcher Vehemenz in Ihren Fall hineinkniete. Mir drängt sich der Eindruck auf, dass vielleicht eigene Erfahrungen eine Rolle gespielt haben mögen, aber dafür gibt es im Moment natürlich keinen Beweis.«

»Sie hat nie über sich selbst gesprochen«, sagte Liza. In ihre melancholischen, trostlosen Augen trat ein Ausdruck des Misstrauens. »Was ist überhaupt los? Weshalb interessiert Sie Tara Caine so sehr?«

»Weshalb hat sie Ihnen die Wohnung hier gemietet?«, fragte John anstelle einer Antwort zurück.

»Ach, das ging dann recht schnell«, sagte Liza. »Mitte November eskalierte es wieder einmal zwischen meinem Mann und mir, und ich flehte Tara geradezu hysterisch an, dass sie mir helfen müsse, vor ihm zu fliehen. Zum Glück hatten wir in den Wochen davor so viel und so ausführlich geredet, dass sie einwilligte, Finley zurückzulassen. Er lag ihr sehr am Herzen, aber sie hatte begriffen, dass Logan ihn nie attackieren würde. Er liebt den Jungen abgöttisch. Der einzige Punkt, der für ihn spricht.«

»Trotzdem hat er sich ihm gegenüber verantwortungslos und grausam verhalten«, widersprach John. »Nach meinem Eindruck hat sich Finley in eine völlig eigene Welt zurückgezogen. Es ist unvorstellbar, was dieses Kind all die Jahre über hat ertragen müssen. Auch wenn er selbst nie einen Angriff hat aushalten müssen – seine Seele ist schwer beschädigt.«

»Alle paar Tage ist Tara hier«, sagte Liza. »Sie will, dass ich Logan anzeige. Dass ich die Scheidung einreiche. Mit Finley ein neues Leben beginne. Mich nicht länger verstecke. Ich weiß auch, dass sie recht hat, aber …« Sie schüttelte den Kopf. »Ich bin noch nicht so weit. Und an manchen Tagen glaube ich fast, es wird schlimmer. Ich will mich eher immer tiefer verkriechen, als mich wieder aus der Höhle zu wagen und ihn anzugreifen. Aber Tara lässt nicht locker, und vielleicht hat sie mich irgendwann so weit. Oft denke ich … ich bin ein Projekt für sie. Sie will etwas durchsetzen und erreichen. Aber zumindest hat mich das für den Moment in Sicherheit gebracht.«

Nicht schlecht ausgedrückt, dachte John. Ein Projekt. Das mochte stimmen. Tara Caine zog nicht einfach selbst gegen Logan Stanford zu Felde, obwohl ihr als Staatsanwältin etliche Möglichkeiten offenstehen würden. Sie wollte Liza animieren, es selbst zu tun. Dafür investierte sie Zeit und in nicht unerheblichem Maße Geld. Sollte sie Erfolg haben, war allerdings abzusehen, dass sie alles problemlos wiederbekommen würde: Als geschiedene Frau würde Liza sehr wohlhabend sein.

Geld war jedoch bestimmt nicht Taras Antriebsfeder. John hätte nicht einmal begründen können, weshalb er davon so sicher ausging. Er spürte es einfach. Es ging um irgendetwas, das viel größer war. Viel wichtiger. Viel bedeutungsvoller.

»Haben Sie Tara von Carla Roberts erzählt?«, fragte er. »Und von Anne Westley?«

»Ich habe ihr von beiden erzählt, ja. Tara wollte wissen, ob denn nie jemand in meinem Umfeld etwas gemerkt habe, und ich sagte, nein, nicht dass ich wüsste, aber ich hätte mich zwei Frauen anvertraut in der Hoffnung, es werde etwas geschehen. Aber das hatte ja nicht funktioniert.«

Da war etwas … Er sah es noch nicht ganz klar, aber es war, als komme etwas in seinen Gedanken mehr und mehr in Bewegung, als nähere er sich einer Erkenntnis, die alles einleuchtend und durchschaubar machen würde. Er hatte danach gesucht, im Ermittlerteam hatten sie ebenfalls danach gesucht: nach dem Menschen, der sie alle drei gekannt hatte, alle drei Opfer, die so lange ohne jede Verbindung zueinander erschienen waren. Carla, Anne und Tom. Gillian, die möglicherweise an Toms Stelle hätte sein sollen.

Zum ersten Mal hatte er nun einen Namen, zum ersten Mal, seitdem Samson Segal ins Spiel gekommen war, dem eine Bekanntschaft mit Anne und Carla zumindest nicht hatte nachgewiesen werden können.

Tara Caine.

Die offenkundig besessen davon gewesen war, einer Frau zu helfen, die sich allein nicht hatte helfen können. Und die von jedem im Stich gelassen worden war, an den sie sich in ihrer Not gewandt hatte.

Noch klafften Lücken. Noch vermochte er kein vollständiges Bild zu zeichnen, das ihm den Weg zur Erkenntnis wies.

Aber ich bin dicht dran. Und irgendwie hängt es mit Tara Caine zusammen. Und Gillian ist bei ihr!

Er zog sein Handy hervor. »Entschuldigen Sie«, sagte er, »ich muss kurz telefonieren.«

Er tippte zum zweiten Mal an diesem Tag Gillians Handynummer ein. Wieder nahm niemand den Anruf entgegen. Wieder meldete sich nach einer Weile nur die Mailbox.

Er sprach erneut darauf: »Gillian, ich bin es, John. Bitte ruf mich an. Es ist wichtig. Bitte melde dich doch!«

»Was ist los?«, fragte Liza, die die Dringlichkeit in seiner Stimme vernommen hatte.

Er winkte ab. »Das führt jetzt zu weit. Möglicherweise haben wir ein großes Problem.«

John wusste, dass der Moment gekommen war, an dem er zu Detective Inspector Fielder gehen müsste. Er verfügte inzwischen über Informationen, die er nicht mehr zurückhalten durfte, und er brauchte den Polizeiapparat mit all seinen Möglichkeiten, um weitermachen zu können. Er würde Liza Stanford dabei nicht aus allem heraushalten können. Seine frühere Kollegin Constable Kate Linville möglicherweise auch nicht.

Vielleicht durfte er sich daran nicht mehr stören.

Er stand auf. Bevor er zur Polizei ging, würde er zu Tara Caine fahren. Am Ende saßen die beiden Frauen noch in der Wohnung, und Gillian ging nur deshalb nicht an ihr Handy, weil sie seine Nummer im Display sah und fürchtete, von ihm wieder bedrängt zu werden.

Aber er glaubte das selbst kaum. Als sie zuletzt gesprochen hatten, war Gillian nach eigenen Worten kurz davor gewesen, London zu verlassen. Jetzt war Freitagabend. Sie war wahrscheinlich seit Stunden unterwegs. War Tara bei ihr?

Ihm kam noch ein Gedanke. »Haben Sie die Möglichkeit, Tara telefonisch zu erreichen?«, fragte er.

Es gab keinen Festnetzanschluss in der Wohnung, aber Liza besaß ein Mobiltelefon. Sie tippte Taras Nummer ein und reichte den Apparat dann an John weiter. »Ihre Handynummer. Eine andere habe ich auch nicht.«

Fast erwartungsgemäß meldete sich niemand. Es gab nicht einmal eine Mailbox. John fluchte leise.

»Bitte bleiben Sie hier, Liza«, bat er, während er zur Wohnungstür ging. »Versuchen Sie nicht, überstürzt eine neue Bleibe zu finden oder etwas Ähnliches. Bleiben Sie bitte. Ich brauche Sie vielleicht noch.«

Er hoffte, sie werde ihn nun nicht schwören lassen, keinesfalls zur Polizei zu gehen, aber offenbar kam ihr dieser Gedanke nicht. »Wo sollte ich denn hin?«, fragte sie resigniert. »Ohne Tara kann ich sowieso keine Entscheidungen treffen.«

»Ich melde mich«, versprach er und trat ins Treppenhaus.

Er hörte, wie sie die Tür schloss und zweimal den Schlüssel herumdrehte, während er die Stufen hinunterlief.

II

Es war heiß im Auto. Tara musste die Heizung auf die höchste Stufe gedreht haben. Die dicke Wolldecke, die über ihr lag, tat ein Übriges: Gillian hatte das Gefühl, dass ihr der Schweiß in Strömen am Körper hinunterlief. Die Wolle kratzte auf ihrem Gesicht.

Die Angst, ersticken zu müssen, überflutete sie in Wellen von Panik. Sie brauchte ihre ganze psychische Kraft, die Panik immer wieder von Neuem niederzuringen. Eingesperrt in dieser Hitze, die schwere Decke über Kopf und Körper, den Mund mit Paketklebeband verschlossen, durfte sie nicht durchdrehen. Dann würde sie am Ende tatsächlich keine Luft mehr bekommen.

Sie hatte Tara angebettelt, auf das Klebeband zu verzichten. »Bitte, bitte. Bitte, Tara. Tu mir das nicht an. Ich habe Angst. Bitte!« Sie hatte geschworen, keinen Laut von sich zu geben, aber Tara wollte davon nichts wissen. »Du würdest mir jetzt alles Mögliche versprechen. Vergiss es, Gillian. Ich gehe kein Risiko ein, deinetwegen bestimmt nicht!«

In der Garage, durch einen Pfeiler vor neugierigen Blicken geschützt, hatte sie das Klebeband mehrfach um Gillians Kopf gewickelt. Es war nun fest mit ihren Haaren verpappt, und Gillian konnte sich nur zu gut vorstellen, wie schmerzhaft es sein würde, es wieder zu entfernen. Obwohl dies im Moment keineswegs ihre größte Sorge darstellte. Das Schlimmste war die Luft. Die Angst vor dem Ersticken. Die Angst, erbrechen zu müssen. Schon deshalb durfte sie der Panik keinen Raum geben. Sie neigte zu Übelkeitsattacken, wenn sie sich zu sehr aufregte.

Sie hatte ihre Hände auf dem Rücken kreuzen müssen, dann hatte Tara auch die Handgelenke festgezurrt.

»Wo ist dein Autoschlüssel?«, hatte sie gefragt.

Gillian konnte nur undeutliche Laute von sich geben, hatte aber eine Kopfbewegung in Richtung von Taras parkendem Auto gemacht. Tara verstand. Sie holte die Handtasche ihrer Freundin in die Garage, kramte darin herum. Sie fand den Schlüssel, nahm ihn heraus, stellte die Tasche wieder zurück. Gillian musste an das Handy darin denken, auf dem irgendjemand noch eine knappe halbe Stunde zuvor versucht hatte, sie zu erreichen. Sie würde keine Chance mehr haben, den Anruf zu beantworten.

Tara öffnete Gillians Auto und befahl ihr, sich auf den Beifahrersitz zu setzen. Dann verschloss sie das Auto. Gillian versuchte verzweifelt, das Klebeband von ihren Handgelenken zu lösen, aber sie schaffte es nicht mal, es auch nur ein wenig zu lockern. Dann probierte sie, mit ihren gefesselten Händen die Tür zu entriegeln, aber auch das missglückte. Sie konnte nur dasitzen und warten.

Im Rückspiegel sah sie, dass Tara in ihr eigenes Auto stieg, anfuhr, den Wagen wendete und ihn rückwärts dicht an das offene Garagentor heranfuhr. Ihr dämmerte, dass sie umgeladen werden sollte. Sicher wäre Tara gern in die Garage hineingefahren und hätte alles hinter einem sorgfältig verschlossenen Tor abgewickelt, aber dafür gab es nicht genug Platz. Toms großer BMW versperrte den Raum.

Tara stieg aus, klappte ihren Kofferraumdeckel hoch. Sie zog Gillian aus ihrem Auto.

»Du steigst jetzt in meinen Kofferraum«, befahl sie. »Und keine Tricks!«

Gillian, wehrlos, die Pistole dicht an ihrem Körper, kletterte resigniert in den Kofferraum des Jaguars. Es war nicht viel Platz, sie musste die Embryostellung einnehmen, wobei ihre Knie fast an ihr Kinn stießen.

Sie kämpfte mit den Tränen, als sie spürte, wie Tara nun auch ihre Fußknöchel unbarmherzig verschnürte. Einen ganz kurzen Moment lang spielte sie mit dem Gedanken an Gegenwehr. Tara hatte die Pistole beiseitegelegt und stand vornübergebeugt in der geöffneten Heckklappe des Wagens. Ein gezielter Tritt in den Unterleib würde sie für einen Moment außer Gefecht setzen. Aber dann? Mit auf dem Rücken gefesselten Händen – würde sie schnell genug nach draußen laufen können? Die einstige Freundin würde sich rasch wieder erholen und nur Sekunden brauchen, um die Waffe an sich zu nehmen. Gillian zweifelte nicht, dass Tara ernst machen würde. Ein Schuss in den Kopf. Wie bei Tom.

Es erschien ihr zu riskant. Und gleich darauf waren auch ihre Füße schon gefesselt, und die Sache hatte sich erledigt. Ihre eigentliche Chance hatte sie zuvor gehabt, als ihr plötzlich so unheimlich zumute gewesen war und sie gewusst hatte, dass sie Tara irgendwie loswerden musste. Was ihr geglückt wäre, hätte nicht Samson Segal die unselige Idee gehabt, sie zu warnen. Wie kam er bloß darauf, Tara zu verdächtigen? Zweifellos hatte er damit recht, aber wie, zum Teufel, war er ihr auf die Schliche gekommen? Und er hatte von *wir* gesprochen. Mit wem machte er gemeinsame Sache?

Tara zog eine dicke Wolldecke aus dem Kofferraum von Gillians Wagen und warf sie über die gefesselte Frau.

»Damit du nicht frierst«, sagte sie. »Wer weiß, wie lange wir unterwegs sind.«

Schon wieder wollten Gillians Augen überlaufen, nicht nur, weil die dicke Wolle ihr das Atmen erschwerte, sondern auch, weil eine Erinnerung an glückliche Zeiten in ihr aufwallte: Die Decke stammte ursprünglich aus dem Auto, das Tom in seinen Studententagen besessen hatte, die unmögliche Rostlaube, die nur auf gutes Zureden hin ansprang und aus deren zerschlissenem Rücksitz der Schaumstoff quoll; daher hatte Tom dort die Decke ausgebreitet. Sie hatten einander gerade erst kennengelernt und waren so verliebt gewesen, dass sie beständig nur auf Wolken wandelten, und eines Tages im Mai waren sie ans Meer gefahren und dort geschwommen. Gillian entsann sich des eiskalten Wassers und der noch sehr frühlingshaft frischen Luft draußen. Sie hatte zu lange herumgeplantscht und hinterher geschlottert vor Kälte, sie hatte blaue Lippen gehabt und ihre Zähne waren willenlos aufeinandergeschlagen. Tom hatte schließlich die Decke vom Rücksitz geholt und sie darin eingewickelt, und zusätzlich hatte er beide Arme um sie geschlungen und versucht, ihr etwas von seiner Körperwärme abzugeben. So hatten sie eine halbe Ewigkeit am Strand gesessen, in einer einsamen Bucht, in der sich kleine Krebse im Sand eingruben, Seevögel herumstolzierten und glitschiger grüner Tang in glänzenden Schlieren über flachen Felsen lag. Der Himmel spiegelte sich in den Pfützen, die von der letzten Flut zurückgeblieben waren. Seltsamerweise war Gillian die Situation als unfassbar romantisch erschienen, als vollkommenes Glück, von dem sie wusste, dass sie es niemals vergessen würde. Als Tom Jahre später die alte Decke nicht mehr in seinem schicken BMW haben wollte, hatte Gillian sie schließlich in den Kofferraum ihres Autos gelegt.

Während die Heckklappe zugeschlagen wurde, Tara ihren Wagen ein Stück nach vorne setzte, dann wieder ausstieg und das Garagentor schloss, dachte Gillian, dass sie, selbst wenn sie diese ganze Geschichte überleben sollte, niemals wieder ein *normales Leben* würde führen können. Die Erlebnisse wogen zu schwer, sie würden immer da sein. So wie die Erinnerung an Tom und das Meer und den kalten Maitag immer da gewesen war. Darüber hatten sich nun andere Bilder geschoben: der ermordete Tom, der so seltsam verrenkt über dem Stuhl im Esszimmer lag. Der Abend mit Luke Palm, als sie geglaubt hatte, eine Gestalt im Haus zu sehen.

Samson Segals Stimme auf dem Anrufbeantworter.

Taras tote Augen.

Von jetzt an würde das ihre Wirklichkeit sein.

Und sie hätte alles gegeben, in ihre frühere Normalität zurückkehren zu können, in eben diese Welt, mit der sie gehadert hatte. Sie wollte nur ihr Leben wiederhaben. Ihr Leben, wie es gewesen war. Nichts anderes ersehnte sie.

Während der Wagen wieder anfuhr, überlegte Gillian, wie ihre Chancen standen, und kam zu eher trostlosen Ergebnissen. Wann würde man sie vermissen? Ihre Eltern und Becky würden wahrscheinlich irgendwann anrufen und sich nach dem zweiten oder dritten Versuch wundern, dass sie weder die Anrufe annahm noch sich zurückmeldete. Aber dann? Wie sollten sie sie jemals finden?

Luke Palm würde ebenfalls den Kontakt suchen, spätestens dann, wenn es Interessenten für das Haus gab oder Fragen zu dem einen oder anderen Detail aufkamen. Er wusste zumindest, dass sie an jenem Abend zu ihrer Freundin gezogen war – wobei er deren Namen und Identität nicht kannte. Allerdings ihre Adresse, er hatte sie schließlich dort abgesetzt. Würde er sich an die Polizei wenden, weil ihm ihr Verschwinden seltsam vorkam?

Und dann?

Sie hatte John gesagt, dass sie sich in ein Hotel auf dem Land zurückziehen wollte. Wenn er das der Polizei mitteilte, würde man ihr Verschwinden vielleicht gar nicht weiter untersuchen: Man würde annehmen, dass sie ihrem Plan gefolgt war und offensichtlich nicht gestört werden wollte. Genau das, was man bei einer traumatisierten Frau, deren Ehemann ermordet worden war, erwarten konnte. Allerdings stand ihr Auto in der Garage. Aber würde überhaupt jemand dort nachsehen? Außerdem konnte sie auch den Zug genommen haben. Bei den derzeitigen Witterungsverhältnissen durchaus vorstellbar.

Einen Hoffnungsschimmer gab es: Samson Segal, der Blödmann, dem sie ihre augenblickliche heikle Lage verdankte, war aus vollkommen unerfindlichen, aber ganz offensichtlich goldrichtigen Gründen darauf gekommen, dass Tara Caine eine Gefahr darstellte. Aber was würde er letztlich mit diesem Wissen anfangen?

Was hatte Tara vor? Sie hätte sie leicht auf der Stelle, noch im Haus, erschießen können. War es ein gutes Zeichen, dass sie es nicht getan hatte? Nicht unbedingt, entschied Gillian verzweifelt. Tara war nicht dumm. Sie hatte die Warnung auf dem Anrufbeantworter gehört. Sie wusste, dass Luke Palm mitbekommen hatte, wohin Gillian in jener Nacht geflüchtet war. Auch mochten Nachbarn ihre und Gillians Ankunft am Nachmittag beobachtet haben. Hätte man irgendwann in den folgenden Tagen Gillians Leiche in ihrem Haus gefunden, wäre Tara zumindest eindringlich befragt worden. Die Situation hätte kritisch für sie werden können. Nein, Tara wollte genau das tun, was sie angekündigt hatte: einen sicheren Ort finden und dann überlegen, wie sie nun am besten weiterverfuhr. Die Dinge waren ihr aus dem Ruder gelaufen. Sie hatte sich wegen Luke Palm verquasselt, und dann war noch Samsons Anruf erfolgt.

Inzwischen hatte sie ihrer einstigen Freundin gegenüber praktisch schon ein Geständnis abgelegt. Was darauf schließen ließ, dass sie Gillian nicht als jemanden sah, der noch die Gelegenheit haben würde, dieses Wissen weiterzugeben.

Sie kann mich gar nicht laufen lassen, dachte Gillian, *sie kann jetzt nur noch versuchen, mich auf eine Art verschwinden zu lassen, bei der kein Verdacht auf sie fällt. Um etwas anderes kann es ihr nicht gehen.*

Bei diesem Gedanken fiel ihr das Atmen schlagartig noch schwerer. Die Decke schien sich bleischwer auf ihr Gesicht zu pressen, das Klebeband erstickte sie nicht nur dadurch, dass es ihren Mund grausam verschloss, sondern auch mit dem betäubenden Geruch nach Klebstoff, den es abgab. Das Auto fuhr an, stoppte, fuhr an. Stadtverkehr. Früher Freitagabend. Sie würden Stop-and-go fahren, bis sie die Stadtgrenze erreicht hatten, mindestens. Auch auf den Autobahnen konnte es Staus geben. Das Schlimme daran war die übelkeitauslösende Wirkung. Die Hitze, der Geruch, das Geruckel des Wagens ließen Gillians Magen Kapriolen drehen. Sie konnte von Glück sagen, dass sie den ganzen Tag über kaum etwas gegessen hatte. Trotzdem würde sich der Brechreiz steigern.

Denk nicht daran, ermahnte sie sich unter Aufbietung aller Willenskraft. Konzentrier dich auf etwas anderes.

Gedämpft konnte sie die Stimme eines Radiomoderators vernehmen. Er verlas gerade den Wetterbericht. Es würde sehr kalt werden in den kommenden Tagen. Neuschnee war nicht zu erwarten, dennoch empfahl er den Autofahrern, daheimzubleiben, wenn sie nicht unbedingt nach draußen mussten. Die Räumdienste kämpften noch mit der Hinterlassenschaft des letzten Schneeeinbruchs.

Dann setzte Musik ein.

Gillian glaubte sogar zu hören, dass Tara die Melodie mitsummte.

Man bekommt immer eine zweite Chance, dachte sie, halte dich bereit, deine zu nutzen.

Sie schob den Gedanken beiseite, der sich ihr sofort aufdrängte: Blöder Spruch, das mit der zweiten Chance. Es stand nirgendwo geschrieben, dass man die bekam.

Manchmal hatte man nicht mal eine einzige.

12

Er hatte erwartet, dass bei Tara Caine niemand zu Hause war. Trotzdem hatte er ein paar Mal geklingelt, war schließlich bis zur Straße zurückgetreten und hatte hinaufgespäht. Taras Balkon. Dahinter die Scheiben des Wohnzimmerfensters. Alles war dunkel. Das neben dem Balkon befindliche kleinere Fenster musste ebenfalls zu ihrer Wohnung gehören, und auch dort brannte kein Licht.

Es war der Moment, zur Polizei zu gehen.

John setzte sich wieder in sein Auto.

Er dachte an den Abend, an dem er Gillian hierher zurückgefahren hatte. Anfang Januar. Sie hatte ein paar Sachen aus ihrem Haus geholt, sah sich zum ersten Mal wieder mit dem Ort konfrontiert, an dem ihr Ehemann gewaltsam ums Leben gekommen war. Er hatte ihr geholfen, die Sachen nach oben zu tragen, aber sie wollte nicht, dass er noch mit in die Wohnung kam. Was er verstand: Becky war dort, verstört und vollkommen durcheinander. Und hellhörig. Sie sollte nicht unmittelbar nach dem Tod ihres Vaters einen anderen Mann an der Seite ihrer Mutter erleben, auch wenn dieser nur als hilfsbereiter Freund auftrat. Sie hätte wittern können, dass mehr dahintersteckte. Zumindest hatte Gillian diese Befürchtung zum Ausdruck gebracht, und John hatte ihre Sorge respektiert.

Jetzt, mit einem erneuten Blick hinauf zu der dunklen Wohnung, dachte er: Vielleicht ging es für sie gar nicht nur um Becky. Vielleicht gab es damals schon ein ungutes Gefühl gegenüber Tara. Vielleicht hatte die bereits begonnen, gegen mich Front zu machen.

Doch nein, das konnte nicht sein. Erst an jenem Abend, so entsann er sich, hatte Gillian Tara von den Vorkommnissen erzählt, die für Johns Ausscheiden aus dem Polizeidienst verantwortlich waren. Daraufhin hatten sich die beiden Frauen gestritten. Tara hatte absolutes Unverständnis darüber geäußert, dass sich Gillian mit einem Mann einließ, auf dessen Vorgeschichte das Wort *Vergewaltigung* wie ein hässlicher Fleck prangte; ein Fleck, der trotz allem, was geschehen war, um ihn zu entkräften, nie ganz seine Umrisse verloren hatte.

Tara musste recht heftig geworden sein. Denn unmittelbar darauf hatte Gillian Becky nach Norwich zu den Großeltern geschickt und war in ihr Haus zurückgekehrt – gegen den Rat eines jeden Menschen, der es gut mit ihr meinte.

Warum wurde er das Gefühl nicht los, dass er gerade an dieser Stelle etwas übersah?

Ich habe Tara erzählt, dass du früher bei der Polizei warst. Und wie es kommt, dass du dort jetzt nicht mehr bist...

Er konnte Gillians Stimme deutlich hören. Er hatte sich gewundert, weshalb sie nach Hause zurückgekehrt war, und sie versuchte, es ihm zu erklären. Sie hatte sich unbehaglich gefühlt, weil es mit der dummen Geschichte von damals zu tun hatte, weil sie ihn mit der Erkenntnis konfrontieren musste, dass die ganze leidige Sache noch immer an ihm klebte, ihm noch immer Misstrauen und Vorbehalte einbrachte und das vermutlich auch immer tun würde.

Sie fiel aus allen Wolken...

Er richtete sich auf.

An genau dieser Stelle stimmte etwas nicht.

Sie fiel aus allen Wolken...

Was hatte ihm Kate berichtet? Tara Caine hatte die Akte Burton angefordert und gelesen, und zwar bereits im Dezember. Sie hatte sie, so Kate, noch vor Weihnachten wieder zurückgegeben. Das bedeutete, dass sie an jenem Donnerstag Anfang Januar, als Gillian ihr von den Ermittlungen gegen John berichtet hatte, längst Bescheid wusste. Und zwar detailliert, denn sie hatte sich über jeden einzelnen Punkt des gesamten Vorganges haarklein informiert. Wenn sie *aus allen Wolken* gefallen war, dann hatte sie bloß so getan als ob. Ihr jähes Erschrecken musste sie Gillian vorgespielt haben.

Warum?

Vielleicht hatte sie unter allen Umständen verbergen wollen, dass sie spioniert hatte. John vermutete, dass ihr bei der Erwähnung des Namens *Burton* irgendeine vage Erinnerung gekommen war – vermutlich an ein Gespräch mit einem Kollegen oder an etwas, das sie irgendwo auf dem Gang aufgeschnappt hatte. Sie hatte sich informiert … und ihr Wissen für sich behalten. Zu diesem Zeitpunkt musste sie noch davon ausgehen, dass Gillian keine Ahnung hatte. Wäre es für sie als beste Freundin nicht normal gewesen, sofort zu erzählen, was sie herausgefunden hatte? Offenbar war sie von Johns Unschuld keineswegs überzeugt, zumindest sah sie in ihm noch immer eine Gefahr. Weshalb schwieg sie und spielte später die völlig Überraschte?

John wusste, dass aus all dem noch nichts zu konstruieren war, was Tara wirklich belastet hätte. Man konnte sich eine Reihe harmloser Erklärungen für ihr Verhalten vorstellen, und auch ihr Engagement im Falle Liza Stanford rückte sie nicht automatisch an die Stelle einer Tatverdächtigen. Dennoch alarmierte ihn diese Häufung seltsamer Geschehnisse.

Und ihn ängstigte die Tatsache, dass beide Frauen plötzlich spurlos verschwunden waren.

Kurz entschlossen ließ er den Motor an und wendete den Wagen ziemlich waghalsig auf der Straße, was ihm das wütende Hupen eines anderen Autofahrers einbrachte.

Er fuhr Richtung Scotland Yard.

I

Constable Rick Meyers hatte sich auf einen eher beschau-
lichen Samstagmorgen im Polizeirevier eingestellt. Er hatte
Wochenendbereitschaftsdienst, aber er vermutete, dass nicht
viel passieren und er daher die Zeit finden würde, etliche
Schreibarbeiten, die sich auf seinem Tisch stapelten, endlich
zu erledigen. Die verschneite Welt draußen schien still und
friedlich und erstrahlte in unschuldigem Weiß. Vielleicht
suggerierte ihm bloß das Wetter, es werde sich an diesem
Tag nichts Besonderes ereignen. Er war jedenfalls regelrecht
entsetzt, als plötzlich sein Vorgesetzter aufkreuzte und ihm
einen Zettel vor die Nase hielt.

»Wir müssen da etwas überprüfen. Anfrage von Scotland
Yard in London. Es geht um eine Mrs. Lucy Caine-Roslin.
Wohnt in der Reddish Lane.«

»Reddish Lane? In Gorton?«

»Ja. Leider müssen Sie da hinfahren.«

»Worum geht es denn?«, fragte Meyers. Er hatte sich gerade in die Berichte vertieft, die er schreiben musste.

»Es könnte sein, dass sich ihre Tochter bei ihr aufhält. Und
eben das müssen wir herausfinden. Scotland Yard hat einige
wichtige Fragen an sie.«

»An die Tochter?«, fragte Meyers begriffsstutzig.

»Ja. Die ist verschwunden, muss aber dringend befragt werden, und es besteht die Möglichkeit, dass sie zu ihrer Mutter gefahren ist. Die Tochter heißt«, der Vorgesetzte blickte auf seinen Zettel, »Tara Caine. Staatsanwältin aus London.«

»Staatsanwältin? Echt? Und die stammt aus so einer Ecke?«

»Offensichtlich.«

»Und weshalb rufen wir bei dieser Lucy Caine-Roslin nicht einfach erst einmal an?«, fragte Meyers, während er schwerfällig aufstand. Er ahnte, dass diese Idee den anderen auch schon gekommen war und dass es einen Grund gab, weswegen sie nicht umgesetzt werden konnte, sodass ihn dieser Einfall nun nicht davor retten würde, in eine der weniger angenehmen Gegenden von Manchester zu fahren, um nach irgendeiner alten Schachtel zu suchen.

»Das wurde mehrfach versucht. Es geht dort niemand ans Telefon. Es hilft nichts. Sie müssen da rasch vorbeifahren. Wir können Scotland Yard nicht ignorieren.«

Wenigstens gab es an diesem noch frühen Samstagmorgen kaum Verkehr, und die Räumdienste hatten zudem in den letzten Tagen überall gute Arbeit geleistet. Rick Meyers kam gut voran. Trotzdem hätte er diesen Job jetzt nicht gebraucht, und das nicht nur, weil er seine Arbeitsplanung durcheinanderbrachte. Kein Polizist fuhr gern nach Gorton im Süden Manchesters, selbst dann nicht, wenn es nur darum ging, eine alte Frau aufzustöbern. In dieser Gegend konnte jede noch so harmlos anmutende Aufgabe in einem Fiasko enden. Es gab bessere und schlechtere Ecken dort, und die schlechteren bestanden zu einem guten Teil aus abbruchreifen Häusern, in denen Junkies lebten, die nicht lange fackelten, wenn sich ihnen eine Gelegenheit bot, an Geld für die nächste Spritze zu kommen. Wer hierherzog, war am untersten Ende der sozialen Leiter angekommen, tiefer konnte er praktisch nicht mehr fallen. Die Gewaltbereitschaft war hoch, jeder Polizist galt als höchst unwillkommener Eindringling. Und Meyers war kein Held. Er fragte sich oft, wie er so bescheuert hatte sein können, ausgerechnet bei der Polizei sein Brot verdienen zu wollen.

Auch an diesem Morgen stellte er sich die Frage, aber wie immer fiel ihm keine Antwort dazu ein.

Das Straßenbild veränderte sich langsam. In Gorton stand man nicht plötzlich, Gorton kündigte sich schleichend an. Die Wohnhäuser entlang der Straßen wurden allmählich schäbiger. Kleine Grünflächen seltener, bis sie schließlich ganz verschwanden. Dann ein Industriegebiet, das verlassen aussah und selbst unter der dicken Schneedecke nichts von seiner Trostlosigkeit einbüßte. Ein Textil-Outlet, zu dem an diesem Morgen niemand den Weg zu finden schien. Ein Schrott-abladeplatz. Direkt daneben gammelte eine Reihenhaus-kette vor sich hin. Nur der Müll, der sich – teils in Plastik-säcken, teils einfach so aus dem Fenster geworfen – auf den Grundstücken türmte, verriet, dass diese Bruchbuden noch bewohnt wurden. Dann kamen Mehrfamilienhäuser. Be-schmierte Wände. Herausgebrochene Fensterscheiben. Bei einem Haus fehlte die komplette Haustür. Immer mehr Müll, immer mehr Dreck, immer mehr Verwahrlosung. Meyers wusste, dass sich unter dem Abfall jede Menge Spritzen be-fanden. Irritiert beobachtete er ein kleines Kind, das trotz Kälte und Schmutz auf der Straße spielte – unbeaufsichtigt und jeder Menge Gefahren ausgesetzt. Die Eltern schliefen wahrscheinlich oder waren besoffen oder zugekifft oder alles auf einmal. Das Kind strahlte trotzdem. Selbst in dieser tris-ten Umgebung freute es sich offensichtlich über den Schnee. Wie alle Kinder auf der Welt.

Meyers empfand Traurigkeit.

Wie es ein Mädchen von hier zur Staatsanwältin in London gebracht hatte, war ihm ein Rätsel. Schien eine verdammt taffe Person zu sein.

Die Reddish Lane zog sich über eine große Strecke hin, und Meyers stellte erleichtert fest, dass sich die betreffende Hausnummer nicht in der schlechtesten Ecke befand. In den unteren Stockwerken etlicher Häuser dort gab es kleinere und größere Läden und Geschäfte, und auch wenn einige davon offenbar hatten aufgegeben und mit Markisen oder zusammengenagelten Brettern verschlossen werden müssen, hielten sich die meisten doch tapfer. Die Gegend wirkte alles andere als wohlhabend, war aber auch nicht verwahrlost.

Hätte schlimmer kommen können, dachte er.

Mrs. Caine-Roslin bewohnte ein frei stehendes kleines Haus, das aus roten Ziegelsteinen gebaut war und von einem winzigen Hof umgeben wurde, an dessen hinterem Ende man einen etwas baufälligen Schuppen entdecken konnte. Das Haus selbst schien solide und stabil zu sein, und nur wenn man genauer hinsah, entdeckte man Anzeichen dafür, dass schon lange niemand mehr etwas für den Erhalt getan hatte: Die Fensterrahmen hätten gestrichen, das Hoftor repariert, einige Dachziegel erneuert werden müssen. Das Erdgeschoss bestand, wie bei so vielen Häusern in der Straße, aus einer ehemaligen Ladenfront, die jetzt mit einem blauen Rollo verschlossen war. Ein Schild wies darauf hin, dass sich hier eine Reparaturwerkstatt für Fahrräder befand. Das Schild war alt und die Schrift darauf nur mühsam zu entziffern, so sehr hatten Wind, Regen und Sonne ihr im Laufe der Zeit zugesetzt. Die Werkstatt schien es nicht mehr zu geben.

Fraglich war, ob es im Haus noch Bewohner gab.

Rick Meyers parkte am Straßenrand, stieg aus und blickte zweifelnd zu den Fenstern des ersten Stockwerks hinauf. Er sah kein Licht, aber dazu war der Tag auch schon zu weit fortgeschritten. Immerhin hingen dort Gardinen, und er meinte sogar, die eine oder andere Topfpflanze zu erkennen. Dennoch lag eine eigentümliche Leblosigkeit über Haus und Hof, aber das mochte auch mit dem ganz offenkundig stillgelegten Betrieb im unteren Teil des Hauses zusammenhängen.

Meyers stapfte durch den Schnee, den niemand auf dem Grundstück beiseitegeräumt hatte. Vielleicht wohnte die alte Caine-Roslin hier schon gar nicht mehr. Vielleicht hatte die Tochter sie längst nach London geholt und dort in einem Altenheim untergebracht. Komisch, dass sie hier noch gemeldet war. Aber diese Dinge passierten manchmal.

Außerdem war die Tochter verschwunden und wurde von Scotland Yard gesucht.

Seltsame Geschichte.

Es gab eine Tür, die in den unteren Bereich des Hauses führte, aber diese war mit zwei über Kreuz genagelten Brettern unpassierbar gemacht worden. Direkt daneben zog sich eine steile Treppe an der Außenmauer entlang nach oben. Dort gab es eine weitere Tür. Sie schien noch zugänglich zu sein.

Auf der Treppe lag so hoher Schnee, dass es Rick Meyers nur mit größter Mühe gelang, hinaufzuklettern. Sie wurde von einer Mauer begrenzt, aber es gab kein Geländer, nichts, woran man sich hätte festhalten können. Seit Wochen hatte hier niemand mehr den Schnee von den Stufen geschaufelt. Rick Meyers fragte sich, wie es eine ältere Frau schaffte, die steile und tief verschneite Treppe zu passieren. Gelegentlich musste Lucy Caine-Roslin doch wohl rausgehen und sich etwas zu essen besorgen? Der frische Schneefall verbarg jeden Hinweis darauf, wann hier zuletzt jemand hinauf- oder hinuntergeklettert war. Aber wenn er, als relativ junger Mann, schon solche Schwierigkeiten hatte, wie gelang es einer Frau, die mindestens sechzig sein musste? Sein Eindruck verstärkte sich, dass hier niemand mehr wohnte.

Er war endlich oben angekommen und klopfte an die hölzerne Tür. Sie war schwarz gestrichen, an den Ecken blätterte die Farbe ein wenig ab.

»Mrs. Caine-Roslin? Können Sie mir bitte öffnen?« Er lauschte angestrengt. »Hier ist Constable Meyers. Ich habe nur eine Frage an Sie.«

Nichts rührte sich. Er klopfte erneut, diesmal kräftiger. »Bitte, Mrs. Caine-Roslin. Polizei! Es geht nur um eine kurze Frage.«

Alles blieb vollkommen still.

Probeweise bewegte Meyers die Türklinke. Zu seinem Erstaunen gab sie nach. Die Tür öffnete sich nach innen. Sie war überhaupt nicht verschlossen gewesen.

Er keuchte, als ihn der widerliche Verwesungsgeruch traf, der aus der hermetisch abgedichteten Wohnung nach draußen strömte.

»Lieber Gott!« Er fingerte nach einem Taschentuch, fand zunächst keines, sah sich nach einem Fenster um, das er aufreißen konnte. Das Küchenfenster bot sich als nächstliegende Lösung an, und Meyers drängte sich an Tisch und Stühlen vorbei, drehte den Griff, riss das Fenster auf und lehnte sich weit hinaus. Kalte, klare Winterluft traf sein Gesicht. Es war knapp eine Minute vergangen, seitdem er draußen durch den Schnee gestapft war, und ihm kam es bereits vor, als habe er seit Ewigkeiten diese wunderbare Luft nicht mehr geatmet.

Als sei er bereits Teil des Gestanks, der in dieser Wohnung herrschte.

Seine Finger, die noch immer sämtliche Taschen seiner Uniform durchsuchten, fanden endlich ein verknäultes Taschentuch und zogen es heraus. Meyers hasste, was er jetzt tun musste. Aber er war Polizist. Er musste dem Schrecken, der in dieser Wohnung auf ihn lauerte, auf den Grund gehen.

Er nahm einen tiefen Atemzug, dann presste er das Taschentuch vor Mund und Nase und wandte sich wieder von dem Fenster ab. Er sah sich in der Küche um. Sie schien sauber und ordentlich aufgeräumt zu sein, wenngleich alle Möbel mit einer dünnen Staubschicht überzogen waren. Auf dem Tisch standen zwei Teller, auf denen nicht näher definierbare Essensreste vor sich hin gammelten. Sie waren mit bläulich weißem Flaum überzogen und trugen sicherlich einen Teil zu dem Geruch in der Wohnung bei, konnten aber leider keineswegs allein dafür verantwortlich sein. Zwei halb gefüllte Weingläser und eine Weinflasche standen daneben. Ein hochwertiger Wein, wie Meyers am Etikett erkannte. Was immer mit Lucy Caine-Roslin geschehen war – und allem Anschein nach konnte das nichts Gutes gewesen sein –, es hatte sie bei einer Mahlzeit unterbrochen. Einer Mahlzeit, bei der sie offenkundig nicht allein gewesen war.

Auf der Anrichte entdeckte er eine braune Papiertüte. Der Aufdruck verriet, dass es sich bei dem Essen um ein Fertiggericht aus einem chinesischen Take-away gehandelt haben musste. Jemand hatte die alte Frau besucht. Hatte die Bewirtung gleich selbst mitgebracht. Und dann …?

Er verließ die Küche. Er wusste, dass die eigentliche Herausforderung noch auf ihn wartete.

Er fand Lucy Caine-Roslin in einem Kinderzimmer. Jedenfalls schien es das zu sein: ein *ehemaliges* Kinderzimmer. Oder Teenagerzimmer. Eine Schlafcouch, abgedeckt mit einer geblümten Patchworkdecke. Vorhänge mit demselben Muster an den Fenstern. Ein Kleiderschrank, dessen eine Tür offen stand und den Inhalt, zwei Pullover auf Kleiderbügeln hängend, sichtbar machte. Ein paar Poster an den Wänden, eines davon schien Cat Stevens zu zeigen, wenn Meyers das richtig erkannte. Es gab noch einen Sessel, auf dem ein paar Zeitschriften und bekritzelte Papiere lagen. An der Wand entlang standen hölzerne Regale, darauf – säuberlich aufgereiht und von Plastikstützen rechts und links gehalten – mehrere Kinder- und Jugendbücher, wie man aus den Titeln und der Farbgestaltung ersehen konnte. Meyers dachte später, dass es das gewesen war, was ihn sofort auf den Gedanken gebracht hatte, es mit dem Zimmer eines jungen Menschen zu tun zu haben: die Bücher und das Bild von Cat Stevens an der Wand.

Lucy Caine-Roslin lag in der Mitte des Raums auf dem Rücken und sah aus wie eine dunkel angelaufene, aufgeblähte Hauthülle, die einmal ein Mensch gewesen war. Kälte und trockene Luft in der schwach geheizten Wohnung hatten sie jedoch besser konserviert, als das unter weniger günstigen Umständen der Fall gewesen wäre. Ihr Gesicht war relativ gut erhalten, nur die Augen – oder das, was von ihnen übrig geblieben war – mochte Meyers nicht näher betrachten. Es fiel ihm ohnehin schwer genug, die Fassung zu wahren.

Normalerweise hätte er angenommen, dass der Tod der alten Frau zwar bedauerlich, aber zumindest natürlichen Ursprungs war: Vielleicht war ihr schlecht geworden, nachdem ihr Besucher schon wieder gegangen war und bevor sie die Küche hatte aufräumen können. Dieser Vermutung widersprach jedoch der Umstand, dass im Mund der Toten irgendetwas zu stecken schien, etwas Großes und zunächst Undefinierbares. Mit absoluter Selbstbeherrschung trat Meyers näher heran und beugte sich tiefer über den stinkenden Leichnam. Ein Tuch. Ein großes kariertes Tuch. Könnte ein Geschirrtuch sein.

Jemand hatte es ihr gewaltsam in den Rachen gestopft.

Und ihr mit mehreren Streifen Paketklebeband die Nase verschlossen.

Er richtete sich wieder auf, trat ans Fenster, öffnete auch dieses. Er lehnte sich hinaus und nahm zum zweiten Mal einen tiefen Zug der frischen Luft.

»Meine Güte«, murmelte er und wischte sich mit dem Taschentuch über die Stirn, die feucht von Schweiß war.

Der Tod der alten Lucy Caine-Roslin wäre eigentlich keine große Sache gewesen. Eine alte Frau, die offenbar wochenlang schon tot in ihrer Wohnung lag, ohne dass irgendjemand dies bemerkt hatte. Ihre Einsamkeit war tragisch, jedoch nicht ungewöhnlich. Viele Menschen, gerade ältere, hatten niemanden mehr, der zu ihnen gehörte, und wenn sie starben, nahm das niemand zur Kenntnis. Im Falle von Lucy Caine-Roslin mutete dies dennoch ein wenig seltsam an, da es zumindest die Tochter in London gab. Aber auch diese schien nicht bemerkt zu haben, dass ihre Mutter nicht mehr lebte. Vielleicht hatte sie mit dem Leben in Gorton abgeschlossen. Meyers wandte sich wieder vom Fenster ab und musterte den Raum. Er passte zu dem, was er bisher von der Wohnung gesehen hatte: freundlich und sauber, aber es war auch klar, dass die Familie nie viel Geld gehabt hatte. Die Möbel waren schlicht, Vorhänge und Decken vermutlich selbst genäht. Die Wohnung, in der die Staatsanwältin aufgewachsen war? Ihr Leben heute sah wahrscheinlich ganz anders aus.

Aber Lucy Caine-Roslin war nicht einfach an einem Herzinfarkt gestorben. Jemand hatte ihr ein Geschirrtuch in den Hals geschoben. Möglicherweise war sie daran erstickt. Wie es aussah, war Lucy Caine-Roslin ermordet worden. Eine alte Frau, bei der ganz sicher keine Wertgegenstände zu holen waren. Wem brachte es etwas, sie zu töten?

Meyers entsann sich seines Auftrags. Die Tochter. Er war losgeschickt worden, um die Tochter aufzustöbern.

Obwohl er davon ausging, dass er sich allein in der Wohnung befand, schaute er sicherheitshalber noch einmal in alle Räume. Die Wohnung war größer, als es von außen den Anschein hatte. Es gab ein Wohnzimmer, ein Esszimmer, ein Schlafzimmer und ein Badezimmer. Alles war blitzblank geputzt. Im Wohnzimmer standen eine Teekanne und eine Tasse auf dem Tisch; der Tee, der einst in der Tasse gewesen war, ehe er getrunken wurde oder verdunstet war, hatte braune Ränder hinterlassen. Ein Häkeldeckchen im Sessel, die Nadel steckte noch darin. An den Fenstern standen Usambaraveilchen, die allerdings inzwischen vertrocknet waren. Obwohl Lucy Caine-Roslin überfordert gewesen war, die Fassade ihres Hauses und den Hof draußen wirklich in Ordnung zu halten, hatte sie doch hier drinnen alles perfekt in Schuss gehabt.

Aber wie auch immer: Die gesuchte Staatsanwältin hielt sich jedenfalls nicht in ihrem Elternhaus auf.

Meyers zückte sein Handy. Nun musste er erst einmal Verstärkung anfordern. Lucy Caine-Roslin war gestorben, ohne dass es jemand bemerkt hatte, aber nun würde ihr Tod ganz genau untersucht werden. Das war alles, was man für die alte Frau noch tun konnte.

2

Sie war eingeschlafen, was sie zunächst nicht für möglich gehalten hatte. Ihre Erschöpfung hatte über Entsetzen, Übelkeit und über ihre aufgeregte Fassungslosigkeit gesiegt. Wie lange sie geschlafen hatte, wusste sie nicht. Geweckt hatte sie ein heftiges Rucken des Autos und gleich darauf das Geräusch durchdrehender Räder und das Aufheulen des Motors.

Sie kommt nicht weiter, dachte sie.

Sie. Ihre beste Freundin. Eine Vertraute. Ein Mensch, den sie seit Jahren kannte und der ihr plötzlich vollkommen fremd geworden war.

Sie konnte hören, wie Tara ausstieg und die Tür hinter sich zuwarf. Gleich darauf wurde die Heckklappe des Autos aufgerissen. Eiskalte Luft flutete in das Innere des Wagens, drang sogar unter die furchtbare, erstickend heiße Decke. Diese wurde im nächsten Moment weggezogen. Sofort kniff Gillian beide Augen fest zu. Das helle Tageslicht schmerzte höllisch nach den vielen Stunden in der Dunkelheit.

»So. Weiter geht's nicht«, sagte Tara. »Der Schnee liegt zu hoch. Aussteigen!« Während sie sprach, zog sie ein Messer hervor, ließ die Klinge aufspringen und schnitt das Klebeband durch, das Gillians Fußknöchel zusammengehalten hatte.

»Komm raus!«, befahl sie.

Gillian versuchte sich aufzurichten und stöhnte gleich darauf vor Schmerzen. Sie hatte zu lange in einer unbequemen Lage ausharren müssen, auf dem harten Boden des Kofferraums, gerüttelt und geschüttelt von einem Auto, das sich über schwer passierbare Straßen gekämpft hatte. Sie spürte jetzt jeden einzelnen Knochen, alle Glieder. Ihr ganzer Körper schmerzte. Sie hatte keine Ahnung, wie sie sich bewegen sollte. Als es ihr schließlich gelang, wenigstens die Augen zu öffnen und blinzelnd ihre Umgebung wahrzunehmen, konnte sie Tara als großen, dunklen Schatten vor dem Kofferraum wahrnehmen. Über ihr bleigrauer Himmel. Hinter ihr schneebedeckte Weite. Nichts, was an ein Haus oder an eine Siedlung erinnert hätte.

Wir sind fernab jeder menschlichen Behausung. Wir sind vollkommen allein.

»Mach schon«, drängte Tara.

Und als es Gillian noch immer nicht gelang, sich zu rühren, beugte sich Tara vor, packte sie unter beiden Armen und zog sie nach draußen. Sie tat das mit einer überraschenden Kraft. Da Gillian sich nicht auf den Beinen halten konnte, fiel sie der Länge nach in den Schnee. Er war weich und kalt, aber nach einer Sekunde schon wurden die winzigen Kristalle in ihrer Härte erkennbar. Sie schnitten schmerzhaft in Gillians Gesichtshaut. Unartikulierte Jammerlaute ausstoßend hob sie den Kopf und rappelte sich auf. Da ihre Hände noch immer gefesselt waren, fiel es ihr schwer, das Gleichgewicht zu erlangen.

Tara half ihr auf die Füße. »Das wird besser werden. Deine Muskeln werden sich entspannen. Wir haben noch einen ziemlichen Fußmarsch vor uns.«

Gillian kämpfte gegen den Schwindel, der sie befiel, kaum dass sie auf den Beinen stand. Sie merkte, dass sie entsetzlichen Durst hatte. Seit dem Mittag des vergangenen Tages hatte sie nichts mehr getrunken, und das Klebeband vor ihrem Mund, die Hitze im Auto hatten sie völlig austrocknen lassen. Verzweifelt versuchte sie, Tara dies klarzumachen. Sie spürte genau, dass sie nicht weit kommen würde, wenn sie nicht etwas zu trinken bekam.

Tara schien zu überlegen, dann griff sie in Gillians Gesicht und riss ihr mit einem kräftigen Ruck das Klebeband herunter. Es war mehrfach um den Kopf gewickelt und so mit den Haaren verklebt, dass sie es nicht entfernen konnte, aber zumindest gelang es ihr, das Band unter das Kinn zu zerren, wo es hängen blieb.

»Wasser«, krächzte Gillian.

Tara öffnete die Autotür und holte eine Flasche Mineralwasser, die sich in der Tasche auf dem Rücksitz befand. Da Gillian wegen ihrer gefesselten Hände nicht allein trinken konnte, schraubte Tara den Verschluss ab und hielt ihr die Flasche an die Lippen. Gillian trank gierig und wie eine Verdurstende.

»Bitte«, sagte sie, als sie fertig war, »bitte nicht mehr den Mund zukleben.«

»Fühlt sich blöd an, so wenig Luft zu bekommen, stimmt's?«, gab Tara zurück, und es klang fast mitfühlend. »In Ordnung, ich sage dir was: Ich lasse das Klebeband unten. Hier ist sowieso niemand, der dich hören könnte, wenn du schreist. Trotzdem, wenn du irgendeinen Mist baust, um Hilfe rufst oder wegzulaufen versuchst oder sonst etwas, dann klebe ich dich so zu, dass dir Hören und Sehen vergehen. Ist das klar?«

»Ja«, sagte Gillian. Sie schaute sich um. Schneebedeckte Weite, so weit das Auge reichte. Eine hügelige Landschaft. In der Ferne ein Wald. Die Straße, auf der sie gekommen waren, war einigermaßen geräumt, bedeckt nur mit einer flachen, harten Schneeschicht. Nirgends war ein Dorf zu entdecken. Tara hatte recht: Sie könnte schreien, so viel sie wollte, niemand würde sie hören. Und weglaufen: Wie weit würde sie kommen? Tara hätte sie sofort eingeholt. Mit den auf den Rücken gefesselten Händen würde sie sich nur schwerfällig bewegen können. Sie hatte keine Chance.

»Wo sind wir?«, fragte sie.

Tara öffnete ihre große Handtasche und räumte einige Lebensmittel hinein; eingeschweißtes Brot und zwei Plastikflaschen mit Wasser. Sie nahm ihre Pistole in die Hand.

»Peak District«, sagte sie. »Sozusagen in der Mitte von Nirgendwo.«

Peak District. Der große Nationalpark im Norden Englands. Er erstreckte sich über mehrere Grafschaften und begann an seiner nordwestlichen Grenze fast vor den Toren Manchesters.

Manchester.

Tara stammte aus Manchester.

»Du kennst dich hier aus?«, fragte Gillian unsicher.

»Das kann man wohl sagen. Wir sind ganz in der Nähe der Hütte. Der perfekte Ort. Dort findet uns niemand.«

»Welche Hütte?«

»Keine Fragen«, sagte Tara knapp. »Beweg dich endlich!«

»In welche Richtung?«

»Hier entlang.« Tara wies mit der Waffe über die Felder. »Hier verläuft ein Weg, auch wenn man ihn im Moment nicht sieht. Geh einfach geradeaus.«

Am Ende der Felder begann das Waldgebiet, das Gillian schon bei ihrem ersten Rundblick aufgefallen war. Es ließ sie ein klein wenig Hoffnung schöpfen. Wenn es überhaupt irgendeine Möglichkeit zur Flucht gab, dann in einem Wald. Im Unterschied zu der baum- und strauchlosen Hochebene, auf der sich die beiden Frauen gerade befanden, bot er die Möglichkeit, sich zu verstecken – die einzige Möglichkeit, auf die Gillian, gehandicapt durch die Fesseln, hoffen durfte. Aber sie machte sich keine Illusionen. Sie müsste sehr viel Glück haben, sollte es ihr gelingen, ihre Bewacherin zu überrumpeln. Und auch dann konnte sie nur überleben, wenn sie es schaffte, möglichst schnell ein Dorf oder zumindest ein Gehöft zu finden. Es herrschte bittere Kälte. Unwahrscheinlich, dass man mehr als eine Nacht im Freien überstehen konnte.

Sie stapfte los. Stellenweise sank sie fast bis zu den Knien im Schnee ein. Wieder stellte sie fest, wie schwierig es war, in diesem tiefen Schnee mit den straff nach hinten gezerrten Armen das Gleichgewicht zu halten. Hinter sich konnte sie Tara atmen hören. Auch ihr fiel die Wanderung nicht ganz leicht. Sie schleppte die Tasche mit dem Proviant, hielt in der anderen Hand eine Schusswaffe und wagte wahrscheinlich nicht, auch nur eine einzige Sekunde lang ihre Gedanken abschweifen zu lassen. Sicher hielt sie die gefesselte und verängstigte Gillian nicht für außerordentlich gefährlich, aber die Situation war dennoch für sie nicht ganz ohne Risiko.

Einmal blieb Gillian stehen. Sie hatte den Eindruck, schon Stunden gelaufen zu sein. »Können wir eine kurze Pause machen?«, fragte sie und drehte sich zu Tara um.

Tara schüttelte den Kopf. »In einer halben Stunde müssten wir bei der Hütte sein. Das halten wir noch durch.«

»Tara, kannst du mir nicht wenigstens erklären, weshalb …«

»Nein«, unterbrach Tara, »ich spare meinen Atem. Solltest du auch tun. Es geht noch ganz schön steil bergauf, und es wäre idiotisch, wenn wir unsere Kräfte vergeudeten. Also, halt die Klappe und geh weiter.«

Gillian fügte sich. Sie wehrte sich gegen die Verzweiflung, die sich ihrer bemächtigen wollte. Die Kälte ließ ihre Lungen schmerzen. Der Schnee blendete ihre Augen. Die Erschöpfung schien sie zu Boden zwingen zu wollen.

Sie ging weiter.

3

»Von dir«, sagte Detective Sergeant Christy McMarrow mit kalter Stimme, »hätte ich jetzt gerne ein paar sehr überzeugende Erklärungen.«

Sie saßen in Christys Büro in Scotland Yard. Samstagvormittag. Detective Inspector Fielder war nach Croydon gefahren, um erneut mit Liza zu sprechen, die er bereits am Vorabend aufgesucht hatte, zwei seiner Leute kontaktierten Logan Stanford, andere waren nach Thorpe Bay zum Haus der Wards gefahren, wieder andere zu Taras Wohnung in Kensington. Constable Kate Linville, die sich nach dem Telefonat mit John tatsächlich sofort darangemacht hatte, Informationen über Tara Caine zu beschaffen, hatte einen der wenigen wirklich gelungenen Auftritte in ihrem beruflichen Leben, als sie sofort mit entscheidenden Angaben aufwarten konnte: Dass Tara Caine nur noch eine einzige lebende Verwandte hatte, nämlich ihre Mutter, die in Manchester wohnte und vielleicht etwas über den möglichen Aufenthaltsort ihrer Tochter sagen konnte. Es wurde allgemein mit Staunen registriert, dass Kate bereits über Tara Caine recherchiert hatte, als diese Frau noch bei niemandem sonst im Team auf dem Radar gewesen war. Kate erklärte, stutzig geworden zu sein, als sie Taras Namen auf der Ermittlungsakte von John Burton gelesen hatte. Sie genoss es zutiefst, einen kriminalistischen Spürsinn zu demonstrieren, den ihr niemand zugetraut hätte.

Nachdem mehrere Versuche, Mrs. Caine-Roslin telefonisch zu kontaktieren, gescheitert waren, hatte man schließlich die dringende Bitte an die dortige Polizeidienststelle gerichtet, die alte Frau aufzusuchen und herauszufinden, ob sich ihre Tochter bei ihr aufhielt. John nahm erleichtert zur

Kenntnis, dass der Apparat endlich in Bewegung kam. Am Vorabend hatten sie ihn stundenlang befragt, waren natürlich freudig darauf angesprungen, dass er Liza Stanford ausfindig gemacht hatte, hatten aber voller Skepsis auf seinen Verdacht Tara Caine betreffend reagiert. Fielder hatte noch am späten Abend Liza aufgesucht und ein erstes Gespräch mit ihr geführt, aber alles, was Tara Caine und Gillian Ward betraf, war auf den nächsten Morgen verschoben worden. John hatte deutlich gespürt, dass sie seine gewagten Theorien, die er bislang tatsächlich nicht unterfüttern konnte, für äußerst befremdlich hielten – auch wenn sie jetzt am Morgen immerhin darangingen, der Staatsanwältin nachzuspüren. Aber eine ganze Nacht war sinnlos verstrichen, eine Nacht, die John ohne eine einzige Minute Schlaf verbracht hatte. Er war in seiner Wohnung auf und ab gegangen und hatte zwei Päckchen Zigaretten aufgeraucht, war dann am Morgen wieder im Yard aufgekreuzt und hatte zu wissen verlangt, was denn nun als Nächstes geschehen würde.

Christy McMarrow hatte Zeit für ihn, und es war schnell klar, wie ihr Auftrag lautete: herauszufinden, woher sein Insiderwissen stammte. John allerdings weigerte sich, die Quelle seiner Informationen preiszugeben, und er vertrat zudem die Ansicht, dass diese auch völlig unwesentlich sei.

Er und Christy hatten jahrelang zusammengearbeitet. Sie mochten einander, waren manchmal zusammen nach Dienstschluss etwas trinken gegangen. Christy war eine der Ersten gewesen, die damals jedem, ob er es hören wollte oder nicht, verkündet hatte, bei den gegen John erhobenen Anschuldigungen könnte es sich nur um völligen Blödsinn handeln. John hatte deshalb gehofft, er könne ihr seine Situation verständlich machen. Aber Christy verschanzte sich hinter einer Wand der Unpersönlichkeit und schien nicht darauf eingehen zu wollen, dass sie einmal befreundet gewesen waren.

Er versuchte es noch einmal. »Christy, ich …«

Sie unterbrach ihn sofort. »Ich habe immer noch keine Antwort auf die Frage, wie du darauf gekommen bist, nach Liza Stanford zu suchen. Die einzige Möglichkeit, die ich mir denken könnte, wäre die, dass du mit Keira Jones gesprochen hast. Carla Roberts' Tochter.«

»Habe ich nicht.«

»Mit wem dann?«

Er fühlte die Ungeduld in sich wachsen. »Christy, spielt das jetzt wirklich eine Rolle? Wir haben doch andere Probleme. Gillian Ward ist verschwunden. Staatsanwältin Caine ebenfalls. Letztere …«

»… muss mit den ganzen Verbrechen nichts zu tun haben«, sagte Christy. »Diese Theorien sind ziemlich weit hergeholt, John. Bizarr, um es vorsichtig auszudrücken. Nach deinen eigenen Angaben hatte Gillian Ward vor, in irgendeinem abgelegenen Hotel eine Art Selbstfindung zu betreiben, und …«

»Nein. Ich habe nichts von Selbstfindung gesagt. Mir kam es eher so vor, als versuche sie, sich zu verstecken.«

»Jedenfalls siehst du nun in ihrem Verschwinden eine Gefahr und verdächtigst dabei gleich ernsthaft eine Staatsanwältin, eine Serienmörderin zu sein?«

»Ich habe nur darauf hingewiesen, dass sie der erste bislang aufgetauchte Mensch ist, der alle Opfer kannte. Und es beunruhigt mich, dass sie nun wie vom Erdboden verschluckt ist. Und Gillian Ward mit ihr. Gillian Ward wurde auch von euch als gefährdet eingestuft. Das zumindest hat mir Fielder selbst gesagt.«

»Nun, ich denke …«, hob Christy an, aber in diesem Moment läutete das Telefon auf ihrem Schreibtisch. Christy lauschte und sagte dann knapp: »Ich nehme das Gespräch bei Ihnen in Empfang. Moment bitte.« Sie erhob sich. »Entschuldige mich für einen Augenblick. Ich bin gleich wieder da.«

Sie verließ den Raum. John stand auf, trat ans Fenster. Er vibrierte vor Ungeduld. Die Beamten kamen zweifellos in die Gänge, aber für seine Vorstellung viel zu langsam. Und es passte mal wieder zu Fielder, dass er eine seiner fähigsten Mitarbeiterinnen abgestellt hatte, den Erzfeind von früher auseinanderzunehmen. Als ob es in diesen Stunden nicht wichtigere Aufgaben für Christy gäbe!

Noch fünf Minuten, nahm er sich vor, noch fünf Minuten gebe ich dieser idiotischen Veranstaltung hier, dann bin ich weg. Und dann suche ich auf eigene Faust nach Gillian.

Christy kam in das Zimmer zurück, als die fünf Minuten gerade um waren. Sie sah sehr angespannt aus. John begriff sofort, dass sie beunruhigende Neuigkeiten erfahren hatte. Er trat auf sie zu, aber sie ging an ihm vorbei, nahm wieder hinter dem Schreibtisch Platz. Es schien ihr egal zu sein, ob John sich ebenfalls setzte oder ob er stehen blieb.

»Wie bist du darauf gekommen, Staatsanwältin Caine zu verdächtigen?«, fragte sie.

John schüttelte fassungslos den Kopf. »Das habe ich doch gestern Abend schon erklärt. Sie ist die Freundin von Gillian Ward, war daher natürlich auch mit Thomas Ward gut bekannt. Über Liza Stanford hat sie von Carla Roberts und Anne Westley erfahren. Somit kennt sie alle drei Opfer. Sie hat meine Ermittlungsakte von damals angefordert, hat aber gegenüber Gillian so getan, als habe sie keine Ahnung von meiner Vorgeschichte. Ich weiß, das alles ist absolut nicht ausreichend, aber etwas sagt mir ...«

»Gillian Wards Auto steht bei ihr daheim in Thorpe Bay

in der Garage«, unterbrach ihn Christy. »Reifenspuren in der Einfahrt weisen auf ein weiteres Auto hin, das vor Kurzem dort war. Es handelt sich dabei weder um Gillians Wagen noch um den ihres Mannes.«

John wurde blass. »Könnte es ein Jaguar sein?«

Christy nickte. Offenbar hatte die Polizei dies bereits herausgefunden. »Ja. Und ehe du weiterfragst: Es könnte sich um die Reifen des Jaguars von Staatsanwältin Caine handeln.« Sie zögerte kurz. »Unsere Leute haben den Anrufbeantworter von Mrs. Ward abgehört«, fuhr sie dann fort. »Es gab da einen höchst eigenartigen Anruf. Gestern.«

»Die Beamten sind ins Haus eingedrungen?« John war klar, dass in der Kürze der Zeit kaum eine Ermächtigung dafür hatte eingeholt werden können. Irgendetwas schien die ganze Sache so brenzlig gemacht zu haben, dass man diesen Schönheitsfehler in Kauf genommen hatte. »Was ist passiert?«

»Anordnung von DI Fielder.« Christy zögerte. »Die zuständige Polizeidienststelle in Manchester hat sich mit ihm in Verbindung gesetzt. Man hat Lucy Caine-Roslin, die Mutter von Staatsanwältin Caine, gefunden. Tot in ihrer Wohnung. Wie es scheint, ist sie ermordet worden.«

»Verdammt noch mal!«

»Es scheint sich um denselben Täter zu handeln wie in den Fällen Roberts, Westley und Ward. Dafür sprechen bestimmte Hinweise am Tatort.«

Ein Geschirrtuch im Mund der Toten?, hätte John um ein Haar gefragt, aber er verschluckte den Satz gerade noch. Hätte er sein Wissen preisgegeben, wäre Christy endgültig klar gewesen, dass es einen Maulwurf im Yard gab. Er brauchte Constable Linville nicht noch mehr zu gefährden, als er es ohnehin schon getan hatte.

»Was ist mit der Nachricht auf Gillians Anrufbeantworter?«, fragte er stattdessen.

»Sie stammt von Samson Segal.« Christy fixierte ihn scharf. »Von dem Mann, den wir suchen.«

Er zuckte mit keiner Wimper. »Tatsächlich?«

»Ja, tatsächlich. Er spricht Mrs. Ward direkt an und warnt sie vor Staatsanwältin Caine. Er sieht eine Gefahr in ihr. Und nicht nur er alleine. Er spricht ausdrücklich von *Wir*. Er *und noch jemand anderes*, den er namentlich nicht nennt, machen sich Sorgen um Mrs. Ward. Sie wird gebeten, vorsichtig zu sein. Hast du eine Ahnung, wer diese ominöse Person neben Samson Segal sein könnte?«

»Nein.«

Sie sah ihn durchdringend an. Er wusste noch von früher, dass sie schlau war und sehr intuitiv. »Wo hält sich Samson Segal auf, John?«

»Woher soll ich das wissen?«

»Die Polizei sucht ihn. Wer ihn versteckt, macht sich strafbar.«

»Weiß ich. Ich bin lange genug dabei gewesen.«

»John …«

»Christy!« Er trat an ihren Schreibtisch heran, stützte beide Arme auf die Tischplatte und beugte sich vor. Sein Gesicht war dicht vor ihrem. Um ihre Augen konnte er die Linien erkennen, die sich in den letzten Jahren deutlich vertieft hatten. »Christy, erzähle mir doch nicht ernsthaft, dass du noch immer Samson Segal verdächtigst! Der Mann ist vollkommen harmlos! Er hat sich in eine schwärmerische Verehrung für Gillian Ward hineingesteigert und ist deshalb über Monate um deren Haus herumgeschlichen, aber außer ein paar unkeuschen Gedanken hat er garantiert nichts verbrochen. Er ist seltsam, ein Sonderling, ein armes Schwein, sonst nichts.

Vergeude nicht wertvolle Zeit, indem du ihm hinterherjagst. Verstehst du das denn nicht?« Er richtete sich auf. »Gillian ist verschwunden. Tara Caine ist ebenfalls nicht auffindbar. Gillian war aber zuletzt bei ihr, sie hat bei ihr gewohnt. Möglich also, dass die beiden Frauen zusammen London verlassen haben. In Taras Auto? Nach Thorpe Bay? Immerhin befinden sich dort am Haus Reifenspuren, die von Caines Auto stammen könnten. Aber wohin ging es dann? Vielleicht in Richtung Manchester? Tara Caines Heimat. Und dort lief irgendetwas völlig schief, denn nun ist Tara Caines Mutter tot und…«

»Mrs. Caine-Roslin wurde nicht erst jetzt getötet«, sagte Christy. »Es gibt noch keinen Obduktionsbericht, aber die Kollegen in Manchester sagen, dass sie definitiv schon seit Längerem tot in der Wohnung gelegen haben muss. Mindestens acht Wochen.«

Er starrte sie an. *Was ist passiert? Warum ist es passiert?*

»Das Motiv«, sagte Christy McMarrow. Sie schien eher zu sich selbst als zu John zu sprechen. »Welches Motiv sollte Staatsanwältin Caine bloß für all das haben? Ich sehe einfach keinen roten Faden!« Sie rieb sich die Augen, die gerötet waren und sehr müde wirkten. »Ich sehe keinen roten Faden«, wiederholte sie.

»Ihr müsst sie finden!«, sagte John drängend. »Ich fürchte, dass Gillian in Lebensgefahr schwebt. Ich kapiere den Sinn hinter all dem genauso wenig wie du, aber um den herauszufinden, bleibt später genug Zeit. Angenommen, Caine hat Thomas Ward ermordet, und *angenommen*, ihr eigentliches Ziel war Gillian, dann ist Caine jetzt genau da, wo sie sein wollte. Sie hat Gillian in ihrer Gewalt.«

»Wir werden eine Fahndung nach Mrs. Caines Wagen herausgeben«, sagte Christy, »denn vielleicht sind die Frauen tatsächlich damit unterwegs. Und im Übrigen, John: Ich weiß es zu schätzen, dass du mir vorgeben willst, was die Polizei nun zu unternehmen hat, aber glaub mir, wir wissen das selbst. Deine Mitarbeit ist hier nicht mehr erwünscht.« Sie sah ihn kalt an.

Er merkte, wie die Wut in ihm hochkochte. Bislang waren es eher Verzweiflung und Erschöpfung gewesen, die ihn erfüllten. Verzweiflung, weil er fürchtete, es werde ihnen nicht mehr gelingen, Gillian zu retten. Erschöpfung, weil ihn die letzten Tage vollkommen ausgelaugt hatten. Aber nun wandelte beides sich in Zorn. Er fragte sich, wofür Christy Mc-Marrow sich hielt. Sie kanzelte ihn ab, behandelte ihn mit Verachtung, dabei hatte er Scotland Yard alles geliefert, was sie wissen mussten. Über Kate Linville hatte er sich ein paar notwendige polizeiliche Erkenntnisse beschafft, aber *er* hatte die richtigen Schlüsse gezogen, *er* war clever genug gewesen, Liza Stanford aufzuspüren, *er* hatte herausgefunden, dass Caine jedes einzelne Opfer in dieser Mordserie gekannt hatte und damit genau der Mensch war, nach dem Detective Inspector Fielder händeringend suchte. Er hatte gute Arbeit geleistet, und Christy wusste das.

Er stieß die Mauer beiseite, die sie zwischen ihm und sich errichtet hatte, seitdem sie sich am gestrigen Abend zum ersten Mal seit Jahren wieder gegenübergestanden hatten.

»Wieso, Christy?«, fragte er leise. »Wieso behandelst du mich mit dieser Feindseligkeit? Was habe ich dir getan?«

Jetzt hatte er sie erreicht. Sie gab es auf, die Unnahbare zu spielen. Sie stand auf, kam um ihren Schreibtisch herum und stellte sich dicht vor ihn. Eine kleine, mollige, wütende Person. Zum zweiten Mal innerhalb weniger Minuten konnte John die Falten der ständigen Überanstrengung deutlich in ihrem Gesicht erkennen.

»Was du mir getan hast?«, fragte sie. »Du hast mich enttäuscht, John Burton, bitter enttäuscht! Du warst einer der fähigsten Beamten bei der Met. Du warst richtig klasse. Du hattest das Zeug zu einer großen Karriere. Ich habe unheimlich gerne mit dir zusammengearbeitet. Du warst der Größte für mich. Ich habe ein Vorbild in dir gesehen. Ich hatte die Vorstellung, wir beide würden für immer ein Team sein, mit der höchsten Rate an Verbrechensaufklärungen im ganzen Yard. Meine berufliche Zukunftsplanung war eng mit dir verbunden. Und dann gehst du hin und richtest einen solchen idiotischen, überflüssigen Schlamassel an. Mit einer Praktikantin! Setzt deine ganze Karriere aufs Spiel, nur weil du deine Hormone nicht unter Kontrolle halten kannst. Ich konnte es nicht fassen damals. Ich kann es bis heute nicht fassen!«

»Ich konnte nicht ahnen, welche Register dieses Mädchen ziehen würde.«

»Aber du hättest wissen müssen, dass du mit dem Feuer spielst. Du warst ihr Chef. Sie hätte tabu für dich sein müssen! Und wenn nicht auch deine gesamte Menschenkenntnis von deiner Geilheit überlagert worden wäre, hättest du erkannt, welch eine erstklassige Neurotikerin die Kleine war. Das sah man ihr nämlich an. Sie war attraktiv und gleichzeitig total hysterisch, aber du hast natürlich nur Augen für ihr hübsches Gesicht und ihre üppige Oberweite gehabt und den Rest ausgeblendet. Du *Idiot*!«

Sie spuckte das letzte Wort fast aus.

Er wusste, dass sie mit allem, was sie sagte, recht hatte, und das heizte seinen Zorn an.

»Kann es sein«, gab er kalt zurück, »dass der tiefere Grund für deine Wut darin liegt, dass es eine andere war, die in den Genuss meiner *unkontrollierten Hormone,* wie du es formulierst, gekommen ist? Und nicht du?«

Er konnte in ihren Augen noch erkennen, wie sehr er sie getroffen hatte, dann knallte ihre Hand in sein Gesicht.

»Du Arschloch«, sagte sie.

4

Sie erreichten die Hütte, als Gillian schon nicht mehr an deren Vorhandensein geglaubt hatte. Mit dem Auto, so schätzte sie, hätten sie von der Abzweigung aus, an der sie es stehen gelassen hatten, etwa noch zehn Minuten gebraucht; zu Fuß war es mehr als eine Stunde. Das lag auch am Schnee, in den sie stellenweise fast bis zur Hüfte einsanken, sodass sie sich jeden Schritt hart erkämpfen mussten. Sie hatten fast das gesamte Mineralwasser ausgetrunken, mehr wollte Tara nicht herausrücken, aber Gillians Durst schien nicht zu löschen zu sein. Die trockene Luft und die körperliche Anstrengung dörrten sie aus. Mehr als einmal dachte Gillian, keinen Meter mehr weiterlaufen zu können.

»Wann warst du zuletzt in dieser Hütte?«, fragte sie einmal. Sie fürchtete, dass es die ominöse Hütte entweder gar nicht gab oder dass Tara längst die Orientierung verloren hatte.

»Da war ich siebzehn oder achtzehn«, sagte Tara, und nach einem Moment des Nachdenkens fügte sie hinzu: »Eher siebzehn. Mit achtzehn bin ich weg von zu Hause und habe mich über Jahre nicht mehr blicken lassen.«

Siebzehn! Tara war jetzt Ende dreißig.

»Bist du sicher, dass sie noch steht?«

»Irgendetwas ist von ihr bestimmt noch übrig. So eine Hütte löst sich schließlich nicht in Luft auf.«

»Und meinst du wirklich, du findest sie?«

»Immer dem Weg nach. Er führt direkt dorthin.«

»Aber der Weg ist doch gar nicht erkennbar. Wir können ihn längst verloren haben.«

»Zerbrich dir nicht meinen Kopf. Ich weiß genau, wo wir sind. Und jetzt hör auf zu reden und spar lieber deinen Atem.«

Irgendwann erreichten sie das Waldstück, was das Vorwärtskommen nicht einfacher machte. Unter der Schneelast waren viele Baumäste abgebrochen und versperrten den Weg, oder sie wurden so weit nach unten gedrückt, dass man sich ständig ducken musste, um ihnen auszuweichen. Recht bald aber öffnete sich der Wald zu einer Ebene hin – wiederum keine menschliche Siedlung, so weit das Auge reichte, wie Gillian frustriert feststellte –, und am Rande der Ebene, im Schutz noch der Bäume, stand tatsächlich die Hütte.

»Na also«, sagte Tara.

Es war eine Art Blockhaus, das Gillian erblickte, größer und stabiler, als sie es sich vorgestellt hatte. Es befand sich auf der Anhöhe, auf deren Rücken sich auch der Wald entlangzog. Ein steiler Abhang führte hinunter zum Tal, das sich endlos zu dehnen schien. Gillian wusste, dass der Peak District, den sie einmal vor langen Jahren als Kind mit ihren Eltern besucht hatte, eine wunderbare Landschaft war, eine ewige Abfolge aus Hügeln und Tälern, Wäldern und Seen, kleinen Steinmauern und windzerzausten Hecken. Es gab ausgetrocknete Flussbetten, an deren Ufern seltene Blumen wuchsen, es gab raue Felsen und dazwischen Wiesen, auf denen hohes Gras stand. Immer wieder schmiegten sich verwunschene, weltabgeschiedene Dörfer an die Hänge, und die Landstraßen zwischen ihnen waren so schmal, dass unmöglich zwei Autos aneinander vorbeikommen konnten. Der

Himmel war voller verrückter, schneller, atemberaubender Wolkenspiele.

Jetzt, an diesem Tag, zu dieser Jahreszeit, sah alles anders aus. Schnee und Himmel verschmolzen irgendwo in der Ferne, die Wolken hatten sich zu einer einzigen, tiefgrauen Masse geballt, und die Landschaft verschwand unter der hohen Schneedecke. Gillian fragte sich allerdings, ob sie die Hoffnung auf ein Dorf oder ein Gehöft tatsächlich begraben musste oder ob sie einfach wegen der tief liegenden Wolken nicht weit genug blicken konnte. Vielleicht, wenn das Wetter aufklarte ...

»Da unten gibt es einen Bach«, sagte Tara. Sie spähte den Abhang hinunter. »Wahrscheinlich gefroren und dann zugeschneit. Als Kind habe ich dort stundenlang gespielt. Staudämme gebaut und solche Dinge. Und im Sommer konnte man barfuß darin herumwaten. Oder sich gleich ganz hineinsetzen und sich ein wenig abkühlen.«

»Du warst auch als Kind schon hier?«, hakte Gillian nach. Tara sah normaler aus, während sie in harmlosen Worten über ihre Kindheit sprach. Ihre Augen blickten wach und lebendig drein, nicht starr und stumpf wie am Vortag daheim in Thorpe Bay, als Samson Segal mit seinem Anruf alles vermasselt hatte. Gillian begriff, dass viel davon abhing, Tara nicht wieder in diesen seltsamen Zustand abgleiten zu lassen.

Tara blickte sich um. »Ja. Mein Vater hat die Hütte gebaut. Ganz allein.«

»Er muss sehr geschickt gewesen sein.«

»Er konnte alles, wofür man eine handwerkliche Begabung brauchte«, bestätigte Tara. Sie hatte jetzt einen Schlüssel aus der Tasche gefischt und versuchte, das Schloss zu öffnen. Es gelang ihr nicht sofort.

»Hier ist jahrelang niemand mehr gewesen«, murmelte sie.

»Deine Eltern kommen nicht mehr hierher?«

»Mein Vater ist schon lange tot. Ich war acht, als er starb.«

»Oh … das tut mir leid.«

Gillian wurde plötzlich klar, dass sie nie darüber gesprochen hatten. Seltsam, dass ihr das nie aufgefallen war. Tara kämpfte mit dem Schloss, aber Gillian fühlte sich so erschöpft, dass sie heftig gegen das Bedürfnis ankämpfen musste, sich einfach in den Schnee fallen zu lassen und liegen zu bleiben. Obwohl Tara abgelenkt war, zog es Gillian in diesen Momenten nicht in Erwägung, eine Flucht zu riskieren. Ihr erschien jeder Gedanke daran sinnlos.

Schließlich gab das Schloss nach und mit laut quietschenden Scharnieren schwang die Holztür auf.

»Nach Ihnen«, sagte Tara ironisch und wies Gillian mit einer Handbewegung an, einzutreten.

Eisige Kälte und die abgestandene, muffige Luft vieler Jahre empfing sie. Dämmerung, die es den Augen schwer machte, etwas zu erkennen.

Es war, als betrete man ein Grab. Das war der erste, beklemmende Eindruck, der Gillian befiel. Tara knipste eine Taschenlampe an, die sie mitgebracht hatte, und machte sich an den Läden zweier Fenster zu schaffen, die ähnlich schwierig zu öffnen waren wie die Tür. Gillian konnte zwei übereck stehende Sofas erkennen und einen hölzernen Tisch dazwischen. Einen gusseisernen Ofen. Einen kleinen Schrank. Und eine Tür, die in ein weiteres Zimmer zu führen schien.

»Auf den beiden Sofas haben meine Eltern immer geschlafen«, erklärte Tara. »Ich hatte die kleine Kammer dahinter.«

Der erste Fensterladen schwang auf. Es wurde deutlich heller im Raum, aber dadurch offenbarte sich auch sein völlig heruntergekommener Zustand. An den Wänden wuchsen

Moos und Schimmel. Die Sofas schienen in ihrer Auflösung begriffen, der Schaumstoff quoll aus ihnen heraus. Den Fußboden bedeckte stellenweise irgendetwas Glitschiges, über dessen Definition sich Gillian nicht im Klaren war; womöglich handelte es sich um Flechten, die sich hier angesiedelt hatten. Im Laufe der Jahre war die Feuchtigkeit durch alle Ritzen gedrungen, und da nie wieder jemand den Ofen in Betrieb genommen hatte, hatte der Raum nicht mehr austrocknen können.

Unmöglich, hier zu wohnen. Aber Gillian schwante, dass sich Tara nicht groß um all das scheren würde.

Der zweite Laden ging auf, und die Umgebung wurde noch trostloser.

»Meinst du, wir könnten versuchen, den Ofen in Gang zu setzen?«, fragte Gillian.

Tara zuckte mit den Schultern. »Wenn hinter der Hütte noch Holz gestapelt ist, dann vielleicht. Obwohl die Scheite ganz schön nass sein dürften. Setz dich doch«, sagte sie und nickte in Richtung der beiden Sofas.

Gillian zögerte.

»Setz dich!«, wiederholte Tara scharf.

Gillian setzte sich. Unter ihrem Gewicht gab das Sofa vollkommen nach, und sie sank fast bis auf den Boden hinunter. Sie mutmaßte, dass allerlei Getier in der Schaumstofffüllung hauste. Maden und Würmer vielleicht. Wenn sie nicht erfroren waren. Sie betete, dass Letzteres der Fall sein möge.

Tara verließ die Hütte, kam aber gleich darauf mit leeren Händen zurück. »Kein Holz da. Aus dem Feuer wird nichts.«

Gillians Mut sank, wenn das überhaupt noch möglich war. Jetzt, da sie sich nicht mehr bewegte, fing sie entsetzlich an zu frieren, trotz des dicken Mantels, den sie trug. Tara hatte tatsächlich einen völlig abgelegenen Ort gefunden, kein Mensch würde sie hier entdecken. Es war ihr darum gegangen, Zeit zu gewinnen und nachzudenken. Das Ergebnis ihres Nachdenkens konnte letzten Endes nur die Erkenntnis sein, dass sie sich ihrer einstigen Freundin auf irgendeine Weise entledigen musste. Dann würde sie allein nach London zurückkehren, in der Hoffnung, dass ihr niemand auf die Schliche kam. Sie konnte jedem erzählen, dass sich Gillian auf den Weg in ein Hotel gemacht und dass sie nichts mehr von ihr gehört hatte. Sie konnte Gillian die Kehle durchschneiden. Sie konnte sie erschießen. Sie konnte sie im Grunde aber auch einfach in der Hütte zurücklassen und Fenster und Türen wieder verrammeln. Es würde nicht allzu lange dauern, bis sie verhungert und erfroren wäre. In dieses Waldstück kam wahrscheinlich alle Lichtjahre einmal ein Mensch, also würde niemand ihre Schreie hören. Es würde sie wahrscheinlich nicht einmal jemand finden, wenn sie schon tot war. Taras Plan, sie nicht in London oder Thorpe Bay zu töten, ginge damit auf: ohne Leiche kein Mord. Selbst wenn man sie verdächtigte, würde man ihr nichts nachweisen können.

Sie musste über Flucht nachdenken, denn darin bestand ihre einzige, winzige Chance. Irgendwo musste sich die nächste menschliche Siedlung befinden, auch wenn es draußen so ausgesehen hatte, als seien sie allein auf der Welt. Vielleicht gelang es ihr auch, in den Besitz des Autoschlüssels zu kommen und irgendwie den Weg zurück zum Auto wiederzufinden. Der Autoschlüssel lag neben dem Schlüssel zur Hütte auf dem unbrauchbaren Ofen. Er war Tara aus der Tasche gefallen, als sie die Flasche mit dem kläglichen Rest an Mineralwasser herauszog, und sie hatte ihn fast gedankenverloren, wie es schien, auf den Ofen gelegt. Da sie aber direkt davorstand, mit dem Rücken gegen die eiserne Tür gelehnt, gab es keine Möglichkeit für Gillian, auch nur in seine Nähe zu gelangen.

Tara hielt beide Arme eng um ihren Körper geschlungen. Sie fror auch und wirkte plötzlich sehr ermattet.

»Wir waren früher nie im Winter hier«, sagte sie, und es klang fast entschuldigend. »Meist kamen wir zum ersten Mal im Jahr an Ostern in die Hütte. Dann den Sommer über. Und spätestens Mitte Oktober war Schluss. Da waren die Nächte dann schon ziemlich kalt, oft regnete es, und man konnte sich nicht mehr im Freien aufhalten. Die Landschaft ist herrlich hier. Unberührte Natur, so weit man nur schauen kann!«

»Wir sind aber in der Nähe von Manchester?«, fragte Gillian.

Tara nickte. »Im Dark Peak. Dem nördlichen Teil des Nationalparks.«

Gillian seufzte mutlos. Der Peak District teilte sich in den Dark Peak im Norden und den White Peak im Süden, wie sie wusste. Der White Peak war vergleichsweise dicht besiedelt, während der Dark Peak vorwiegend aus Hochmooren bestand, die sich meilenweit ausdehnten, ohne dass man auf eine menschliche Niederlassung stieß. Wanderer suchten manchmal diese Einsamkeit, aber sicher nicht zu dieser Jahreszeit. Sie befanden sich am Ende der Welt.

»Gehört das Land deiner Familie?«, fragte sie, um das Gespräch weiterzuführen.

Tara lächelte ironisch. »Meine Güte! Meine Familie hatte nie viel Geld, wirklich nicht. Mein Vater besaß eine Fahrradwerkstatt, und er verkaufte auch gebrauchte Räder, die er wieder gut in Schuss gebracht hatte. Damit hielt er uns ganz ordentlich über Wasser, aber ein Stück Land ... das wäre nie drin gewesen!«

»Aber ...«

»Ja, die Hütte ist sozusagen illegal erbaut. Das Land hier

gehört niemandem, und zum Glück hat sich nie jemand darum geschert. Meine Eltern kamen irgendwann einmal während einer Wanderung hierher, das war noch vor meiner Geburt, und mein Vater sagte zu meiner Mutter, hier würde er ihr ein Blockhaus bauen. Was er dann auch tat.« Sie sah sich um. Ein zärtlicher Ausdruck lag auf ihrem Gesicht. »Es war wirklich schön. Wir haben hier wunderbare Wochenenden verbracht. Mein Vater hat viel mit mir unternommen. Baumhäuser gebaut und Wildblumensammlungen angelegt, er hat mit mir Indianer gespielt und mir gezeigt, wie man Fährten im Wald legt. Mein Vater hat mir viel Kraft gegeben. Für mein ganzes Leben.«

»Es muss dich sehr getroffen haben, als er so früh starb«, sagte Gillian. Unauffällig bewegte sie hinter ihrem Rücken die Hände. Sie hatte den Eindruck, als habe sich das Klebeband um ihre Handgelenke ein wenig gelockert. Noch lange nicht so, dass sie sich hätte befreien können, aber mit viel Geduld konnte es ihr womöglich gelingen, irgendwann die Hände herauszuziehen. Sie musste nur äußerst vorsichtig sein. Keine ruckartigen Bewegungen. Tara durfte nichts merken.

»Ein Herzinfarkt«, sagte Tara. Es war, als senke sich ein Schatten über ihr Gesicht. Gillian konnte fast physisch den Schmerz und die Trauer spüren, die noch immer auf dieser Frau lasteten – Jahrzehnte, nachdem das für sie wahrscheinlich Unfassbare geschehen war. »Es war ein ganz normaler Tag, er arbeitete in seiner Fahrradwerkstatt hinten bei uns im Hof, ich kam von der Schule und lief gleich zu ihm. Er sah mich kommen, richtete sich auf, lächelte mich an und fiel um. Einfach so. Im Krankenhaus ist er dann gestorben. Ein paar Stunden später.« Sie bewegte unruhig die Hände. »Verdammt, ich hätte an Zigaretten denken sollen. Ich bräuchte jetzt dringend eine. Scheiße!«

Ihr Schmerz verwandelte sich in Wut, und zwar in rasantem Tempo. Gillian empfand das als beängstigend. Ohnehin hatte sie das Gefühl, dass Tara zu einer Art emotionalem Pulverfass geworden war. So hatte sie die Freundin früher nie erlebt. Tara war immer sachlich gewesen, ausgeglichen. Offenbar hatte sie eine perfekte Maske getragen. Die elegant gekleidete, gut geschminkte und frisierte, immer beherrschte und überlegte Staatsanwältin. Eine Frau, die sich in allen Belangen des Lebens fast ausschließlich von ihrem Verstand steuern ließ.

Wann habe ich sie je aufgeregt oder außer sich erlebt?, überlegte Gillian. Ihr fiel ein Moment ein, der noch nicht allzu lange zurücklag: Sie hatte Tara über Johns Vorgeschichte aufgeklärt. Es war nicht so, dass Tara darüber regelrecht explodiert wäre, aber für ihre Verhältnisse war sie schon ziemlich aus der Fassung geraten. Lag dort ein Schlüssel?

Wenn ich es nur wüsste!

»Tara«, sagte sie, »ich bin deine Freundin. Und was immer geschehen ist...«

»Spar dir das«, sagte Tara kalt. »Du *warst* meine Freundin, Gillian. Früher. Aber ich habe mich von Anfang an in dir getäuscht. Du bist ein bisschen wie meine Mutter, und das ist so ziemlich das Schlimmste, was ich über einen Menschen sagen kann. Meine Mutter war eine richtig nette und umgängliche Frau, und ich glaube, niemand hätte gedacht, sie könnte zu etwas wirklich Bösem in der Lage sein. Jeder mochte sie.«

»Deine Mutter... war nicht so nett, wie alle dachten?«, fragte Gillian sanft. Sie konnte jetzt deutlich spüren, dass sich das Klebeband lockerte. Am liebsten hätte sie wild mit den Armen geruckt, beherrschte sich aber. Solange Tara sowohl ein Messer als auch eine Pistole neben sich liegen hatte, würde sich Gillian auch mit freien Händen noch in der unterlegenen Position befinden.

»Meine Mutter war schwach. Ich habe das lange Zeit nicht bemerkt, weil mein Vater ihr Kraft verlieh. Aber als er tot war, da zeigte sie ihr wahres Gesicht. Wurde zu einem Tag und Nacht heulenden Jammerlappen. Konnte dies nicht, konnte jenes nicht. Ihre Nerven, ihre Gesundheit. Mein Vater hatte eine Lebensversicherung abgeschlossen, die uns zunächst über Wasser hielt, aber glaubst du vielleicht, meine Mutter hätte diese Zeit genutzt, um sich einen Job zu suchen? Irgendetwas zu tun, um ihr Leben und das ihrer Tochter wieder in geordnete Bahnen zu bringen? Nein, sie saß nur in der Ecke und weinte sich die Augen aus und wusste nicht, wovon wir von nun an leben sollten. Ich war acht! Ich konnte ihr nicht helfen. Ich war überfordert.«

»Aber irgendwie …«

»…ging es weiter, meinst du?« Tara nickte. »Ja, es ging weiter. Nachdem meine Mutter genug geheult hatte, fiel ihr nämlich ein geradezu genialer Ausweg ein. Eigentlich der klassische Ausweg für eine Frau wie sie. Sie angelte sich den nächsten Kerl. Sie konnte einfach nicht ohne Mann. Und sie sah nicht schlecht aus damals. Sie war Mitte dreißig und recht ansehnlich. Sie hätte unter einer ganzen Reihe Männer auswählen können. Netter, sympathischer Männer.«

Tara griff nach dem Messer, mit dem sie einige Zeit zuvor Gillians Fußfesseln durchschnitten hatte. Langsam fuhr sie mit Daumen und Zeigefinger der rechten Hand daran entlang. Gillian sah, dass auf dem Daumen ein feiner Riss entstand, aus dem Blut trat.

»Aber sie wählte Ted Roslin. Wahrscheinlich, weil er ihr wirklich wild den Hof machte, sie mit allen möglichen Verführungskünsten umschmeichelte. Er gab ihr das Gefühl, eine fantastische Frau zu sein. Dass er nichts hatte, nichts darstellte, das interessierte meine Mutter irgendwann gar nicht mehr. Sie war hin und weg. Kurz vor meinem neunten Geburtstag haben sie geheiratet.«

Das Blut trat nur langsam aus dem zarten Spalt. Aber es wurde stärker.

»Doch dann folgte auch schon der große Frust für sie. Ich glaube, Ted Roslin hatte mit meiner Mutter einen ziemlich guten Fang gemacht. Das Haus gehörte ihr, und er konnte in die Fahrradwerkstatt meines Vaters einsteigen, die immer recht gut gelaufen war. An meiner Mutter selbst war er überhaupt nicht interessiert, entgegen allem, was er vor der Eheschließung geheuchelt hatte. Sie ließ ihn einfach völlig kalt. Manchmal habe ich gehört, wie sie ihn geradezu anflehte, sie in die Arme zu nehmen. Sie wollte ständig mit ihm schlafen, und er erfand ständig Ausreden. Er hatte einfach keinen Bock auf sie.«

»Warum nicht?«, fragte Gillian. »Sie war jung und hübsch ...«

»Er stand nicht auf Frauen«, unterbrach Tara. »Kapiert?«

»Oh«, sagte Gillian. »Aber ... Ende der Siebzigerjahre konnte ein homosexueller Mann doch schon mit einiger Offenheit ... Ich meine, ohne sich mit einer Ehe zu tarnen ...«

Wieder wurde sie unterbrochen.

»Er stand auch nicht auf Männer«, erklärte Tara. Zufrieden betrachtete sie das Blut, das jetzt warm und hell über ihre Hand lief.

»Er stand auf kleine Mädchen«, sagte sie.

5

Zum Glück war die M1 hinauf in den Norden weitgehend schneefrei und gut befahrbar. Sie kamen zügig vorwärts. Der Tag schritt voran und bald würde es dunkel werden, und John wollte Manchester am frühen Abend erreichen. Über die Auskunft hatte er zwei Lucy Caines in Manchester ausfindig gemacht. Der Doppelname fehlte, dennoch war er überzeugt, dass es sich bei einer der beiden um Taras Mutter handeln musste. Zwei Adressen. Das ließ sich bewältigen.

Neben ihm auf dem Beifahrersitz saß ein nervöser Samson Segal, erleichtert, dass er mitfahren durfte, und zugleich angstvoll aufgeregt, weil er keine Ahnung hatte, wie das alles ausgehen würde. Nach dem wenig erfreulichen Gespräch mit Christy McMarrow im Yard war John sofort zurück in seine Wohnung gefahren, um rasch zu duschen, die Adresse von Lucy Caine ausfindig zu machen und dann nach Manchester aufzubrechen. Es konnte sein, dass er völlig danebenlag, aber da Manchester sein einziger Anhaltspunkt war, beschloss er, sich an ihm festzuhalten. Tara Caine war dort aufgewachsen. Vielleicht kannte sie noch aus ihrer Kindheit Rückzugsmöglichkeiten in Manchester und dem Umland. Wenn sie es tatsächlich schon lange auf Gillian abgesehen hatte, überdies aber nun vielleicht auch wusste, dass man ihr auf der Spur war, suchte sie womöglich einen Platz auf, an dem sie sich zunächst in Sicherheit fühlte.

Samson hatte voller Spannung auf ihn gewartet und ihn sofort mit Fragen bestürmen wollen, aber John hatte ihm sogleich das Wort abgeschnitten. »Haben Sie bei Gillian angerufen? Und eine Warnung für sie auf dem Anrufbeantworter hinterlassen?«

Samson war blass geworden. »Ja…«

»Das war leichtfertig, Samson. Ziemlich leichtfertig. Gillian und Staatsanwältin Caine sind verschwunden. Staatsanwältin Caine ist aber möglicherweise gestern in Thorpe Bay gewesen, und wenn, dann wahrscheinlich mit Gillian zusammen. Es ist nur zu hoffen, dass Caine nichts von Ihrer Nachricht mitbekommen hat. Sonst könnte das den Schlamassel, in dem Gillian steckt, noch verschärft haben.«

»Warum?«, fragte Samson entsetzt.

John ärgerte sich. Er hätte Segal nicht allein lassen dürfen. Der Mann hatte ein ausgeprägtes Talent, im falschen Moment das Falsche zu tun.

»Falls Tara Caine wirklich gefährlich ist, und leider müssen wir das mittlerweile annehmen, waren Gillians Chancen, heil aus der Sache rauszukommen, größer, solange Caine davon ausgehen durfte, dass Gillian keine Ahnung hat. Sowie Gillian misstrauisch wird, stellt sie für Caine eine Gefahr dar.«

»Ich wollte sie warnen. Ich dachte…«

»Aber das können Sie nicht über einen Anrufbeantworter tun. Sie haben doch keine Ahnung, wer den abhört.«

Samson hatte ausgesehen, als versinke er in einer schweren Depression. »Ich mache einfach alles falsch!«

In der Tat, hätte John ihm gerne beigepflichtet, aber er verschluckte den Satz. Es brachte nichts, Samson das Herz zusätzlich schwer zu machen.

Als John ankündigte, er werde für zwei Tage fort sein – mindestens, wie er hinzufügte –, ging ein Ruck durch Samsons Körper. »Ich komme mit!«

»Nein. Sie warten hier.«

»Ich möchte mit. Bitte. Ich tue nichts, was ich nicht mit Ihnen abstimme. Aber ich kann hier nicht warten. Ich werde verrückt!«

John hatte gezögert, dann aber zugestimmt. Samson konnte weniger Unfug anrichten, wenn er ihn unter seiner Kontrolle hatte. Zudem ergaben sich vielleicht Situationen, in denen es gut war, eine zweite Person bei sich zu haben.

»Okay. Aber Sie halten die Klappe, verstanden? Und Sie stellen nichts Eigenmächtiges an.«

»Das habe ich ja versprochen. Äh ... wohin fahren wir eigentlich?«

»Nach Manchester. Tara Caine ist dort geboren und aufgewachsen. Es ist eine bloße Theorie und sie ist im Wesentlichen aus Verzweiflung entstanden, aber falls Caine das Gefühl hat, mit dem Rücken zur Wand zu stehen, könnte sie versuchen, sich an einen Ort zu flüchten, an dem sie sich gut auskennt. Ihre Heimat.«

»Zu ihren Eltern?«, meinte Samson.

»Sie hatte offenbar nur noch eine Mutter«, sagte John, »und diese wurde heute früh von der Polizei in Manchester tot in ihrer Wohnung aufgefunden. Ermordet, und zwar wahrscheinlich von demselben Täter, der auch hier gewütet hat. Möglicherweise Tara Caine.«

Samson blieb der Mund offen stehen. »Du lieber Gott ...«

»Nichts wie los«, sagte John.

Als sie sich Manchester gegen Abend näherten, fragte Samson, der die ganze Zeit über geschwiegen und offenkundig düsteren Gedanken nachgehangen hatte: »Was tun wir als Erstes, wenn wir da sind?«

»Wir suchen Mrs. Caines Adresse«, sagte John. »Und dann will ich sehen, ob ich irgendetwas in Erfahrung bringen kann. Es muss Nachbarn geben, die die Familie schon lange kennen. Vielleicht gibt es Orte oder Plätze, wo sie schon früher gern hingegangen ist. Es besteht die Möglichkeit, dass Tara dorthin mit Gillian geflohen ist.«

Samson nickte. John warf ihm einen Blick von der Seite zu. Samson sah bekümmert und sorgenvoll aus.

Er liebt Gillian, dachte John. Er hat entsetzliche Angst um sie.

»Glauben Sie, wir haben irgendeine Chance?«, fragte Samson.

»Bei einer Suche nach der Nadel im Heuhaufen wäre mir wohler«, meinte John, aber dann setzte er aufmunternd hinzu: »Kopf hoch, Samson. Wir haben gar nicht so schlechte Karten!«

Er verschwieg, was er eigentlich dachte: *Haben wir überhaupt eine Chance?*

In einem Punkt hatten sie zumindest Glück: Gleich die erste Adresse in einem sozial eher schwachen Vorort von Manchester, die sie anfuhren, erwies sich als die richtige. Ein Haus aus Ziegelsteinen, ein kleiner Hof. Ein Schild wies darauf hin, dass man hier Fahrräder kaufen oder reparieren lassen konnte. Interessant für John war aber eigentlich nur eines: das Absperrband der Polizei, das vor dem Hoftor und ein Stück entlang der Mauer gespannt war. Es konnte sich nur um den Ort handeln, an dem man die tote Lucy Caine-Roslin gefunden hatte.

Er parkte das Auto gleich neben einem Schneehaufen am Straßenrand. Die beiden Männer stiegen aus. Eisige Kälte umfing sie, aber die Straßenlaternen spendeten zumindest genügend Licht. John betete praktisch nie, aber angesichts der Möglichkeit, dass sie in dieser Nacht noch lange mit dem Auto unterwegs sein würden, sandte er nun doch ein kurzes Stoßgebet zum Himmel: *Bitte keinen neuen Schnee!*

»Was tun wir jetzt?«, fragte Samson. Er schaute hinüber zu dem Haus, an dessen Tor das Absperrband im kalten Wind flatterte. »Ist das das Haus …?«

»Ja«, sagte John, »das ist es.«

Das Haus, in dem die Mutter der Staatsanwältin gelebt hatte und gestorben war. Das Haus, in dem Tara Caine ihre Kindheit verbracht hatte? Er konnte es nur hoffen. Denn nur dann war durch eine Nachbarschaftsbefragung etwas in Erfahrung zu bringen.

Es war kurz nach sechs Uhr. In den meisten Wohnungen ringsum brannten Lichter. Die Bewohner hielten sich daheim auf, hatten aber vermutlich noch nicht mit dem Abendessen begonnen. Eigentlich keine schlechte Zeit für das, was er vorhatte.

»Wir werden Folgendes tun«, sagte er, »wir spielen mit relativ offenen Karten, aber wir sagen nichts von Gillian und nichts davon, dass Tara Caine womöglich eine verdammt gefährliche Person ist. Wir sagen aber, dass wir sie suchen. Wir sind Freunde von ihr aus London. Dass ihre Mutter heute ermordet aufgefunden wurde, dürfte sich hier in diesem Viertel bereits herumgesprochen haben. Diese Dinge machen ja immer blitzschnell die Runde. Tara ist verschwunden, und wir sind in größter Sorge um sie. Wir möchten wissen, ob jemand einen Ort kennt, an den sie sich zurückgezogen haben könnte. Verstanden?«

»V…verstanden«, stotterte Samson. Bleich und nervös, wie er dastand, erschien er John nicht als die günstigste Besetzung für das Vorhaben, und kurz überlegte er, ob es besser war, ihn ins Auto zu setzen und dort warten zu lassen, bis er, John, alles allein erledigt hatte. Aber es konnte sein, dass eine Menge Häuser abgeklappert werden mussten, ehe man – wenn überhaupt – zu einem Ergebnis kam, und die Zeit drängte.

»Sie schaffen das«, sagte John aufmunternd. »Passen Sie auf, Sie übernehmen gleich hier diese Straßenseite. Ich fange mit dem direkten Nachbarn an und arbeite mich dann nach oben.«

»Soll ich mich mit meinem richtigen Namen vorstellen?«

»Sicher. Es läuft ja keine landesweite Fahndung nach Ihnen. Stellen Sie sich als Samson Segal aus London und guten Freund von Tara Caine vor. Alles klar?«

»Alles klar«, bestätigte Samson.

John nickte ihm zu, dann überquerte er die Straße. Er schaute an Lucy Caine-Roslins Haus hinauf. Dunkle, schweigende, tote Fenster.

Hatte Tara Caine ihre eigene Mutter getötet?

Kurz entschlossen wandte er sich dem Nachbarhaus zu. Es gab keine Zeit zu verlieren.

6

Sie stapfte durch den Schnee. Die Dunkelheit war längst hereingebrochen, der Himmel noch zu wolkig, als dass Mond und Sterne hätten hervorscheinen können, aber die weißen Felder und Wiesen gaben der Nacht ein wenig Helligkeit. Es war Wind aufgekommen, bald würde er die Wolken auseinandergerissen und vertrieben haben.

Sie war der einzige Mensch weit und breit.

Dies zu wissen gab ihr ein Gefühl von Ruhe. Fast Geborgenheit.

Der Daumen, in den sie sich geschnitten hatte, schmerzte. Sie mochte diesen Schmerz. Sie tat das immer wieder, sie ritzte sich gerne. Es faszinierte sie, ihr Blut fließen zu sehen. Sie liebte seine Farbe und seine Wärme. Sie liebte das Pochen, das sich in dem geritzten Körperteil ausbreitete. Wie der Herzschlag. Als sei das Herz gewandert und habe einen neuen Platz gesucht, um sich niederzulassen. Den Daumen zum Beispiel. Es konnte aber auch ganz woanders sein. Es lag in ihrer Macht, dies zu bestimmen. Sie konnte ihr Herz auch im Fuß platzieren.

Meist ritzte sie sich die Beine. Deshalb trug sie auch immer Hosenanzüge, nie Kostüme. Ihre Beine konnte sie nicht mehr herzeigen.

Sie wusste, dass sie sich nicht verlaufen würde. Sie kannte die Gegend, sie hätte sich blind hier zurechtgefunden. Allerdings war sie erschöpfter, als sie gedacht hatte. Der Tag war lang gewesen. In der Nacht davor hatte sie nicht geschlafen, war Richtung Norden gefahren, hatte in einem schier endlosen, zermürbenden Stau gesteckt, der sich wegen eines verunglückten Lastwagens gebildet hatte.

Kurz nach ein Uhr war sie auf einen Rastplatz gefahren, weil sie pausieren musste. Andernfalls würde sie nicht durchhalten, das hatte sie sich ganz realistisch vor Augen geführt. Natürlich war es nicht ungefährlich. Gillian lag hinten im Kofferraum unter ihrer Decke, und es gehörte nicht viel Fantasie dazu, sich vorzustellen, dass sie ständig über Flucht nachdachte. Allerdings hatte sie sie so gut zusammengeschnürt, dass sie sich aus eigener Kraft nicht würde befreien können. Und das Auto war verriegelt. Sie hatte sich über beide Vordersitze ausgestreckt und versucht, ein wenig Ruhe zu finden. Sie war nicht eingeschlafen, dafür war die Stellung zu unbequem und ihre Nervosität zu groß. Aber immerhin hatte sie sich ausruhen können.

Bevor sie weitergefahren war, hatte sie Gillians Handtasche in einem Müllcontainer entsorgt, das Handy, das sie zuvor ausgeschaltet hatte, in einen anderen geworfen. Würde vermutlich nie jemand finden.

Die Wanderung bis zur Hütte war anstrengend gewesen, der Weg jetzt zurück war es ebenfalls. Sie entsann sich der Feldwege, über die sie vor langen Jahren an hellen Sommerabenden gelaufen war. Hin und her, schnell und unbeschwert. So primitiv das Leben in der Hütte gewesen war, sie hatte es aus tiefstem Herzen genossen. Die Natur. Die Freiheit. Damals hätte sie jedem ohne Zögern erklärt, dass die Welt und das Leben gut seien.

Sie hatte nicht richtig einkalkuliert, wie weit sich der Weg von der Hauptstraße bis zur Hütte bei diesem Schnee hinziehen würde. Sowieso hatte sie nicht bedacht, dass sie den Wagen so weit entfernt würde stehen lassen müssen. Dabei grenzte es an ein Wunder, dass sie es überhaupt bis in eine einigermaßen erreichbare Nähe geschafft hatte. Es war ein riesiges Glück, dass zumindest die Hauptstraßen im District offenbar regelmäßig geräumt wurden. Sogar hier im nördlichen Teil.

Sie blieb einen Moment stehen, zog den Schal höher, den sie sich vor ihr Gesicht zu drapieren versuchte. Die Kälte schnitt in die Haut und schmerzte in den Lungen. Es war so anstrengend, guter Gott! Der Schnee schien noch höher geworden zu sein seit dem Mittag, was auf Einbildung beruhen musste, denn es hatte nicht geschneit in der Zwischenzeit. Wahrscheinlich war sie einfach am Ende ihrer Kräfte.

Es konnte nicht mehr allzu weit sein bis zum Auto. Der Gedanke, sich in die weichen Polster sinken zu lassen, den Motor zu starten und die Heizung einzuschalten, verlieh ihr neue Kraft. Sie durfte jetzt nicht schlappmachen. Natürlich wäre es vernünftiger gewesen, bis zum nächsten Morgen zu warten. Ein paar Stunden Schlaf hätten Wunder gewirkt. Aber sie hatte plötzlich die Sorge gehabt, den anderen Tag nicht mehr zu erleben. Es war eiskalt in der Hütte. Die Temperaturen draußen schienen mit jeder Minute weiter zu fallen, und der vermoderte alte Holzbau bot keinen Schutz. Es bestand durchaus die Gefahr, dort im Laufe der Nacht im Schlaf zu erfrieren. Also hatte sie Gillian noch einmal nach draußen begleitet, damit diese hinter einem Gebüsch endlich pinkeln konnte, danach hatte sie ihre Füße wieder gefesselt, hatte die Fensterläden geschlossen und auch die Tür wieder sorgfältig verriegelt. Der Rest war klar: Gillian würde erfrieren oder verhungern, wahrscheinlicher war, dass sie erfror, ehe der Hunger zu einem Problem wurde. Sie hatte ihr die spärlichen Vorräte dagelassen, zwei Sandwiches, etwas Wasser, hauptsächlich deshalb, weil sie sie nicht wieder mitschleppen wollte. Viel nützen würden sie nichts. Wegen ihrer auf dem Rücken zusammengebundenen Hände konnte Gillian ohnehin nichts zu sich nehmen. Falls es ihr gelang, sich zu befreien, hatte sie doch keine Chance, aus der Hütte auszubrechen.

Leider war das nicht zu ändern. Gillian würde sterben. Sie war zu einer Gefahr geworden.

Der Daumen pochte. Die ganze Hand pochte. Das war gut, es verriet Leben und Wärme. Das Blut pulsierte in ihrem Körper. Solange es das tat, war alles in Ordnung. Solange lebte und atmete sie und würde das Richtige tun.

Die Dinge hatten sich nun am Ende wieder gefügt, Gott sei Dank. Obwohl sie einen groben Fehler begangen hatte: Auf der Fahrt zu Gillians Haus in Thorpe Bay gestern hatte sie den Namen des Maklers genannt. Ein Fehler, den sie zunächst selbst überhaupt nicht bemerkt hatte. Sie hatte nur gespürt, dass sich etwas änderte. Gillian schien plötzlich ungeheuer angespannt, unruhig. Aber das konnte Einbildung sein. Oder ganz andere Gründe haben: Gillians Verunsicherung wegen der gesamten Situation. Ihre Angst vor dem Aufbruch ins Ungewisse. Sie wollte nicht in ein Hotel und sich dort vor jemandem verstecken, der für sie nur ein Phantom war. Wahrscheinlich hatte sie Angst gehabt vor den Gefühlen, die über sie hereinbrechen würden, wenn sie einsame Meeresspaziergänge unternahm und dabei über ihr Leben nachdachte.

Und Tara hatte gedacht: Okay, und wenn du beschließt, in deinem Haus zu bleiben, dann ist es mir auch egal. Hauptsache, du verschwindest erst einmal aus meinem Umfeld.

Sie hatte tatsächlich vorgehabt, Gillian nicht mehr anzugreifen. Es war bei ihr nicht dasselbe wie bei den beiden alten Frauen.

Vielleicht kannte sie sie zu gut. War zu vertraut mit ihr. Vielleicht war es eine abergläubische Furcht, die sie plötzlich lähmte. Es war alles so einfach gewesen bei Carla Roberts und Anne Westley. Die Probleme, die sich bei Gillian auftaten, schienen eine Warnung zu sein: Lass sie in Ruhe!

Doch womöglich musste sie den Begriff *Aberglauben* gar nicht bemühen. Es war ein Fakt, dass es bei Gillian zweimal nicht funktioniert hatte. Beide Male hätte es schlecht ausgehen können für Tara. Klug war, wer erkannte, dass er in Begriff stand, sich zu übernehmen.

Gillians plötzliche Veränderung auf dem Weg von London nach Southend hatte sie vorsichtig werden lassen. *Lass sie nicht aus den Augen*, hatte ihr eine innere Stimme geraten, und deshalb war sie ihr ins Haus gefolgt. Dort war Gillian so harmlos aufgetreten, dass Tara schon geglaubt hatte, sich getäuscht zu haben. Aber zum Glück rief genau in diesem Moment dieser komische Kauz an. Wie blöd konnte ein Mensch sein? Trompetete seine Warnung über den Anrufbeantworter quer durch das Haus.

Klar, dass Gillian dies hatte herunterspielen wollen. Aber das nützte ihr nichts mehr, dazu war ihre Gegnerin zu schlau.

Über zwei Dinge hatte sie dann auf der sich ewig hinziehenden Fahrt nach Manchester beständig nachgedacht: Wie hatte Samson Segal herausfinden können, dass von ihr eine Gefahr ausging? Und wer war sein Verbündeter? Denn er hatte von *wir* gesprochen.

Und weshalb hatte Gillian schon vorher Verdacht geschöpft? Was war geschehen?

Die Antwort auf die zweite Frage hatte sie auf der Höhe von Northampton gefunden. Sie war den Verlauf des ganzen Nachmittags in Gedanken noch einmal durchgegangen, hatte den Zeitpunkt, ab dem ihr eine Veränderung in Gillians Wesen aufgefallen war, immer stärker eingegrenzt. Und hatte plötzlich die Erleuchtung gehabt. Dass es eben um den Namen jenes Maklers ging. Luke Palm. Gillian hatte ihn nie genannt. Sie hatte ihn an jenem Abend gehört, als Palm plötzlich zurückkehrte und Gillian laut nach ihm rief.

Alles war schiefgegangen an jenem Tag. Tara war mit einbrechender Dunkelheit nach Thorpe Bay gekommen. Sie hatte vorgehabt, bei Gillian zu klingeln. So, wie sie es bei Carla Roberts getan hatte. Sie wäre eingelassen worden, und das hätte Gillians Schicksal besiegelt. Aber dann hatte sie das fremde Auto vor dem Haus parken sehen und argwöhnte sofort, dass Gillian Besuch hatte, was sich dann auch bewahrheitete. Sie musste eine halbe Ewigkeit warten, bis sich der Fremde, von dem sie erst später erfuhr, dass es sich um einen Makler handelte, endlich verabschiedete. Gillian war in den Garten gegangen, die Haustür stand weit offen, und Tara nutzte den Moment, huschte hinein. Obwohl sie bereits in diesem Augenblick von einer inneren Stimme gewarnt wurde: *Lass es! Es ist zu riskant.* Sie hatte trotzdem in der Küche auf Gillian gewartet, aber dann fiel plötzlich der Strom aus, wozu sie nichts beigetragen hatte, Gillian geriet in

Panik, und dann kehrte auch noch Luke Palm überraschend zurück. Tara hatte gerade noch in den Garten flüchten und sich in einem weiten Bogen zurück zu ihrem Auto durchschlagen können.

Auf die andere Frage bekam sie keine Antwort. Welche Gefahr ging von dem seltsamen Nachbarn aus? Was, zum Teufel, hatte seinen Verdacht auf sie gelenkt? Sie war sich keines Fehlers bewusst.

Egal. Das Problem musste sie als Nächstes angehen. Bisher war alles gut gegangen. Wenn sie die Nerven behielt, ging es auch weiterhin gut.

Sie sah ihr Auto gerade in dem Moment, da das Verlangen, sich einfach in den Schnee fallen zu lassen und auszuruhen, schon fast übermächtig geworden war. Es stand dort als dunkler, kleiner Schatten am Rand der Straße. Der Wind hatte die Wolken am Himmel bereits so weit auseinandergezerrt, dass sie jetzt schon hier und da einen Stern erkennen konnte. Aber gerade deswegen wurde es immer kälter. Noch ein paar Stunden später, und die Nacht würde sternenklar und von klirrendem Frost sein. Sie beglückwünschte sich zu der Entscheidung, auf den Schlaf in der Hütte verzichtet zu haben.

Sie wühlte in ihrer Tasche. Es war eine große Tasche, sie transportierte auch oft Gerichtsakten darin. Den Schlüsselbund hatte sie beim Aufbruch am frühen Nachmittag einfach hineingeworfen. Irgendwo musste er sein…

Sie fand alles Mögliche, bloß keine Schlüssel. Puderdose. Geldbeutel. Ein Buch. Eine Landkarte. Ein Päckchen Taschentücher. Ein paar Kaugummis. Ihren Pass.

Keinen Schlüssel.

Sie hatte das Auto erreicht, setzte die Tasche auf der Kühlerhaube ab und suchte weiter, indem sie alle Dinge hinausräumte und vor sich aufbaute. Endlich bekam sie einen Schlüssel zu fassen, aber an dem herzförmigen Anhänger aus Plastik erkannte sie sofort, dass er zu der Hütte gehörte. Es war nicht der ihres Autos, der zusammen mit ihrem Wohnungsschlüssel an einem Ring hing.

In Panik stülpte sie nun die ganze Tasche um. Jede Menge Kleinkram fiel heraus, Notizzettel, abgebrochene Bleistifte, einzelne Geldstücke.

Sie stöhnte auf. »Verdammt! Verdammt!«

Sie wusste genau, dass sie die Schlüssel in die Tasche geworfen hatte. Und sie war tief genug. Es konnte nichts herausgefallen sein.

Sie stand an einem eisigen Winterabend bei starkem Nordwind und einer Temperatur, die nach ihrem Gefühl mindestens 20 Grad unter dem Gefrierpunkt liegen musste, inmitten einer gottverlassenen Weltabgeschiedenheit irgendwo im Dark Peak neben einem Auto und konnte damit nicht fahren. Weit und breit gab es kein Haus, kein Gehöft, geschweige denn ein Dorf.

»Okay«, sagte sie laut. »Was ist passiert? Finde es heraus!«

Hatte sie den Schlüsselbund doch unterwegs verloren? Dann gab es nicht die geringste Chance, ihn im hohen Schnee wiederzufinden. Aber sie glaubte es nicht. Nach menschlichem Ermessen konnte er aus den Tiefen dieser Tasche überhaupt nicht herausgefallen sein.

Sie drängte die aufkeimende Panik zurück. Ihre Situation war nun weit schlimmer, als wenn sie in der Hütte ausgeharrt hätte. Sie schwebte jetzt in unmittelbarer Lebensgefahr. Umso wichtiger, dass sie einen klaren Kopf behielt.

Sie tat, was sie immer tat, wenn sie versuchte, ein Problem zu lösen: Sie rief sich die entscheidenden Situationen Schritt für Schritt in ihr Gedächtnis zurück.

Die Hütte. Gillian gefesselt auf dem Sofa. Sie selbst stand an den Ofen gelehnt. Redete. Erzählte. Neben ihr auf dem Ofen lag der Schlüssel, mit dem sie die Hütte aufgeschlossen hatte.

Nur er?

Sie kniff die Augen zusammen, visualisierte den Raum, die Situation. Oh Gott, nein, nicht nur der Schlüssel, mit dem sie die Hütte aufgeschlossen hatte. Direkt daneben lag der Bund mit Auto- und Wohnungsschlüssel daran. Er war aus der Tasche gefallen, als sie die Vorräte ausgepackt und ihn dabei aus Versehen mit erwischt hatte. Sie hatte ihn auf den Ofen gelegt.

Aber sie hätte ihn sehen müssen, als sie den Schlüssel zur Hütte wieder an sich genommen hatte. Sie ergriff nicht einen Schlüssel und ließ zwei andere direkt daneben liegen.

Das bedeutete, als sie gegangen war, hatte dort nichts mehr gelegen. Es konnte gar nicht sein.

Gillian hatte gebettelt, endlich pinkeln zu dürfen. Sie war an dem Ofen vorbeigekommen. Hatte sie sich den Schlüsselbund geschnappt?

Das konnte sein. Wie bösartig sie war! Das konnte tatsächlich sein. Es würde allerdings bedeuten, dass sie ihre Hände besser bewegen konnte als gedacht. Wahrscheinlich hatte sich das Klebeband gelockert. Wahrscheinlich hatte sie wie wild daran gezerrt, während sie alles darüber erfuhr, wie sich eine Kindheit und Jugend mit einem Stiefvater wie Ted Roslin anfühlte – und darüber Erschrecken und Entsetzen heuchelte.

Fast hätte Tara laut aufgelacht. Das war wirklich zu gut. Sie hatte den Schlüssel zu der Hütte, in der Gillian eingesperrt war, und stand neben dem Auto, das ihr nichts nützte. Während Gillian im Besitz des Autoschlüssels war, aber in der Hütte festsaß.

Gut gemacht! Das hast du wirklich schlau angefangen!

Fassungslos rüttelte sie an dem Griff der Autotür und erzielte einen unerwarteten Erfolg: Der Wagen war nicht verschlossen. Sie konnte sich zumindest hineinsetzen. Gott sei Dank, wenigstens war ihr Auto keines von der Sorte, dessen Türen sich nach ein paar Augenblicken selbst verriegelten, wenn der Fahrer vergaß, abzuschließen.

In Windeseile klaubte sie den auf der Kühlerhaube verstreut liegenden Inhalt ihrer Tasche zusammen und flüchtete auf den Beifahrersitz. Es war eiskalt im Auto, aber für den Moment bedeutete es schon eine Erleichterung, einen Schutz vor dem Wind zu haben. Und es gab die dicke Wolldecke hinten im Kofferraum. So konnte sie es vielleicht eine Weile aushalten.

Einen Moment überlegte sie, ob es ihr gelingen würde, die Zündung kurzzuschließen und das Auto damit zu starten, aber sie verwarf den Gedanken dann wieder. Sie hatte keine Ahnung, wie so etwas funktionierte, ob es bei diesem Wagen überhaupt gelingen konnte. Das Risiko, damit etwas kaputt zu machen, war zu groß.

Sie wog ihre Chancen und Möglichkeiten ab. Zurück zur Hütte? Gillian den Schlüssel entreißen? Oder einfach hier warten in der Hoffnung, dass vielleicht am nächsten Morgen ein Räumfahrzeug vorbeikam und sie abschleppte?

Du sitzt in der Falle, Tara!

Nein, tat sie nicht. Sie lehnte den Kopf zurück, atmete tief durch.

Nachdenken. Kühles Blut bewahren. Und dann das Richtige tun.

Das war immer ihr Rezept gewesen, und es hatte immer funktioniert.

Ihre Hand schmerzte, und die Nacht umschloss sie von

allen Seiten und trug die Ängste ihres ganzen Lebens in sich.

7

John hatte fast das Ende der Straße erreicht, ohne dass er in seinem Vorhaben auch nur einen einzigen Schritt weitergekommen war. Er war auf höchst unterschiedliche Reaktionen gestoßen. In zwei Wohnungen hatte man ihm überhaupt nicht geöffnet, obwohl sowohl Lichtschein als auch das Geräusch von Schritten die Anwesenheit der Bewohner verrieten. Eine alte Frau hatte zwar misstrauisch über die Kette, die ihre Tür sicherte, gespäht, aber trotz wiederholter Versuche von John, ihr sein Anliegen zu erklären, nicht begriffen, worum es ging. Einige waren sofort aggressiv geworden, hatten Vorwürfe zurückgewiesen, die er überhaupt nicht erhoben hatte. »Mrs. Caine-Roslin? Ja, das ist leicht, hinterher zu sagen, es hätte uns auffallen müssen, dass sie seit Wochen nicht mehr auftauchte. Aber was denken Sie, wir haben auch unsere Probleme! Ich meine, man hat wirklich furchtbar viel um die Ohren den ganzen Tag, man kann nicht dauernd darauf achten, was rechts und links passiert. Außerdem hat sie doch eine Tochter, wieso hat die sich denn nicht gekümmert? Ich kann mir weiß Gott nicht noch die Sorgen anderer Leute aufhalsen! Ob ich die Tochter näher kenne? Nein, gar nicht. Habe sie manchmal gesehen, mit ihrem schicken Jaguar und den feinen Klamotten. Hält sich wahrscheinlich für etwas Besseres. Soll ja irgendein hohes Tier beim Gericht in London sein.«

Manche waren auch froh gewesen, dass jemand in ihren

einsamen, langen Abend platzte, und hatten bereitwillig erzählt – nur nicht das, was John interessierte. Mühsam hatte er langatmig angelegte Schilderungen persönlicher Lebensläufe abgewürgt, um auf sein eigentliches Anliegen zurückzukommen. »Das ist wirklich sehr interessant. Aber ich suche dringend die Tochter von Mrs. Caine-Roslin. Tara Caine. Haben Sie sie als Kind oder Teenager gekannt? Fällt Ihnen ein Ort ein, an den sie sich zurückgezogen haben könnte?«

Immerhin gab es einige, die Tara kannten. Die schon in der Straße gewohnt hatten, als Tara noch zu Hause gelebt hatte. John bekam sie als ein sehr hübsches, aber auch ungewöhnlich dünnes und immer in sich gekehrtes Kind und junges Mädchen geschildert. Mit niemandem aus der Straße war sie in näheren Kontakt getreten, hatte sich völlig abgeschottet.

»Die wirkte immer so unglücklich«, berichtete eine ältere Frau, die nach eigenen Angaben im Jahr 1981 nach Gorton gezogen war. »Ihr Vater war gestorben, und die Mutter hatte sich neu verheiratet. Der Kerl war irgendwie seltsam. Ich meine, er wurde nicht auffällig oder so. Trank nicht oder randalierte. Er übernahm die Fahrradwerkstatt von dem verstorbenen Mr. Caine und führte das Geschäft ganz ordentlich weiter. Aber irgendetwas an ihm ... ich weiß nicht. Ich mochte ihn nicht. Niemand in der Straße mochte ihn besonders.«

»Wie war sein Verhältnis zu seiner Stieftochter?«

»Weiß nicht genau. Ich hatte eigentlich keinen Kontakt zu der Familie. Ich weiß nur, dass das Mädchen krank auf mich wirkte. Krank an Leib und Seele.«

»Gab es einen Ort, an den sie sich flüchtete? Um der möglicherweise schwierigen Familiensituation zu entgehen?«

Die Frau hatte mit den Schultern gezuckt. »Kann sein.

Aber ich weiß es nicht. Tut mir leid. Ich würde Ihnen gern helfen.«

Er stand in der Dunkelheit auf der Straße, fröstelte im schneidenden Wind und starrte auf eine leere McDonald's-Tüte, die über den Gehsteig getrieben wurde. Es begann durchaus ein Bild in seinem Kopf zu entstehen, ein Bild von Tara Caine, dem Kind, das sie gewesen war, von ihrem Lebensweg, der in einem sozial schwachen Viertel von Manchester seinen Anfang genommen und sie über eine Universität in einen hoch angesehenen Beruf in London geführt hatte. Wer in Gorton startete, ging mit Sicherheit unter erschwerten Bedingungen ins Rennen. Tara Caine musste über eine Menge Klugheit, Ehrgeiz und Disziplin verfügen, um es so weit gebracht zu haben.

Es gab einen frühen, tiefen Bruch in ihrem Leben. Sie war noch ein Kind gewesen, als ihr Vater starb. Den Stiefvater schien niemand gemocht zu haben, obwohl auch niemand etwas Konkretes gegen ihn hatte vorbringen können. Das Leben der Familie schien jedenfalls in geordneten Bahnen weitergegangen zu sein. Das Haus gehörte ihnen, und die Fahrradwerkstatt hatte sie alle ernährt.

Trotzdem lag Mrs. Caine-Roslin am Schluss ermordet in ihrer Wohnung.

Ihre Tochter hatte möglicherweise vier Menschen umgebracht.

Sie wirkte krank auf mich. Krank an Leib und Seele.

Das sagte ihm noch nichts darüber, wo sie sich jetzt aufhielt. Und wo Gillian war.

Er kam nicht weiter. Die Zeit verrann, und er war seinem Ziel nicht näher gekommen. Und er wusste nicht einmal, ob er sich überhaupt auf der richtigen Spur befand. Nur die Tatsache, dass Tara in Manchester aufgewachsen war, hatte ihn in diese Stadt geführt. Das mochte ein völliger Irrtum sein. Die beiden Frauen konnten genauso gut am anderen Ende Englands sitzen.

Er hob den Kopf und gewahrte eine Gestalt auf der anderen Straßenseite. Samson. Er winkte mit beiden Armen.

John war mit drei Schritten bei ihm. »Was gibt es?«

Samson stotterte vor Aufregung. »I…ich habe jemanden. Könnte etwas sein. Ein alter Mann. Er kennt die Caines seit ewigen Zeiten. Er… Ach, kommen Sie mit!«

Im Laufschritt rannten die beiden Männer die Straße hinunter. Das Haus, vor dem Samson schließlich stehen blieb, lag ein Stück unterhalb des Hauses der Caines auf der gegenüberliegenden Straßenseite. Es sah heruntergekommen und ziemlich verwahrlost aus. John spürte, wie sein Mut sank. Hoffentlich kein verwirrter alter Mann, der ihnen unzusammenhängende Geschichten erzählte, die sie nicht weiterbrachten.

Der Mann lebte im ersten Stock und hatte an seiner Wohnungstür gewartet. In einer Hinsicht fühlte sich John zumindest beruhigt, als er ihn sah: Verwirrt war der Alte auf jeden Fall nicht. Aus hellwachen, aufmerksamen Augen blickte er seinen Besuchern entgegen. Ein kluges, lebenserfahrenes Gesicht.

Ein Intellektueller, dachte John, Gott sei Dank.

Er gab ihm die Hand. »John Burton. Ich bin ein Freund von Tara Caine. Ich mache mir sehr große Sorgen um sie. Aber das hat Mr. Segal Ihnen sicher schon erzählt.«

»Angus Sherman«, stellte sich der Mann vor. »Bitte, treten Sie doch näher.«

Sie saßen schließlich auf einem uralten Sofa in einem warmen Wohnzimmer und hielten jeder ein Glas mit Sherry in der Hand. Die Wohnung war penibel aufgeräumt, offenbarte aber die Armut ihres Bewohners: wenige Möbel, und diese nur von der einfachsten und billigsten Sorte. Allerdings gab es viele Bücher.

Mr. Sherman erzählte, dass er Tara hatte heranwachsen sehen. »Ich war gut mit ihrem Vater bekannt. Ein sehr netter Mann. Sehr besonders. Er und Tara hingen so aneinander. Sein früher Tod war eine Tragödie für das Mädchen, eine echte Tragödie. Niemand hat so etwas kommen sehen. Er erlitt einen Herzinfarkt, fiel einfach um und war kurz darauf tot. Da war er noch nicht mal vierzig Jahre alt!«

»Mr. Sherman, wir müssten wissen, ob …«, setzte John an.

Angus Sherman nickte. »Natürlich. Mir fiel da vorhin etwas ein, als Ihr Bekannter«, er machte eine Kopfbewegung hin zu dem aufgeregt zappelnden Samson, »an der Tür stand und nach einem Rückzugsort für Tara fragte. Da fiel mir die Hütte ein.«

»Eine *Hütte*?«

»Im Peak District. Ganz oben im nördlichen Teil, wo die Moore sind und praktisch kein Mensch wohnt. Dort hatten sie eine Hütte.«

»Inmitten der Einsamkeit?«

»Inmitten der Einsamkeit. Ike Caine – der Vater – hat sie damals eigenhändig gebaut. So eine Art Blockhaus. Gleich nach der Heirat mit Lucy. Es sollte ein Geschenk für sie sein.«

»Und Tara ging gern dorthin?«

»Sowie es das Wetter zuließ, verbrachte die Familie praktisch jedes Wochenende dort. Tara liebte diese Aufenthalte. Ich habe Ike manchmal gewarnt. Die Hütte war völlig illegal an irgendeinem Waldrand errichtet. Das Land gehörte den Caines nicht, und sie hatten auch nie eine Genehmigung eingeholt. Aber Ike lachte dann nur. *Angus, kein Mensch wird sich daran stören*, sagte er zu mir, *wir haben dort kein Wasser, keinen Strom. Eine kleine Hütte am Wald. Sieht nicht mal so viel anders aus als die Futterunterstände für das Wild. Ich glaube, niemand wird sie je bemerken.* Und tatsächlich gab es nie ein Problem. Jedenfalls nicht, solange Ike Caine lebte.«

»Glauben Sie, dass diese Hütte noch steht?«, fragte John.

Angus wiegte nachdenklich den Kopf. »Tja, ich weiß nicht... Ike hat sie in der ersten Hälfte der Siebzigerjahre gebaut. 1978 ist er gestorben. Danach war die Familie, glaube ich, nur noch selten dort. Aber eigentlich... Sie könnte schon noch stehen, oder?« Er sah John fragend an.

Dreißig Jahre. John hatte seine Zweifel. Aber es war ein Strohhalm. Der einzige.

»Wissen Sie, ob Tara später noch dort hinging?«, fragte er.

Angus blickte ihn bedauernd an. »Ich weiß es nicht genau. Nachdem Ike tot war, verlor ich nach und nach den Kontakt zu der Familie. Der Mann, den Lucy dann heiratete... na ja, ich kann nicht direkt etwas gegen ihn sagen, aber er war jedenfalls nicht jemand, zu dem es mich besonders hinzog. Und Tara war nicht mehr die Alte. Davor, also bevor ihr Vater starb, war sie ein fröhliches, offenes, lebhaftes Mädchen. Sie lachte und redete viel. Aber dann wurde sie zu einer absolut verschlossenen Person. Schien sich völlig von ihrer Umwelt abzukapseln. Man kam nicht mehr an sie heran. Daher wusste ich eigentlich nichts mehr über ihr Leben. Solange sie keinen Führerschein hatte, konnte sie jedenfalls nicht allein zu der Hütte fahren. Auch mit dem Fahrrad war das zu weit. Ob sie es später tat... keine Ahnung.«

»Wissen Sie, wo genau sich die Hütte befindet?«, fragte John.

Angus stand auf, holte ein Buch aus dem Regal und begann darin zu blättern. »Ein Buch über den Peak District...

Irgendwo gibt es hier eine Karte … Leider kann ich Ihnen auch nur das ungefähre Gebiet nennen … Ach, hier ist es!«

Er legte das Buch auf den Tisch. Die drei Männer beugten sich darüber. Die aufgeschlagene Seite zeigte eine Schwarz-Weiß-Karte des Peak Districts. Mit einem Bleistift malte Sherman einen kleinen Kreis zwischen die Linien. »Hier«, sagte er. »Wenn ich Ike richtig verstanden habe, müsste sich die Hütte dort irgendwo befinden.«

»Hm«, machte John sorgenvoll. Was wie ein harmloser, winziger Kringel aussah, war in Wahrheit ein unüberschaubar großes Gebiet. Hochmoore, Berge, vereinzelte Waldstücke. Es würde Tage dauern, es zu durchkämmen.

Angus wies auf einen schwarzen Strich. »Das hier ist eine Landstraße. Beginnt fast direkt hinter Manchester. Die müssten sie früher immer genommen haben, wenn sie zur Hütte fuhren. Allerdings führt sie nicht bis vor die Tür. Das letzte Stück muss ein unbefestigter Feldweg gewesen sein. Wo genau der abzweigt, weiß ich nicht.«

»Wahrscheinlich gibt es dort Dutzende von Feldwegen«, mutmaßte John. Er rieb sich über die Augen. Sie brannten vor Müdigkeit.

Angus warf einen düsteren Blick hinaus zum Fenster. »Aber wissen Sie, es ist sowieso illusorisch zu glauben, Sie könnten bei diesem Wetter die Hütte erreichen. Dort muss der Schnee meterhoch liegen. Unmöglich, mit dem Auto durchzukommen. Die Landstraße ist vielleicht geräumt, nie im Leben aber die Nebenstraßen oder der Feldweg.«

John und Samson sahen einander an. Sherman hatte zweifellos recht.

»Aber«, sagte John, »Tara Caine ist dann auch nicht bis zur Hütte vorgedrungen. Jedenfalls nicht mit dem Auto.«

»Mit Sicherheit nicht«, stimmte Angus zu.

Zum ersten Mal mischte sich Samson in die Unterhaltung ein. Vor lauter Stress stotterte er wieder. »Aber dann müssten wir auf d…das Auto stoßen. Es müsste da irgendwo an der Straße stehen!«

»Richtig«, sagte John und stand auf, »und es müsste Fußspuren im Schnee geben. Wir versuchen es. Haben Sie herzlichen Dank, Mr. Sherman. Sie haben uns sehr geholfen. Wir machen uns sofort auf den Weg.«

Auch Sherman stand zittrig auf. »Nehmen Sie das Buch mit. Damit Sie die richtige Straße in den District hinein finden.«

John nahm das Buch. »Danke. Wir bringen es auf jeden Fall zurück. Ich weiß nicht, was ohne Sie geworden wäre.«

Der alte Mann lächelte. »Ich hätte alles für Tara getan. Wenn sie da draußen sitzt und verzweifelt und verstört ist, müssen Sie sie finden! Sie war ein so wunderbares Kind! Ich habe sie so gemocht. Ich habe auch ihren Vater so sehr geschätzt. Die Gewissheit, jetzt zu Taras Rettung beitragen zu können, ist ein großes Geschenk für mich am Ende meines Lebens.«

John nickte. Er vermied es in diesem Moment, Sherman in die Augen zu sehen. Wenn es ihnen gelang, Tara zu finden, dann hatte der alte Mann, wie es jetzt aussah, in Wahrheit den entscheidenden Beitrag dazu geleistet, dass eine vierfache Mörderin dingfest gemacht werden konnte. Aber das brauchte er jetzt nicht zu wissen.

Die Erkenntnis würde ihm früh genug das Herz brechen.

8

Sie hatte die Taschenlampe. Tara hatte sie zurückgelassen. Damit besaß sie Licht. Das war viel. In ihrer Lage.

Ihre Hände und Füße waren frei. Kaum hatte sie gehört, wie Tara von draußen die Tür verschloss, hatte sie ihre Handgelenke aus dem Klebeband befreit. Es war dann nicht mehr schwierig gewesen, sich auch der Fußfesseln zu entledigen.

Sie hatte den Autoschlüssel. Sie hatte ihn im Vorbeigehen gegriffen und dann fest in der geschlossenen Hand gehalten.

Die Hütte war hermetisch verriegelt. Und eisig kalt. Gillian fürchtete sich vor dem Moment, da die Batterie der Taschenlampe leer war. Dann würde sie von Finsternis umgeben sein. Und alles wäre vorbei.

Sie musste hier raus. Wenn sie am Leben bleiben wollte, musste sie raus!

Ihr Gedanke, als sie den Schlüssel gegriffen hatte, war der gewesen, dass sie damit Tara zwang, zurückzukommen. Niemals konnte Tara zu Fuß den District verlassen. Das Auto nützte ihr nichts, und es war unwahrscheinlich, dass Menschen vorbeikamen. Schon gar nicht in der nun hereinbrechenden Nacht. Die Kälte, Gillians grausamster Feind im Moment, war da draußen für Tara ein noch größerer Feind. Sie brauchte den Schlüssel. Also musste sie zurückkommen. Und dann…

Ja, was eigentlich? Konnte es Gillian gelingen, sie zu überwältigen? Eine Frau, die mit einer Pistole und mit einem Messer bewaffnet war? Die entschlossen war und die nichts zu verlieren hatte?

Inzwischen hatte sich daher ein neuer Gedanke in Gillian verfestigt: *Ich sollte hier raus sein, bevor sie wiederkommt!*

Im matten Schein der Lampe durchsuchte sie die ganze Hütte. Nichts, nichts, nichts, was ihr helfen konnte. Womit hatten die hier früher gekocht? Gegessen? Vergeblich hatte sie nach Besteck Ausschau gehalten, nach einem Küchenmesser, mit dem sie sich hätte bewaffnen können. Es gab ein Regal über dem Ofen, darin standen ein paar Plastikkörbchen, aber sie waren leer. Irgendwann hatte vielleicht die alte Mrs. Caine alles abgeholt, weil sie wusste, die Hütte würde nicht mehr benutzt werden. Und sie war dabei gründlich vorgegangen. Sie hatte nichts übersehen.

Der Gedanke an Mrs. Caine-Roslin ließ Gillian erschauern. Alles, was Tara ihr während der letzten beiden Stunden vor ihrem Aufbruch erzählt hatte, ließ sie erschauern. Aber sie durfte jetzt nicht darüber nachdenken. Das konnte sie später tun. Für den Moment durfte sie ihre Energie durch nichts schwächen oder blockieren. Es ging nur darum, hinauszukommen. Um nichts sonst.

Es musste ihr gelingen, entweder das Schloss der Eingangstür oder eines der Schlösser an den Fensterläden aufzubrechen, das war die einzige Möglichkeit. Irgendetwas, das sich als Brechstange verwenden ließe, wäre nun mehr als willkommen gewesen, aber es gab nichts, tatsächlich überhaupt nichts. Ein paar Möbelstücke. Kein Werkzeug, kein Besteck. Nicht einmal eine Flasche, deren Hals man hätte abbrechen und dadurch in einen spitzen Gegenstand verwandeln können. Die mitgebrachten Wasserflaschen waren aus Plastik.

Sie blickte auf den Schlüsselbund in ihrer Hand. Zwei Schlüssel befanden sich daran: Taras Autoschlüssel und ihr Wohnungsschlüssel. Der Wohnungsschlüssel war vergleichsweise schmal, der Bart scharf gezackt. Er war der einzige einigermaßen spitze Gegenstand, über den sie verfügte. Möglicherweise ihre einzige, geringe Chance. Hätte sie den Schlüssel nicht an sich genommen, sie hätte sich nun dem Schicksal, hier zu verhungern und zu erfrieren, ergeben müssen.

Sie rückte ein Regal in die Nähe der Eingangstür und drapierte die Taschenlampe so darauf, dass der Schein das Schloss beleuchtete, dann kniete sie davor nieder und untersuchte das Metall. Der verstorbene Mr. Caine hatte Fahrräder repariert und eigenhändig ein Blockhaus in den nordenglischen Wäldern errichtet; er kannte sich aus und war handwerklich geschickt, und Gillian fürchtete, dass er nicht irgendein simples Schloss nachlässig montiert hatte. Bestimmt war es ihm ein Anliegen gewesen, seine Hütte perfekt zu sichern. Probehalber stocherte sie mit ihren Schlüsseln ein wenig in dem Schloss herum. Nichts tat sich. Sie hatte auch nicht das Gefühl, sie könnte irgendetwas in Bewegung setzen.

Gut. Es gab noch zwei Fenster. Mit schweren Holzläden davor. Vielleicht hatte sie da mehr Glück.

Sie verschob das Regal mit der Taschenlampe darauf erneut, um Licht zu bekommen, und betrachtete aufmerksam die Fensterkonstruktion.

Einfache kleine, quadratische Glasscheiben. Sie ließen sich leicht öffnen, indem sie einen nicht weiter gesicherten Riegel beiseiteschob. Die Läden dahinter stellten das Problem dar. Sie wurden von zwei Seiten kommend in der Mitte zusammengeklappt und dort von einem großen Riegel gehalten, den ein Vorhängeschloss unbeweglich machte. Das Vorhängeschloss sah so stabil aus, dass Gillians Mut sank. Sie bekäme es so wenig auf wie das Schloss an der Eingangstür, so viel stand für sie auf den ersten Blick fest.

Die Tränen stiegen ihr in die Augen und sie merkte, wie sehr sie versucht war, sich einfach in eine Ecke zu setzen und sich gründlich auszuheulen, aber sie zwang sich, den verführerischen Gedanken daran beiseitezuschieben. Weinen brachte sie nicht weiter, am Ende raubte es ihr nur Energie.

Konzentrier dich, befahl sie sich im Stillen, *finde einen Weg. Irgendwann kreuzt Tara hier wieder auf, weil sie mit dem Auto nicht wegkommt, und bis dahin solltest du über alle Berge sein.*

Tara hatte ihre eigene Mutter umgebracht. Tara hatte Carla Roberts und Anne Westley umgebracht. Sie hatte Tom umgebracht, eigentlich jedoch Gillian im Visier gehabt. Sie hatte sich ein zweites Mal in Gillians Haus geschlichen und dort auf sie gelauert, und es war nur der Rückkehr Luke Palms zu verdanken gewesen, dass das Vorhaben gescheitert war. Und bis jetzt schien sie alle ihre Taten für logisch und erklärbar zu halten. Für etwas, das folgerichtig hatte geschehen müssen. Sie wusste, dass sie damit in Konflikt mit dem Gesetz geriet, aber auf der Ebene einer übergeordneten, jenseits aller menschlichen Gesetzgebung angesiedelten moralischen Instanz hielt sie sich für vollkommen unschuldig. Aus tiefster, unerschütterlicher Überzeugung.

Er hat mich fünf Jahre lang vergewaltigt. Ted Roslin, mein Stiefvater. Manchmal kam er wochenlang jede Nacht in mein Bett. Sein Hunger wurde größer, je mehr er ihn stillte. Er vergewaltigte die kleine Tochter der Frau, die er geheiratet hatte – die er nur deshalb und aus keinem einzigen anderen Grund geheiratet hatte als dem, dass sie ebendiese Tochter hatte. Ich war ein hübsches Kind. Blond. Langbeinig. Mit großen, leuchtenden Augen. Ich hatte ihm auf den ersten Blick gefallen, wie er mir verriet, mehr noch: Er hatte sich schnell in eine regelrechte Besessenheit gesteigert. Daraufhin meine Mutter umgarnt. Und ein leichtes Spiel gehabt. Denn sie war so entschlossen, wieder einen Partner zu finden, dass sie nur allzu bereit war, jedes Warnsignal oder jede Auffälligkeit vollkommen zu ignorieren. Zum Beispiel den Umstand, dass der gute Ted von Anfang an bei ihr keinen hochbekam.

Okay, daraus muss man noch nicht auf eine perverse Vorliebe für Kinder schließen. Aber man versucht doch, den Grund herauszufinden, oder? Das tat sie aber erst, nachdem er sie geheiratet hatte und sich nicht mehr so leicht auf und davon machen konnte. Da stank es ihr dann natürlich schon, dass er sie offenbar so erotisch fand wie einen toten Fisch. Na ja, irgendwann kapierte sie, woran es lag. Er gab sich schließlich keine große Mühe mehr, seine »besondere Beziehung« zu mir zu verbergen. Da wusste Mum dann, was los war. Sie hatte wütende, eifersüchtige Diskussionen deswegen mit ihm. Verstehst du? Was er mit mir tat, störte sie gar nicht so sehr, schlimmer war für sie, dass er es mit ihr nicht tat. Aber bei allen Wortgefechten, die sie sich mit ihm lieferte, lenkte sie stets alsbald ein. Denn größer als alles, größer als ihre Eifersucht auf mich, größer als ihre weibliche Gekränktheit, war die Angst, er könnte sie verlassen. Sie riskierte es nicht, ihn wirklich zu verärgern. Sie arrangierte sich mit der Situation, damit er nur blieb.

Gillian riss sich zusammen. Sie merkte, dass sie seit Minuten auf die Läden starrte, ohne sie wahrzunehmen. Sie hatte Taras Stimme gelauscht, die noch immer, nach Stunden, in ihrem Kopf dröhnte. Trotz der brenzligen Situation, in der sie sich befand, hatte sie ihr vollkommen entsetzt zugehört, als sie in einem gleichförmigen, manchmal fast heiteren, ab und zu ironischen Tonfall von ihrer Jugend erzählte – von der Zeit nach dem Tod ihres geliebten Vaters.

Von der Zeit in der Hölle.

Gillian schob ihr eigenes Grauen, das ungebrochen von der Erinnerung an das Gehörte heraufbeschworen wurde, beiseite. Sie hatte keine Zeit, mit dem Verarbeiten dessen zu beginnen, was sie erfahren hatte. Später. Wenn sie in Sicherheit war.

Die Fensterläden.

Sie bestanden aus zusammengefügten Brettern und waren mit jeweils zwei Scharnieren auf jeder Seite an den Wänden befestigt. Die Scharniere waren über Eisenbänder, die in das Holz verschraubt waren, mit den Läden verbunden. Gillian sah im Licht ihrer Taschenlampe, dass die Zeit, die Feuchtigkeit und der damit einhergehende Rost den Schrauben bereits heftig zugesetzt hatten. Sie probierte, die Spitze von Taras Wohnungsschlüssel in einen der Schraubenschlitze zu schieben, in der Hoffnung, die Schraube dann drehen zu können, aber der Versuch misslang. Der Schlüssel rutschte immer wieder ab, zudem waren die Schrauben so verrostet, dass man sie wahrscheinlich nicht einmal mit dem richtigen Werkzeug hätte bewegen können. Die Bretter selbst erschienen Gillian zu dick und zu fest ineinandergefügt. Undenkbar, sie aufbrechen zu können.

Sie suchte die gesamte Konstruktion nach einer Schwachstelle ab. Das Holz war offensichtlich nie mit Farbe in Berührung gekommen und im Laufe der Jahrzehnte völlig grau geworden. Gillians Augen blieben an einem der verschraubten Eisenbänder hängen. Um das Band herum hatte das Holz eine andere Färbung angenommen, die Fasern sahen nicht grau, sondern eher grünlich, fast schwarz aus. Gillian tastete das Holz mit den Fingern ab. Es schien weicher zu sein als an den übrigen Stellen. Mit dem spitzen Wohnungsschlüssel von Tara stieß sie dagegen. Tatsächlich gelang es ihr, ein wenig in das Holz einzudringen, ohne auf echten Widerstand zu stoßen. Sie merkte, wie ihr Atem vor Erregung schneller ging. Auch um die übrigen Eisenbänder herum zeichnete sich die schwarze Färbung ab, und wo auch immer sie dort mit dem Schlüssel hinstieß, fand sie die morsche Struktur vor. Die rostenden Schrauben schienen im Laufe der Jahrzehnte das Holz angegriffen und verändert zu haben.

Mit beiden Fäusten hämmerte sie gegen die Läden. Die verdammten maroden Stellen mussten nachgeben!

Was sie nicht taten. Gillian ließ die Arme sinken. Sie keuchte leise. Ihre Körperkraft reichte trotz allem nicht aus.

Ich brauche einen Hammer.

Ein völlig illusorischer Wunsch. In der Hütte gab es nicht einmal Besteck. Geschweige denn Werkzeug. Das hatte sie gründlich genug erforscht.

Also kein Hammer. Was ließe sich noch verwenden? Wenn sie eine Art Rammbock hätte, einen Gegenstand, den sie wieder und wieder gegen das modrige Holz schlagen konnte, so lange, bis es hoffentlich nachgab. Sie leuchtete mit der Lampe durch den Raum. Der Tisch. Genauer gesagt: die Tischbeine. Oder jedenfalls eines davon. Das ließe sich vielleicht verwenden.

Sie stellte die Lampe wieder ab, kippte den Tisch und drehte ihn auf den Kopf, sodass die Platte auf dem Boden lag. Dann untersuchte sie die hölzernen Beine. Sie waren mit der Tischplatte verschraubt und an den Seiten mit den Brettern verleimt.

Wenn es ihr gelang, mit dem Schlüssel den Leim von den Brettern zu lösen, wäre sie ein Stück weiter. Die eine Schraube würde vielleicht nicht allzu großen Widerstand leisten können. Wenn sie das Tischbein dann kräftig hin- und herruckte, brach sie möglicherweise aus.

Angst und Mutlosigkeit schwappten plötzlich wie eine große Welle über sie hinweg und nahmen ihr für Sekunden den Atem. Die Chance war so klein. Die Gefahr so groß.

Sie riss sich zusammen.

Millimeter für Millimeter begann sie, den Leim aus dem Spalt zwischen den Hölzern herauszulösen.

9

John fuhr. Samson saß neben ihm und hielt Angus Shermans Buch auf dem Schoß. Es war stockdunkel draußen, aber zum Glück war der Freitagnachmittagsverkehr, der noch zwei Stunden zuvor sämtliche Ausfahrtstraßen von Manchester mit Blech verstopft und praktisch unpassierbar gemacht hatte, weitestgehend verebbt. Es gab ein paar Verzögerungen, ewig scheinende rote Ampelphasen und einen längeren Stopp wegen eines quer über die Straße rangierenden Lkw, aber insgesamt kamen sie recht gut durch. John hatte anfangs bei jeder Verzögerung laut geschimpft, denn er hatte das sichere Gefühl, sich in einem Wettlauf mit der Zeit zu befinden, und aus seinen Jahren bei der Polizei wusste er nur zu gut, wie oft es Minuten waren, die über Leben oder Tod eines Opfers entschieden. Aber schließlich zwang er sich zur Ruhe. Es brachte nichts, mit der Faust auf das Lenkrad zu schlagen oder den Fahrer im Auto vor ihm, der auf der Suche nach einem Parkplatz wie eine Schnecke dahinschlich, wüst zu beschimpfen. Es erhöhte nur seinen eigenen Adrenalinspiegel und verführte ihn vielleicht irgendwann später dazu, einen Fehler zu machen.

Samson verhielt sich zum Glück völlig ruhig, betrachtete angestrengt die Karte, deren Linien er mit dem Zeigefinger verfolgte, und sagte nur etwas, wenn es um eine Änderung der Richtung ging.

»Hier müssen wir rechts, glaube ich.«

»Da vorn im Kreisverkehr die zweite Ausfahrt, glaube ich.«

John hatte ihn ein paar Mal angefaucht: »*Glauben* Sie das, oder *wissen* Sie es?« Segals Zögern, sein desolates Selbstbewusstsein gingen ihm mehr und mehr auf die Nerven. Als er jedoch bei einem kurzen Seitenblick feststellte, dass der andere bereits mit den Tränen kämpfte, rief er sich auch in diesem Punkt zur Ordnung. Segal in ein Nervenbündel zu verwandeln brachte mit Sicherheit nichts, außerdem war es ungerecht. Der Mann hatte gute Arbeit geleistet, indem er Angus Sherman ausfindig gemacht und ihnen damit zu dem ersten Erfolg versprechenden Hinweis verholfen hatte. Er war, wie er war. Die andauernde Relativierung seiner Aussagen durch ein *Vielleicht*, ein *Ich glaube* oder ein *Möglicherweise* gehörte zu seinem Wesen.

Sie passierten die letzten Ausläufer der südlichen Stadtteile Manchesters. Reihenhauskette an Reihenhauskette. Ein Gewerbegebiet. Ein Fußballplatz. Ein McDonald's. Dann ließen sie die Lichter der Stadt hinter sich. Nur die Scheinwerfer der anderen Autos waren jetzt noch zu sehen.

»Wir sind auf der M60«, sagte Samson. Das war die Ringautobahn, die Manchester umschloss. »Bei Stockport müssen wir runter, dann kommen wir auf eine Schnellstraße, die zum Peak District führt.« Er verschluckte in letzter Sekunde ein *Glaube ich*, das er noch hatte anhängen wollen. »Dort müssen wir etwa … fünf Meilen entlang …«

»Alles klar«, sagte John. »Das wird schwieriger, als es auf der Karte aussieht, Samson. Wir müssen die richtige Straße in den District hinein erwischen – oder zumindest die Straße, die Sherman für die richtige hielt. Er ist sich ja auch ziemlich unsicher über die tatsächliche Lage dieser Hütte.«

»Ich weiß«, sagte Samson beklommen. »Hoffentlich kommen wir nicht zu spät.«

Sie verließen die Autobahn, fuhren die Schnellstraße entlang, auf der kaum Verkehr herrschte, und bremsten jäh ab, als ein Ausflugsparkplatz angezeigt wurde, der zu Wanderungen in den Peak District einlud, und sie außerdem ein Schild entdeckten, das auf eine Straße hinwies, die in die Hochmoore führen sollte. John hatte keine Ahnung, ob sie richtig waren, aber die Schnellstraße hätte sie zu weit nach Süden geführt. Peak District. Das Wort klang so harmlos. Man stellte sich einen geordneten, überschaubaren Bereich vor. In Wahrheit hatten sie meilenweit Wiesen, Berge und Moore vor sich. Er wusste, dass sie, wenn sie Pech hatten, tagelang hier herumfahren konnten, ohne auch nur in die Nähe der Hütte zu kommen.

Auf jeden Fall aber mussten sie einen Einstieg finden, und der Parkplatz mochte so gut sein wie jeder andere.

Natürlich war dort niemand außer ihnen. John hielt, knipste die Innenbeleuchtung über sich an und zog das Buch zu sich hinüber.

»Mit einer hohen Wahrscheinlichkeit ist das hier die richtige Straße«, sagte er, »jedenfalls die Straße hier auf dem Plan. Ob es insgesamt richtig ist, wissen die Götter.«

Die Straße war schmal, aber sie war einigermaßen geräumt, und sie führte vom Parkplatz aus durch ein kurzes Waldstück, das sich schließlich in baumlose Felder zu beiden Seiten öffnete. Schnee, so weit das Auge reichte. Er schenkte ihnen trotz der Dunkelheit etwas Orientierung. Der Schnee war ein Segen und ihre einzige Hoffnung. Schon jetzt war es John völlig klar, dass es keine Chance gab, hier eine Hütte zu entdecken, die sich am Rande irgendeines Feldweges befand. Hätten Gillian und Tara mit dem Auto dort vorfahren können, man hätte die Suche aufgeben müssen. Aber wegen des Schnees mussten sie ihren Wagen am Rande einer geräumten Straße stehen gelassen haben, und das machte den Heuhaufen, in dem sie eine Stecknadel suchten, kleiner. Oder die Stecknadel größer.

Der Anker der Hoffnung. Ein Jaguar, der irgendwo parkte.

John hielt sich an diesem Anker fest, während sie in die dunkle, kalte, wilde Einsamkeit vorstießen.

Wir kommen, Gillian! Bitte, Liebste, halte durch!

Als Samsons Kopf zu ihm herumfuhr, begriff er erst, dass er diese Worte nicht gedacht hatte.

Er hatte sie laut gesprochen.

10

Sie hatte das Auto von innen verriegelt, sich dann auf den Rücksitz gelegt, die dicke Wolldecke aus dem Kofferraum gezogen und sie über sich gebreitet. Trotz der warmen Hose, die sie trug, des gefütterten Anoraks und nun der Decke fror sie bald wieder erbärmlich. Sie winkelte die Beine so stark an, dass sie fast ihre eigenen Knie im Mund hatte, und hielt sie mit beiden Armen fest umschlungen; dennoch gelang es ihr nicht, des Zitterns Herr zu werden, das ihren ganzen Körper schüttelte. Sie hatte den Eindruck, dass das Auto wackeln und beben müsste, und einmal musste sie trotz ihrer Angst fast grinsen bei dem Gedanken an das Bild eines Autos, das irgendwo in nächtlicher, schneebedeckter Weite herumstand und hüpfte.

Aber die Heiterkeit dauerte tatsächlich nur einen Augenblick. Ihre Situation flößte ihr zu viel Furcht ein.

Ständig überlegte sie, ob sie das Richtige tat. Vielleicht hätte sie gleich weiterlaufen sollen, Richtung Manchester, in der Gewissheit, irgendwann auf Menschen zu treffen – auf ein Gehöft, auf einen Schneepflug, vielleicht sogar auf einen Wanderer oder Skilangläufer. Aber sie wusste, dass dies erst irgendwann in den Stunden des nächsten Vormittages hätte geschehen können, zehn oder zwölf Stunden später, und so lange würde sie nicht durchhalten. Sie war völlig erschöpft, ihre Beine schmerzten, ihr ganzer Körper schrie nach Schlaf. Die Gefahr war zu groß, dass sie irgendwann der Versuchung erliegen würde, sich in den weichen Schnee fallen zu lassen, in der Absicht, sich nur ein paar Sekunden auszuruhen. Wenn sie dann einschlief, war ihr Schicksal besiegelt.

Sie würde nie wieder aufwachen.

Insofern war der Plan, hier im Auto ein wenig Kraft zu tanken und sich erst am Morgen auf den Weg zu machen, sicher vernünftig, allerdings hatte sie nicht erwartet, dass es auch innerhalb des geschützten Raumes derart kalt sein würde. Trotzdem würde es ihr vielleicht gelingen, in der Hülle aus Sitzpolster und Decke ein klein wenig Körperwärme zu speichern und damit die Gefahr des Erfrierens zumindest zu verringern.

Draußen drohte ihr der Kältetod ganz sicher, hier drinnen nur vielleicht.

Mehr konnte sie im Moment nicht erwarten.

Zwischendurch hatte sie auch noch einmal mit dem Gedanken gespielt, doch zur Hütte zurückzuwandern und sich den verdammten Autoschlüssel zu holen, aber sie hatte diese Möglichkeit rasch verworfen. Dass sie dies tun würde, musste genau Gillians Kalkül gewesen sein, als sie den Schlüssel an sich genommen hatte, denn einen anderen Sinn erfüllte er für sie nicht. Das hieß, Gillian würde sich auf diesen Fall vorbereitet haben, und es hieße, ein unvernünftiges Risiko einzugehen, darauf anzuspringen. Tara hatte nicht vor, sich von einer in Panik und Todesangst befindlichen Gillian eine Kommodenschublade oder sonst irgendetwas auf den Kopf schlagen zu lassen. Sollte die andere dort lauern und warten, bis sie Wurzeln schlug. Viel Spaß dabei.

Sie konnte sich nicht vorstellen, dass es Gillian gelingen würde, sich aus der Hütte zu befreien, es war eine Sache der Unmöglichkeit, aber sie hatte schon manches Verrückte erlebt, und daher behielt sie das Messer in der Hand, während sie dort auf dem Rücksitz lag. Die Pistole hatte sie unter die Fußmatten geschoben. Mit einer geladenen Waffe dicht an ihren Körper gepresst möglicherweise einzuschlafen erschien ihr zu gefährlich. Beim Herumtasten im Kofferraum hatte sie ein Stück Draht, wie man ihn vor allem im Garten verwendet, in die Finger bekommen. Sie hatte eine Schlinge daraus geformt, die sie nun in der anderen Hand hielt.

Sie hatte geglaubt, ihr Hauptproblem während der nächtlichen Stunden würde darin bestehen, nicht so tief einzuschlafen, dass es irgendwann kein Erwachen mehr gab, aber nun stellte sie fest, dass sie überhaupt nicht einschlafen konnte. Obwohl sie völlig übermüdet war, jagten ihr gleichzeitig doch so viele Gedanken durch den Kopf, dass sie keine Entspannung fand. Sie hatte Gillian, dieser verhätschelten Tochter liebevoller, überfürsorglicher Eltern, die von den echten Tragödien dieser Welt keinen blassen Schimmer hatte, alles erzählt, von Ted Roslin und von der Blutspur, die sie, Tara, hinter sich herzog, weil sie versuchen musste, Frieden zu finden, für sich und ihre Seele. Dadurch war alles aufgewirbelt und hochgepeitscht worden, und nun lag sie da und meinte, das Hämmern ihres Herzens bis in den Kopf hinein zu spüren. Es tauchten so viele Bilder vor ihrem inneren Auge auf, und die meisten dieser Bilder hatte sie nie wieder sehen wollen. Sie versuchte, sie zu verdrängen, indem sie sich zwang, einen ordentlichen, gut strukturierten Plan all dessen aufzustellen, was sie unbedingt erledigen musste, sowie sie nach London zurückgekehrt war. Im Büro wartete eine Menge Arbeit, am kommenden Dienstag hatte sie einen wichtigen Gerichtstermin, und für einen weiteren Termin in der übernächsten Woche musste sie einen ganzen Berg Akten durcharbeiten, vor dem ihr jetzt schon graute. Außerdem musste sie die Zeit finden, sich wieder einmal bei Liza blicken zu lassen. Die Frau saß zu viel allein herum. Sie befand sich in einer vordergründigen Sicherheit vor ihrem Mann, ihrem Peiniger, aber nun drohte ihr Gefahr aus anderen Richtungen: die Sehnsucht nach ihrem Kind. Das Alleinsein. Die völlige Perspektivlosigkeit, in die ihr Leben, nach ihrer Empfindung, abzugleiten drohte.

Sie muss den verdammten Kerl endlich anzeigen, dachte Tara. Sie träumte seit Wochen davon, Anklage gegen Logan Stanford zu erheben. Es würde ihr ein unfassbares Vergnügen bereiten. Aber sie musste sicher sein, dass Liza nicht umkippte. Sie kannte Frauen ihrer Art. Sie waren unberechenbar.

Sie hatte Gillian von ihrer ersten Begegnung mit Liza erzählt, im Waschraum des Hotels während einer Geburtstagsfeier. Tara glaubte nicht an Zufälle. Es war Bestimmung, dass sie genau in dem Moment zur Toilette musste, als die Frau von Charity-Stanford in Tränen aufgelöst versucht hatte, ihr Veilchen am Auge abzudecken. Tara hatte sofort verstanden, was los war; sie hätte es sogar dann gewusst, wenn sie die Verletzung nicht gesehen hätte. Gewaltopfer erkennen einander. Auch dann, wenn sie äußerlich völlig unbeschädigt wirken. Es ist etwas in ihrer Aura. Die erlebte Gewalt liegt wie ein Mantel um ihre Schultern, hüllt sie ein, erdrückt sie. Liza Stanfords Martyrium hatte vor Tara gestanden wie ein schreiend rotes Ausrufezeichen.

»Aber warum hast du nicht sofort Ermittlungen gegen ihn eingeleitet?«, hatte Gillian gefragt.

Die Frage musste man ihr vielleicht verzeihen. Woher sollte sie irgendeine Ahnung haben?

»*Sie* muss ihn niedermachen, nicht ich. Sie muss ihn voller Lust und Kraft und Genugtuung vernichten. Nur so kann sie ins Leben zurückfinden.«

Gott, was hatte sie sich den Mund fusselig geredet, um Liza zu einer Anzeige zu bewegen. *Zeig ihn an. Bring ihn in den Knast. Mach ihn fertig. Verdammt noch mal, zahl es ihm zurück! Zeig ihm, dass er sich mit der Falschen angelegt hat!*

Leider war Liza das klassische Opfer. Angststarrt und unfähig, einen Entschluss zu fassen. *Ich tu es, nein doch nicht, ich weiß nicht, ich habe Angst, was soll ich nur machen?*

Sie hatte ihre ganze Leidensgeschichte vor Tara ausgebreitet, und es war etwas Seltsames geschehen: Indem sie Liza zu ihren Abgründen begleitete, schienen sich jene Türen zu öffnen, die Tara zum Schutz vor ihren eigenen Schrecken über Jahre so sorgfältig verschlossen gehalten hatte. Sie sprangen auf und offenbarten Bilder und Gefühle, von denen sie gehofft hatte, sie werde nie wieder mit ihnen konfrontiert sein. Irgendwann wusste sie kaum noch zu unterscheiden, wer von ihnen beiden wen an die Hand nahm und zu seinem persönlichen Grauen geleitete. Und während sie schier verzweifeln wollte über Lizas Zaudern, erkannte Tara, dass sie selbst um nichts besser war. Auch sie hatte sich vor dem Begleichen der Rechnung gedrückt, hatte den Müll in sich vergraben und gehofft, er werde nicht zu stinken beginnen. Jetzt bemerkte sie, wie viel Gift sich in ihr angesammelt hatte. Und dass da noch jemand auf sie wartete. Darauf, dass sie die Dinge in Ordnung brachte.

Nicht Ted Roslin. Der alte Drecksack, der sich eingeredet hatte, das Kind, das er missbrauchte, zu *lieben*, war längst gestorben, nach einer langen Leidenszeit, die ihm der Prostatakrebs und eine früh einsetzende Demenz eingebracht hatten.

Lucy Caine-Roslin. Ihre Mutter. Die Frau, die sie verraten

hatte. Mit ihr hatte sie nichts geklärt, in all den Jahren nicht. Sie hatte sie ab und zu in Gorton besucht, hatte ihr mit einiger Zufriedenheit ihre beruflichen Erfolge hingeknallt. Die Universität. Die erstklassigen Examen. Die Arbeit als Anwältin in Manchester. Der Aufstieg bei der Staatsanwaltschaft in London. Ihr gutes Einkommen. Ihr Ansehen. Sie war in ihrem schicken Jaguar in der Reddish Lane vorgefahren und dort elegant gekleidet ausgestiegen, hatte mit allem Erreichten geprotzt und geglaubt, dadurch ihren Seelenfrieden zu finden. War dabei aber zu feige gewesen, anzusprechen, was geschehen war. Und deshalb hatte das mit dem Seelenfrieden auch nicht funktioniert.

Sie drehte sich auf dem schmalen Rücksitz, versuchte, eine etwas bequemere Position zu finden, was ihr nicht gelang. Sie dachte an den dunklen Novembertag, an dem sie wieder nach Manchester gefahren war.

Ein Wochenende. Liza war noch nicht daheim ausgezogen, aber die Situation zwischen ihr und Logan spitzte sich zu. Ihre ganze eigene Vergangenheit war wach geworden in Tara. Weil sie immerzu Lizas Geschichten hörte. Weil sie nichts mehr verdrängen konnte.

Es war schon dunkel gewesen, als sie vor ihrem Elternhaus ankam, und auch hinter den Fensterscheiben der Wohnung hatte sie kein Licht gesehen. Sie fürchtete, ihre Mutter könnte nicht daheim sein, obwohl das unwahrscheinlich war: Lucy hatte sich seit dem Tod ihres zweiten Ehemannes sehr zurückgezogen. Sie ging kaum noch aus, besuchte niemanden. Sie verließ das Haus nur, um für sich einzukaufen oder um einmal pro Woche zum Friedhof zu gehen und die Gräber ihrer Männer zu besuchen. Ansonsten verbrachte sie ihre Zeit damit, ihre Wohnung zu putzen, Liebesschnulzen im Fernsehen anzuschauen oder sich in bunten Illustrierten über die Vorkommnisse im Königshaus auf dem Laufenden zu halten. Sie wirkte nie unzufrieden und unglücklich. Sie, die als junge Frau geradezu durchgedreht war bei der Vorstellung, ohne Partner leben zu müssen, hatte sich im Alter mit ihrer Situation angefreundet. Sie kam mit dem Alleinsein erstaunlich gut zurecht.

Wie immer war die Wohnungstür nicht abgeschlossen, und Tara fand Lucy im Wohnzimmer, dessen Fenster zum Hof und zur Werkstatt hinausgingen. Lucy saß natürlich vor dem Fernseher. Gleichzeitig arbeitete sie an einem der vielen albernen Häkeldeckchen, die sie überall in der Wohnung als Untersetzer verteilte. Sie trug eine dicke, flauschige Strickjacke und Fellpantoffeln an den Füßen, denn es war nicht sehr warm in der Wohnung. Lucy sparte immer an den Heizkosten. Vor sich auf dem Tisch hatte sie eine Kanne mit Tee stehen.

Lucy hatte sich gefreut, ihre Tochter zu sehen, zumindest auf jene verhaltene Art, die typisch für alle ihre Emotionen war. Da das Esszimmer überhaupt nicht geheizt war, deckten sie und Tara in der Küche den Tisch. Tara hatte Essen vom Chinesen mitgebracht, außerdem einen teuren Rotwein aus London. Lucys Wangen begannen schon nach den ersten Schlucken zu glühen, und sie bekam glänzende Augen.

»Das ist ja wie Weihnachten«, sagte sie.

Tara beugte sich vor. Sie hatte ein paar Schlucke Wein getrunken, ihr Essen aber fast unberührt gelassen. Sie hatte keinen Hunger.

»Mum, ich bin gekommen, um etwas mit dir zu besprechen«, sagte sie. Obwohl sie zuvor gefröstelt hatte, merkte sie nun, dass ihr am ganzen Körper heiß wurde. »Es gibt etwas, worüber wir reden müssen.«

Lucy sah sie aus arglosen Augen an. »Ja?«

»Ted«, sagte Tara. »Ted Roslin.«

Lucy schien verwirrt. »Was ist mit ihm?«

»Wir haben nie über ihn gesprochen.«

Lucy wiegte bedauernd den Kopf. »Und nun ist er schon so lange tot! Du solltest mal wieder zum Friedhof gehen. Ich war vor ein paar Tagen dort. Ich habe einen Topf mit Heidekraut neben den Grabstein gestellt. Es sieht hübsch aus.«

»Ich?« Tara wusste, dass sie aggressiv klang, was sie eigentlich hatte vermeiden wollen. »Warum sollte ich zum Grab von Ted gehen? Ich könnte das Grab meines Vaters besuchen, ja, aber *seines* bestimmt nicht! Hast du Dad übrigens auch Heidekraut gebracht?«

»Natürlich. Was hast du? Du bist so zornig.«

»Nein. Ich bin nicht zornig. Tut mir leid, wenn dir das gerade so vorkam.« Tara war über sich selbst erstaunt. Sie kämpfte innerlich mit den schlimmsten Aggressionen, ausgelöst einfach durch den bloßen Anblick ihrer Mutter, aber es gelang ihr, ruhig und freundlich zu klingen. Der Beruf, dachte sie. Sie hatte gelernt, sich gegenüber den übelsten Subjekten jeweils so zu verhalten, wie es am vielversprechendsten erschien, um sie dahin zu bekommen, wo sie sie haben wollte. Als Staatsanwältin machte es keinen Sinn, den Mann, der ihr gegenübersaß und der sein vier Monate altes Baby totgeschlagen hatte, weil das Geschrei ihn störte, wüst zu attackieren und ihm zu erklären, was sie tatsächlich von ihm hielt. Es konnte von Vorteil sein, ihm mit so viel Verständnis und Freundlichkeit zu begegnen, dass er schließlich in Tränen ausbrach und schluchzend ein Geständnis ablegte, weil er das Gefühl hatte, dieser mütterlichen Frau alles anvertrauen zu können. Danach konnte sie in aller Ruhe die Höchststrafe fordern. Es hatte oft funktioniert.

»Mum, ich möchte einfach etwas verstehen. Das ist der Grund, weshalb ich heute hierhergekommen bin. Umgekehrt ist die Tatsache, dass ich es bislang *nicht* verstehe, der Grund dafür, dass ich mich so selten bei dir blicken lasse. Obwohl ich viel mehr für dich tun könnte.«

»Ich verstehe nicht«, sagte Lucy. Ein Ausdruck von Wachsamkeit hatte sich in ihre Augen geschlichen.

»Wir müssen uns aussprechen«, sagte Tara, »damit wir eine Zukunft haben, in der wir gut miteinander umgehen können.«

»Ja?«

»Es geht, wie gesagt, um Ted.« Sie beobachtete ihre Mutter genau. »Du weißt, was er mir angetan hat.«

Lucy klappte zu wie eine Auster. Man konnte es genau auf ihrem Gesicht sehen. »Fängst du schon wieder damit an?«

»Schon wieder?« Tara starrte ihre Mutter an. »Sagtest du, *schon wieder*? Wann habe ich denn je davon angefangen?«

»Früher«, erklärte Lucy, »früher bist du doch ein paar Mal angekommen... hast mir das Leben schwer machen wollen...« Sie stand auf. »Nun dachte ich wirklich, du willst einen netten Abend mit mir verbringen«, sagte sie gekränkt, »du hast Sehnsucht nach deiner Mutter, du möchtest ein bisschen plaudern, und nun greifst du mich an und machst Vorwürfe und...«

»Setz dich hin, Mum«, befahl Tara. Ihre Stimme klang so scharf, dass sich Lucy tatsächlich wieder auf ihren Stuhl sinken ließ. »Diesmal wimmelst du mich nicht ab, und du läufst auch nicht davon. Du bleibst hier sitzen und beantwortest meine Fragen. Verstanden?«

»Wie redest du denn mit mir?«

»Wie du es verdienst, Mum. Genau so. Wie es eine Mutter verdient, die fünf Jahre lang zusieht, wie ihre kleine Tochter vom Stiefvater vergewaltigt wird, und die nicht ein einziges Mal eingreift. *Nicht ein Mal!*«

»Fünf Jahre«, sagte Lucy, »dass du immer so übertreibst!«

»Fünf Jahre, Mum, und das weißt du genau! Ich war neun, als er anfing. Ein halbes Jahr nach eurer verdammten Hochzeit. Und ich war vierzehn, als er aufhörte. Weil ich Gott sei Dank endlich die Formen einer Frau annahm und er nichts mehr mit mir anfangen konnte.«

»Was willst du?«, fragte Lucy. Ihr Atem ging schneller, irgendwo in ihrer Brust entstand ein ungesundes Geräusch. »Mich in einen Asthmaanfall treiben? Mich umbringen?«

»Hör doch auf mit deinem Asthma! Du hattest nie welches! Du fängst nur immer an zu röcheln, wenn die Dinge irgendwie unangenehm werden. Aber das zieht bei mir nicht mehr.«

»Ich möchte wirklich wissen …«, setzte Lucy an, aber Tara unterbrach sie mit schneidender Stimme: »Nein. *Ich* möchte etwas wissen! Ich möchte wissen, warum du es zugelassen hast. Warum du mir nicht geholfen hast. Warum du mich nicht beschützt hast. Warum du diesen widerlichen Bastard nicht vor die Tür gesetzt und ihm einen kräftigen Tritt gegeben hast!«

Lucy griff nach einem Taschentuch. Gleich würde sie zu weinen anfangen. »Ich bin alt. Ich habe niemanden auf der Welt. Nur dich. Und nun kommst du her und quälst mich! Eine alte Frau, die sich nicht wehren kann!«

»Was war mit dem Kind, das sich nicht wehren konnte?«

Lucy betupfte ihre Augen. »Meine Güte! Du tust so, als ob …«

»Ja?«, fragte Tara.

»Als ob etwas Schlimmes vorgefallen wäre. Nur weil Ted dich mochte. Er war ein gutherziger Kerl. So leicht hätte ich keinen anderen gefunden. Wer heiratet eine verwitwete Frau mit Kind? Ohne dich hätte ich bessere Karten gehabt, so musst du das auch einmal sehen.«

Später erinnerte sich Tara, dass dies der Moment gewesen war, als der Schwindel einsetzte. Ganz schwach nur. Aber sie hatte gemerkt, dass etwas in ihr passierte. Dass ihr Blick nicht mehr klar war und dass es in ihren Ohren leise zu rauschen begann.

»Du meinst also, es ist nichts Schlimmes vorgefallen?«, fragte sie leise. »Ist es für dich normal, wenn ein erwachsener Mann von bald fünfzig Jahren Nacht für Nacht in das Bett eines neunjährigen Mädchens steigt? Ihm den Mund zuhält, wenn es zu schreien versucht? Ihm erklärt, dass es in ein Waisenhaus kommt, wenn es irgendjemandem etwas sagt? Findest du das *nicht schlimm*?«

Lucy putzte sich die Nase. Sie hatte sich wieder im Griff. »Für mich war es auch nicht leicht.«

»Ach! Wirklich?«

»Du siehst immer nur dich«, sagte Lucy. »Meine Situation ist dir gleichgültig. Ich musste damit leben, dass er mich ablehnte. Ich konnte machen, was ich wollte, er ignorierte mich. Er stierte hinter dir her. Er wartete am Hoftor, wenn du aus der Schule kamst. Er verfolgte dich mit seinen Blicken. Immerzu. Während ich Luft für ihn war. Nicht vorhanden. Als Frau. Ich kochte ihm das Essen und wusch seine Wäsche, ich putzte die Wohnung, hielt alles schön sauber und gemütlich. Ich zwackte vom Haushaltsgeld ab, was nur ging, um mir hübsche Sachen zu kaufen. Um schön zu sein für ihn. Aber er nahm das gar nicht wahr. Er nahm *mich* nicht wahr.«

Das Rauschen in den Ohren wurde stärker.

»Du warst eine erwachsene Frau. Ich war *ein Kind*!«

Plötzlich, nur für den Bruchteil einer Sekunde, trat ein

Ausdruck von Hass in Lucys Augen. »Ein Kind! Ein ganz schön berechnendes kleines Ding warst du! Jung! Und das hast du ausgespielt! Mit deinen engen Jeans, deinen knappen T-Shirts. Du hast es genossen, mich auszustechen. Mich wie eine alte Schachtel aussehen zu lassen. Mit fünfunddreißig! Ich war noch nicht alt. Ich war hübsch. Aber ich kam nicht gegen dich an!«

Tara merkte nicht, dass sie aufstand. Die Küche schwankte um sie herum. Es war zwecklos. Sie würden nichts klären. Jetzt nicht und nie. Ihre Mutter würde nicht bereuen. Sie würde nicht einmal verstehen.

Ihre Mutter fühlte sich als das eigentliche Opfer.

»Ich glaube, ich kann dir nicht verzeihen, Mum«, sagte sie.

Auch Lucy erhob sich. Automatisch, wie sie es immer tat, griff sie nach dem Küchentuch, das neben dem Herd hing, und wischte einen kleinen Klecks Soße von der Tischplatte.

»Was denn verzeihen?«, fragte sie. Sie klang weder zynisch noch ironisch. Nicht einmal bitter oder verletzt in diesem Moment.

Sie klang einfach nur … fragend.

Und all der Schmerz war wieder da. Alle Verlassenheit. Alle Verzweiflung. Alles Entsetzen. Alle Hilflosigkeit. Alle Angst. Die unendliche Pein. Die versiegende Hoffnung.

Und sie begriff, es hatte sie nie verlassen. Und würde sie nie verlassen: das Gefühl, vollkommen allein auf der Welt zu sein. Zu niemandem zu gehören. Niemanden zu haben. Im freien Fall in der Hölle. Verraten von der Frau, die der erste Mensch in ihrem Leben gewesen war: von der Frau, die sie geboren hatte.

Und in diesem Moment war ihr Blick auf das rot-weiß karierte Geschirrtuch gefallen, mit dem ihre Mutter die Tischplatte bearbeitete.

»Du hast ja immer noch dieselben alten Geschirrtücher«, hörte sie sich sagen.

Es war der Augenblick, in dem sie die Kontrolle verlor.

Sie hatte nicht geahnt, wie wunderbar es sich anfühlte.

11

Sie stieß einen Triumphschrei aus. In der vollkommenen Stille, die sie umgab, klang er lauter, als er vermutlich gewesen war.

»Wahnsinn!«, schrie sie.

Sie hielt das Tischbein in der Hand. Sie wusste nicht, wie viel Zeit vergangen war, aber sie schätzte, dass es eine gute Dreiviertelstunde gedauert hatte, bis sie den Leim vollständig abgelöst hatte. Dann hatte sie wieder und wieder an dem Bein gedreht und gerüttelt. Und plötzlich, als sie schon glaubte, ihre Kräfte würden sie endgültig verlassen, als ihr der Schweiß schon in Strömen über Gesicht und Körper lief, da gab die Schraube nach. Gillian konnte das Tischbein so glatt aus seiner Verankerung ziehen, als habe überhaupt nie ein Problem bestanden.

Ich glaube es nicht! Es hat funktioniert! Es hat wirklich funktioniert!

Sie brauchte eine Minute, um wieder zu Kräften zu kommen. Sie sank auf das Sofa, wischte sich den Schweiß von der Stirn, versuchte, ihren keuchenden Atem zu beruhigen. Nur einen Moment. Sie hatte nicht mehr viel Zeit. Tara konnte jetzt jeden Augenblick zurückkehren. Tara war inzwischen ihr schlimmster Feind, stellte ihre größte Bedrohung dar. Und sie würde es nicht ein zweites Mal riskieren, sie einfach bloß in eine abgelegene Hütte, die zugegebenermaßen fast so gut wie Fort Knox gesichert war, einzusperren und auf die Wirkung der Minusgrade zu bauen. Diesmal würde sie sie sofort erledigen. Ersticken mit einem tief in den Rachen geschobenen Geschirrtuch. Wie sie es mit ihrer Mutter getan hatte. Und mit Carla Roberts und Anne Westley.

Vorhin, hier in der Hütte, als Gillian zusammengekauert auf dem alten Sofa saß und Tara am Ofen lehnte, da hatte sie über das Problem der unterlassenen Hilfeleistung gesprochen. Doziert. Gillian hatte nicht den Eindruck gehabt, dass von ihr eine Antwort erwartet wurde, daher hatte sie geschwiegen.

Die unterlassene Hilfeleistung wird als Delikt viel zu stiefmütterlich behandelt. In unserer Gesellschaft und im Strafrecht. Letztlich halten viele sie für eine Bagatelle. Der Täter ist der Böse. Derjenige, der zusieht und nicht eingreift ... nun, der verhält sich vielleicht nicht ganz korrekt. Aber mit dem Täter ist er natürlich auch nicht gleichzusetzen. Und deshalb geht man oft über ihn hinweg. Man hat irgendwo sogar Verständnis. Schließlich, wenn man ehrlich ist, weiß man ja nicht genau, wie man selbst an seiner Stelle gehandelt hätte.

Sie stand auf, griff mit beiden Händen das Tischbein. Sie bemühte sich, ihre ganze verbliebene Kraft in diesen ersten Schlag zu legen. Sie holte aus und ließ das Holz mit Wucht gegen die Fensterläden krachen. Nichts bewegte sich.

Gillian hielt inne, schöpfte neue Kraft. Jetzt noch einmal. *Gib alles, Gillian! Komm, los! Du schaffst das. Du musst das schaffen!*

Der nächste kräftige Schlag.

Sie vernahm ein Knirschen. Womöglich hatte sich auch etwas bewegt, aber sie war nicht sicher.

Natürlich gehört ein Täter bestraft und weggesperrt. Aber

meistens handelt es sich um jemanden mit einer Riesenmacke,
und man gewinnt den Eindruck, er hatte nie so richtig eine
Chance, sie in den Griff zu kriegen. Die Lebensläufe dieser
Menschen, speziell der Teil, in dem es um ihre Kindheit geht,
lesen sich oft wie Horrorberichte. Ich bin weit davon entfernt,
irgendjemandem zuzugestehen, dass er zum Massenmörder
wird, weil seine Mutter Alkoholikerin war und sein Vater ihn
misshandelt hat, aber es ist… na ja, es relativiert alles ein we-
nig, oder? Aber diejenigen, die zusehen und schweigen, die ha-
ben nichts, was sich zu ihren Gunsten in die Waagschale wer-
fen ließe. In diesem Land lassen Eltern ihre Kinder verhungern
oder foltern sie zu Tode, und die Nachbarn wenden sich ab. In
unserem Land werden Frauen von ihren Ehemännern gequält,
und niemand will etwas gemerkt haben. In unserem Land wer-
den Schüler von ihren Klassenkameraden gemobbt, bis sie sich
in ihrer Verzweiflung vor den nächsten Zug werfen, und die
Lehrer greifen nicht ein. Es passiert ständig und überall. Und es
kann nur deshalb passieren, weil die Mehrheit der Bevölkerung
zu bequem, zu feige, zu desinteressiert, zu lethargisch ist, um
irgendetwas zu unternehmen.

Woran hatte sie vorhin gedacht? Sie hatte das Bild eines Rammbocks vor Augen gehabt, ehe ihr der Einfall mit dem Tisch kam. Vielleicht war es falsch, in kleinen Stößen gegen die Läden zu schlagen. Vielleicht sollte sie versuchen, das Tischbein ein Mal mit ganzer Kraft dagegen zu rammen.

Sie packte es mit beiden Händen, nahm ein Stück Anlauf und krachte mit dem Holz gegen die Läden.

Die Läden zitterten. Diesmal *war* sie sicher. Sie untersuchte die Scharniere. Das Holz hatte sich an den entsprechenden Stellen bereits um einige Millimeter herausgelöst.

Es konnte klappen. Vielleicht hatte sie irgendwann an diesem furchtbaren Tag auch einmal Glück. Schwer atmend hielt sie inne. Ihre Hände schmerzten. Noch einmal kurz ausruhen, ehe sie den nächsten Angriff startete.

Tara hatte die völlig aberwitzige Geschichte von Liza Stanford erzählt. Gillian kannte Logan Stanford nicht persönlich, aber sie hatte oft über ihn in der Zeitung gelesen. Auf Bildern hatte sie den Mann nicht übermäßig sympathisch gefunden, aber als derartig krank und gewalttätig hätte sie ihn nie im Leben eingeschätzt. Er organisierte ständig Charity Events, was ihm ja schließlich auch seinen Spitznamen eingetragen hatte, und Gillian hatte durchaus den Eindruck gehabt, dass es ihm dabei nicht immer um die gute Sache als vielmehr um die Darstellung seiner Person in der Presse ging. Es hatte sie allerdings nicht groß gekümmert. Das Geld, das er sammelte, kam Bedürftigen zugute, das war es, was am Ende zählte. Wen scherten seine Motive? Vielleicht war es besser, aus einem ausgeprägten Geltungsbedürfnis heraus Gutes zu tun, als überhaupt nichts zu unternehmen.

Dass sich seine Frau vor ihm versteckte, dass sie von ihm auf brutalste Weise über Jahre gequält worden war, hatte sie sprachlos gemacht.

»Charity-Stanford? Das gibt es doch nicht! Bist du sicher?«

»Ich habe Liza gesehen. An jenem Abend im Hotel. Ihr blaues Auge. Und später hat sie mir ihren Körper gezeigt. Narben, Hämatome, Hautabschürfungen. Der vornehme Herr Rechtsanwalt ist ein Sadist. Und ein Psychopath!«

»Und das hat sie sich jahrelang gefallen lassen?«

»Ja, diese Geschichten sind immer wieder schwer zu glauben. Fast nicht nachvollziehbar. Aber es passiert ständig. Die Opfer halten still und hoffen, dass alles besser wird, wenn es ihnen gelingt, sich anzupassen. Den Unmut des Täters nicht länger zu erregen. Denn das ist es ja, was sie auf irgendeiner Ebene ihres Bewusstseins durchaus bereit sind zu glauben: dass es ihre eigene

Schuld ist. Dass bei ihnen etwas nicht stimmt und dass ihr Peiniger deshalb geradezu gezwungen ist, sich so zu verhalten, wie er es tut. Logan Stanford war das Opfer, verstehst du? Er hat eine unmögliche Frau geheiratet. Liza war schuld daran, dass er ständig außer sich geriet und die Beherrschung verlor.«

»Gab es denn niemanden, dem sie sich hätte anvertrauen können? Und der ihr dann geholfen hätte, ihn schleunigst zu verlassen?«

»Sie hat zwei Frauen eingeweiht in all den Jahren. Zwei Frauen, von denen sie sich Hilfe erhoffte. Eine Freundin. Und dann die Kinderärztin ihres Sohnes.«

»Ja?«

»Carla Roberts. Und Dr. Anne Westley.«

Sie hatte es in dieser Sekunde verstanden. Als Tara die beiden Namen nannte. Carla Roberts und Anne Westley. Sie hatte die ganze Geschichte verstanden. Das Warum. Den so sinnlos erscheinenden Tod zweier harmloser älterer Frauen. Und Taras Motiv.

»Die beiden haben nicht geholfen?«

»Nein. Roberts war so mit ihrer eigenen Wehleidigkeit beschäftigt, die hat sich gar nicht groß interessiert. Und Westley war offenbar derart unschlüssig, was sie nun am besten tun sollte, dass sie letzten Endes entschieden hat, gar nichts zu tun. Beide haben sich komplett herausgehalten. Liza hatte keinerlei Chance, von ihnen Hilfe zu bekommen.«

Unterlassene Hilfeleistung. Das große Thema im Leben der Staatsanwältin. Carla Roberts und Anne Westley hatten sich so verhalten wie Lucy Caine-Roslin: Augen zu. Bloß nicht genauer hinschauen. Keinen Ärger riskieren.

»Und deshalb hast du die beiden ...?«

»Ob du es glaubst oder nicht, ich hatte das zunächst gar nicht vor. Ich war ziemlich wütend auf diese beiden Frauen, die einen

Menschen in höchster Not im Stich gelassen und damit seinem Peiniger in die Hände gespielt hatten, aber ich dachte nicht daran, sie zu töten. Ich wollte ihnen bloß ein bisschen Angst einjagen. Sie aus ihrem satten, spießigen Dasein ein wenig aufscheuchen. Ich habe sie terrorisiert. Liza Stanford hatte Tag und Nacht Angst um ihr Leben. Die beiden sollten wenigstens eine Ahnung davon bekommen, wie sich das anfühlt.«

»Ich verstehe.«

»Es war einfach, die Tür zu dem Hochhaus, in dem Carla Roberts lebte, zu manipulieren. Ich konnte kommen und gehen, wann immer ich wollte, wann immer ich etwas Zeit übrig hatte. Es machte mir Spaß, den Aufzug dann und wann zu Roberts hochzuschicken, ohne dass natürlich jemand ausstieg. So etwas kann einen zermürben. Und: ein Auto nachts in der weltabgeschiedenen Einöde von Anne Westley. Scheinwerfer, die über die Wände ihrer Zimmer gleiten. Ein Motor wird abgestellt. Aber niemand zeigt sich.«

»Das hat bestimmt seinen Zweck erfüllt.«

»Ja, sicher. Nervös waren die beiden alten Damen auf jeden Fall. Aber...«

»Aber es reichte dir nicht?«

Gillian atmete tief durch. Das Schlimme war, dass sie sich mit jeder Minute schwächer fühlte. Aber sie durfte nicht aufgeben. Sie war schon so weit gekommen. Sie hatte eine echte Chance, wenn sie jetzt nicht schlappmachte.

Sie dachte an Becky. Becky brauchte sie.

Ein letzter, verzweifelter Versuch. Mit all ihrer Kraft, mit ihrem ganzen Gewicht und mit dem Tischbein in beiden Händen warf sie sich gegen die Fensterläden.

Es tat einen ohrenbetäubenden Schlag, als einer der Läden aus seiner Verankerung brach. Er krachte nach draußen, riss den anderen Laden mit sich, vermochte ihn aber nicht zu lösen. Mit aller Wucht schlugen die ineinanderhängenden Läden gegen die Außenwand der Hütte, knallten noch zwei- oder dreimal dagegen, blieben dann ruhig hängen.

Das Fenster war offen.

Gillian sah hinaus in die Nacht und in den Schnee und brauchte ein paar Sekunden, um zu erfassen, dass es wirklich geklappt hatte. Sie hatte sich aus einer nahezu aussichtslosen Lage befreit. Ihre Arme zitterten, ihre Muskeln schmerzten von der ungewohnten Anstrengung.

Sie war frei.

Jetzt hieß es, überlegt vorzugehen und nichts zu riskieren.

Die kostbaren Schlüssel verstaute sie tief in ihrer Mantel- tasche und vergewisserte sich mehrfach, dass sie nicht he- rausfallen konnten. Dann packte sie die beiden Sandwiches und die Wasserflasche, in der sich wenigstens noch ein Rest Wasser befand, in die andere Tasche. Sie fühlte sich dort un- bequem und sperrig an und ragte ein großes Stück hinaus, aber es war wichtig, dass sie etwas zu essen und zu trinken dabeihatte. Die Taschenlampe, die ihr unschätzbare Dienste geleistet hatte, kam zu dem Schlüsselbund. Damit hatte sie alles, was sie brauchte – zumindest alles, was sie sich in der derzeitigen Situation beschaffen konnte.

Sie schwang sich auf das Fensterbrett und sprang auf der anderen Seite hinunter. Der Zweig irgendeines Nadelbau- mes schlug ihr ins Gesicht und zerkratzte ihre Haut, aber sie merkte es kaum. Sie landete im tiefen, weichen Schnee, rap- pelte sich sofort auf und bewegte sich vorsichtig zur Vorder- seite der Hütte hin. Sie spähte um die Ecke.

Aber niemand war zu sehen. Der Schnee gab Helligkeit, und zwischen großen Wolkenlücken schienen der Mond und die Sterne hindurch. Gillian kämpfte sich durch das kurze Waldstück, blieb dann stehen. Von hier aus hatte sie einen guten Überblick. Hinter ihr und neben ihr Wald. Vor ihr die Ebene, über die sie und Tara vor einigen Stunden gekommen waren. Sie vermochte sogar die Spuren im Schnee zu erkennen. Es würde nicht weiter schwierig sein, den Rückweg zum Auto zu finden.

Unangenehm war die Tatsache, dass die Ebene keinerlei Schutz vor Blicken bot. Als weithin sichtbare, klar umrissene schwarze Gestalt würde sie über sie hinwegwandern. Sollte sich Tara auf dem Rückweg zur Hütte befinden, würde sie sie bereits von Weitem sehen. Umgekehrt galt das aber natürlich genauso.

Gillian betrachtete noch einmal prüfend die Landschaft und erwog kurz, sich an einem fernen Waldstreifen entlangzubewegen und sich dabei im Schutz der Bäume zu halten. Dies hätte jedoch bedeutet, einen gewaltigen Bogen zu schlagen und nahezu die doppelte Strecke bewältigen zu müssen. Außerdem bestand dabei die Gefahr, dass sie die Richtung verlor und in die Irre lief. Es gab dann keine Fußspuren, die sie leiteten, und wenn sie sich erst in der Weite dieser Wälder verlaufen hätte, würde sie in der Kälte keine zwei Tage überleben. Sie entschied, denselben Weg zu nehmen, den sie gekommen war. Sie würde Tara früh genug sehen, um dann noch zu überlegen, was zu tun war. Immerhin hatte sie noch einen kleinen Vorteil auf ihrer Seite: *Sie* rechnete damit, Tara zu begegnen. Tara hingegen ging davon aus, ganz allein hier draußen zu sein.

Sie stapfte los. Sie wusste, dass sie nach allem, was hinter ihr lag, eigentlich Angst haben müsste, die weite Strecke durch den hohen Schnee nicht zu bewältigen. Die Euphorie des Momentes ihrer Befreiung hatte jedoch noch einmal einen guten Schwung Adrenalin in ihren Körper gepumpt. Irgendwoher kam eine Energie, die es eigentlich gar nicht mehr hätte geben dürfen.

Ich schaffe das. Mich wird sie nicht töten.

Unvermittelt war da wieder Taras Stimme. Der Schauer des Entsetzens, den sie in Gillian auslöste.

»Nein, es reichte mir irgendwann nicht mehr, Roberts und Westley zu erschrecken.«

»Und da hast du sie umgebracht?«

»Ja. Aber in dem Moment, da es geschah ... waren es gar nicht sie, die ich tötete. Sie waren nur die Fortsetzung eines Momentes, der mich befriedigt hatte. Aber nicht genug befriedigt. Nie, nie, nie werde ich befriedigt sein.«

»Was meinst du?«

»Ich meine, dass ich nicht aufhören kann. Als ich Roberts und Westley tötete, erkannte ich, dass ich, solange ich lebe, nicht damit aufhören kann.«

»Womit?«

»Lucy. Meine Mutter. Ich kann nicht aufhören, meine Mutter zu töten.«

12

John hätte nicht gedacht, dass es in einem Gebiet wie dem Peak District *Sackgassen* geben könnte, aber offenkundig waren sie genau in etwas Derartiges geraten. Sie waren der Landstraße eine halbe Ewigkeit lang gefolgt, ohne dass sie Taras Auto entdeckt hätten, und nun plötzlich endete alles in einer Art großem Wendehammer – unvermittelt, ohne irgendeine Ankündigung. Vor ihnen lag dichter Wald, neben ihnen auch. Und nirgends eine Spur von einem anderen Auto, geschweige denn von einer Hütte oder gar von zwei Frauen, die durch den Schnee stapften.

John wendete notgedrungen, hielt dann aber erst einmal an. »So. Das scheint es mit dieser Straße gewesen zu sein. War offenbar falsch.«

Samson klang tief deprimiert. »Es gibt hier sicher viele solcher Straßen.«

»Zweifellos. Zeigen Sie mir noch mal die Karte.« Er studierte den Plan. »Hier könnten wir meiner Ansicht nach ungefähr sein. Das heißt, wir befinden uns noch immer in dem Gebiet, das Sherman umkreist hat. Allerdings ziemlich weit am unteren Rand. Die Hütte liegt vielleicht viel mehr in der Mitte.«

»Wenn sie überhaupt in diesem Gebiet liegt. Sherman hat die Hütte schließlich nie gesehen. Und es ist dreißig Jahre her, dass er ihre Lage zuletzt beschrieben bekam«, gab Samson zu bedenken.

John hätte das Buch am liebsten quer durch den Wagen gefeuert, beherrschte sich aber. »Klar. Er kann eine falsche Vorstellung haben. Es kann außerdem sein, dass es die ganze Hütte schon lange nicht mehr gibt. Vielleicht hat Tara Caine auch ein völlig anderes Ziel angesteuert. Sie und Gillian könnten in Cornwall sein. Oder in Schottland. Oder in einem gottverdammten walisischen Kaff, was weiß ich. Aber diese Hütte ist der einzige winzig kleine Anhaltspunkt, den wir überhaupt haben, und obwohl mich die Vorstellung wahnsinnig macht, dass wir hier vielleicht nur unsere und vor allem Gillians Zeit verplempern, bleibt uns keine andere Wahl, als genau hier zu suchen. Alles andere wäre noch absurder.«

»N…natürlich«, stimmte Samson zu. »Also: Fahren wir zurück?«

John ließ den Motor wieder an. »Ja. Ich erinnere mich, dass es ganz zu Beginn eine Abzweigung gab. Schien in Richtung

Norden zu führen. Diese Strecke sollten wir als Nächstes versuchen.«

»Das war aber eine sehr schmale Straße.«

»Sie schien mir weitgehend geräumt. Und wer weiß, auf welche weitere Straße sie uns führt. Das Straßensystem hier ist wie ein Spinnennetz, in dem jeder Faden mit allen anderen Fäden in Verbindung steht. Irgendwann haben wir alle durch.«

Sie fuhren wieder durch den späten Abend, der nun völlig versunken war in nächtlicher Dunkelheit. Samson starrte angestrengt aus dem Fenster, immer in der Hoffnung, einen entscheidenden Hinweis zu entdecken. Eines wurde ihm klar: Ihre Theorie, wonach die beiden Frauen hier nur die Hauptstraßen benutzt haben konnten, niemals Nebenstrecken, stimmte auf jeden Fall. Er selbst konnte nämlich unter den Schneemassen nicht einen einzigen Weg entdecken.

Es wird alles gut, sagte er lautlos und beschwörend zu sich selbst, aber er war nicht sicher, ob er seinen eigenen Worten glaubte.

Er hatte gar nicht gemerkt, dass sie der Straße eine halbe Ewigkeit lang gefolgt waren; jedenfalls dauerte es ihm viel zu lange, bis sie die Abzweigung erreichten, gegen die sie sich anfangs entschieden hatten, weil die Straße so schmal erschien. Eine andere Möglichkeit zu einem früheren Zeitpunkt hatte es nicht gegeben.

»Es dauert alles viel zu lang«, stieß auch John zwischen den Zähnen hervor.

Sie bogen in den Weg ein. Er führte in eine weite, baumlose, hügelige Landschaft.

»Die Hochmoore«, sagte John, »das sind hier die ersten Ausläufer.« Er fluchte. »Die Moore hatte Sherman erwähnt. Wir sind vorhin zu weit nach Süden abgekommen, und ich hätte das viel eher merken müssen.«

Er bremste, als sich die Straße gabelte. Es war eine kleine Kreuzung, an der sie standen. Sie konnten geradeaus fahren, rechts oder links.

»Mist«, sagte Samson.

»Im Grunde«, meinte John, »könnten wir jetzt eine Münze werfen.« Er blickte hinaus, versuchte, sich zu orientieren. »Sherman sagte, die Hütte sei am Rande eines Waldgebietes errichtet worden. Was ja auch logisch ist. Caines Vater hat das Blockhaus selbst gebaut, und er wird die Baumstämme nicht meilenweit über Täler und Höhen geschleppt haben. Wo sehen wir Wald?«

Beide Männer stiegen nun aus. Der Wind, der noch stärker und – so kam es ihnen zumindest vor – noch kälter geworden war, ließ sie zusammenzucken.

»Verdammt, ist das kalt«, sagte John. Er hauchte warmen Atem in seine Hände, die nach nur einer Sekunde hier draußen schockgefroren schienen. Hoffentlich befand sich Gillian nicht im Freien, irgendwo in diesem unüberschaubaren Gebiet, weitab jeder menschlichen Behausung. Man konnte leicht erfrieren in dieser Nacht.

»Dort hinten«, meinte Samson. Er wies in nördliche Richtung. »Ich glaube, da ist Wald am Horizont!«

Der etwas dunklere Streifen, der irgendwo in weiter Ferne verlief, konnte tatsächlich ein Waldgebiet sein, musste John zugeben. Das würde bedeuten, dass sie geradeaus weitermussten. Sowohl im Westen als auch im Osten vermochten sie nichts zu erkennen, was aber nicht unbedingt bedeutete, dass es dort *keinen* Wald gab. Das Gelände war viel hügeliger und dadurch unüberschaubarer. Man konnte nur bis zur jeweils ersten etwas größeren Erhebung blicken und hatte keine Ahnung, was dahinter kam.

»Fahren wir geradeaus«, entschied John. »Vielleicht haben

Sie recht, Samson, und das ist tatsächlich ein Waldgebiet dort hinten. Alles andere können wir nicht sehen, und wie immer bei dieser Suche müssen wir uns mit den winzigen Anhaltspunkten zufriedengeben, die wir bekommen können. Also weiter!«

Sie stiegen ein. Sie fuhren weiter.

Ihrer winzigen Chance hinterher.

13

Sie war irgendwann tatsächlich eingeschlafen, obwohl sie gerade das unter allen Umständen hatte vermeiden wollen. Sie schreckte aus einem wirren Traum hoch, wollte sich aufsetzen, wurde aber durch einen Schmerz, der ihren ganzen Körper beherrschte, daran gehindert. Was war das? Alles tat ihr weh, jeder Knochen, jeder Muskel, jeder Nerv. Sie stöhnte leise, aber dann setzte sich in ihrem schlaftrunkenen Gehirn die Erkenntnis durch, dass sie nicht plötzlich von einer geheimnisvollen Krankheit befallen worden war. Es war die verkrampfte Haltung, zu der sie das Liegen auf dem Rücksitz zwang, was ihr nun diese Pein bereitete. Und die grausame Kälte natürlich. Sie hatte den Eindruck, buchstäblich steifgefroren zu sein. Es durfte ihr keinesfalls mehr passieren, dass sie einfach einschlief. Es war gefährlich. Sie hatte Glück, dass irgendetwas sie geweckt hatte.

Irgendetwas? Ihr Traum vielleicht. Sie hatte ihrer Mutter gegenübergestanden, und Lucy hatte mit ihr geredet. So leise allerdings, dass sie nichts hatte verstehen können. Sie hatte nur ihre Lippenbewegungen gesehen und sich verzweifelt angestrengt, das eine oder andere Wort aufzuschnappen. Was ihr nicht gelungen war. Sie hatte Lucy angefleht, lauter zu sprechen, aber Lucy hatte nur gelächelt und sich nicht um ihre Bitten gekümmert. Es hatte Tara wahnsinnig gemacht, sich vorstellen zu müssen, dass Lucy vielleicht etwas sehr Wichtiges sagte, etwas, das alle ihre Fragen beantworten würde, aber dass es verloren ging, nur weil sie ihre Mutter nicht verstehen konnte. Ihr Herz hatte zu rasen begonnen. Und davon war sie erwacht.

Der Gedanke kam ihr, dass ihre tote Mutter sie, indem sie ihr im Traum erschienen war, womöglich vor dem Erfrierungstod gerettet hatte. Konnte das sein? Es wäre das erste Mal, dass sich Lucy für sie eingesetzt hätte. Tara wusste nicht, ob ihr diese Vorstellung gefiel. Sie hatte Jahre um Jahre darauf gewartet, dass sich Lucy wie eine Mutter benahm, aber sie war nicht sicher, dass sie es jetzt noch wollte.

Nein, ich will es nicht, entschied sie und setzte sich mühsam, die Schmerzen in ihrem Körper ignorierend, auf.

Und sah Gillian.

Sie stand vielleicht zehn Schritte vom Auto entfernt. Genau genommen konnte sie Gillian eigentlich gar nicht direkt erkennen. Sie sah nur eine schwarze Gestalt, die sich vom Weiß des Schnees und von der Helligkeit der Mondnacht abhob. Sie stand dort unbeweglich, schien das Auto zu betrachten.

Es konnte sich nur um Gillian handeln. Wer sonst sollte hier in dieser Einöde nachts herumlaufen?

Tara war jetzt hellwach. Vorsichtig ließ sie sich auf den Sitz zurücksinken. Sie fragte sich, ob Gillian sie gesehen, zumindest die Bewegung im Inneren des Autos ausgemacht hatte. Sie hatte keine Reaktion gezeigt. Tara hatte sich wegen ihrer steifen Knochen so langsam und zudem nur ein kleines Stück weit aufgerichtet, dass man es vielleicht draußen nicht wahrgenommen hatte.

Verdammt, verdammt, verdammt! Ihr wurde ganz schlecht bei der Vorstellung, sie würde noch immer schlafen. Gillian hätte sie leicht überwältigen können. Alles wäre zu Ende gewesen.

Wie, zum Teufel, war es ihr gelungen, die Hütte zu verlassen? Die Hütte war dermaßen gesichert, dass es praktisch unmöglich war, hinaus- oder hineinzukommen, wenn alles verschlossen war. Als einzige Möglichkeit war überhaupt nur denkbar, dass Gillian ein Werkzeug gefunden hatte, mit dessen Hilfe es ihr gelungen war, ein Schloss aufzubrechen oder die Fensterläden aufzustemmen. Doch es gab nichts in der Hütte, absolut nichts. Tara hatte sie vor Jahren bereits komplett leer geräumt. Kein Besteck mehr, kein Flaschenöffner, keine Zahnbürste, nichts. Alles, was Gillian zur Verfügung gestanden hatte, waren zwei Schlüssel. Es war Tara ein Rätsel, wie sie sich damit einen Weg nach draußen hatte erkämpfen können.

Die Schlüssel. *Der Autoschlüssel.* Er war nun in greifbare Nähe gerückt. Wenn es ihr gelang, Gillian unschädlich zu machen, dann war Tara im Besitz des Schlüssels. Und endlich in der Lage, diesen unwirtlichen Ort zu verlassen. Ihr ganzer Körper begann zu kribbeln bei der Vorstellung, den Motor anzulassen und die Heizung auf die höchste Stufe zu drehen. Sie hätte heulen können, so übermächtig war ihre Sehnsucht nach Wärme geworden.

Dennoch musste sie jetzt einen klaren Kopf behalten. Sie versuchte, ihre Pistole zu angeln, aber diese war unter dem Sitz zu weit nach vorne gerutscht, sie fand sie nicht. Egal, sie war kein guter Schütze und traf sowieso nur, wenn sie das Ziel unmittelbar vor der Mündung hatte. Ihr blieb das Messer, das sie in der Hand hielt, aber sie konnte nicht ausschließen, dass Gillian auch bewaffnet war; schließlich hatte sie sich mit Hilfe von *irgendetwas* aus ihrem Gefängnis befreit. Taras Position auf dem Rücksitz war darüber hinaus nicht ausgesprochen günstig. Wenn Gillian in das Innere des Autos spähte, ehe sie einstieg…

Vorsichtig zog Tara an der Decke, breitete sie über den ganzen Sitz und über sich aus. Sie drückte sich, so flach sie nur konnte, in die weichen Polster. Natürlich, die Decke hatte zuvor hinten im Kofferraum gelegen. Aber sie bezweifelte, dass Gillian jetzt gerade einen Sinn für derartige Feinheiten hatte. Und sie selbst, Tara, hatte die Nase ein kleines Stück weit vorn. Denn sie wusste, wo sich Gillian befand. Gillian hingegen hatte keine Ahnung von dem Aufenthaltsort der Frau, die ihr nach dem Leben trachtete. Sie wähnte sie wahrscheinlich auf einer langen und mühevollen Wanderung durch den Peak District in Richtung Manchester.

Tara schrak zusammen, als plötzlich ein metallisches Geräusch durch den ganzen Wagen zu zucken schien. Was war das? Doch gleich darauf entspannte sie sich wieder. Gillian hatte mit der Fernbedienung des Schlüssels den Türöffner betätigt. Tara grinste. Wie gut, dass sie den Wagen von innen verschlossen hatte. Gillian musste nun davon ausgehen, dass das Auto die ganze Zeit über verriegelt gewesen war. Sie würde es für unmöglich halten, dass sich Tara im Inneren des Wagens befand.

Komm, flüsterte sie lautlos, *komm rein. Setz dich ans Steuer. Nun mach schon.*

Sie vernahm das Knirschen von Schritten im Schnee. Sie hielt den Atem an. Verschmolz mit dem Sitz und mit der riesengroßen, faltigen Decke. Wurde klein. Unsichtbar.

Die Fahrertür wurde geöffnet.

Tara hielt das Messer und die Drahtschlinge fest in beiden Händen.

14

Sie hatte den Weg diesmal schneller zurückgelegt, trotz ihrer Erschöpfung, getrieben von ihrer Angst. Gillian atmete auf, als sie endlich das Auto sah. Sie war nicht erstaunt, es noch vorzufinden, denn wie hätte Tara es in Bewegung setzen sollen? Ihre Schritte wurden jedoch langsamer und vorsichtiger. Da sie Tara auf der gesamten Strecke nicht gesehen hatte, war sie zu der Erkenntnis gelangt, dass diese nicht versucht hatte und nicht versuchen würde, sich den Schlüssel zu holen. Vermutlich hatte sie sich zu Fuß auf den Weg gemacht.

Sie musterte den Wagen eine Weile aufmerksam, aus sicherem Abstand heraus. Sie sah viele Spuren im Schnee, die wahrscheinlich noch von ihrem und Taras Aufbruch am Nachmittag herrührten. Womöglich waren aber auch frische Spuren von Tara dazugekommen. Sicherlich hatte sie erst vor dem Auto stehend festgestellt, dass sie den Schlüssel nicht mehr besaß. Gillian stellte sich vor, wie sie immer hektischer, schließlich fast panisch in ihrer Tasche gewühlt hatte. Es musste ein schrecklicher Moment für sie gewesen sein: so dicht am Ziel. Und doch völlig hilflos.

Nichts regte und rührte sich, und schließlich richtete sie den Schlüssel auf den Wagen und betätigte den Öffner. Die Lichter flammten für eine Sekunde auf, die Türen öffneten sich. Wären sie nicht abgeschlossen gewesen, hätte das Geräusch, wie Gillian wusste, anders geklungen. Gut. Niemand hatte in der Zwischenzeit den Wagen geöffnet.

Sie näherte sich langsam.

Als sie die Fahrertür erreichte, ließ sie ihren Blick über das Innere des Autos gleiten. Sie hatte geglaubt, die Taschenlampe benutzen zu müssen, aber inzwischen war der Nachthimmel völlig klar, und das Licht des Mondes, noch dazu reflektiert von den Schneefeldern ringsum, gab genügend Helligkeit.

Das Auto war leer. Auf dem Rücksitz lag die Wolldecke, in dicken, aufgeworfenen Falten.

Sie öffnete die Tür.

Sie klopfte den Schnee von den Stiefeln, während sie einstieg. Sie sank hinter das Steuer, steckte den Schlüssel ins Schloss. Zweimal misslang es, weil ihre Finger von der Kälte so klamm und unbeweglich waren. Beim dritten Mal endlich wurde ihr zittriges Stochern von Erfolg gekrönt. Sie drehte ihn herum. Der Motor sprang stotternd an, erlosch dann aber gleich wieder.

Die Kälte wahrscheinlich. Tara hatte manchmal erwähnt, dass ihr Wagen bei großer Kälte Startschwierigkeiten hatte.

Komm schon, spring an!

Auch der zweite Versuch schlug fehl. Aus Erfahrung mit ihrem eigenen Auto wusste sie, dass man in solchen Fällen am besten eine Minute wartete. Meistens klappte es dann. Sie ließ sich zurücksinken, lehnte den Kopf an die Stütze. Sie zwang sich zur Ruhe. Die Anspannung ließ ihren ganzen Körper zittern. Sie hatte es fast geschafft. Hatte sich aus der gefährlichsten und kritischsten Situation ihres ganzen bisherigen Lebens befreit. Jetzt musste nur noch das Auto anspringen, dann war sie endgültig in Sicherheit.

Hör auf zu zittern! Du hast gewonnen!

Sie wurde das Gefühl einer Gefahr nicht los. Irgendetwas ließ ihr Herz rasen. Jagte ihr Schauer über die Arme. Schickte ganze Ströme von Adrenalin durch ihren Körper. Es war fast schlimmer als zuvor. Als sie noch draußen vor dem Auto gestanden hatte, war sie nicht so unfassbar heftig von Angst und Entsetzen gepeinigt worden.

Werd jetzt nicht hysterisch!

Sie wollte sich gerade nach vorne beugen und zum dritten Mal versuchen, den Motor anzulassen, da begriff sie plötzlich. Ihr Instinkt hatte die Erkenntnis längst gehabt, ihr Gehirn hatte länger gebraucht: die Decke. Die alte, kratzige Wolldecke. Sie hätte im Kofferraum liegen müssen.

Keinesfalls auf dem Rücksitz!

Sie stieß die Autotür auf und versuchte sich mit einem blitzschnellen Sprung in Sicherheit zu bringen. Gleichzeitig erfüllte ein plötzlich aufgetauchter dunkler Schatten hinter ihr den ganzen Rückspiegel. Gillian war den Bruchteil einer Sekunde zu spät. Die Drahtschlinge wurde über ihren Kopf gestülpt und schnitt mit einem grässlichen Schmerz in ihren Hals. Sie wurde so heftig zusammengezerrt, dass Gillian in ihrem Versuch, nach draußen zu entkommen, zurückgerissen wurde. Voller Panik griff sie mit beiden Händen nach dem Draht, der ihr die Luft abschnürte und ihren Kehlkopf zu zerquetschen drohte. Sie gab einen röchelnden, verzweifelten Laut von sich.

»Halt still«, sagte Tara. Ihre Stimme klang ruhig, fast sanft. »Halt still, sonst strangulierst du dich selbst!«

Gillian fügte sich. Der Druck ließ ein wenig nach. Sie bekam wieder etwas mehr Luft, aber noch immer tat ihr der Hals furchtbar weh. Tara hatte so stark an der Schlinge gerissen, dass sich der Draht tief in die Haut gegraben hatte. Vermutlich würde man noch wochenlang den Abdruck sehen.

Wenn sie noch wochenlang lebte.

Ihr Kopf wurde durch die Schlinge an die Stütze gepresst, ihr ganzer Körper gezwungen, im Sitz zu verharren. Während sie darum rang, gleichmäßiger zu atmen, nannte sie sich im Stillen eine geradezu abgrundtief dumme Idiotin. Als sie noch draußen gestanden und alle Möglichkeiten abzuwägen versucht hatte, hatte sie aus der Tatsache, dass sich die Türen des Autos über die Fernbedienung *entriegeln* ließen, geschlossen, dass Tara sie am Vormittag bei ihrer beider Ankunft *verriegelt* hatte. Damit war für sie klar gewesen, dass Tara nicht im Auto sein konnte, denn ohne Schlüssel war es ihr nicht möglich gewesen, es zu öffnen. Die Variante, dass das Auto offen gewesen und Tara eingestiegen war, dass sie dann die Türen von innen verschlossen hatte, war ihr nicht in den Sinn gekommen. Sie hatte diese Möglichkeit einfach nicht gesehen. Erschöpft und abgekämpft und völlig übermüdet, wie sie war, hatte ihr Gehirn nicht mehr zuverlässig gearbeitet. Sie hatte die Wolldecke auf dem Rücksitz liegen sehen, und nicht einmal da war ein rotes Warnlicht angesprungen.

Dumm, dumm, dumm! Sie stöhnte.

»Ja, blöd gelaufen«, stimmte Tara zu, als hätte sie ihre Gedanken lesen können. »Manchmal tappt man in die simpelste Falle. Aber mach dir nichts draus. Das ist auch schon anderen passiert.«

Gillian musste husten. Der Schmerz aus ihrem Kehlkopf zog bis in das Genick hinein, bis in ihre Schultern. Aber auch ihr ganzer Rachen fühlte sich wund an. Tara hatte mit solcher Gewalt an der Schlinge gezogen, dass Gillian den Eindruck hatte, sie konnte sich glücklich schätzen, nicht gleich enthauptet worden zu sein.

»Wa…«, krächzte sie.

»Du solltest nicht reden«, meinte Tara.

Gillian hörte, wie ein Messer aufschnappte. Gleich darauf spürte sie die kalte Klinge seitlich dicht unterhalb ihres rechten Ohres. Sie machte eine verzweifelte Bewegung, bezahlte das aber sofort mit einem erneuten tiefen Einschneiden des

Drahtes in ihre Haut. Sie gab einen Jammerlaut von sich und fügte sich sofort wieder in ihre alte Position.

»Braves Mädchen«, sagte Tara. »Du lernst schnell. Probiere keinen Aufstand, sei klug. Du kannst ihn nicht gewinnen.«

»Wa…«, setzte Gillian erneut an.

»Wawawawa«, äffte Tara sie nach. Sanft spielte sie mit der Klinge an Gillians Ohrläppchen herum. »Sprich dich aus. Was willst du mir unbedingt sagen?«

Hoffnungslosigkeit und Trauer legten sich wie Blei über Gillian. Sie hatte so heftig gekämpft. Und nun doch verloren.

Obwohl ihr der Hals so weh tat, gelang es ihr, endlich einigermaßen verständliche Worte zu formen.

»Wa…rum?«, fragte sie. Sie klang, als habe sie dick vereiterte Mandeln. »Warum… ich?«

»Ja, warum du?«, wiederholte Tara. »Nun habe ich dir so viel von mir erzählt, und du kannst es dir noch immer nicht denken? Hast du es nicht kapiert? Den Fehler, den du gemacht hast? Den *unverzeihlichen* Fehler?«

Gillian schwieg.

Sie verstand es in diesem Moment. Den Fehler. Der in Taras krankem Gehirn wie eine Wiederholung ihrer eigenen Geschichte aussehen musste.

»John«, stieß sie hervor.

Tara berührte sie fast sanft mit der Klinge. »Richtig. John. Er war dein Fehler.«

Gillian hustete erneut. »Ich… halte John für… unschuldig«, stieß sie hervor. »Und… dein Kollege… der Staatsanwalt damals… sah das auch so.«

Tara gab einen verächtlichen Laut von sich. »Du kennst den Kollegen? Der seinerzeit für den Fall Burton zuständig war?«

»Nein.«

»Aber ich. Ein Korinthenkacker. Ein Schlappschwanz. Einer, der von morgens bis abends von der Sorge um einen möglichst reibungslosen Verlauf seiner Karriere beherrscht wird. Weißt du, jeder von uns sichert sich möglichst gut ab, ehe er einen Fall zur Anklage bringt. Niemand steht gern als Verlierer vor Gericht. Aber letztlich können wir es nie zu hundert Prozent wissen. Wir wissen nicht, mit welcher Strategie der gegnerische Anwalt kommt. Welche Zeugen er vorlädt, welche unvorhersehbaren Wendungen der Fall plötzlich nimmt. Wir wissen nicht, wie der Richter entscheidet. Wir tragen immer ein Risiko. Und manche von uns sind risikofreudiger, manche sind es weniger. Burton hatte Glück. Der Typ, auf dessen Schreibtisch sein Fall gelandet war, ist dafür bekannt, sich dermaßen abzusichern, dass er von uns allen am seltensten Anklage erhebt. Ihm muss praktisch schon das Geständnis auf einem Silbertablett serviert werden, damit er den Mut fasst, sich damit aus der Deckung zu wagen. In Burtons Fall gab es jede Menge Unklarheiten. Verstehst du? Es besagt nichts, dass es nicht zur Klageerhebung kam, überhaupt nichts. Nicht bei dem Staatsanwalt, der für ihn zuständig war.«

»Aber ...«

»Nichts aber!« Taras Stimme klang scharf. »Du willst sagen, dass du das nicht wusstest? Geschenkt! Du hast eine kleine Tochter. Ein wehrloses Kind. Und du lässt dich mit einem Kerl ein, gegen den wegen einer *Sexualstraftat* bereits ermittelt wurde? Du riskierst es, diesen Menschen vor die Nase deiner Tochter zu setzen? Nur weil du es mit deinem Ehemann nicht mehr aushältst, aber ganz ohne Mann auch nicht sein kannst? Du spielst mit der Unschuld, mit der körperlichen und seelischen Unversehrtheit deines Kindes? Und findest das *normal*?«

»Ich…«

»Ja, ichichich! Dir geht es nur um dich. Du warst scharf auf ihn, und da hast du alle Bedenken einfach zur Seite gewischt. Hast dir alles schöngeredet. Er wird schon nichts getan haben! Das Mädchen, das ihn angezeigt hat, wird natürlich gelogen haben. Er ist ein Unschuldslamm! Weißt du, Gillian, das kann eine Frau tun, die nur für sich und für niemanden sonst die Verantwortung trägt. Auch da kann ich es nicht verstehen, aber bitte! Doch es gibt noch Becky. Und Becky zu retten, das war mein felsenfester Entschluss. Sie soll nicht durchmachen, was ich durchgemacht habe. Niemals.«

Gillian hustete wieder. Ihre Stimme normalisierte sich etwas, aber der Hals brannte wie Feuer.

»Du wusstest es schon vor Weihnachten?«, fragte sie. Sie hatte Tara erst im neuen Jahr von Johns Vorgeschichte berichtet, aber kurz nach Weihnachten hatte sie bereits ihren ersten Mordversuch an der einstigen Freundin gestartet. Und Tom, den völlig unschuldigen Tom, getötet. Es war so grauenhaft. So pervers und schrecklich. Eine Frau, die Amok lief. Und niemand, *niemand* hatte etwas bemerkt. Nicht der Hauch eines Verdachts war jemals auf die Staatsanwältin gefallen. In alle möglichen Richtungen war ermittelt worden, und sie hatte ungestört ihren Hass und ihr alles beherrschendes Rachebedürfnis ausleben können.

»Bei dem Namen *Burton* hat es in meinem Kopf geklickt. Ich konnte das nicht gleich einordnen, ich war ja noch in Manchester, als das alles passierte, aber ich wusste, dass irgendwann einmal jemand diesen Namen im Zusammenhang mit einem Ermittlungsverfahren genannt hatte. Für mich war es nicht schwierig, an die Akte zu kommen. Mir war übrigens auch sofort klar, dass du Bescheid wusstest. Du bist nicht gut im Lügen, Gillian. Als du mir schließlich die Wahrheit sagtest, habe ich mein Entsetzen nur gespielt. Ich wusste längst Bescheid.«

Gillian hustete erneut. Sie wünschte, der Feuerball in ihrem Rachen würde sich endlich auflösen. Sie hätte sich am liebsten eine ganze Handvoll Schnee in den Mund geschoben.

»Tara, geh nicht weiter auf diesem Weg, bitte. Es sind genügend Unschuldige gestorben. Diese beiden alten Frauen in London und Tunbridge … sie haben versagt, aber das rechtfertigt nicht ihren Tod. Tom hatte überhaupt niemandem etwas getan. Aber was du mir erzählt hast über deine Kindheit – ich kann verstehen, weshalb du nur noch diesen Weg gesehen hast. Ich kann es wirklich verstehen.«

»Ach ja?«

»Ja«, sagte Gillian verzweifelt. Sie erkannte, dass Tara ihr nicht glaubte, aber sie log nicht in diesem Moment. Tara war durch die schlimmste Hölle gegangen, durch die ein Kind gehen konnte. Niemand hatte ihr geholfen. Ihre Mutter nicht, aber auch sonst niemand in ihrer Umgebung, dem eine Wesensveränderung in dem kleinen Mädchen hätte auffallen können, die es mit Sicherheit gegeben hatte. Nachbarn hatten versagt, Lehrer, die Eltern ihrer Freunde. Gillian spürte nicht den kalten Hass, die Mordgier, die rücksichtslose Grausamkeit einer erwachsenen Frau in Tara.

Sie spürte die abgrundtiefe Verzweiflung eines hilflosen Kindes.

»Ich würde für dich aussagen, Tara. Jeder Richter, der deine Geschichte hört, wird …«

»… mich freudig ziehen lassen? Wie naiv bist du, Gillian? Natürlich werden sie mich einsperren, wenn sie mich kriegen. Sie werden sagen, dass selbstverständlich alles ganz schrecklich war früher, aber dass man mich schließlich nicht als tickende Zeitbombe frei herumlaufen lassen kann. Lustig, nicht? Roslin ist nicht hinter Gittern gelandet. Meine Mutter auch nicht. Burton spaziert fröhlich in der Gegend herum. Charity-Stanford wird seiner Strafe ebenfalls entgehen, weil ihn Liza, die blöde Kuh, wahrscheinlich nie im Leben anzeigt. Aber mich... mich erwischt es womöglich. Ich darf den Rest meines Lebens im Knast verbringen. So sieht die Gerechtigkeit auf dieser Welt aus! Und das werde ich nicht hinnehmen.«

Der Druck des Drahtes auf Gillians Hals verstärkte sich.

Sie schloss für einen Moment die Augen, mutlos und ohne eine Idee, wie sie Tara jetzt noch erreichen könnte. Als sie die Augen wieder aufschlug, glaubte sie, in der Ferne für eine Sekunde ein Licht aufblitzen zu sehen. Es war sofort wieder verschwunden, aber noch ehe Gillian es als eine verrückte Täuschung ihres überreizten Gehirns abtun konnte, tauchte es erneut auf. Diesmal hielt es etwas länger an, verschwand dann wieder. Tauchte wieder auf.

Gillian starrte in die Nacht, als wolle sie die Dunkelheit förmlich durchbohren mit ihren Blicken. Das konnte nicht sein, oder? Wahrscheinlich irgendein physikalisches Phänomen, Sternenlicht, das vom Schnee reflektiert wurde, oder etwas Ähnliches. Normalerweise hätte sie gedacht, Autoscheinwerfer zu sehen. Ein Auto, das näher kam, dessen Strahler aber durch das sanfte Auf und Ab der hügeligen Landschaft einmal sichtbar waren, dann wieder nicht. Doch das war absurd. Es gab sicher Jäger hier, Ranger, vielleicht sogar auch im Winter dann und wann Ausflügler. Aber nicht zu dieser nächtlichen Stunde. Selbst jugendliche Liebespaare, die sich ungestört vergnügen wollten, würden im Winter nicht derart tief in den District hineinfahren.

Mach dir bloß keine Hoffnung. Das ist nie im Leben ein Auto. Du bist hier vollkommen allein mit dieser durchgedrehten Frau, und du hast eine Drahtschlinge um den Hals und ein Messer an der Wange. Du steckst in einer richtig vertrackten Situation, und das ist das Ende.

Sie schloss wieder die Augen, öffnete sie, als wollte sie entgegen ihrer destruktiven Gedanken eine Wiederholung dessen, was sie eben gesehen hatte, erzwingen. Und wirklich, es funktionierte. Da war das Licht. Und nun erkannte sie auch, dass es sich tatsächlich um *zwei* Lichter handelte. Es war *doch* ein Auto, das dort durch die Nacht fuhr.

Und es kam näher.

Tara hatte es offenbar noch nicht bemerkt. Sie erzählte irgendetwas, das Gillian nicht verstand, und sagte dann plötzlich: »So. Es wird Zeit.« Sie begleitete ihre Worte mit einem Ruck an der Schlinge.

Gillian stieß einen Jammerlaut aus.

»Ich wollte es nicht selbst machen«, sagte Tara. »Du warst jahrelang meine Freundin, Gillian. Aber du bist eine Gefahr für mich geworden. Es wäre mir lieber gewesen, du wärest in der Hütte zu Tode gekommen, aber nachdem du ausbrechen musstest... Mir bleibt nichts übrig, als dich unschädlich zu machen. Ich will nicht ins Gefängnis. Verstehst du?«

»Ja.«

»Gut. Wir steigen aus. Schön langsam.«

Gillian überlegte verzweifelt, wie es ihr gelingen könnte, Zeit zu schinden. Irgendjemand fuhr die Straße entlang, und wenn sie jetzt nicht völlig vom Pech verfolgt wurde und der Unbekannte plötzlich in eine ganz andere Richtung abbog, musste dieser Wer-auch-immer innerhalb der nächsten zehn Minuten genau hier vorbeikommen. Sicher würde er sich wundern, wenn er ein Auto hier stehen sah. Er würde davon ausgehen, dass jemand eine Panne hatte, würde anhalten und nachsehen.

Nur blöd, wenn ich dann schon tot bin!

Es musste doch irgendein Thema geben, in das sich Tara noch verwickeln ließ.

Ich muss ihr Fragen stellen, dachte sie, Fragen nach dem, was früher war. Einen Menschen mit ihrer Geschichte muss es danach drängen, die Dinge zu erzählen und zu erklären.

Ihr kam ein Einfall. Sie hielt sich daran fest wie an einem Strohhalm. Tara hatte ihr erzählt, wie sie ihre Mutter getötet hatte: Sie hatte ihr ein Geschirrtuch tief in den Mund gestopft, ihr sodann die Nase mit Paketklebeband verschlossen. Sie hatte sie ersticken lassen. Und dann von der Küche hinüber in ihr eigenes einstiges Kinderzimmer geschleift. An den Ort des lange zurückliegenden Verbrechens.

Der Anblick des Geschirrtuches war der elektrisierende Auslöser des Mordes gewesen.

»Ich möchte noch etwas wissen, Tara«, sagte sie. Und schnell, ehe Tara ihr ins Wort fallen konnte, fuhr sie fort: »Dieses Geschirrtuch, mit dem du … also das du deiner Mutter …«

»Mit dem ich sie erstickt habe? Und die beiden anderen Frauen auch?«

Gillian atmete tief. »Ja, das meine ich. Wie … wie bist du darauf gekommen? War das Zufall?«

Als ob es erheblich war. Aber jede Sekunde, die sie jetzt gewann, konnte entscheidend sein. Schon sah sie die Lichter wieder. Deutlich näher. Bislang hatte das Auto nicht seine Richtung gewechselt.

»Zufall? Nichts in dieser ganzen Geschichte war ein Zufall«, sagte Tara verächtlich. Dann änderte sie ihre Tonart. »Nur Thomas … er war zufällig im falschen Moment am falschen Ort. Ich hatte eigentlich nichts gegen ihn.«

»Das Geschirrtuch«, erinnerte Gillian.

»Ach so, ja. Das Geschirrtuch. Hatte ich das noch nicht erwähnt?« Sie klang gleichmütig. Auf diese unnatürliche Art, die sie schon die ganze Zeit über an den Tag legte. »Meine Mutter war immer eine sehr gute Hausfrau. Immerzu putzte und wischte sie etwas. *Bei uns kann man vom Fußboden essen,* sagte sie gern. Das war ihr wichtig. Die blitzblanke, hübsche Wohnung. Mit Häkeldeckchen und selbst genähten Gardinen und grässlichen Usambaraveilchen in weißen Übertöpfen aus verschnörkeltem Porzellan. Ja, und diese Dinger hatte sie eben überall griffbereit liegen. Diese karierten Geschirrtücher. Um jedem Staubkorn und jedem Schmutzfleck gleich zu Leibe rücken zu können.« Sie hielt inne, überlegte kurz. Gillian hatte den Eindruck, dass sie ihre Worte mit Bedacht setzte, dass sie ihrer Mutter Gerechtigkeit widerfahren lassen wollte, während sie sie analysierte. Sie war Juristin. Sie warf mit Anschuldigungen nicht einfach so um sich. »Es war nicht zwanghaft mit ihrer Sauberkeit, das würde ich nicht behaupten, aber sie war schon ziemlich akribisch, und in den Jahren mit Ted wurde es stärker. Ich habe mir später überlegt …«

»Ja?«, hakte Gillian nach, als Tara stockte. *Rede!*

»Ich habe mir überlegt, dass es ihre Art war, das Geschehen zu verarbeiten. Den Schmutz loszuwerden, den Ted in unsere Familie brachte und über den sie genau Bescheid wusste. Sie setzte ihm ihre verdammte saubere Wohnung entgegen, und als ich an jenem Abend das Geschirrtuch sah, dachte ich …«

Gillian wagte nicht, noch einmal etwas zu sagen. Tara zitterte. Sie konnte das daran spüren, dass die Drahtschlinge schmerzhaft an ihrem Hals ruckte.

»Ich dachte: *Erstick doch an deiner Verlogenheit*«, fuhr Tara fort, »und dann, na ja, dann geschah genau das. Sie erstickte daran.«

Sie richtete sich plötzlich auf, was Gillian an einem weiteren harten Rucken am Hals spürte.

»Da ist ja ein Auto«, sagte sie verblüfft. »Ach, du Scheiße!«

15

»Das sind sie«, sagte John. Er bremste jäh. In sein erstes Gefühl überwältigender Erleichterung, die beiden Frauen tatsächlich entdeckt zu haben, mischte sich sofort das Entsetzen über die brenzlige Situation, in der er sie antraf: Sie hatten das Auto verlassen und standen mitten auf der Straße. Tara hielt sich einen halben Schritt hinter Gillian. Sie drückte ihr ein Messer an den Hals. Gillian schien vor Angst wie erstarrt.

»Lieber Himmel«, stieß Samson hervor.

John schaltete den Motor aus, ließ aber die Scheinwerfer brennen. »Sie bleiben hier im Auto«, wies er Samson an. »Verstanden?«

»Ja. W…wo gehen Sie hin?«

John hatte die Fahrertür geöffnet. »Ich will mit Tara Caine reden. Und noch mal: Sie rühren sich nicht vom Fleck!«

Samson nickte. Er blickte aus riesigen Augen durch die Windschutzscheibe auf das Bild, das sich ihm bot. Er schien vollkommen verstört. John hoffte zutiefst, dass er sich an seine Anweisung hielt und im Auto blieb. Samson verfügte zweifellos über die Gabe, stets das Falsche im falschen Moment zu tun, und in einer Situation wie dieser konnte er größtes Unheil anrichten.

John stieg aus und tat ein paar vorsichtige Schritte auf die beiden Frauen zu. Im Mondlicht und im Kegel der Scheinwerfer konnte er alles in fast brutaler Deutlichkeit sehen.

Es war ein scharfzackiges Messer, das Tara Caine in der Hand hielt. Im Näherkommen erkannte er nun auch, weshalb Gillian den Hals reckte und den Kopf so völlig unbeweglich hielt: Eine Schlinge aus Draht lag um ihren Hals und wurde von Tara zusammengehalten. Er konnte sich vorstellen, wie schmerzhaft tief der Draht in die Haut schnitt und Gillian zur völligen Bewegungslosigkeit verurteilte, wollte sie den Schmerz nicht verschärfen. Sie war vollkommen wehrlos. Es gab für sie keine Chance, sich alleine zu befreien.

Allerdings: Die Pistole, mit der sie Thomas Ward erschossen hatte, schien Tara nicht zur Hand zu haben. Sie konnte ihn nicht einfach abknallen.

»Keinen Schritt näher, Burton«, sagte Tara. Ihre Stimme klang klar und befehlsgewohnt. Sie hatte alles im Griff, zumindest war sie davon überzeugt. John konnte sie sich plötzlich gut im Gerichtssaal vorstellen. Wahrscheinlich legte sie dort genau dieses Auftreten an den Tag: eine erfolgsgewisse Gelassenheit. Er überlegte, ob sie Grund hatte, sich so überlegen zu fühlen. Leider war es tatsächlich so, dass sie zumindest für den Moment die besseren Karten in den Händen hielt.

Er blieb stehen.

»Was wollen Sie?«, fragte er.

»Woher glauben Sie zu wissen, dass ich irgendetwas *will*?«, gab Tara zurück.

»Wir können uns hier jetzt auch stundenlang gegenüberstehen. Aber das bringt Sie vermutlich nicht weiter.«

»Ich kann Ihre Freundin jetzt auch auf der Stelle töten. Glauben Sie mir, Sie würden es nicht verhindern können.«

»Sicher, aber was hätten Sie davon? Ich hätte Sie eine halbe Sekunde später überwältigt, und das war es dann für Sie. Keine angenehme Perspektive, schätze ich.«

Gillian gab einen leisen Schmerzenslaut von sich. John hatte die Bewegung bemerkt: Tara hatte an der Drahtschlinge geruckt. Es war deutlich, für jeden auch nur rhetorischen Sieg, den er erzielte, würde Gillian leiden müssen. Er merkte, wie sich seine Hand unwillkürlich zur Faust ballte. Caine war brutal und skrupellos. Absolut gefährlich.

Er sah sie abwartend an.

»Den Autoschlüssel«, sagte Tara. »Ich möchte, dass Sie ihn zu mir herüberwerfen. Und zwar so, dass ich ihn mit meinem Fuß erreichen kann.«

»Den Autoschlüssel?«

»Den Autoschlüssel und Ihr Handy. Keine Ahnung, ob hier Empfang ist, aber ich möchte es nicht darauf ankommen lassen, dass Sie die Bullen anrufen, kaum habe ich Ihnen den Rücken zugewandt.«

Er begriff, was sie vorhatte. »Sie wollen mit meinem Auto fliehen. Und Gillian mitnehmen. Und mich hier stehen lassen.«

»Schlauer Junge. Immerhin haben Sie noch mein Auto, was Ihnen ein wenig Schutz vor dem Wind bieten wird. Natürlich ohne Schlüssel. Den habe ich inzwischen. Zu Fuß nach Manchester dauert es verdammt lange, und wahrscheinlich verlaufen Sie sich auch noch. Aber womöglich kommt ja auch jemand vorbei, der Sie mitnimmt. Obwohl das um diese Jahreszeit hier schon eine verdammt ausgestorbene Gegend ist.«

Leise sagte er: »Und Sie glauben ernsthaft, Sie kommen damit durch? Die Polizei des ganzen Landes sucht Sie, Staatsanwältin Caine. Man hat Ihre Mutter gefunden. Sie sind hochgradig tatverdächtig. Sie sind doch vom Fach. Sie wissen, dass Sie Ihre Lage verbessern, wenn Sie jetzt aufgeben. Wenn Sie Gillian freilassen.«

»Bringt mir gar nichts«, sagte Tara kalt. »Bei allem, was ich auf dem Gewissen habe. Ich habe nicht Ihr Glück, Burton. Dass man mir nichts nachweisen kann und dass ich überdies an die größte Niete gerate, die die Londoner Staatsanwaltschaft zu bieten hat. Damit sind *Sie* durchgekommen. *Mich* wird es anders treffen.«

»Ich hatte nichts verbrochen.«

»Die Behauptung wird nicht dadurch wahrer, dass Sie sie wiederholen.«

Er überlegte. »Ich schlage Ihnen etwas vor, Mrs. Caine. Sie haben offenbar schon selbst erkannt, dass Sie eine Geisel brauchen, wenn es auch nur die kleinste Chance für Sie geben soll, aus Ihrer prekären Situation herauszukommen. Gillian hat eine kleine Tochter, die bereits den Vater verloren hat. Bitte nehmen Sie ihr nicht auch noch die Mutter. Lassen Sie sie frei und nehmen Sie mich stattdessen mit.«

Es war ein Versuch, aber er hegte wenig Hoffnung. Tara war schlau. Allein der Austausch hier auf dieser nächtlichen Straße barg für sie viel zu viele Risiken. Auch konnte sie Gillian weit besser kontrollieren. John war einen Kopf größer als sie, er war ausgebildeter Polizist und zudem ein gut trainierter Sportler. Er war nicht einmal halb so erschöpft und verängstigt wie Gillian. Er war ein weit gefährlicherer Gegner, und Tara wusste das.

»Ihr Handy«, sagte sie anstelle einer Antwort. »Und den Schlüssel!«

Er zog sein Handy aus der Hosentasche, kauerte sich nieder und schubste es auf der Straße zu den beiden Frauen hinüber. Es schlitterte über die flache, gefrorene Schneedecke und blieb direkt vor Taras rechtem Fuß liegen.

»Sehr schön. Den Schlüssel!«

John richtete sich wieder auf. »Den habe ich stecken lassen.«

»Dann holen Sie ihn. Ich steige nicht in das verdammte Auto, um dann festzustellen, dass Sie mich belogen haben. Ich will den Schlüssel *haben*!«

Rückwärts ging er zu seinem Auto zurück.

Sie hat noch nicht bemerkt, dass ich einen Beifahrer habe, dachte er, sonst hätte sie ihn bereits aussteigen oder ihn den Schlüssel bringen lassen. Klar, die Scheinwerfer blenden sie. Sie kann nichts dahinter erkennen.

Er überlegte, ob sich daraus ein Vorteil schlagen ließ. Die Tatsache, dass Tara Caine glaubte, nur einen Gegner zu haben, während es in Wahrheit zwei waren, hätte ein Ass im Ärmel sein können. Wenn das Ass nicht ausgerechnet Samson Segal gewesen wäre.

Erst neben seinem Wagen drehte er sich um und öffnete die Fahrertür. Es gelang ihm nur in letzter Sekunde, einen Laut der Überraschung zurückzuhalten: Der Beifahrersitz war leer.

Der Rücksitz auch, wie er mit einem raschen Blick feststellte, ebenso der Kofferraum.

Samson Segal hatte das Auto verlassen. Zweifellos durch die Heckklappe. Das hätte John ihm absolut nicht zugetraut. Er musste den Schalter für die Entriegelung neben dem Lenkrad entdeckt und betätigt haben, hatte sich dann nach hinten geschlängelt und durch eine nur einen Spalt breit geöffnete Heckklappe auf die Straße gerollt.

Und dann? Was hatte er vor?

John fühlte sich tief beunruhigt. Es gab ein paar Büsche rechts und links, kahl zwar um diese Jahreszeit, aber vom Schnee in dicke, große Schneebälle verwandelt. Irgendwo dahinter musste er sich herumdrücken, etwas anderes war nach menschlichem Ermessen nicht denkbar.

Das konnte verdammt in die Hose gehen.

Ich hatte ihm gesagt, er soll sich nicht bewegen, dachte er wütend. Der kann was erleben, wenn ich ihn erwische.

»Wird's bald?«, rief Tara.

Er zog den Schlüssel ab.

Er hoffte, dass Samson nicht irgendetwas Verrücktes vorhatte. Es war ein denkbar ungünstiger Moment, sich zum Helden aufzuschwingen. Er war hoffnungslos verliebt in Gillian und sicher wild darauf, sich zu ihrem Retter zu machen, aber das konnte eigentlich nur in einem Fiasko enden.

Ich hätte ihn nicht mitnehmen sollen. Es war von Anfang an keine gute Idee.

Mit dem Schlüssel in der Hand näherte er sich langsam den beiden Frauen. Gern hätte er mit den Augen das Gelände rechts und links der Straße abgesucht, um Samson zu erspähen und sich eine Vorstellung davon zu machen, was dieser plante, aber er wagte es nicht. Tara hätte bemerkt, dass er nach irgendetwas oder irgendjemandem Ausschau hielt. Wenn er einen Fehler keinesfalls machen durfte, dann den, Tara Caine zu unterschätzen.

»Alles klar«, sagte er, »ich habe jetzt hier den Schlüssel.«

»Her damit. Auf demselben Weg wie das Handy!«

Er ließ den Schlüssel über den Schnee rutschen. Er zielte dabei so, dass er ein gutes Stück von dem Handy entfernt landete. Er brauchte Tara die Situation nicht zu erleichtern.

»Eine Knarre haben Sie nicht zufällig, Exbulle?«, fragte Tara.

»Nein.«

»Ziehen Sie Ihre Jacke aus und werfen Sie sie schön weit von sich!«

Er tat, wie ihm geheißen. Mit den Augen tastete sie seinen Pullover ab, konnte jedoch nirgends die verräterische Ausbuchtung eines Pistolenhalfters erkennen. Damit musste sie sich zufriedengeben, eine genauere Untersuchung ließen die Umstände nicht zu.

John sah, dass Tara ganz langsam in die Hocke ging. Mit der Drahtschlinge zwang sie Gillian, jede ihrer Bewegungen mitzumachen. Das Messer blieb direkt an Gillians Hals. Dennoch würde es gleich einen kritischen Moment geben – kritisch für Tara. Sie hatte nur zwei Hände. Mit der einen musste sie die Drahtschlinge halten. Mit der anderen musste sie zunächst das Handy greifen und in die Tasche stecken. Und dann musste sie sich ziemlich verrenken, um an den Schlüssel zu kommen. Würde sie das Messer zwischen die Zähne nehmen? Oder in die andere Hand? John wusste, das war der Augenblick, an dem man sie überwältigen konnte, weil sie nicht imstande war, reflexartig zuzustechen. Es war vielleicht die einzige Chance, die sich bot. Er schätzte die Entfernung zwischen sich und den beiden Frauen ab. Zu weit. Er würde nicht schnell genug da sein.

Als könnte Tara Gedanken lesen, verharrte sie plötzlich, noch ehe sie nach dem Telefon gegriffen hatte.

»Zurück«, sagte sie. »Bis zum Auto! Und zwar sofort!«

Sie begleitete den Befehl mit einem Rucken an der Drahtschlinge. Gillian stöhnte, griff unwillkürlich mit beiden Händen an ihren Hals, ohne dass es ihr gelang, einen Finger zwischen Draht und Haut zu schieben. Die Schlinge lag zu eng.

John blieb nichts übrig, als sich zu fügen. Langsam wich er zurück.

»So ist es gut«, sagte Tara, als er neben dem Auto stand. Vorsichtig nahm sie das Messer in die Hand, mit der sie die Schlinge hielt. Mit der anderen ergriff sie das Handy und schob es in ihre Jackentasche.

Dann versuchte sie, den Schlüssel zu erreichen. Es gelang ihr nicht. Er lag zu weit entfernt.

In diesem Moment sah John, dass Samson hinter dem Jaguar auftauchte. Er hatte sich tatsächlich unbemerkt entlang der Büsche an den beiden Frauen vorbeigeschlichen, hatte das Auto umrundet und stand jetzt hinter ihnen. Er befand sich nur wenige Schritte von ihnen entfernt. Er besaß nun alle die Vorteile, die John gebraucht hätte, um Tara zu überwältigen: Er war vor allen Dingen dicht genug an ihr dran. Hinzu kam, dass sie nichts von ihm wusste. Wenn er es geschickt anstellte, konnte er noch näher kommen, ohne dass sie ihn bemerkte.

Wenn er es geschickt anstellte...

Der Begriff *geschickt* im Zusammenhang mit Samson erschien absurd, dennoch klammerte sich John nun an diese winzige Hoffnung, die es trotz allem gab. Er selbst hatte nichts anderes tun können, als Taras Befehle auszuführen, und nun stand er hier und war dazu verurteilt, abzuwarten, was als Nächstes geschehen würde. Samson immerhin hatte die Zeit genutzt, sich in eine vorteilhafte Position zu bringen. Der Mann hatte Potenzial. Er durfte jetzt nur nicht seine Chancen wieder verspielen.

Tara richtete sich notgedrungen wieder auf, zerrte Gillian mit hoch.

Sie musste sich etwa zwei Schritte weit zur Seite bewegen, um den Schlüssel greifen zu können. John konnte die Wut auf ihrem Gesicht erkennen. Sie wusste natürlich, dass er absichtlich so schlecht gezielt hatte.

Jetzt, dachte John, jetzt!

Vielleicht hatte die Gedankenübertragung funktioniert. Samson sprintete plötzlich los. Er, der stets zögerlich, zaudernd, ängstlich agierte, schoss förmlich nach vorne. Er hatte die beiden Frauen in weniger als einer Sekunde erreicht, genau in dem Augenblick, da Tara die Bewegung in ihrem

Rücken gehört oder gespürt hatte und herumfuhr. Er prallte mit so viel Wucht gegen sie, dass sie an Gegenwehr nicht mehr denken konnte. Sie ließ Gillian los und fiel zu Boden. Das Messer hielt sie noch immer fest umklammert, und es konnte nur noch eine Sekunde dauern, ehe sie es dem von seiner eigenen Courage überwältigten und nun völlig erstarrten Samson zwischen die Rippen stoßen würde.

Aber jetzt war auch John zur Stelle. Er stieß Samson zur Seite, kniete auf Taras Brustkorb und entwand ihr mit einem einzigen geschickten Griff die Waffe. Dann sprang er auf und zog Tara langsam auf die Füße, während er ihren Arm auf den Rücken bog.

»Keine falsche Bewegung«, warnte er, »sonst wird es schmerzhaft.«

Sie schien plötzlich wie betäubt, denn weder sagte sie etwas noch unternahm sie einen Versuch, sich ihm zu widersetzen.

Sie war besiegt, und für den Moment war sie zu keiner Vorstellung fähig, wie sie daran noch etwas ändern könnte.

Dennoch ließ John nicht für eine Sekunde in seiner Vorsicht nach. Sie war eine gefährliche Gegnerin, immer noch. Und sie hatte absolut nichts mehr zu verlieren.

»Wir gehen jetzt zu meinem Auto«, sagte er, »und zwar langsam. Schritt für Schritt. Befolgen Sie alles, was ich Ihnen sage, dann muss ich Ihnen nicht wehtun. Okay?«

Sie nickte.

Er hätte sich gern um Gillian gekümmert, aber das musste warten. Ihrer aller Sicherheit ging jetzt vor. Aus den Augenwinkeln sah er, dass sie mitten auf der Straße kauerte, mindestens ebenso geschockt wie Tara. Aber sie hatte bereits einen Tröster gefunden: Samson saß neben ihr und hielt sie im Arm. Unbeholfen strich er ihr über die Haare. Sie weinte nicht, aber sie hatte den Kopf an seine Schulter gelegt, in einer Geste, die weniger Schutzbedürfnis verriet als völlige Übermüdung und restlose Erschöpfung.

Samson sah benommen aus. Ergriffen.

John gönnte es ihm von ganzem Herzen.

Vielleicht war es der größte Moment im Leben des Samson Segal. Und er hatte ihn sich wirklich verdient.

Als er in die Thorpe Hall Avenue einbog, merkte John, dass sich tatsächlich etwas wie Balsam auf seine Seele legte. Er musste grinsen über die Erkenntnis, dass er – ausgerechnet er – auf gepflegte Einfamilienhäuser, hübsche Vorgärten, heimelige Straßen und baumbestandene Parks mit einem Gefühl des Friedens reagierte. Die Gehsteige waren sauber geschippt, in manchen Gärten standen Schneemänner, auf den kahlen Sträuchern und auf den Gartenzäunen lagen dicke Schneehauben. Es hatte seit Tagen keinen Neuschnee mehr gegeben, aber unter dem kalten Nordwind war alles in Eis erstarrt. In der nächsten Woche sollte es wärmer werden, und dann würde die glitzernde Pracht schnell wegtauen, die Schneereste an den Straßenrändern würden schmutzig und unansehnlich sein, und bald würde der Februar mit seinem Schmuddelwetter Einzug halten. Aber an diesem Tag sah die ganze Gegend aus wie ein Wintermärchen.

Er hoffte, dass Gillian ihm nicht den Kopf abreißen würde, wenn er jetzt plötzlich bei ihr auftauchte. Sie hatte ihm gesagt, dass sie nachmittags den Zug nach Norwich nehmen wolle und bis etwa halb drei zu Hause sei. Nun hoffte er, dass er sie vielleicht zum Bahnhof bringen durfte. Er hatte sie am Vortag angerufen und ihr gesagt, dass er ein Gespräch mit seiner früheren Kollegin Sergeant McMarrow in Scotland Yard führen wolle, und daraufhin hatte Gillian ihn gebeten, sie anzurufen, falls er etwas Neues über Tara, die nach London überstellt worden war, herausfand. Er hatte ihr das nur zu gerne versprochen. Jede Gelegenheit, mit ihr Kontakt aufzunehmen, war ihm willkommen.

Er hatte Christy vor allem getroffen, um sich bei ihr zu entschuldigen, aber das musste Gillian nicht wissen. Natürlich hatte er zudem über alles Mögliche mit ihr gesprochen. Auch über Samson.

»Ich kann dir nicht versprechen, dass du keinen Ärger bekommst«, hatte sie gesagt. »Segal wurde polizeilich gesucht, und du hast ihm Unterschlupf gewährt. Ganz gleich, wie die Sache nun ausgegangen ist, ich muss dir nicht sagen, dass …«

»Klar«, hatte er sie unterbrochen. »Ich weiß.«

»Ich lege natürlich ein gutes Wort für dich ein. Und für Segal auch. Wenn ich das alles richtig verstanden habe, hat er euch rausgehauen, dort oben im Peak District.«

»Das hat er. Keine Ahnung, wie das sonst ausgegangen wäre.«

Sie hatte ihn aus schmalen Augen gemustert. »Wie ich neulich schon sagte, du warst verdammt gut informiert, John. Wenn du nicht zufällig über hellseherische Fähigkeiten verfügst, was ich, offen gesagt, nicht glaube, dann wusstest du über Details Bescheid, die dir eigentlich nicht zugänglich sein konnten. Ich vermute, du willst dazu noch immer keine Angaben machen?«

»Nein.«

»Das dachte ich mir«, gab sie zu.

»Was ist mit Caine?«, fragte er.

»Die sitzt in Untersuchungshaft. Wir haben Gillian Wards Aussage über all das, was Tara Caine ihr erzählt hat. Sie hat aber auch bei uns inzwischen ein Geständnis abgelegt.«

»Da kommt einiges zusammen.«

»Das kannst du laut sagen.« Christy zählte es an den Fingern auf: »Mord an Lucy Caine-Roslin. Mord an Carla Roberts. Mord an Dr. Anne Westley. Mord an Thomas Ward. Die Entführung und versuchte Ermordung von Gillian Ward. Das reicht für mehrfach lebenslänglich. Es ist verrückt, nicht? Diese beherrschte, immer so seriös wirkende Frau. Aber genau diese Ausstrahlung dürfte ihr den Weg geebnet haben. Carla Roberts kannte sie nicht persönlich, aber sie hat ihr vermutlich deshalb die Tür geöffnet: Weil sie so überaus vertrauenerweckend schien.«

Er kannte inzwischen die ganze Geschichte von Gillian. Noch in der Nacht damals im Peak District hatte sie ihm alles erzählt, aufgeregt und verzweifelt und – trotz allem – voller Mitleid für die Frau, die ihre beste Freundin gewesen war.

»Tara Caine ist selbst ein Opfer«, sagte er nun. »Sie hat Schreckliches mitgemacht. Die Gewissheit, dass sie für den Rest ihres Lebens ins Gefängnis gehen wird, hinterlässt kein wirklich gutes Gefühl.«

Christy zuckte die Schultern. »So ist das eben manchmal. Wann sind die Dinge schon einfach schwarz oder weiß? Und vergiss nicht, dass drei völlig unschuldige Menschen bei all dem ihr Leben lassen mussten. Carla Roberts und Anne Westley waren zwei absolut harmlose ältere Frauen, die die Notlage eines anderen Menschen nicht erkannt oder falsch eingeschätzt haben, die sich aber darüber hinaus nichts haben zuschulden kommen lassen. Thomas Ward hatte ebenfalls niemandem ein Haar gekrümmt, war aber einer Wahnsinnigen auf ihrem Rachefeldzug zufällig in die Quere gekommen. Was die alte Caine-Roslin betrifft: Sie mag eine jämmerliche Mutter gewesen sein, und sie hätte natürlich schon vor langen Jahren ins Gefängnis gehört für das, was sie ihrer Tochter angetan hat. Aber so, wie Tara Caine das Problem gelöst hat, geht es nicht. Sie durfte sie nicht einfach umbringen, wie verständlich es sein mag. Das kann unsere Gesellschaft nicht zulassen.«

»Ich weiß. Natürlich weiß ich das.«

Er bremste seinen Wagen vor Gillians Haus. Mit seinem Erker zum Vorgarten hin und den Sprossenfenstern sah es inmitten des vielen Schnees wie ein Zuckerbäckerhaus aus. Er konnte verstehen, dass sie dort nicht mehr wohnen wollte. Abgesehen davon, dass sie ihren Mann erschossen im Esszimmer aufgefunden hatte, was den Aufenthalt zumindest in jenem Raum ziemlich unerträglich machen dürfte, passte das Haus auch nicht mehr zu ihr. Das idyllische, kleine Nest für sie und ihre Familie. Giebel und Türmchen und im Garten ein paar Obstbäume.

Diese Zeit lag für immer hinter ihr. Auf eine denkbar grausame Art war sie zu einem anderen Menschen geworden.

Er stieg aus, ging den Gartenweg entlang, klingelte an der Tür. Er hoffte, dass sie nicht doch früher als geplant abgereist war. Doch da wurde ihm bereits geöffnet.

Gillian.

Es war kurz nach zwei Uhr, und er hatte erwartet, sie mehr oder weniger reisefertig zu sehen. Aber sie stand in schwarzen Leggins und dickem Pullover vor ihm, die nackten Füße steckten in unförmigen Pantoffeln.

»Oh«, sagte sie, »ich hatte nicht mit Besuch gerechnet.«

»Tut mir leid, dass ich einfach so hier aufkreuze. Aber ich dachte… na ja…« Er ärgerte sich, dass er plötzlich herumstotterte wie ein achtzehnjähriger verlegener Junge. »Ich wollte dich gern noch einmal sehen. Und ich könnte dich auch zum Bahnhof fahren, wenn du möchtest.«

»Komm doch rein«, sagte sie.

Er trat ins Haus. Noch immer stapelten sich die Umzugs-kartons in der Diele. Allerdings sah er keinen Koffer, keine Reisetasche.

»Ich fahre nicht nach Norwich«, erklärte sie.

»Nicht?«

»Nein. Ich habe heute Morgen mit meinen Eltern telefo-niert. Sie bringen Becky und Chuck am Wochenende hier-her. Ab Anfang Februar muss Becky unbedingt in die Schule gehen, und davor sollten wir etwas Zeit haben, uns wieder aneinander zu gewöhnen.«

Er starrte sie an.

»Möchtest du einen Espresso?«, fragte sie.

»Ja, gern.« Er folgte ihr in die Küche. »Was heißt das, Gillian? Sie soll *hier* wieder in die Schule gehen?«

»Zunächst auf jeden Fall. Bis ich das Haus verkauft und etwas anderes gefunden habe.« Sie füllte Kaffeebohnen in die Maschine. »Ich werde nicht nach Norwich ziehen.«

»Nicht?«, wiederholte er.

»Nein. Ich habe gestern Abend lange nachgedacht. Und heute Nacht auch. Es fühlt sich nicht stimmig an, weißt du. Zurück in die Heimat. In die Nähe meiner Eltern. Ich dachte, ich könnte dort Frieden finden und Geborgenheit. Aber jetzt weiß ich, beides finde ich sowieso nicht mehr. Auf absehbare Zeit jedenfalls nicht.« Sie schob die kleinen Espressotassen an ihren Platz und schaltete die Maschine ein. »Ich kann nicht in die Obhut meiner Familie zurück.« Sie überlegte und fügte dann hinzu: »Es wäre genau das Falsche. Ich habe mich nicht besonders erwachsen benom-men, bevor das ... das mit Tom passierte, und genau das muss sich ändern. Ich muss endlich erwachsen werden.«

»Ich kann nachvollziehen, was du meinst«, sagte John. »Aber ich finde, dass du dich verdammt erwachsen verhalten hast in den letzten Tagen. Was immer vorher war und ganz gleich, wie gnadenlos du jetzt mit dir ins Gericht gehst. In diesem ganzen Albtraum, in den wir alle geraten sind, warst du zu jeder einzelnen Minute stark. Und sehr mutig.«

Genau deshalb hatte er, was ihre Zukunft anging, ähnliche Gedanken gehabt wie sie, gerade eben beim Anblick ihres Märchenhäuschens. Es passte nicht mehr. Nach allem, was Gillian zugestoßen war, konnte sie nur noch nach vorne blicken. Sie konnte nicht auf der Stelle verharren, sie konnte auch nirgends hin zurück.

»Ich bewundere dich«, sagte er leise.

Sie reichte ihm seinen Kaffee. »Ich habe mir gedacht, ich suche eine Wohnung für mich, Becky und Chuck in London. Ich werde die Firma nicht verkaufen, sondern sie von nun an eben allein führen. Es wird hart und anstrengend werden, und da ist es wichtig, dass ich einen kurzen Heimweg habe, denn ich muss mich ja auch um Becky kümmern. Aber es wird schon gehen. Andere alleinerziehende Mütter bewältigen solche Situationen schließlich auch.«

»Natürlich wird es gehen. Du kriegst das hin.« Er musste an sich halten, nicht zu viel Freude, Erleichterung, ja: *Glück* in seine Stimme zu legen. Sie blieb. Sie kam sogar nach London. Er atmete tief durch. Sein Herz schlug schnell und hart.

Sie spürte, was in ihm vorging. »John …«

Und er wusste, was sie sagen wollte. »Ich weiß, dass du Zeit brauchst, Gillian. Aber wir könnten vielleicht mal was zusammen trinken gehen. Oder essen? Wir könnten einander besser kennenlernen. Ich meine, bisher …«

»… haben wir nur miteinander geschlafen«, vollendete Gillian, als er stockte. »Ja, kennenlernen wäre schön. Aber ich kann dir nichts versprechen, John.«

»Natürlich nicht. Ich will ja auch nur eine Chance. Mehr

nicht.« Er trank seinen Espresso, stellte die Tasse dann auf den Tisch. Er hoffte, dass dies nicht die einzigen weiteren Begegnungen zwischen ihnen wären, Begegnungen wie an diesem Tag und wie in der Woche davor: Er kam unangemeldet und unaufgefordert vorbei, sie war höflich genug, ihm einen Kaffee anzubieten, und dann musste er sich verabschieden. Er wollte so viel mehr. Jetzt, in diesem Moment, hätte er Gillian so gern in seine Arme gezogen, sein Gesicht in ihren Haaren vergraben. Ihren Herzschlag gespürt. Aber er wusste, dass der nächste Schritt nur von ihr ausgehen konnte. Alles andere hätte zu nichts geführt.

»Eine Chance bekommst du auf jeden Fall«, sagte Gillian mit weicher Stimme. Sie lächelte voller Wärme. »Ich verdanke dir mein Leben, John. Die Polizei hätte uns niemals rechtzeitig gefunden. Wärest du nicht …«

»Nein!« Er legte kurz seinen Finger auf ihre Lippen. »Nicht! Du hast dich schon in jener Nacht im Peak District hundert Mal bedankt. Es ist in Ordnung. Ich möchte nicht …«

»Was?«

»Was auch immer in Zukunft zwischen uns sein wird, ich möchte nicht, dass es von Dankbarkeit bestimmt ist. Ich meine, im Falle, dass du mich irgendwann anrufst, um dich mit mir zu verabreden, worauf ich zutiefst hoffe, dann tu das nicht, weil du denkst, es mir schuldig zu sein. Das wäre schrecklich. Tu es nur, wenn du es wirklich möchtest.«

Sie nickte. »*Das* kann ich dir versprechen.«

Sie schwiegen beide ein paar Augenblicke lang, dann sagte John: »Ich gehe dann jetzt besser. Du hast sicher eine Menge zu tun.«

»Gibt es etwas Neues von Tara?«

»Sie ist in Untersuchungshaft. Hat aber auch der Polizei gegenüber alles gestanden.«

»Sie tut mir so leid. Ich weiß, dass sie unverzeihliche Dinge getan hat, aber ich kann nicht anders, John: Ich sehe sie immer als Opfer. Nicht als Täter.«

»Trotzdem kann man sie nicht frei herumlaufen lassen. Sie ist schwer krank, und sie stellt eine massive Bedrohung dar. Aber sie wird nun auch die psychologische Hilfe bekommen, die sie seit Jahren gebraucht hätte.«

»Wenn es geht, werde ich sie einmal besuchen. Später.«

»Das geht sicher.«

»Was ist mit der Frau, die alles ausgelöst hat? Liza Stanford?«

John hatte mit Christy auch über Liza gesprochen.

»Liza hat Anzeige gegen ihren Mann erstattet«, berichtete er. »Die Polizei hat sie in einem Frauenhaus untergebracht. Ihr Sohn ist bei ihr. Natürlich wird das alles nicht so einfach. Sie muss die Anschuldigungen gegen ihn beweisen. Dr. Westley, die eine gute Zeugin abgegeben hätte, ist tot. Und Staatsanwältin Caine, deren Aussage ebenfalls Gewicht gehabt hätte, sitzt wegen vierfachen Mordes im Gefängnis. Stanford selbst wird sich mit ganzen Heerscharen hochkarätiger Anwälte umgeben. Leider liegen die Dinge nicht allzu ungünstig für ihn, aber das bleibt alles abzuwarten. Hauptsache, sie geht nicht zu ihm zurück. Das hoffe ich zutiefst.«

»Eigentlich war sie nur ein kleiner Stein am Wegrand. Und hat eine solche Kette schrecklicher Dinge in Bewegung gesetzt.«

»Sie war der Auslöser, das stimmt«, sagte John. »Aber was da in Tara Caine brodelte und seit Jahrzehnten unterdrückt wurde, hatte eine Dimension angenommen, die nur ein kleines Ventil brauchte. Wäre es Liza Stanford nicht gewesen, dann hätte Caine jemand anderen oder etwas anderes gefunden. So oder so, es hätte eine Eskalation gegeben. Meiner Ansicht nach war das nicht zu verhindern.«

Er hatte recht, das wusste Gillian. Und sie wusste auch, dass Tara immer weitergemacht hätte. Sie hatte noch den erschütternden Satz im Ohr, den Tara in jener Nacht im Dark Peak zu ihr gesagt hatte: *Ich kann nicht aufhören, meine Mutter zu töten.*

Es mochte ein aufrichtiges Anliegen gewesen sein, als sie beschloss, der verzweifelten Liza Stanford zu helfen, aber spätestens seit dem Mord an Lucy Caine war der Kampf gegen den Tatbestand der unterlassenen Hilfeleistung zur Befriedigung ihres ureigensten Bedürfnisses nach Vergeltung geworden. Tara hatte begonnen, nach Opfern förmlich zu suchen. Carla Roberts und Anne Westley waren ihr äußerst gelegen gekommen. Schon ihr selbst, Gillian, gegenüber hatte sie sich einer ziemlich mühsamen Konstruktion bedienen müssen, um ihr Vorhaben vor sich selbst zu rechtfertigen: Becky zu schützen vor dem Liebhaber ihrer Mutter, dem niemals jemand eine Straftat hatte nachweisen können. Wahrscheinlich wäre sie immer großzügiger darin geworden, harmlose Menschen zu ihren persönlichen Gegnern zu erklären, und es wäre wohl auch nicht noch einmal vorgekommen, dass sie, so wie angeblich bei Gillian, von einem Vorhaben Abstand genommen hätte. Zumal es in diesem Fall, wie Gillian vermutete, hauptsächlich daran gelegen hatte, dass Tara bereits zweimal gescheitert war: Vielleicht hatten sie einfach nur kurzfristig die Nerven verlassen.

Gillian begleitete John zur Tür. Er empfand es als einen Akt der Selbstverleugnung, jetzt zu gehen, aber zugleich wusste er, dass es richtig war.

»Du meldest dich?«, fragte er. »Lass mich deine neue Adresse wissen, ja?«

»Ja«, versprach sie.

Er hob die Hand, strich ihr über die Wange, dann ging er den Weg entlang zu seinem Auto.

Als er sich noch einmal umdrehte, hatte sie die Tür schon wieder geschlossen.

Er war trotzdem glücklich. Geradezu schreiend glücklich.

Er blickte die Straße entlang und sah Samson auf sich zukommen. Mit dicker Wollmütze, die er sich tief in die Stirn gezogen hatte, und einem Schal, den er mehrfach um den Hals geschlungen trug. Er wirkte betont unbeteiligt und zufällig, wie er dahergeschlendert kam, aber John dachte sofort: Er tut es schon wieder. Er lungert schon wieder um Gillians Haus herum. Als ob ihm das nicht bereits genug Ärger eingebracht hätte!

»Hallo, Samson«, sagte er.

Wie immer, wenn er angesprochen wurde, wirkte Samson irgendwie erschrocken. »Oh, John«, sagte er dann jedoch. Er machte eine Kopfbewegung in Richtung des Hauses. »Alles in Ordnung m…mit Gillian?«

»Alles in Ordnung.«

»Schade, dass sie so weit weg zieht.«

»Ja…«, sagte John unbestimmt. Er hatte keine Lust, Samson von Gillians geänderten Plänen in Kenntnis zu setzen. Sollte Gillian das selber tun. Oder Samson musste es eben herausfinden.

»Ich gehe ein wenig spazieren«, erläuterte Samson. Er sah sorgenvoll und bekümmert aus. John blickte zum Ende der Straße, zu dem schäbigeren Ende, dort, wo Samson wohnte.

»Wie geht es so daheim?«, erkundigte er sich. »Es war ja wohl nun eine Entschuldigung fällig von Seiten Ihrer Schwägerin?«

Samson schüttelte den Kopf. »Die hat sich nicht entschuldigt. Würde die nie tun. Sie hat mir nur Vorwürfe gemacht, weil ich weggelaufen bin. Und war böse, weil ich wieder da bin.«

»Sie sollte sich eigentlich schämen.«

»Eigentlich w…war es aber gut, was sie getan hat«, sagte Samson. »Ich meine, dass sie mich angezeigt hat. Sonst hätte ich mich nicht verstecken müssen. Und ich wäre nicht mit Ihnen in den Peak District gefahren. Und wer weiß, wie dann alles ausgegangen wäre.«

»So gesehen«, meinte John, »sollten wir Ihrer Schwägerin tatsächlich dankbar sein.« Er ließ die Tatsache unter den Tisch fallen, dass ohne Samsons unbedachten Anruf bei Gillian Tara Caine vielleicht gar nicht derart in die Enge getrieben worden wäre, dass sie die Flucht hinauf in den Norden zusammen mit einer Geisel als einzige Rettung ansah. Er gönnte Samson das Gefühl, ein Held gewesen zu sein.

»Trotzdem«, fuhr er fort, »wie lange wollen Sie sich das noch antun, Samson? Sich in Ihrer Familie als fünftes Rad am Wagen fühlen und sich in andere Welten träumen, weil die Realität so schwer zu ertragen ist?«

Im nächsten Moment taten ihm seine Worte leid. »Entschuldigung. Geht mich ja eigentlich nichts an.«

»Doch. Ich meine, kein Problem«, versicherte Samson. »Sie haben ja recht.«

John sah ihn an und dachte an die Nacht im Peak District. Es mutete tatsächlich seltsam an, sich diesen linkischen, stotternden, unsicheren Mann als einen Retter in der Not vorzustellen, aber John musste es sich glücklicherweise nicht *vorstellen*, er *wusste*, wie es gewesen war. Samson hatte mutig und klug gehandelt, beherzt und dennoch bedacht. Er verdiente es, dass ihm endlich jemand eine Chance gab.

»Wissen Sie, ich habe mir da etwas überlegt«, sagte John.

Es stimmte nicht, der Gedanke war ihm gerade eben erst gekommen. »Bei mir hat letzten Freitag ein Mitarbeiter gekündigt. Das heißt, ich hätte eine freie Stelle anzubieten. Wie wäre es?«

Samson klappte der Unterkiefer hinunter. »Meinen Sie, dass ich …?«

»Sie haben doch gerade erst bewiesen, dass Sie in kritischen Momenten einen kühlen Kopf bewahren und genau das Richtige im richtigen Augenblick tun«, sagte John. »Und ich kann Ihnen versichern, die Situationen, in die die Mitarbeiter meiner Firma geraten können, sind in der Regel weit weniger gefährlich. Möchten Sie es nicht einfach versuchen?«

Samson konnte es noch immer kaum glauben. »Das wäre … das wäre …«

»Sie brauchen eine Arbeit«, sagte John, »und wenn ich Ihnen noch etwas raten darf: Ziehen Sie endlich bei Ihrem Bruder aus. Lassen Sie sich Ihren Anteil am Erbe auszahlen, was Ihr Bruder sicher bewerkstelligen kann, indem er einen Kredit auf das Haus nimmt. Und dann suchen Sie sich etwas in der Nähe Ihres neuen Arbeitsplatzes. Eine kleine Wohnung, in der Sie sich wirklich daheim fühlen können. Es ist an der Zeit …« Er stockte. Er hasste es, wenn sich andere Menschen in sein Leben mischten, aber genau das tat er selbst gerade bei Samson.

»Was?«, fragte Samson.

»Es wäre jetzt der richtige Zeitpunkt, ein neues Leben zu beginnen«, sagte John.

Im Stillen fügte er hinzu: *Für uns alle.*

»Da haben Sie recht«, sagte Samson. Er brachte den Satz tatsächlich selbstbewusst, ohne zu zögern oder zu stottern, über die Lippen. Er stand da im hellen Sonnenlicht des

Wintertages, und es war, als habe sich bereits etwas in ihm verändert.

»Ja, Sie haben wirklich recht«, wiederholte er.

Er lächelte plötzlich, und John begriff, dass er Zeuge eines seltenen Momentes wurde: Samson war glücklich.

CHARLOTTE LINK
Der Beobachter

Charlotte Link

Der Beobachter

Roman

blanvalet

Verlagsgruppe Random House FSC-DEU-0100
Das FSC®-zertifizierte Papier *Holmen Book Cream* für dieses Buch
liefert Holmen Paper, Hallstavik, Schweden.

1. Auflage
Originalausgabe Januar 2012 bei Blanvalet, einem Unternehmen
der Verlagsgruppe Random House GmbH, München
Copyright © 2012 by Blanvalet Verlag, München,
in der Verlagsgruppe Random House GmbH
Umschlaggestaltung: © bürosüd°, München
Umschlagmotive: plainpicture/Tony Watson
Lektorat: NB
Herstellung: sam
Satz: Uhl + Massopust, Aalen
Druck und Bindung: GGP Media GmbH, Pößneck
Printed in Germany
ISBN 978-3-442-36726-9

www.blanvalet.de